Diccionario de retórica, crítica y terminología literaria

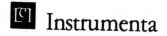
Instrumenta

Letras e Ideas

Colección dirigida por
FRANCISCO RICO

ANGELO MARCHESE
Y JOAQUÍN FORRADELLAS

DICCIONARIO DE RETÓRICA, CRÍTICA Y TERMINOLOGÍA LITERARIA

EDITORIAL ARIEL, S. A.
BARCELONA

Título original:
Dizionario di retorica e di stilistica

Versión castellana de
Joaquín Forradellas

1.ª edición: diciembre 1986
2.ª edición: enero 1989
3.ª edición: octubre 1991
4.ª edición: julio 1994
5.ª edición: septiembre 1997
6.ª edición: octubre 1998
7.ª edición: febrero 2000

© 1978: Arnoldo Mondadori Editore S.p.A., Milán

Derechos exclusivos de edición en español
reservados para todo el mundo
y propiedad de la traducción:
© 1986 y 2000: Editorial Ariel, S. A.
Córcega, 270 - 08008 Barcelona

ISBN: 84-344-8386-6

Depósito legal: B. 113 - 2000

Impreso en España

PRÓLOGO A LA EDICIÓN ESPAÑOLA

La profunda renovación que se ha producido y se está produciendo en el terreno de los métodos de la investigación literaria en el curso de los últimos tiempos, los muy distintos caminos que ésta ha seguido, se han acompañado de una modificación muy amplia del vocabulario usado por los estudiosos, de una aparición de términos nuevos —en algún caso procedentes de un concepto interdisciplinar, muy descuidado en nuestro país— y de una distinta delimitación de los territorios que abarcan los provenientes de la antigua retórica o preceptiva literaria, a veces por la necesidad de redefinirlos desde perspectivas científicamente mejor trazadas. Esta situación provoca entre los estudiantes (y entre los que nos acercamos con curiosidad al fenómeno literario) una cierta ansiedad, nacida de la conciencia de un aprendizaje obligatoriamente limitado y de la imposibilidad de acudir a los innúmeros trabajos —en muchos casos aparecidos en fuentes bibliográficas inaccesibles— que ahora se están realizando en muy distintas direcciones.

Por ello, si se quiere por la conciencia de mis propias limitaciones (y no es esto una *excusatio pro infirmitatem,* sino constatación de una realidad en que me reconozco) y porque la lección de este libro me ha servido para enriquecer mi visión de aficionado a la lectura y me ha obligado a volverme hacia alguna de sus fuentes manifestadas, cuando se me propuso adecuar para la lengua española el *Diccionario* del profesor Marchese, síntesis y visible resultado de un muy considerable número de cuidadosas lecturas teóricas contrastadas en investigaciones personales, efectuadas en un país hoy puntero en la teoría y pragmática semiológica y hermenéutica, me pareció que podría cumplir con ello una tarea, si no necesaria —como lo había sido para mí—, por lo menos útil para alguno. Y, acaso con osadía, la emprendí.

Mi oficio de adaptador ha consistido, en primer lugar, en tratar de adecuarme, en la medida de mis fuerzas, a los presupuestos metodológicos en que se apoya el profesor Marchese; después, en la búsqueda de ejemplos de autores hispánicos que pudieran sustituir a los italianos propuestos por el autor: el lector verá que hemos mantenido los procedentes de Dante, Petrarca, Boccaccio y Ariosto, porque pensamos que forman o deberían formar parte de nuestra cultura —salvo, acaso y hoy, por el idioma— tanto como de la italiana; pero hemos procurado siempre ofrecer a su lado algún equivalente en castellano. He retocado con suma levedad, cuando lo he hecho, los artículos que se refieren a lingüística, semiología y narratología, añadiendo sólo algunas precisiones tomadas de ensayos posteriores a la edición del original italiano (por ejemplo, *Semiótica* de Greimas y Courtés, o los *Principios de Análisis del texto literario* de Segre) o de estudiosos, sobre todo hispánicos o portugueses que Marchese no aduce en su bibliografía porque pudo no conocerlos.

La reforma, como es natural, ha sido mucho más amplia en lo que se refiere a la retórica y estilística —sería injusto olvidar a los dos maestros Alonso y a los hombres que han aprendido con ellos—, a la métrica, a las formas poéticas y a los subgéneros literarios, que responden a leyes estructurales y diacrónicas diferentes en cada una de las dos culturas. Señalemos, como caso extremo, el caso del soneto, forma procedente de la literatura italiana, pero muerta en ella, mientras que está vivísima en castellano, catalán o portugués. He suprimido términos que no existen en nuestra tradición —*allotrio*, término croceano no admitido por la crítica estilística de nuestros países, *frottola* o *metrica barbara*, intentada muy parcamente sólo por Villegas, Jaimes Freyre o, con otro fin y fundamento, por Unamuno. Y hemos añadido, por el contrario, otros nuevos —correlación, arte mayor, arte real, romance, antología, etc.— que no tienen existencia en la literatura italiana.

Otra parte de nuestras adiciones corresponde a voces aducidas por escuelas que Marchese omite, pero que, por no demasiado conocidas en España, he creído que podrían tener interés para el estudiante de nuestro país. Me refiero, ante todo, a la obra de Roman Ingarden *(Das literarische Kunstwerk)*, al *New Criticism* angloamericano (Wimsatt y Brooks, *Literary Criticism: A Short History*; Frye, *Anatomy of Criticism*) y al grupo francocanadiense D.I.R.E., sobre todo a los intentos de Dupriez, Angenot y Pavis, a cuyo *Diccionario del teatro*, recientemente traducido al castellano, remito para todo lo referente a la dramaturgia que no tenga cabida en este libro y para la aplicación específica al teatro de algunos términos que aquí aparecen referidos a contextos literarios más extensos.

JOAQUÍN FORRADELLAS

INTRODUCCIÓN

Un diccionario moderno que intente abarcar, aunque sea con la obligatoria concisión informativa, el amplio y accidentado territorio de la «poética» —es decir, el análisis de las formas y estructuras literarias— no puede olvidar la radical renovación que las nuevas metodologías de la lingüística y la semiología han aportado sobre los tradicionales estudios de retórica, de estilística y de métrica.

En aquellas disciplinas nos hemos apoyado para ofrecer una nueva sistematización, en lo posible unitaria y satisfactoria desde el punto de vista teórico, del cúmulo de datos, definiciones y clasificaciones que constituyen el sobradamente conocido y ciertamente no unívoco patrimonio del pasado. Frente al cual, digámoslo lo antes posible, de ningún modo hemos tomado una actitud de rechazo a priori, como si fuese preciso liberarse, por manía de novedad, de una elaboración doctrinal prestigiosa: sería, como se dice, quemar el cuévano viejo con la uva dentro. Así, nuestra intención primera ha sido la de presentar en un cuadro —obviamente sintético— los resultados más estimables de la retórica y de la estilística tradicionales, para confrontarlos con los principios epistemológicos de la lingüística y de la semiología, y con las investigaciones *in progress* de una «teoría de la literatura» que, aunque exceda de los límites de este diccionario, subyace a cada una de las voces, en las que se quiere dar cuenta de las contribuciones científicas más significativas de los últimos años.

El diccionario no pretende ser exhaustivo. Se ha preferido dar un viso fundamentalmente metodológico en las voces, que pueden leerse en sus definiciones como autónomas, pero que están correlacionadas en un discurso unitario, verificable también de un modo sistemático. Por esta razón, se ha dado una amplitud mayor a una cincuentena de entradas, a las que podríamos llamar *voces de soporte,* entendiendo por esto que a ellas se confía la tarea de presentar, con una cierta sistematización, los problemas axiales que son recurrentes en las demás voces del diccionario, constituyendo así la base imprescindible de una vasta serie de referencias y de envíos. Entre estas voces recordamos: eje del lenguaje, canción, código, comunicación, destinatario, endecasílabo, estilo, estilística, estructuralismo, figura, forma, formalismo, géneros literarios, lenguaje, lingüística, metáfora, métrica, narrativa, punto de vista, retórica, rima, signo, semiología, texto, transcodificación, etc.

Retórica, estilística y métrica, por tanto, en la articulación esencial de sus problemas específicos y en la finalidad interdisciplinaria dirigida hacia una perspectiva lingüística y semiótica. Sin que el diccionario tenga de ningún modo la pretensión de suplir totalmente a estas dos ciencias piloto; y también sin la pretensión de invadir los terrenos que corresponden a la teoría de la literatura, pero ofreciendo a cambio una información detallada sobre cada uno de los géneros literarios, estudiados aquí sobre todo en su estructura codificada, en sus características formales y funcionales, con breves bosquejos de sus contenidos y su diacronía.

No se nos oculta la dificultad de un proyecto que es tangente a tan distintas esferas de competencia, en la tentativa de ofrecer un cuadro lo suficientemente completo de las investigaciones siempre en devenir. Creemos, sin embargo, que el lector podrá aprehender el hilo que hemos intentado que recorra las diferentes voces y querrá, en alguna ocasión, completarlo y verificarlo por medio de los envíos que hacemos y por los textos fundamentales que, en el cuerpo del texto, aducimos.

ACENTO. El acento, procedimiento articulatorio mediante el cual una sílaba se destaca de las que le rodean, pertenece al grupo de los fenómenos prosódicos o suprasegmentales, como la melodía, la intensidad, el tono, la cantidad o las pausas, es decir, todo aquello que se reúne bajo el nombre de prosodema. La entonación de un enunciado, por ejemplo *¿ya ha llegado el tren?*, traza una línea melódica dibujada por la diferente altura tonal de los fonemas; por medio de ella la frase adquiere el carácter interrogativo deseado (y subrayado por una señal gráfica específica, el signo de interrogación). Compárese con la entonación diferente de la aseverativa *ya ha llegado el tren*, en el que la curva melódica es descendente (cfr. Navarro Tomás, *Manual de entonación española*). Como elemento de la entonación, el acento puede desempeñar una función expresiva importante. Entre todas las posibles clases de acento, el español es intensivo o culminativo: una sílaba, la tónica, se pronuncia con mayor intensidad que las otras, las átonas. En castellano, como en las lenguas que tienen acento móvil (el inglés, el ruso, todas las lenguas románicas, excepto el francés), el acento, además de tener una función de contraste, tiene otra primordial distintiva; su posición en la palabra diferencia unas formas de otras compuestas por los mismos fonemas *(canto/cantó),* y puede recaer en la última sílaba *(versión),* en la penúltima *(líbro)* o en la antepenúltima *(cántaro);* en verbos con pronombres en énclisis podemos encontrar acento en la sílaba anterior a la antepenúltima *(cuéntaselo),* pero en este caso se desarrolla un acento secundario en el pronombre final *(cuéntaselò);* este fenómeno se produce también en los esdrújulos formados por verbo + pronombre, bien en zonas dialectales —Aragón, por ejemplo—, bien porque le sucede una pausa: en este caso, sobre todo cuando se quiere enfatizar el pronombre, el acento secundario desarrollado puede llegar a ser tan fuerte como el primario: *¡Francisca Sánchez, acompáñamé!* (Rubén Darío). El acento secundario aparece también con regularidad en palabras compuestas (sobre todo en los adverbios acabados en -mente) o cuando, en una frase, entre dos acentos tónicos hay una distancia mayor de tres sílabas sin pausa entre ellas (pájaro càrmesí). El acento no delimita sólo a la palabra, sino también a sus determinantes átonos.

Unidos a la entonación, los acentos que corresponden a la palabra se contrastan entre sí, dando mayor intensidad —y, por lo tanto— destacando a una palabra o grupo tónico frente a los demás; así, en una frase como *¡Has sido tú!* el hablante puede colocar el acento dominante sobre *sido* o sobre *tú*, según le interese subrayar lo que se ha hecho o quién lo ha hecho.

La presencia del acento tónico (ictus) sobre determinadas sílabas de un verso es elemento esencial para la fijación o reconocimiento del metro (V.), además de ser el factor fundamental de la creación del ritmo (V.), junto con las pausas y la melodía. En la poesía española existe y ha existido una métrica fundamentalmente acentual (véase, por ejemplo, ARTE MAYOR) junto a otra basada en el cuento silábico.

En otros momentos del devenir poético se ha intentado, desde Villegas al modernismo, utilizar una métrica acentual que remede a la clásica grecolatina, haciendo corresponder a la tónica con una larga, a la átona con una breve: *Suéño con rítmos domádos al yúgo de rígido acénto, / líbres del rúdo carcán de la ríma* (Manuel González Prada). Algunos tratadistas han llamado con nombres latinos (yambo, espondeo, etc.) a los ritmos acentuales que aparecen en algunos metros.

ACOTACIÓN. Es una anotación que da el autor de un texto teatral para indicar la forma que ha de adoptar el escenario, o los movimientos, gestos, tonos u otras particularidades interpretativas que, a su entender, debe realizar el actor. La forma de la acotación puede variar desde la simple indicación de entradas y salidas, como en la comedia del Siglo de Oro o en la Isabelina, hasta el planteamiento de instrucciones muy detalladas (Ibsen); o, incluso, describir físicamente al personaje o comentar el diálogo, sobre todo si el autor piensa en ser leído: es el caso del teatro de Galdós. Esta tendencia llega a sus últimas consecuencias en Valle-Inclán, que cuida tanto el estilo de la acotación (en algunos casos escritas en verso) como el propio texto. Valle-Inclán puede emplear la acotación hasta para indicar la estética o posición ideológica escogida para la escritura de la obra: véase la acotación inicial de *La Marquesa Rosalinda* o de la *Farsa y licencia de la reina castiza.*

ACRONIMIA. Sustitución de un grupo de palabras por una abreviatura formada por sus iniciales —letras o sílabas—, de tal forma que la nueva formación se lexicalice: Ejem.: *Red Nacional de Ferrocarriles Españoles = RENFE. USA, URSS, / USA, URSS, OAS, UNESCO: / ONU, ONU, ONU. / TWA, BEA, K.L.M., BOAC / ¡RENFE, RENFE, RENFE! / FULASA, CARASA, RULASA, / CAMPSA, CUMPSA, KIMPSA; / FETASA, FITUSA, CARUSA, / ¡RENFE, RENFE, RENFE! / ¡S.O.S., S.O.S., S.O.S., / S.O.S., S.O.S., S.O.S.!* (Dámaso Alonso).

ACRÓSTICO. Composición poética en la cual las letras iniciales —en algún caso, las sílabas— leídas verticalmente forman un nombre o una frase. En alguna ocasión a las iniciales del verso se unen las letras que van tras la cesura. Puede considerarse también como una variante codificada del anagrama saussuriano. El procedimiento fue usado, sobre todo, en la poesía cortesana del siglo xv. El ejemplo más famoso corresponde a los versos que encabezan LA CELESTINA, en que se lee el nombre del autor.

ACTANTE. En el análisis estructural del relato (V. NARRATIVA) los personajes se caracterizan como unidades semánticas sintácticas coimplicadas en cualidades de los sujetos o de los objetos en un proceso o función narrativa. Propp propone siete personajes: el héroe, la princesa, el agresor, el mandatario, el auxiliar, el donador, el falso héroe. Souriau *(Les 200.000 situations dramatiques)* intentó darles un carácter más abstracto y las redujo a seis: la fuerza orientada, el bien deseado, el obtenedor, el oponente, el árbitro de la situación y el adyuvante. Greimas *(Sémantique structurale)* distingue seis actantes —que no se corresponden exactamente con los de Souriau ni con los de Propp— y extiende estas nociones a entidades más abstractas: toma como ejemplo la filosofía de los siglos clásicos:

PROPP	GREIMAS	EJEMPLO
héroe	sujeto	filosofía
princesa	objeto	mundo
mandador	destinador	Dios
	destinatario	humanidad
agresor	oponente	materia
falso héroe		
auxiliar	ayudante	espíritu
donante		

Estos actantes se pueden colocar en relación según el siguiente modelo:

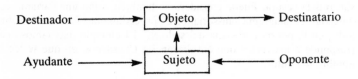

El esquema está abierto a muy variados recubrimientos semánticos. El ayudante socorre al sujeto en las pruebas que debe superar para conseguir el objeto anhelado y en las que es obstaculizado por el oponente; el destinador plantea el objeto como término de deseo y de comunicación, mientras que el destinatario es el que se beneficia de aquél. Así, en el cuento fantástico popular al héroe (sujeto) le encarga el rey o cualquier otro personaje superar unas pruebas determinadas para poder casarse con la princesa (objeto). El antagonista (opositor) es vencido gracias a la intervención de un protector o amigo (ayudante) y, al final, el protagonista consigue su propósito.

En el estrato de la concreta manifestación literaria los papeles actanciales se semantizan en papeles temáticos y éstos se encarnan en la indefinida fenomenología de los actores (V.) o personajes. En la teoría de Bremond *(Logique du recit),* la pareja agente-paciente recubre los dos papeles narrativos fundamentales atribuidos por el predicado-proceso de los acontecimientos, tanto en acto como acabado. Por ejemplo, un personaje *paciente* puede ser sustituido por un *agente* en una acción que modifica su estado (mejora o empeoramiento); en el primer caso, el *paciente* se convierte en *beneficiario* de la protección por parte del *protector* contra la acción degradante de un *empeorador*.

Se ha discutido si un esquema tan general, válido cuando mucho para los relatos estereotipados o muy codificados, puede ser aplicado también a la narrativa de invención. En todos los casos es necesario adaptar y forzar el esquema de Greimas a los textos individuales, introduciendo variantes de tipo procesual. Segre *(Principios de análisis del texto literario)* dice que los personajes en «las obras literarias adquieren una psicología, aunque con sus contradicciones, de manera que ya no es tan clara y directa su actuación a través de las acciones», de manera que es mejor, quizá, «caracterizar en lo posible la dialéctica entre las ideas-fuerza que empujan a los personajes sobre la realidad narrativa y también los desarrollos de esta dialéctica a lo largo de la historia. Sin embargo, parece más sencillo identificar en los personajes cambios de relaciones como resultado de las acciones: una historia se podría ver como una sucesión de funciones que aproximan o separan (por lazos eróticos, amistosos, de trabajo, etc.) a los personajes, constituyendo cada vez polígonos diferentes de relaciones de unión o separación».

ACTO. División de una obra o representación teatral, normalmente conexa a una distribución de la trama en amplias unidades temáticas autónomas (episodios o macrosecuencias). Entre los griegos no existía la división en actos: la unión entre los episodios se hacía por medio de una intervención del coro. Esta intervención fue sustituida por un lapso de descanso, vacío de acción, que se llama entreacto. Apoyándose en Horacio el teatro europeo eligió, en principio, la división en cinco actos. En el teatro español se pasó primero a una distribución en cuatro actos y después, con la comedia nueva, a tres. En el teatro moderno la división en actos es más flexible (frecuentemente de uno a tres), incluso algunos autores la han rechazado sustituyéndola por otras unidades: así Valle-Inclán en las *Comedias bárbaras* o en los *Esperpentos*.

ACTO DE LENGUAJE. La lengua es una forma de actuar social, en el sentido de que, al hablar, tenemos la posibilidad de influir sobre comportamientos ajenos mediante peticiones, preguntas, propuestas, consejos, avisos, etc., es decir por medio de actos de lenguaje (o de habla, como otros prefieren denominarlos) que se alinean en un texto y se actualizan pragmáticamente en una situación de comunicación.

Es importante hacer notar que los mecanismos de la acción lingüística no siempre son directos ni explícitos. Si, por ejemplo, me encuentro en una sala de espera junto con un desconocido, y noto una corriente de aire que me molesta y sé que procede de la ventana a la que se ha asomado aquella persona, yo puedo comportarme lingüísticamente de varias maneras. Si digo: «¡Cierra esa ventana!», estaré dando una orden, que puede ser eficaz en cuanto al contenido, pero que es infeliz pragmáticamente, porque es por completo descortés, absolutamente inadecuada a la situación en que me encuentro y a la relación que existe entre mí y el destinatario de aquélla. Para que una orden pueda ser dada (¡y cumplida!) correctamente es preciso que existan unas condiciones determinadas. Ante todo, el emisor debe tener la posibilidad y la autoridad necesaria para dar la orden; el receptor, además, ha de ser capaz de cumplirla. En general, podríamos decir que los actos de habla imperativos presuponen o bien una cierta intimidad entre los interlocutores, de manera que el mandato resulte suavizado o justificado, o bien una relación jerárquica desigual, un desnivel en el rango social.

En la situación aludida, serían más adecuadas, desde la pragmática, formas como: «¿Le molestaría cerrar la ventana? Noto corriente», «¿Me haría el favor de cerrar la ventana?», «¿Podría, si no me molesta, cerrar la ventana?» Y es significativo, en estos casos, que el hablante, en la estructura superficial del discurso, opte por formular la petición articulándola lingüísticamente en una frase de forma interrogativa. En realidad la finalidad primaria y profunda de estas preguntas no es la petición de información (como en «¿Has visto a Juan?»), sino la petición de un servicio. En otros términos, nos encontramos frente a actos de habla indirectos, en los que es necesario discernir el significado primario profundo, de carácter imperativo. El mismo resultado se podría obtener con una estrategia más disimulada y sutil, observando casualmente: «Hace frío aquí dentro, ¿verdad?», o también: «¡Qué frío hace en este cuarto!» En ambos casos una expresión asertiva —«Hace frío...»— o asertivo-exclamativa —«¡Qué frío...!»— oculta un hecho de lenguaje indirecto: la invitación a que se cierre aquella ventana. El éxito pragmático de esta clase de actos de habla depende en buena medida de que se adecuen a las normas de cortesía de la conversación social, y se aproximan mucho a aquellas instancias de cortesía ritual que el sociólogo norteamericano E. Goffman denominó *free goods,* como son las fórmulas utilizadas para preguntar la hora, pedir fuego, etc.

Entre los actos de lenguaje destacan por su importancia los llamados actos ilocutivos, con los cuales el hablante produce una acción al enunciar algo: por ejemplo, al decir: «Yo juro...» se compromete a un acto; lo mismo sucede con verbos del tipo de «mandar», «asegurar», «bautizar», «aprobar», «enunciar» y otros muchos.

Según el verbo que los introduce (llamado performativo) se pueden diferenciar algunos tipos fundamentales de actos de habla ilocutivos:

a) declarativos: la relación entre la enunciación y la acción es inmediata: *Te nombro presidente, Absolvemos al reo, Yo te bautizo en nombre de Dios, Se declara abierta la sesión.*

b) representativos: el hablante se compromete a creer algo, sea verdadero o sea falso: *Sostengo que el gobierno goza de la confianza del pueblo, Juro por mi honor que lo que he dicho es cierto, Deduzco que el escándalo es un montaje de la oposición.*

c) imperativos: el hablante trata de inducir a su interlocutor para que éste haga algo: *Te ruego que no hables, Te mando que achantes la muy.*

d) promisorios: su fin es comprometerse el hablante a adoptar una conducta futura determinada: *Prometo que se celebrará el referéndum, Te aseguro que lo haré, Te garantizo que el problema se resolverá antes de dos semanas.*

e) expresivos: se manifiesta un sentimiento (de alegría, de pesar, de congratulación, etc.) respecto al objeto de que se habla: *Me alegro de tu ascenso, Te acompaño en el sentimiento, Me duele haberte molestado.*

Los actos de habla, especialmente los indirectos, confirman cómo los hablantes pueden elegir, en la producción del sentido textual, entre una gama bastante variada de comportamientos de acuerdo con las exigencias sociocomunicativas de la situación en que obra. El potencial semántico de que dispone permite escoger la modalidad más eficaz desde el punto de vista pragmático. Para comprender y estudiar este sistema estratégico es preciso retrotraer el análisis al estrato primario —es decir, profundo— del mecanismo lingüístico. Ésta es la operación que efectúa el destinatario cuando intuye unas miras reales que subyacen en un acto comunicativo, más allá de su estructuración lingüística superficial. Así, si alguien me dice: «¿Podrás cenar conmigo esta noche?», yo no le podré contestar con un «no» seco, que podría sonar descortés; tendré que disimular mi negativa bajo un hecho de lenguaje que, aparentemente, aparecerá como una aserción: «Perdóname, pero tengo un examen pasado mañana.» La competencia pragmática del destinatario le hace percibir que se trata de una negativa educada: el texto expresa más de lo que indica su significado literal.

Todorov, en *Les genres du discours* (1978), ha propuesto una categorización tipológica del discurso que se corresponde con las categorías de los actos de habla.

ACTOR. En la construcción actancial (V. ACTANTE) de Greimas, el actor o personaje es una concreta y definida materialización de la función sintáctica, o sea, del actante. Se puede identificar con cualquier ser capaz de ser responsable de acciones (animales, personas, ideologías, etc.), y el actor puede ocupar más de una categoría actancial (un mismo personaje puede ser sujeto y beneficiario a la vez del proceso), o desdoblarse en varios actores (el oponente se resuelve en varias personas y/o convenciones sociales, etc.).

ACTUACIÓN. Para Chomsky, es la ejecución, la utilización efectiva de la competencia, es decir, de la lengua en cuanto sistema de reglas generativo-transformacionales. V. LINGÜÍSTICA, 5; COMPETENCIA; HABLA.

ACUMULACIÓN. Es una figura retórica de tipo sintáctico que consiste en la seriación de términos o sintagmas de naturaleza similar e idéntica función, muchas veces interactuando con efectos de musicación por iteración —o contraste— de la sonoridad final (*Durante el tiempo que los hombres fueron castos, mansos, amorosos, piadosos, sufridos, celosos, verdaderos y honestos, moró la Justicia acá en la tierra con ellos, mas después que se tornaron adúlteros, crueles, superbos, impacientes, mentirosos y blasfemos, acordó dejarlos*, Fr. Antonio de Guevara; *La reina, fondona, culona, chulapa, cabalgaba sobre los erguidos chapines*, Valle-Inclán). La acumulación es un procedimiento clásico de la amplificación (V.); véanse, por ejemplo, las Coplas 26 a 28 de Jorge Manrique.

Los límites entre la acumulación y la enumeración no siempre son claros; quizá la acumulación presente una menor lógica en la relación entre los elementos en su orden, lo que conlleva que ésta parezca poder prolongarse indefinidamente o que se puedan introducir elementos distintos entre los expresos, y que la serie de objetos, sentimientos, imágenes (incluso de tipo inconsciente: véase Neruda) se presenten de forma desordenada o desestructurada (*Dúctil, azafranado, externo, nítido, / portátil, viejo, trece, ensangrentado, / fotografiadas, listas, tumefactas, / conexas, largas, encintadas, pérfidas...*, César Vallejo). En este sentido, Spitzer habla de acumulación (o enumeración) caótica, considerándola como uno de los procedimientos estilísticos típicos de la lírica contemporánea; Borges, sin embargo, que construye muchos de sus poemas por procedimientos de acumulación («Poema de los dones», por ejemplo), niega la posibilidad de que en una acumulación o enumeración no haya un orden subyacente, que es preciso descubrir (véase *Borges el memorioso*).

ACUSATIVO GRIEGO.   También llamado *de relación* o *de parte*, es un complemento de un participio que precisa que la significación del enunciado ha de ser sólo aplicada a aquella parte denotada por el complemento y que no concierta con el verbo. Fue utilizado por los poetas de los siglos XVI y XVII: *Por quien los alemanes, / el fiero cuello atados* (Garcilaso); *y la pastora / yugo te pone de cristal, calzada / coturnos de oro el pie, armiños vestida* (Góngora).

ADAPTACIÓN.   Modificación ejercitada sobre una obra literaria para acomodarla a un determinado público lector distinto de aquel para quien fue primariamente concebida (ediciones *ad usum delphini*, modificaciones en obras teatrales, ediciones modernizadas, etc.) o transformación de una obra de un género a otro (de la novela al teatro, relaciones de comedias, etc.).

ADÍNATON.   Es una figura retórica, de carácter lógico, emparentada con la hipérbole, que consiste en subrayar con énfasis un hecho imposible: *Que no hay cáliz que la contenga, / que no hay golondrinas que se la beban, / no hay escarcha de luz que la enfríe, / no hay canto ni diluvio de azucenas, / no hay cristal que la cubra de plata* (García Lorca).

A veces la adínaton llega a lo fantástico para crear una atmósfera de irrealidad: *La atmósfera era tan húmeda que los peces hubieran podido entrar por las puertas y salir por las ventanas, navegando en el aire de los aposentos* (García Márquez).

ADÓNICO.   Verso de la métrica clásica constituido por un dáctilo y un troqueo: —⌣⌣/—⌣. Se usaba como cuarto verso de la estrofa sáfica. En la literatura española trató de reproducirlo acentualmente Villegas en la estrofa sáfico-adónica: *dile que muero*. Como verso único de una composición lo utiliza Moratín en el siglo XVIII.

AFÉRESIS. Pérdida de un fonema o una sílaba al principio de una palabra. Su uso, salvo cuando se reproduce el habla campesina, no está permitido en la prosodia poética española: *Norabuena venga / el mayo garrido* (Lope).

AFORISMO. Breve máxima que encierra, en la mayor parte de los casos, un ideal de sabiduría o una reflexión ética o estética. Pueden encontrarse ejemplos en la escritura de Gracián o en *Estética y ética estética* de Juan Ramón Jiménez. Véase también EPIFONEMA, GNÓMICO.

AGENTE. V. ACTANTE.

AGNICIÓN. V. RECONOCIMIENTO.

ALEGORESIS. V. ALEGORÍA.

ALEGORÍA. Es una figura retórica mediante la cual un término (denotación) se refiere a un significado oculto y más profundo (connotación). Por ejemplo, como ha demostrado Fernando Lázaro en el poema de Machado «Anoche, cuando dormía», la fuente, la colmena y el sol, si en el nivel denotativo significan determinados objetos, en el nivel connotativo se alude a las tres virtudes teologales, de donde la connotación alegórica. Para los autores de la *Rhétorique générale* (grupo μ) la alegoría es un «metalogismo», o sea, una operación lingüística que actúa sobre el contenido lógico mediante la supresión total del significado básico, que ha de ser referido a un nivel distinto de sentido o isotopía (V.), que se comprende en relación a un código secreto. Morier, *Dictionnaire de poétique et rhétorique,* s. v., considera la alegoría como un relato de carácter simbólico o alusivo, y la emparenta con la fábula o el apólogo de tradición esópica o a las parábolas evangélicas. La fábula-alegoría de la rana y el buey pone en relación dos mundos

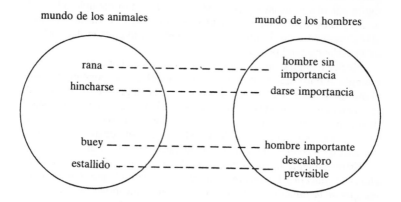

El grupo D.I.R.E. considera la alegoría como una igualación entre una palabra y un concepto (fora y tema) que son analizados y sustituidos sema por sema. Así en el prado de la introducción a los *Milagros* de Berceo, prado = paraíso, fuentes = evangelios, flores = nombres de la Virgen, pájaros = santos, etc.

Entre las alegorías tradicionales es bien conocida la de la nave que atraviesa un mar en tempestad, entre tormentas y escollos, etc. Es casi un topos (V.): en nuestra literatura la podemos encontrar en Fray Luis, Lope, Duque de Rivas, Machado; y se remonta a Horacio. En esa alegoría se quiere representar el destino humano, los peligros, las discordias, mientras que el puerto es la salvación. No se trata de una «metáfora continuada», como piensa Lausberg, tras la huella de Quintiliano, sino más bien de un conjunto de símbolos abstractos.

El problema de la comprensión de las alegorías depende de su mayor o menor grado de codificación (por ejemplo, una figura de mujer con los ojos vendados y sosteniendo una balanza y una espada es ya una imagen codificada de la Justicia, V. SÍMBOLO); en muchos casos, especialmente en la poesía, la connotación alegórica depende de los subcódigos peculiares del autor. Es preciso diferenciar con claridad entre el alegorismo y la interpretación de figuras, de origen bíblico, activa sobre todo en la Edad Media, presente en Dante y, tras él, en la poesía del siglo XV español y en todas las literaturas de todas las épocas. Si en la *Comedia* las fieras que luchan en la selva oscura son alegóricas porque están sustituyendo a otros elementos (loba = avaricia = papado), Beatriz es una figura porque no se suprime su realidad histórica, aunque más allá de ésta haya asumido un significado nuevo: ser la guía espiritual de Dante. Lo mismo podríamos decir del Boccaccio de la *Comedieta de Ponza*, elegido para ser consuelo de las reinas y profeta por haber sido autor «histórico» del *De claris mulieribus*. Es decir, que detrás de la figura late el mecanismo lógico «esto y aquello»: por ejemplo, el Éxodo de los judíos desde Egipto tiene una verdad efectiva o «historial», pero alude también a un significado permanente, la liberación del cristiano de la esclavitud del pecado.

Morier delimita varios tipos de alegoría. La alegoría metafísica (por ejemplo el mito platónico de la caverna, en el que se pone en contacto el mundo sensible y el mundo de las ideas); la alegoría teológica (desde las creaciones mitológicas a los relatos cristianos, que tienen necesidad de una interpretación: cfr. los cuatro sentidos de la escritura en la Edad Media; remitimos al prólogo de M. Morreale a su edición de *Los doce trabajos de Hércules,* de Villena); la alegoría filosófica, etc.

Estrechamente ligado a la noción de alegoría y complementario de ella es el concepto de alegoresis, propuesto y definido por Zumthor *(Le masque et la lumière):* si la alegoría remite a un modo de lectura, la alegoresis, partiendo del concepto, engendra, desde sus elementos, un texto; la alegoresis «rompe la continuidad de las apariencias para liberar en la palabra la parábola». La alegoresis, pues, remite a la escritura.

ALEJANDRINO. Verso de catorce sílabas, compuesto de dos hemistiquios de siete con acento en la sexta. El nombre procede del verso de doce sílabas francés (computado de acuerdo con las normas de aquella métrica) en que se compuso el *Roman d'Alexandre* en la segunda mitad del siglo xii. En la literatura española fue usado, sobre todo, en los poemas narrativos del mester de clerecía, desde el *Libro de Alexandre* o Berceo hasta el *Libro* del canciller Ayala, en la estructura estrófica de la cuaderna vía, que procede de las estrofas goliardescas y que, a través de la *Alexandreis* (tomada como modelo) y de los tratados de prosodia medievales, crea la estética del verso, al menos en los primeros momentos —así, por ejemplo, la presencia continua de la dialefa, la ausencia de elisión, etc. (cfr. Francisco Rico, «La clerecía del mester«, en HiR, 1985)—. Cae en desuso desde el siglo XV, aunque la forma estrófica y el verso eran conocidísimos al estar escrito en ella y ellos los *Castigos y enxemplos de Catón,* editado tantas veces como pliego suelto y utilizado como cartilla para aprender a leer. Como forma productiva se emplea muy esporádicamente en los Siglos de Oro (por ejemplo, Gil Polo en su *Diana*). Se vuelve a emplear con regularidad en la segunda mitad del siglo xix: es un verso importante en Rosalía de Castro y en José Asunción Silva. Su uso se extiende en el modernismo, haciéndole ocupar lugares que, en la literatura en castellano, estaban hasta entonces reservados al endecasílabo (sonetos, tercetos, etc.); Dámaso Alonso llega a decir que «en los umbrales del siglo xx, el alejandrino no es un verso más: es un verdadero favorito». Rubén Darío combina extrañamente los alejandrinos con versos de trece sílabas distribuidos en tres períodos, sin que se produzca disonancia *(Hacer soñar un ruiseñor en lo invisible / y Mina es ya princesa de un imperio imposible).*

ALITERACIÓN. Es una figura retórica de tipo morfológico que consiste en la reiteración de sonidos semejantes —con frecuencia consonánticos, alguna vez silábicos— al comienzo de dos o más palabras o en el interior de ellas. La aliteración constituye uno de los artificios más importantes para la construcción de versos en las lenguas de tipo germánico.

El efecto de paralelismo fónico que se deriva de la aliteración puede tener efectos sobre el significado, bien por reproducción alusiva de un sonido («En el *s*ilencio *s*ólo *s*e *es*cuchaba / un *s*usurro de abe*j*as que *s*onaba», Garcilaso; «Infame *tur*ba de noc*tur*nas aves», Góngora), bien por subrayar las relaciones entre las palabras («*P*ienso en el *p*arco cielo *p*uritano», Borges). No es infrecuente el uso de diversas aliteraciones que se entrecruzan o se oponen para lograr efectos de musicación:

«¡Claras horas de la mañana / en que mil clarines de oro / dicen la divina diana: / Salve al celeste sol sonoro!» (Rubén Darío).

ALJAMIADO. Término que se aplica a los textos en lengua romance peninsular trasliterados en caracteres arábigos: en aljamía están escritas algunas de las jarchas (V.) o el *Poema de Yúçuf*. Por extensión se aplica el nombre a cualquier texto escrito con caracteres propios de una lengua que no corresponden a la del idioma original: por ejemplo, las obras ladinas transcritas en caracteres hebraicos.

ALOCUCIÓN. Acto mediante el cual el emisor se dirige al receptor en la relación alocutiva o interlocutiva. V. COMUNICACIÓN.

ALOCUTOR. En el esquema de la comunicación (V.), el alocutor es la persona a quien se dirige el enunciado: es el receptor o destinatario del mensaje.

ALUSIÓN. Es una figura retórica de carácter lógico, emparentada con los tropos, mediante la cual se evoca una cosa sin decirla, a través de otras que hacen pensar en ella. Dámaso Alonso dice que la alusión pone en contacto una noción real con un sistema fijo de referencias. Si por su forma las alusiones pueden ser metafóricas, metonímicas, sinecdóquicas, etc., por su contenido las alusiones son históricas (ponérsele las cosas a uno como a *Fernando VII* = fáciles, cómodas), mitológicas (es un *dédalo* = laberinto), literarias (es un *don Juan* = mujeriego, conquistador), etc. Morier (*Dictionnaire*, s.v.) piensa que la alusión «es un tipo de metáfora enigmática, en la que el término final debe hacer adivinar lo comparado por uno o varios elementos comunes». El autor recuerda la relación entre alusión (haría palidecer de envidia a *un Creso*) y antonomasia (es *un Creso*): ambas figuras están sostenidas por el siguiente esquema: Creso ———— (riqueza) ———— él. A nuestro parecer, es posible considerar símbolos, alusiones, alegorías y antonomasias en el eje de la metonimia (V.), si pensamos en la relación interna que liga el elemento explícito al sobreentendido. Por ejemplo, Dédalo construyó el laberinto, Creso fue famoso por su riqueza, etc.

AMBIGÜEDAD. En sentido lingüístico se produce ambigüedad cuando diversas representaciones profundas se proyectan en una única representación superficial. Si digo, por ejemplo, *el burro de Juan,* este enunciado puede decodificarse de dos formas: «Juan tiene un burro»; «Juan es un burro»: la diferencia de sentido depende de la estructura profunda de la frase (V. LINGÜÍSTICA, GRAMÁTICA GENERATIVO-TRANSFORMACIONAL). Es evidente que en el segundo caso se ha producido un proceso semántico de tipo metafórico; en otros casos puede ser producto de una polisemia (tomar un vaso = cogerlo o beberlo): a este tipo de ambigüedad, Hankamer y Aissen (Encic. Einaudi, s.v.) la denominan léxica. Hay también una ambigüedad funcional cuando un mismo término puede ejercer una doble función gramatical: *He vuelto a ver* puede entenderse como perífrasis (He visto de nuevo) o como verbo de movimiento. Otro caso es la ambigüedad morfológica, producida cuando dos formas de un paradigma coinciden: la frase *amaba a su prima* puede suponerse de un sujeto *yo* o de un sujeto *él.* Hay también, por último, una ambigüedad sintáctica: la frase *Los pollos están preparados para comer* puede entenderse como «Los pollos están preparados para recibir la comida» o como «Los pollos están preparados para ser comidos». La ambigüedad puede a veces ser deliberadamente buscada y aplicada con propósitos pragmáticos o artísticos; así en el verso de Góngora *Grandes más que elefantes y que abadas,* «grande» juega con todas sus posibilidades (nobleza, tamaño, liberalidad, animalidad), «más que» remite tanto a calidad como a número.

En el seno de lo estrictamente literario, sobre todo por la teoría de W. Empson *(Siete tipos de ambigüedad),* se entiende por ambigüedad la peculiar dilatación semántica del lenguaje poético, que no coincide nunca con el simple significado literal. En este caso, la ambigüedad acaba por coincidir con la connotación (V.) o con la polisemia (V.), es decir, con la complejidad y la hipersemantización propias de los signos literarios. Así, el lenguaje que se llama figurado (V. FIGURA) es esencialmente polisémico, al dislocar el sentido más allá de la referencia inmediata. La densidad expresiva del machadiano *Hoy es siempre todavía* depende de la polisemia (o, si se prefiere, de la ambigüedad) del enunciado, de la distancia que ha de haber entre cualquiera de las posibles traducciones en prosa que se pueden intentar y el aura semántica, extremadamente condensada, que se adensa sobre esas cuatro palabras. Para esta cuestión puede consultarse Delas-Filliolet, *Linguistique et poétique.*

AMEBEO. Estructura de un poema en el que los versos o grupos de versos se colocan alternativamente en voz de dos o más personas. Es muy frecuente en las églogas (V.); así, el canto de Alcino y Tirreno en la Égloga III de Garcilaso.

AMPLIFICACIÓN. Procedimiento expresivo que sirve para acentuar algunos núcleos semánticos por medio de la enumeración iterativa o intensiva: *En casa del maestro de la alquería, de uno de esos maestros habilitados que la Diputación de Cáceres ha puesto por las Hurdes, de uno de esos heroicos ciudadanos que por un módico estipendio van a luchar en una lucha no menos trágica y menos recia que la de los pobres hurdanos con su madrastra la tierra* (M. de Unamuno).

Amado Alonso señala el empleo que hace de la amplificación Pablo Neruda para conseguir, por acercamientos sucesivos, la expresión justa: *...ay, para cada agua invisible que bebo soñolientamente, / y de todo sonido que acojo temblando, / tengo la misma sed ausente y la misma fiebre fría, / un oído que nace, una angustia indirecta, / como si llegaran ladrones o fantasmas, / y en una cáscara de extensión fija y profunda, / como un camarero humillado, como una campana un poco ronca, / como un espejo viejo, como un olor de casa sola / en la que los huéspedes entran de noche perdidamente ebrios, / y hay un olor de ropa tirada por el suelo, y una ausencia de flores, / posiblemente de otro modo aún menos melancólico...*

Cuando no es un fácil y desgastado procedimiento retórico-oratorio (V. ÉNFASIS), la amplificación puede replantear armoniosamente algunos términos, valorizándolos en una especie de gradación descriptiva o narrativa. Véase, por ejemplo, el magistral uso que se hace de ella en el capítulo que abre *La de Bringas* galdosiana: *Era aquello... ¿cómo lo diré yo?... un gallardo artificio sepulcral de atrevidísima arquitectura, grandioso de traza, en ornamentos rico, por una parte severo y rectilíneo a la manera viñolesca, por otra movido, ondulante y quebradizo a la usanza gótica, con ciertos atisbos platerescos donde menos se pensaba; y por fin cresterías semejantes a las del estilo tirolés que prevalece en los kioskos...* La descripción prosigue volviendo y volviendo a volver, precisando cada uno de los detalles, dejándose llevar por cada uno de ellos, para retornar luego a la visión del sepulcro... y destrozar, irónicamente, la visión, más intensa en cada uno de los elementos que se refieren, al llevarla a una estética distinta: el «cenotafio de pelo o en pelo» con el que don Francisco Bringas se está quedando ciego.

La amplificación puede, en algún caso, convertirse en factor estructural de algún episodio novelesco o, incluso, de una novela entera: piénsese en la repetición del argumento, añadiendo cada vez nuevos elementos o aportando distintos puntos de vista, con que se fabrica, desde la amplificación de un título que ya lo dice todo, la *Crónica de una muerte anunciada*.

No debe confundirse la amplificación con la acumulación (V.), que presenta una modalidad expresiva rápida y lineal, exenta de cualquier clase de redundancia.

ANACOLUTO. Recurso estilístico en el que la frase se nos presenta desprovista de coherencia sintáctica, por adoptar el hablante, en el desarrollo del discurso, una construcción acorde con su cambio de pensamiento mejor que con los usos gramaticales: *El alma que por su culpa se aparta de esta fuente y se planta en otra de muy mal olor, todo lo que corre de ella es la misma desventura y suciedad* (Santa Teresa). El anacoluto es frecuente cuando se intenta reproducir el lenguaje hablado y también en los casos más radicales de expresión del flujo de conciencia (V.). Estilísticamente puede servir para transmitir estados anímicos muy perturbados —incluso caóticos— en un personaje o en el escritor.

ANACRONÍAS. Bajo este término, Genette agrupa las distintas formas de discordancia que se producen entre el orden temporal de la *fábula* y el del relato. Los procedimientos más comunes de resolver la anacronía narrativa son la analepsis (V.) y la prolepsis (V.).

ANACRUSIS. En la poesía grecolatina se designa con este nombre la primera sílaba de un verso, cuando es preciso no contarla para obtener una estructura general en el poema. Navarro Tomás denomina anacrusis a la sílaba o sílabas que preceden al primer ictus del verso.

ANADIPLOSIS. Es una figura retórica que consiste en repetir al principio de un verso o de una frase, una palabra que estaba al final del verso o de la frase anterior. Es sustancialmente una forma de iteración: *mas vuestro llanto / lágrimas de dolor y sangre sean, / sangre que ahogue a siervos y opresores* (Espronceda).

ANÁFORA. Es una figura que consiste en la repetición de una o más palabras al principio de versos o enunciados sucesivos, subrayando enfáticamente el elemento iterado: *Ha debido pasar mucho tiempo. / Ha debido pasar el tiempo lento, lento, minutos, siglos, eras. / Ha debido pasar toda la pena del mundo, como un tiempo lentísimo. / Han debido pasar todas las lágrimas del mundo, como un río indiferente. / Ha debido pasar mucho tiempo, amigos míos, mucho tiempo.* (Dámaso Alonso).

En la lingüística textual la anáfora es un procedimiento sintáctico, emparentado con la deixis que consiste en repetir, por ejemplo mediante un pronombre, un elemento expresado anteriormente; así pues, la anáfora es uno de los medios que sirven para dar coherencia sintáctica al discurso. En la frase: *Vi a Julio y lo llamé para decirle que acudiese a la fiesta,* los elementos *lo* y *le* son anafóricos en cuanto que se remiten hacia atrás para representar al antecedente *Julio*.

Lonzi llama anáfora narrativa a las formas lingüísticas que remiten en el relato a secuencias anteriores del texto.

ANAGNÓRISIS. Término griego que significa «reconocimiento» (V.).

ANAGOGÍA. Lectura de un texto en que la isotopía superficial es sustituida por otra simbólica. Era uno de los procedimientos de interpretación que instituyó la hermenéutica medieval (V.). Véase también ALEGORÍA. El sentido anagógico se opone al sentido literal.

ANAGRAMA. Transposición de los fonemas o de los grafemas de una palabra o secuencia de palabras para construir otra u otras de distinto significado: *Ars amandi / Ars Adami / Ars da mani.* (Cabrera Infante). En el lenguaje poético, según dice Saussure (V. PARAGRAMA), un término particularmente importante puede ser retomado en distintas formas anagramadas. Véase por ejemplo en Lope de Vega el empleo de *Belisa* por *Isabel.* Se emplea muchas veces para la formación de pseudónimos: *Gabriel Padecopeo* (= Lope de Vega Carpio), *Alcofribas Nasier* (= François Rabelais).

ANALEPSIS. V. FLASH BACK.

ANÁLISIS. En el acercamiento a la literatura, se llama análisis al procedimiento o procedimientos que sirven para describir, caracterizar y comprender un texto, con la finalidad última de dar una valoración crítica de éste. El texto-objeto puede ser contemplado desde muy diversos puntos de vista: el predominio de uno o de otros dependerá de la perspectiva metodológica —y aun ideológica o filosófica— que se adopte por parte del crítico. Desde unos presupuestos semiológicos que tengan en cuenta el esquema de Jakobson y que consideren el texto como un mensaje en un proceso de comunicación (V.), se podrían considerar las siguientes vías de aproximación: 1) autor-obra: estudio de la vida y preocupaciones éticas y estéticas del autor; este aspecto, descuidado hasta hace poco tiempo por la semiología, está siendo ahora considerado desde otras perspectivas (Cfr. Lázaro Carreter: *El poema lírico como signo,* en *Teoría semiótica, lenguajes y textos hispánicos,* y L. Stegnano Picchio: *Réflexions sur la méthode philologique,* en *La méthode philologique II.*); investigaciones sobre la paternidad de obras de autor incierto, etc. 2) obra-destinatario: contemplación de la recepción del mensaje por parte del público (sociología de la literatura), de la fortuna de la obra, de la historia de la crítica, pero también del lector ideal para el que el autor escribe (Cfr. Segre, *Principios de análisis,* y Jorge Guillén, *Dedicatoria final* de *Cántico*); 3) obra-contexto: estudio de la situación histórico-social en la que se ha originado la obra y se ha formado el autor; las distintas metodologías historicistas, y sobre todo las marxistas, se preocupan de buscar las relaciones y las homologías entre el texto y la realidad histórica, entre la ideología y las estructuras económico-sociales y políticas, insertando la visión del mundo del autor en el crisol de las tendencias, movimientos, corrientes culturales, grupos intelectuales que caracterizan a un determinado momento histórico; 4) obra-código: el análisis se dirige a la relación entre la obra individual y la complejidad de los códigos y subcódigos en que se cimenta, es decir, en las instituciones literarias (por ejemplo, los géneros) y en los textos anteriores; 5) obra-canal: búsqueda filológica de la transmisión textual, particularmente importante para las obras antiguas: reconstrucción del texto crítico, interpretación de las variantes, planteamientos integradores, etc.; 6) obra como mensaje: análisis interno del texto considerado como macrosigno literario, realizado con procedimientos y fines distintos según las distintas metodologías (estilística, estructuralismo, semiología, psicoanalítica, etc.). El análisis procede a un «desmontaje» del texto y a la identificación de un modelo heurístico inmanente; el sentido se descifra, en diversos estratos, a través de las retículas del —o de los— código literario. Para un acercamiento mayor a estos problemas remitimos, ante todo, a las voces-clave de este diccionario (CÓDIGO, COMUNICACIÓN, CONNOTACIÓN, FIGURA, FORMALISMO, INSTITUCIONES LITERARIAS, LITERATURA, LENGUAJE, RETÓRICA, ESTILO, ESTRUCTURALISMO, etc.); y a una gran cantidad de libros dedicados a este problema, entre los que destacamos por su amplitud, Terracini, *Analisi stilistica. Teoria, storia, problemi;* Dámaso Alonso, *Poesía española. Ensayo de métodos y límites estilísticos;* Carlos Bousoño: *Teoría de la expresión poética;* Carlos Reis, *Comentario de textos;* Lázaro Carreter, *Estudios de Lingüística* y *Estudios de poética;* Auerbach, *Mimesis;* Jakobson, *Questions de poétique;* Luciana Stegnano Picchio, *La méthode philologique;* Cesare Segre, *Principios de análisis del texto literario.*

ANÁSTROFE. Es una figura sintáctica que consiste en la inversión del orden normal de dos palabras. En castellano sólo es posible en expresiones fijas: *excepción hecha, corderos mil.*

ANFIBOLOGÍA. Es un enunciado ambiguo interpretable de dos modos diferentes. El equívoco puede depender del aspecto semántico de una palabra (por ejemplo, un homónimo, un término ambivalente) o de la construcción sintáctica. La gramática generativo-transformacional (V. LINGÜÍSTICA, 5) puede explicar la producción de frases ambiguas como *el odio de los enemigos, he visto comer un pollo,* etc. En el área de la literatura, la anfibología puede depender de las complejas isotopías (V.) que atraviesan el texto poético, de la hiperconnotación de los signos, de la deseada ambigüedad del sentido, que quizá puede surgir desde el inconsciente por medio de la transposición simbólica del lenguaje.

ANNONIMATIO. Es una figura de tipo gramatical y semántico que consiste en el empleo repetido de un lexema, variándolo en su forma. Ejem.: *Jorge Luis Borges sabe poco de tangos e ignora su ignorancia, actitud usual entre ignorantes* (Cela). Está muy cercana a la llamada figura etimológica, hasta el punto de hacerse casi imposible su distinción *(vivir una vida tranquila),* del políptoton (V.) y de las formas de paranomasia que juegan con palabras que tienen parentesco etimológico *(El que parte y bien reparte se queda la mejor parte).*

Este juego con el lexema, hace que algunos críticos llamen *anno-nimatio* a la reactivación del sentido de una palabra o expresión bien por reinterpretación etimológica, bien por metanálisis. Ejem.: *¿Plus-cuamperfecto? Por cierto / que al pasar de lo acabado / no a sabiendas, has llegado / sin querer a lo trasmuerto* (Unamuno). *¡Sentirse perdido! ¿Han reparado ustedes bien en lo que esas palabras por sí mismas significan [...]? Sentirse perdido implica, por lo pronto, sentir-se: esto es, hallarse, encontrarse a sí mismo, pero a la par, ese sí mismo que encuentra el hombre al sentirse, consiste precisamente en un puro estar perdido* (Ortega).

ANTAGONISTA. En la estructura actancial (V. ACTANTE) es el papel antitético al del héroe; antagonista, pues, es el oponente. El entramado del relato se articula sobre el estímulo de los obstáculos que el protagonista debe afrontar y que interpone en el desarrollo una voluntad antitética. Para una explicación más amplia véase: ACTANTE, PERSONAJE, NARRATIVA.

ANTANÁCLASIS. Es una figura de carácter semántico configurada por la repetición de una palabra con dos sentidos diferentes. Ejem.: *Yo soy aquel gentil hombre, / digo, aquel hombre gentil, / que por su dios adoró / a un ceguezuelo ruin.* (Góngora); *A Roma van por todo; mas vos, roma, / por todo vais a todas las regiones* (Quevedo). La retórica clásica diferencia la diáfora, cuando la palabra repetida toma un nuevo sentido, de la verdadera antanáclasis, llamada en latín *reflexio,* que se produce en una situación de diálogo: Ej.: *Desta misma equivocación usó el poeta Silvestre cuando leyéndole un versificante una poesía, hurtada de él, como suya, y preguntóle qué le parecía, respondió: «Que me parece»* (Gracián).

ANTEPOSICIÓN. V. INVERSIÓN.

ANTETEXTO. Texto literaria y lingüísticamente coherente que precede al que el autor da como definitivo. El antetexto puede ser un borrador, pero puede ser también una obra editada: la *Comedia de Calisto y Melibea* es un antetexto con respecto a la Tragicomedia de veintiún actos. Cuando el texto ha sido retocado en diferentes épocas en momentos a veces muy alejados entre sí, no se puede pensar en una diacronía, sino en una serie de sincronías que se superponen, al ser cada texto un sistema autónomo. Las sucesivas transformaciones permiten analizar la historia de la redacción, conocer, aunque sea parcialmente, el dinamismo de la actividad creadora. Citemos, como ejemplos, las diferentes versiones que Juan Ramón Jiménez ha dado —o conocemos— de algunos de sus poemas; los diferentes estados del *Cántico* guilleneano en sus sucesivas ediciones y su modificación total al inscribirse en el ciclo mayor de *Aire Nuestro,* con sus continuaciones.

ANTICIPACIÓN. V. PROLEPSIS.

ANTICLÍMAX. Gradación descendente con respecto a la tensión que marca el clímax (V.). Es particularmente efectivo, por sus efectos rítmicos, en la poesía. Obsérvese la conclusión del poema machadiano (LXXVII): *Así voy yo, borracho melancólico,* / *guitarrista lunático, poeta,* / *y pobre hombre en sueños,* / *siempre buscando a Dios entre la niebla.* A la progresión rítmica y semántica (clímax) que culmina en el penúltimo verso heptasílabo, le sigue la gradación rítmica descendente que estructura al último verso.

ANTÍFRASIS. Figura de tipo lógico con la cual se quiere afirmar exactamente lo contrario de lo que se dice. Ejemplos comunes: *¡Bonita contestación!* (= ¡Qué respuesta tan ineducada!), *Vas apañado.* Es evidente el valor irónico o polémico de las expresiones antifrásicas, en las que el subrayado de lo positivo sirve para poner en evidencia el valor negativo subyacente. Más sutil es la antífrasis ideológica (o incluso psicoanalítica): la afirmación de un nuevo valor por medio de la demolición de los atributos característicos de los viejos. Citemos el último grupo de versos del *Himno al Sol* de Espronceda o la subversión de valores que se produce en *Nazarín* o, en otra medida, en las *Sonatas* o los esperpentos de Valle-Inclán.

ANTIMETÁTESIS. Es una figura lógica que se apoya en la disposición en quiasmo (V.) de dos o más palabras, como en el famoso adagio: *Ede ut vivas, necvive ut edas* (= come para vivir, no vivas para comer); *Los libros están sin doctor y el doctor sin libros* (Gracián); *Tenéis la razón de la fuerza, os falta la fuerza de la razón* (Unamuno). La figura se denomina también antimetábole.

ANTISTROFA. En la métrica griega, por ejemplo, en las odas de Píndaro, el poema se compone, a veces, de tres estrofas: la primera es la estrofa propiamente dicha, la segunda recibe el nombre de antistrofa y la tercera es el epodo. La estructura fue imitada alguna vez en los siglos XVI y XVIII. El esquema métrico de la antistrofa es idéntico al de la estrofa.

ANTÍTESIS. Figura de carácter lógico que consiste en la contraposición de dos palabras o frases de sentido opuesto (procedimiento de antonimia: *blanco-negro, caliente-frío, bueno-malo*). La contraposición puede surgir por medio de formas negativas: *Que muero porque no* *muero,* o el famoso verso de Petrarca: *Pace non trovo e non ho da far guerra.* Pero caben también otras fórmulas que hagan oponer en el lector términos que semánticamente no lo están en la lengua; encontramos en Góngora construcciones como: *Caduco aljófar, pero aljófar bello; a batallas de amor, campos de pluma; o púrpura nevada o nieve roja.* Esta fórmula de disyunción ha sido estudiada por Bousoño para Aleixandre y para la lírica contemporánea: *La destrucción o el amor,* como también la comparación: *Espadas como labios.* Famoso es el soneto de Lope en que para definir el amor utiliza una serie acumulativa de contrastes: *Desmayarse, atreverse, estar furioso.*

ANTOLOGÍA. «La antología es una forma colectiva intratextual que supone la reescritura o reelaboración, por parte de un lector, de textos ya existentes mediante su inserción en conjuntos nuevos. La lectura es su arranque y su destino, puesto que el autor es un lector que se arroga la facultad de dirigir las lecturas de los demás, interviniendo en la recepción de múltiples poetas, modificando el horizonte de expectativas de sus contemporáneos» (Claudio Guillén, *Entre lo uno y lo diverso*). Las antologías cumplen y han cumplido una función indispensable en el conocimiento, conservación y revivificación de la literatura. El antólogo puede preocuparse del presente y recoger las manifestaciones poéticas que se producen en sus alrededores, dependiendo en su elección de circunstancias e intereses muy varios: es el caso de los cancioneros colectivos que circulan por nuestra literatura desde casi sus mismos orígenes; cancioneros provenzales y galaicoportugueses, los manuscritos del siglo XV, encabezados por el *Cancionero de Baena,* o las *Flores* que recogieron el romancero nuevo, sin contar los numerosos cartapacios y cancioneros de mano recogidos para uso particular, formados durante nuestros siglos XVI y XVII y gracias a los cuales se nos ha conservado para hoy la obra de algunos de nuestros poetas esenciales. En alguna ocasión el antólogo hace funcionar su colección como un manifiesto poético que indica un cambio de gusto: citemos, entre otros ejemplos menos famosos, las *Flores de poetas ilustres* de Pedro de Espinosa o la *Antología* de Gerardo Diego.

La antología puede servir también para recoger algo que se va y que, a través de ella, se prolonga en épocas que representan otra cultura, al recoger lo que es aún válido de aquello: recordemos la función del *Cancionero General* de 1511 con sus múltiples reediciones a lo largo de la centuria del quinientos y vivo también en esas segundas antologías que fueron sus reducciones (El *Cancionero de Constantina,* por ejemplo): nos remitimos a los estudios de Rodríguez Moñino y a sus ediciones.

Otras antologías proponen, a veces sin quererlo, modelos inmediatos, que pueden revivificar la propia literatura u otras: ¿cuánta no fue la importancia de *I fiori delle rime de'poeti illustri,* dedicada —y no por casualidad— a don Diego Hurtado de Mendoza, en la poesía italiana y española posterior? O proponen, en el momento de la lectura, modelos mediatos que pueden reutilizarse: los ejemplos más conspicuos los constituyen la *Antología griega* y la *Antología Palatina,* pero no se puede olvidar que dos cancioneros galaicoportugueses, de los tres que conocemos, fueron copiados para humanistas italianos, ni el influjo que supuso para la poesía portuguesa y española contemporánea —por no salirnos del mismo ámbito— de las colecciones preparadas por José Joaquim Nunes.

Pero incluso una antología colegida con fines histórico-didácticos puede modificar el horizonte de expectativas de un lector que, a su vez, puede ser escritor. Gabriel García Márquez ha reconocido paladinamente su deuda con respecto a la *Floresta de lírica española* de José Manuel Blecua. E, incluso, cada época organiza su propia antología, creando a sus predecesores: son los lectores de Mallarmé los que incluyen en la antología ideal de la literatura española («toda antología es ya, de suyo, el resultado de un concepto sobre una historia literaria», dice Alfonso Reyes en su *Teoría de la antología*) a Góngora y a sor Juana Inés de la Cruz.

ANTÓNIMO. Unidad léxica que, frente a otra, tiene un sentido contrario: *grande ~ pequeño.* Lyons (*Introducción en la lingüística teórica,* 10.4.) precisa las relaciones de sentido sobre el eje de la oposición, diferenciando la complementariedad *(soltero : casado, macho : hembra),* que se produce cuando la negación de un hecho implica la aserción del otro; la antonimia, en la que es posible una única forma de implicación *(grande ~ pequeño),* es decir que la negación de un miembro no implica la aserción del otro *(Luis no es bueno* no quiere decir *Luis es malo):* entre los dos términos puede establecerse una «gradación»; la inversión o relación de reciprocidad (Dubois, s.v.): *comprar : vender, marido : esposa.* Dubois señala la dificultad de distinguir, en muchos casos, entre antónimos, recíprocos y complementarios.

Se habla también de antonimia cuando una palabra posee dos significados opuestos: *huésped* (= el que hospeda, el que es hospedado), *ventura* (= felicidad, riesgo).

ANTONOMASIA. Figura semántica que consiste en sustituir un nombre común, por ejemplo *conquistador, mujeriego,* por un nombre propio: *don Juan;* o a la inversa, un nombre propio por una caracterización, universalmente reconocida, del posesor: *el filósofo,* en la Edad Media, por *Aristóteles, el padre del psicoanálisis* por *Freud.* Morier (*Dictionnaire,* s.v.) defiende la idea de que la antonomasia es un caso particular de la metonimia (V.); según el grupo μ lo sería de la sinécdoque (V.

FIGURA). La perífrasis puede ser utilizada para indicar una antonomasia: *el que hizo toda cosa* (= Dios), *el azote de Dios* (= Atila).

APARTE. Convención teatral por la cual un personaje, con frecuencia dirigiéndose al público, manifiesta su pensamiento que permanece desconocido para los otros personajes. Abolido por el teatro realista o naturalista, ha sido recuperado en el teatro actual. Sirve, a veces, para expresar los cauces simultáneos y diversos por los que en la realidad fluyen el pensamiento y la palabra. El aparte, en el teatro del siglo XVI, puede funcionar como un procedimiento de distanciamiento: véase el papel del pastor en Diego Sánchez de Badajoz.

APÓCOPE. Pérdida de uno o más fonemas al fin de una palabra. Ej.: *san* por *santo, gran* por *grande, buen* por *bueno.* En la lengua española actual son usos que dependen de la situación en la frase. En la lengua literaria medieval era potestativo: *una niña de nuef años,* pero su posibilidad desapareció a partir del siglo XV, dejando como resto de la vacilación —sobre todo del apócope de *e*— la posibilidad de la *e* paragógica (V.).

APÓCRIFO. Se dice de un texto que no es del autor o de la época a que alguna vez se ha atribuido. Recordemos el caso de todos los escritos que alguna vez han sido atribuidos a Quevedo.

APÓDOSIS. Parte no marcada de una oración compuesta en la que ambas oraciones completan su significado mutuamente; la parte marcada se llama prótasis (V.). Los términos se aplican sobre todo al período condicional.

APOFONÍA. La apofonía o alternancia vocálica es la variación de un fonema o de un grupo de fonemas en el seno de un sistema morfológico. Ej.: *hace-hizo, dormimos-duermen.*

Morier propone llamar apofonía a una variedad de la paronomasia, peculiarmente activa como instrumento estilístico en la lengua poética, consistente en una variación del timbre vocálico que crea una cuasi-rrima: *Vendado que me has vendido* (Góngora).

APÓGRAFO. Manuscrito de una obra que ha sido copiado directamente del original del autor.

APOLOGÍA. Discurso en defensa de uno mismo o de otros. Puede tomar a veces formas amargas e irónicas (Cernuda: *Apologia pro vita sua*) o paradójicas y cómicas (Cetina: *Paradoja en alabanza de los cuernos*).

APÓLOGO. Forma narrativa —generalmente un relato, pero puede ser la descripción de un aspecto de la naturaleza: recordemos algunos capítulos de la *Introducción al Símbolo de la Fe* del padre Granada— en la que, tras un velo alegórico, se quiere mostrar un rasgo moral o filosófico. V. FÁBULA.

APORÍA. Duda o incertidumbre al enfrentarse con un razonamiento que no presenta ninguna salida lógica. En el seno del análisis literario la interpretación de un texto anfibológico (V. ANFIBOLOGÍA) puede comportar una serie más o menos compleja de aporías. Como medio expresivo, la aporía puede surgir del monólogo interior de un personaje, de un diálogo empeñado y problemático, de un soliloquio. Recordemos algunos ejemplos: las preguntas repetidas de Segismundo en el primer monólogo de *La vida es sueño* calderoniana, el comportamiento entero de *San Manuel Bueno* y de tantos otros personajes de Unamuno.

APOSICIÓN. Yuxtaposición de dos palabras, de una palabra y una frase o de dos frases, de tal modo que la segunda caracterice, identifique, explique o comente a la primera. Ejem.: *Poesía y pintura (hizo de mí un retrato), / aficiones en él gemelas, tácito fondo eran* (Cernuda). *Herido y muerto, hermano, / criatura veraz, republicana, están andando en tu trono* (César Vallejo).

APOSICIÓN. Procedimiento sintáctico que sirve para caracterizar o identificar a un sustantivo o a un pronombre por medio de un grupo nominal que le sigue tras una pausa, representada en la escritura por una coma. La aposición se usa para deshacer una ambigüedad posible, sobre todo cuando acompaña a un pronombre, pero también para introducir una metáfora (V.), una metonimia (V.) o una sinécdoque.

APÓSTROFE. Figura retórica que consiste en dirigir la palabra en tono emocionado a una persona o cosa personificada. Ej.: *Para y óyeme, oh sol, yo te saludo* (Espronceda); *Buscas en Roma a Roma, oh peregrino* (Quevedo); *Antes que te derribe, olmo del Duero, / con su hacha el leñador...* (A. Machado).

APOTEGMAS. Melchor de Santa Cruz, uno de los primeros que en nuestra literatura usan el término, titula su libro —y es una definición— *Floresta española de Apotegmas o sentencias sabias y graciosamente dichas*. V. GNOMA. Para una historia del género en la literatura española V. la edición de Alberto Blecua de *Las seiscientas apotegmas* de Juan Rufo.

APROSDÓQUETON. Término acuñado por Wilpert *(Sachwörterbuch der Literatur)* para denominar a la palabra o expresión imprevista, usada de manera extrañante o en lugar de una locución usual. Corresponde, aproximadamente, a lo que Bousoño llama rotura del sistema: Ejem.: *Tú y yo, cogidos de la muerte, alegres / vamos subiendo por las mismas flores* (Blas de Otero); *¡Salud, hombre de Dios, mata y escribe!* (César Vallejo).

ARBITRARIEDAD. En la teoría saussuriana (V. LINGÜÍSTICA, 1) la relación entre el significante y el significado (V. SIGNO) es arbitraria: no existe ninguna motivación que alíe al objeto (referente) y la imagen acústica (significante) o su transcripción gráfica; se muestra este hecho en la distinta nominación que se emplea para designar la misma cosa en lenguas diferentes, aunque sean afines, o por la varia extensión semántica de palabras que, en parte, designan al mismo objeto (leña/bois). Para Saussure, las lenguas son arbitrarias porque son convenciones codificadas por los miembros de una sociedad que las utilizan para comunicarse; sin embargo, la gramática generativo-transformacional señala la existencia «natural» de unas categorías gramaticales, sintácticas, y de unas reglas de formación y transformación de frases comunes a todas las lenguas. En ambos casos, una vez fijado el código de la lengua (V.), la relación significante-significado no puede estar sujeta a las modificaciones de los hablantes particulares: se plantean entonces las dicotomías lengua/habla (o competencia y actuación) y diacronía/sincronía, que las escuelas lingüísticas contemporáneas han intentado resolver.

Más complejo es el problema que plantea el signo literario, siempre «secundario» con respecto al puramente lingüístico: hay en él una especial motivación que depende de la relación específica entre la forma de la expresión y la forma del contenido (recuérdese la humorística defensa de la motivación que hace Valéry de la palabra francesa *locomotive*), de la connotación que corresponde a códigos determinados (V. ESCRITURA), de la contextualidad funcional del signo respecto a otros en el ámbito de la literatura o de la obra (V. IRRADIACIÓN), etc. V. MOTIVACIÓN. Para la motivación gráfica V. COMPAGINACIÓN, CALIGRAMA.

ARCAÍSMO. El arcaísmo es una forma léxica o una construcción sintáctica que pertenece a un sistema desaparecido o en trance de desaparición. En la dinámica lingüística de los grupos sociales algunas formas pueden ser sentidas como arcaicas por ser características de las personas más ancianas, o bien empleadas sólo en una determinada región. Es el caso, por ejemplo, del verbo correrse (= avergonzarse), inútil, por tabú, en el castellano de la península, pero vivo en el Perú: *Me moriré en París —y no me corro— / tal vez un jueves, como es hoy, de otoño* (César Vallejo). En la lengua viva permanecen formas y construcciones arcaicas sin ser notadas como tales (*parar mientes, a la postre, ser con alguno*). El arcaísmo, en lo literario, hace referencia a determinados usos sec-

toriales y codificados: *magüer* (sic) contemplado como palabra antiga-
licista por los escritores de costumbres del romanticismo, y por eso
usada; la imitación del lenguaje de las novelas sentimentales o de caballerías que Cervantes coloca en boca de don Quijote; las «correcciones» que Pacheco hace a Herrera —si seguimos la tesis de Blecua, frente
a Macrí— para crear una lengua de prestigio; o la atemporalidad lograda
por Antonio Machado al caracterizarnos a los campesinos de Soria por
sus *capas luengas*. Todo son estilemas que asumen un valor extrañante
expresivo en parangón con la lengua de uso.

ARCHILECTOR. Para Riffaterre (*Ensayos de estilística estructural,*
2.2 y 2.3), el archilector es un instrumento para poner de relieve los
estímulos de un texto: nos proveerá de la información constituida por
todas las respuestas o reacciones suscitadas por un texto literario. Se
puede considerar, por ejemplo, como archilector la historia de la crítica,
el conjunto de lecturas y de observaciones pertinentes a los aspectos
estilísticos de una obra. El crítico considerará al archilector como una
especie de código de referencia para plantear su trabajo interpretativo.

ARGUMENTO. En la lingüística textual, el argumento o tema o *topic*
es aquello de lo que se habla. El argumento común a dos o más frases
produce la coherencia temática del texto. Véase también REMA.
   Por argumento se entiende también el resumen más o menos extenso
de una obra literaria, bien siguiendo la historia, bien siguiendo el orden
de la trama.
   En un tercer sentido, la retórica clásica denominaba argumento al
razonamiento que se utilizaba para probar una proposición o convencer
de una aserción a un auditorio. Se distinguían distintas clases de argumentos: *ad hominem* (que no vale más que contra la persona a quien
se dirige), *corax* (lo que se dice es demasiado evidente para ser cierto),
ad populum (se trata de emocionar al buen público), etc.

ARMONÍA IMITATIVA. Es una figura retórica, limítrofe a la onomatopeya y la aliteración, con la que se designa una cierta ordenación
de las palabras en la frase o en el verso de tal forma que recuerden un
sonido natural o que creen, apoyándose en la costumbre lingüística del
autor y del receptor, una determinada impresión (Bremond, que describe el fenómeno, lo llama «fonética impresiva»). La formulación más
sencilla sería la pura onomatopeya, que constituye, como señala Conti,
un verdadero «lenguaje pregramatical». Ejem.: *999 calorías /
Rumbbbb... Trrraprrr rrach... Chaz* (César Vallejo).
   La onomatopeya, en el texto, puede constituir a veces un núcleo que
se opone significativamente a la gramaticalidad de la frase en que se
inserta (*y un cantarillo de barro / —glú-glú— que nadie se lleva*, Antonio

Machado), o funcionar como centro expresivo, fónico y rítmico del contexto en que se sitúa, precisamente por sus cualidades agramaticales; Bousoño, en un comentario ya clásico, ha señalado el valor de la onomatopeya *tic-tac* en la última estrofa de *El viajero* machadiano: *Serio retrato en la pared clarea / todavía. Nosotros divagamos. / En la tristeza del hogar golpea / el tic-tac del reloj. Todos callamos*; obsérvese la sucesión y alternancia de consonantes velares y dentales que anuncian y prosiguen el juego *t-c, t-c* de la onomatopeya, según un procedimiento que evoca a los paragramas saussurianos; el vaivén y el silencio entre los dos movimientos del reloj se marcan con la cesura mayor del último verso y con el «*todos callamos*» del segundo hemistiquio.

La onomatopeya no es siempre precisa en la base de la armonía imitativa. La arbitrariedad del signo lingüístico, su «imperfección» —como Genette (*Figures II*) nos recuerda que subrayaba Mallarmé—, hacen que el verso o la frase con sus sonidos puedan crear una armonía propia ligada al significante o, en algún caso, desligada de él y confiada al puro juego de los sonidos —en este caso último quizá fuese mejor hablar de fonosimbolismo. El significante acompaña al significado en los conocidos versos de Garcilaso: *En el silencio sólo se escuchaba / un susurro de abejas que sonaba*. Dámaso Alonso ha mostrado cómo el significante acrece el significado del verso sanjuanino *Un no sé qué que quedan balbuciendo*, con el tartamudeo de los monosílabos iniciales, la repetición tartajosa de la sílaba *que* y el cierre en la explosión onomatopéyica gramaticalizada del monema *balb-* (*balbus* en lat. tartamudo, y es común a muchos idiomas). Alarcos quiere que incluso factores rítmicos puedan contribuir a la creación de la armonía imitativa o del fonosimbolismo: «A darnos la sensación de gracilidad, de ligereza, de unos chopos, contribuye el ritmo ligero y cimbreante de estos versos de Guillén: *Perfilan / Sus líneas / De mozos / Los chopos...*»

La arbitrariedad de la unión entre significante y significado puede llevar a que éste asuma una significación autónoma, ligada al puro juego de sonidos: entonces habrá que hablar de lenguaje fonosimbólico, puesto que el significante actúa como un símbolo: así, en el poema de Blas de Otero que comienza *Vuelve la cara Ludwig van Beethoven, / dime que ven, que viento entra en tus ojos, / Ludwig; que sombras van o vienen, van / Beethoven; que viento vano...* el sonido está funcionando independientemente del significado.

Esta autonomía entre significante y significado puede llevar, y lleva, a una nueva funcionalidad del lenguaje, permitiendo crear mensajes que no se apoyan fundamentalmente en lo expresivo del significado sino en la autorreflexividad de los significantes, produciendo mensajes por la manipulación de elementos no analizables lingüísticamente en la palabra: *Viene gondoleando la golondrina / Al horitaña de la montazonte / la violondrina y el goloncelo / Descolgada esta maña de la lunala / Se acerca a todo galope* / *Ya viene la golondrina* / *ya viene la golonfina* / *ya viene la golontrina* / *Ya viene la goloncina* / *Viene la golonchina* / *Viene la golonclima* / *Ya viene la golonrima* / *Ya viene la golonrisa* / *La golomniña* / *La golongira* / *La golonbrisa* / *La golonchilla* / *Ya viene la golondía* (Huidobro). El mismo mecanismo se aplica a la última prosa: *y nosotros en el más acá muertos de risa en la orilla del mantel, con este pregonero increíble, el heraldo, Butrófono, éste, gritando, Bustrofenó-Nemo, chico eres un Bustrófonbraun, gritando, Bustrómba marina, gritando, Bustifón, Bustrosimún, Busmonzón, gritando, Viento Bustrófenomenal, gritando a diestro y siniestro y ambidiestro* (Cabrera Infante).

El valor fonosimbólico del mensaje se acrece cuando se adelgazan las relaciones con el sistema de la lengua, de tal forma que sólo podemos reconocer algunos fragmentos de significante con significado, dejando el resto del sentido al puro sonido: *Empiece ya* / *La faranmandó mandó liná* / *Con su musiquí con su musicá* / *La carabantantina* / *La carabantantú* (Huidobro); y recordemos ahora el perfectamente comprensible capítulo 68 de *Rayuela*, escrito por Cortázar en glíglico.

El último extremo de mensaje formal, fonosimbólico, se situará en las jitanjáforas (V.), donde no hay ninguna referencia al sistema de la lengua, en donde el mensaje es total y absolutamente «autorreflexivo»: *Filiflama alabe cundre* / *ala olalúnea alífera* / *alvéola jitanjáfora* / *liris salumba salífera*; el ejemplo es de Mariano Brull, y de él toma el nombre Alfonso Reyes para dárselo a la construcción poética —o también en prosa— de este tipo.

Para un mejor acercamiento al tema remitimos a Alarcos Llorach, *Ensayos y estudios literarios* (y véanse también las páginas que dedica al tema en sus estudios sobre Otero y González) y a Alfonso Reyes, *La experiencia literaria* y *El deslinde*.

ARQUETIPO. En filología, el arquetipo es la redacción no conservada —y muchas veces ideal— de un texto; el arquetipo puede reconstruirse por caminos indirectos por medio de los testimonios de códigos o impresos derivados de un original perdido. Para esto, véase Alberto Blecua, *Manual de crítica textual*.

Nos interesa señalar también un significado distinto e importante del término, de procedencia filosófico-psicoanalítica, según el cual el arquetipo es una representación de unos motivos originales e innatos comunes a todos los hombres, independientemente de la sociedad y de la época a que pertenecen. Algunos críticos, tomando sugestiones junguianas y planteamientos antropológicos (Dumézil, Bachelard, Lévi-Strauss), han postulado un universo imaginario, lugar geométrico de los grandes temas, símbolos, figuras y mitos recurrentes. El intérprete más sugestivo de esta tendencia hermenéutica es Northop Frye, que presenta una parte de su fundamental *Anatomía de la crítica* como una «gramática» de las formas literarias que se deriva de los arquetipos míticos actuándose en la literatura.

ARSIS. Término opuesto a tesis (V.), en la métrica clásica se aplicaba a los elementos no caracterizados del pie, es decir, la sílaba o sílabas breves. Al desaparecer la cantidad como elemento constructor del verso, arsis pasó a designar la sílaba sobre la que recae el *ictus*, la sílaba que en el verso es portadora del acento.

ARTE COMÚN. V. ARTE REAL.

ARTE MAYOR. El verso de arte mayor es el vehículo que utiliza la poesía española y portuguesa durante un período que culmina en el siglo XV para la expresión de temas o tratamientos que no sean articulables en las formas de la canción o el decir: así los poemas narrativos, alegóricos o en los que se intenta un tono poético elevado (véase la oposición con el arte menor en, por ejemplo, el *Claroscuro* de Juan de Mena). También en los poemas burlescos que parodian a aquéllos, como la *Carajicomedia*.

El verso de arte mayor está presente en la literatura española desde finales del siglo XIV (se encuentran en el *Rimado de Palacio* del Canciller Ayala), sustituyendo paulatinamente al alejandrino de la cuaderna vía, y desaparece en el XVI, reemplazado por el endecasílabo de origen italiano, mucho más flexible y adecuado a la nueva sensibilidad renacentista. Después se usará sólo esporádicamente y casi como juego. El verso de arte mayor comporta todo un sistema poético, que hace que su lengua se aleje, acaso como nunca en nuestra literatura, del lenguaje normal.

El metro de arte mayor se caracteriza por pertenecer a un sistema silábico-acentual y constituirse en un verso de dos hemistiquios, separados por una cesura, cada uno de los cuales contiene la combinación /́- - - -́/ fija, de tal forma que para lograrla se pueden —y deben— producir desplazamientos acentuales, que pueden alcanzar a colocar el ictus en sílabas normalmente átonas, mientras que palabras de sentido pleno aparecen privadas de acento: *a lós menos méritos*. En la época de plenitud (Mena, Santillana), el primer hemistiquio lleva el primer ictus en la primera o en la segunda sílaba, mientras que el segundo lo comporta en la segunda sílaba, excepto cuando el primer hemistiquio acaba en palabra aguda (el ictus del segundo puede entonces ubicarse sobre la tercera sílaba) o esdrújula (el primer acento del segundo miembro puede recaer en la primera sílaba): puede haber, por tanto, compensación rítmica entre los dos hemistiquios, como también puede haber sinalefa (o sinafia: la pausa es muy marcada) cuando el ritmo obliga a ello. En la versificación de arte mayor el ritmo es el factor dominante de construcción.

Esta poética se conforma en una estrofa denominada «copla de arte mayor». Su estructura más frecuente es la reunión de ocho versos, divididos en dos semiestrofas que comportan una rima común; cada una de las dos semiestrofas de cuatro versos puede tener forma de rima cruzada (ABAB) o abrazada (ABBA). Algunas veces se encuentra la segunda semiestrofa reducida a un terceto o ampliada a un quinteto.

Para mayores precisiones sobre esta cuestión V. Lázaro Carreter, «La poética del arte mayor castellano», en *Estudios de poética*.

ARTE REAL. Se opone en los siglos xv y xvi el arte real (en la nomenclatura de Juan del Encina) o común (en la del Marqués de Santillana) al arte mayor en que aquél se apoya sobre todo en el octosílabo, con su pie quebrado de cuatro sílabas; en común tienen ambos el utilizar la rima consonante y no ser glosa ni canción (V.).

La forma de organización estrófica del arte real es la «copla» distribuida en dos grupos que pueden compartir o no las mismas rimas, pero que presentan entre ambas una relación de paralelismo, oposición o coherencia semántica que hace que se tengan que considerar como una unidad superior; las dos semiestrofas no tienen por qué tener el mismo número de versos. Así se producen una gran cantidad de formas aparentemente distintas y que se han intentado diversificar: copla real, copla castellana, estrofa manriqueña, etc.

La vida del arte real es duradera, más que la del arte mayor: se encuentran ejemplos en Garcilaso y se emplea con profusión en el mejor teatro del siglo xvi, como puede ser el caso de Gil Vicente. En la madurez del Renacimiento lo usan Soria (en formas distintas) o Gallegos (cfr., nuestra ed. del *Cartapacio del Colegio de Cuenca*); más tarde aún, Lope escribirá en «quintillas dobles» (es decir, en coplas reales de diez versos) su *Isidro*. La copla real, autónoma o seriada, será el origen de la décima, cuando aquella adquiera la plenitud de equilibrio.

Para mayor precisión, véase Lázaro Carreter, «La estrofa en el arte real», en *Homenaje a José Manuel Blecua*.

ARTICULACIÓN. Martinet (V. LINGÜÍSTICA, 2) señala como característica definitoria de las lenguas naturales su organización en dos planos coexistentes, que denomina doble articulación del lenguaje. En el primer plano o primera articulación, el enunciado se articula linealmente en unidades dotadas de sentido, desde la frase a los sintagmas y a los monemas, que son las más pequeñas unidades provistas de sentido (ej.: *dormiré* está formado por tres monemas, de los cuales uno es léxico, *dorm-*, y los otros dos gramaticales o morfemas, *ir- -é*). En el segundo plano o segunda articulación cada monema se descompone en unidades desprovistas de significado, los fonemas, que son las unidades mínimas distintivas: *Canto* está formado por cinco fonemas. La doble articulación del lenguaje permite una marcada economía en la producción de los mensajes, puesto que son suficientes unos pocos fonemas para formar millares de monemas con los que construir infinitos mensajes.

ASÍNDETON. Es una figura de tipo sintáctico que consiste en la eliminación de lazos formales entre dos términos o dos proposiciones. Especialmente importante, por su fuerte y variada carga expresiva, es el asíndeton en las enumeraciones o en las acumulaciones (V. ACUMULACIÓN). Ejem.: *no sólo en plata o viola troncada / se vuelva, mas tú y ello juntamente / en tierra, en humo, en polvo, en sombra, en nada* (Góngora); *Llamas, dolores, guerras, / muertes, asolamientos, fieros males / entre tus brazos cierras, / trabajos inmortales / a ti y a tus vasallos naturales* (Fr. Luis de León). Se puede observar en este último ejemplo cómo el efecto logrado por el asíndeton se potencia con el intercalamiento del verbo entre los términos que constituyen la acumulación.

ASONANCIA. Figura de carácter morfológico que surge de la semejanza de sonidos entre las últimas sílabas de dos palabras, cuando son iguales las vocales, pero distintas las consonantes. Cuando las palabras están al final de verso se establece la rima asonante (V.). Pero la asonancia se puede producir entre palabras en posición interior de verso, de dos versos distintos —sin funcionar como rima— o incluso en la prosa. Para la prosa, Daniel Devoto *(Prosa con faldas)* ha mostrado su valor estilístico y lo ha aplicado al estudio de la de Mateo Alemán. En verso, Salinas o José Hierro, siguiendo las huellas de Juan Ramón, son maestros en el logro de una serie de isotopías fónicas que dan una doble coherencia a sus poemas. Véase, por ejemplo, en estos versos de Pedro Salinas: *Dos líneas se me echan / encima a campanillazos / paralelas del tranvía*, cómo la doble serie de asonancias *(líneas-encima-tranvía; echan-paralelas)*, con su construcción en quiasmo, ponen orden en el desorden sintáctico de los versos.

ASPECTO. Es el valor semántico no temporal que el locutor da al proceso verbal. La conjugación del castellano distingue entre un aspecto perfectivo y un aspecto imperfectivo. Por procedimientos perifrásticos o mediante morfemas específicos se pueden marcar otros caracteres: la incoación (inicio de la acción: *rompe a llorar*), la progresión *(está llorando)*, la iteratividad *(vuelve a llorar)*, la conclusión *(ha llorado)*. Conviene distinguir entre aspecto y modo de acción *(Aktionsart)* que expresaría los caracteres objetivos —no dados por el locutor— del proceso.

ATENUACIÓN. V. LITOTES.

ATMÓSFERA. Término bastante ambiguo con el cual se define, especialmente en la crítica de tipo impresionista, una determinada tonalidad dominante en un texto, la caracterización sentimental de sus motivos de base, la emoción que suscita en el lector (a veces más allá de los contenidos explícitos: sería el caso de lo que Bousoño llama símbolo bisémico). Así, por ejemplo, Bousoño (en *Teoría de la expresión poética*) subraya la emoción de melancólica y contenida gravedad, de pesadumbre que, más allá de las palabras, se experimenta al leer el poema de Antonio Machado que comienza *Las ascuas de un crepúsculo morado*. Sólo un estudio detenido del texto, aplicando todos los procedimientos de la estilística y de la filología, puede explicitar —y siempre sin llegar al fondo— la indeterminación de la atmósfera y reconocer detrás de la pantalla de las imágenes los procesos por los que el escritor ha logrado crear la emoción que es recibida por el lector.

AURA. Para Walter Benjamin, el aura es el carácter específico y original de la obra de arte. En la cultura de masas la obra pierde su aura, su individualidad irrepetible conexa a la civilización y a los modos de disfrute típicos del tiempo en que ha nacido; así, como consecuencia, se homologa con otros textos o mensajes, como si perteneciese a una clase, pudiendo llegar incluso a ser considerada kitsch (V.).

AUTOBIOGRAFÍA. Relato de la propia vida. Modelo de introspección finísima son las *Confesiones* de San Agustín, que sirvieron de modelo a muchas autobiografías medievales y renacentistas (recuérdese, por ejemplo, el *Secretum* de Petrarca, pero cfr. Francisco Rico, *Vida y obra de Petrarca*). En la literatura española el modelo de autobiografía lo constituyen sin duda los libros de Santa Teresa. La autobiografía pura es escasa en nuestra literatura; en las más de las ocasiones el escritor se coloca como testigo de su tiempo y hace poquísimas incursiones a su pensar y al modo de elaborar su obra. Citemos en nuestra época, como interesantes, *Desde la última vuelta del camino,* de Baroja, los *Recuerdos de infancia y mocedad* de Unamuno, *Los pasos contados* de Corpus Barga, *Automoribundia* de Gómez de la Serna, *Coto vedado* de Juan Goytisolo. Véase José Romera Castillo, «La literatura, signo autobiográfico: el escritor, signo referencial de su escritura», en *La literatura como signo*.

AUTO SACRAMENTAL. Obra teatral en un acto —a veces precedido de una loa— de carácter teológico, apoyado generalmente en la Eucaristía como renovación del misterio católico de la Redención, y finalidad didáctica. La construcción de personajes y trama es alegórico-simbólica. Calderón lo define así: «El asunto de cada auto es [...] la Eucaristía, pero el argumento puede variar de un auto a otro; puede ser cualquier historia divina —histórica, legendaria o ficticia— con tal que pueda iluminar algún aspecto del asunto» (*apud* Wardropper). Los orígenes del auto sacramental son difíciles de fijar: pueden situarse en los autos de Juan del Encina o de Gil Vicente (la *História de Deus* es ya un verdadero auto). En el teatro contemporáneo se ha intentado resucitar la técnica del auto sacramental, aun desposeído en ocasiones de sentido religioso: recordemos las experiencias de Miguel Hernández *(Quién te ha visto y quién te ve)* y Alberti *(El hombre deshabitado)*.

Sobre este tema, con copiosa bibliografía, cfr. Bruce W. Wardropper, *Introducción al teatro religioso del siglo de oro,* y M. Bataillon, «Ensayo de explicación del Auto Sacramental», en *Varia lección de clásicos españoles.*

AUTÓGRAFO.   Manuscrito de una época escrito por el propio autor.

AUTOR.   En una concepción semiológica de la literatura, la obra se define como mensaje inserto en un proceso comunicativo específico (V. COMUNICACIÓN, 2), que tiene como momentos terminales al autor y al público, es decir, al emisor y al destinatario. El sistema literario, con sus instituciones y sus códigos, es el espacio de la comunicación del mensaje y de su desciframiento (V. ANÁLISIS), en la dialéctica permanente que atraviesa el sistema y su relación con las series extraliterarias. Desde esta perspectiva, el autor deberá ser considerado, sobre todo, como emisor al que referir las modalidades de uno o varios mensajes, es decir, la unidad y la variedad de los textos. La crítica semiológica no está tan interesada en los hechos biográficos del individuo histórico-autor, cuanto en el constructor de la obra o autor implícito, inmanente en el texto. En el área narratológica, el autor se ha de diferenciar del narrador (V.). Sobre este problema remitimos a Cesare Segre, *Principios de análisis del texto literario.*

Sin embargo, una corriente que podemos considerar que parte de Jakobson *(Questions de poétique)* y se prolonga en Eco *(Tratado de Semiótica general),* en Luciana Stenano Picchio *(La méthode philologique),* en Lázaro Carreter *(El poema lírico como signo),* teniendo en cuenta también a Ingarden, une la filología a la semiótica para introducir de nuevo al autor como emisor del mensaje y cargado de una intención (que, para Lázaro, sería el *signatum* del signo literario) que intenta que sea comprendida por el destinatario —el lector posible—. No interesa, pues, la biografía del autor, pero sí la «semiología del sentido en el poeta» (Lázaro).

AYUDANTE.   V. ACTANTE.

BARBARISMO. Es una forma agramatical, no consentida por el código de la lengua en un momento determinado. Se pueden considerar también barbarismos a las deformaciones de una palabra, en la pronunciación o en el léxico, operada por un extranjero o un hablante dialectal. Interesa poner de relieve, en el seno del análisis estilístico, el valor expresivo, o quizá expresionista, de ciertas formas que podrían ser consideradas como barbarismos, introducidas con miras mimético-coloquiales: recuérdese la poesía negroantillana. Con intención claramente estilística y hasta dialéctica, usa los barbarismos ingleses Nicolás Guillén: *Aquí están los servidores de Mr. Babbit. / Los que educan sus hijos en West Point. / Aquí están los que chillan: hello baby, y fuman Chesterfield y Lucky Strike. / Aquí están los bailadores de foxtrots, / los boys del jazz band / y los veraneantes de Miami y de Palm Beach. / Aquí están los que piden bread and butter / y coffee and milk. / ... / Pero aquí están también los que reman en lágrimas, / galeotes dramáticos, galeotes dramáticos.* Juan Goytisolo emplea el adensamiento de barbarismos de diferentes clases e intensidad para indicar la pérdida de identidad de un personaje; al final de *Juan sin Tierra* se escribe: *desacostúmbrate desde ahora a su lengua, comienza por escribirla conforme a meras intuiciones fonéticas sin la benia de doña Hakademia para seguir a continuasión con el abla ef-fetiba de miyone de pal-lante que diariamente lamplean sin tenén cuenta er código pená impuet-to por su mandarinato, orbidándote poco a poco de to cuanto tenseñaron en un lúsido i boluntario ejersisio danalfabetim-mo que te yebará ma talde a renunsial una traj otra a la parabla delidioma i a remplasal-la por tém-mino desa lugha al arabya eli tebdá tadrús chuya b-chuya...*

BENEFICIARIO. Es un papel narrativo que corresponde al destinatario de la acción promovida por el destinador (por ejemplo, confiar una misión, ofrecer un premio, etc.) o al paciente que recibe la protección de un agente. V. ACTANTE.

BEST-SELLER. Libro de éxito, que alcanza una elevada (y acaso inesperada) difusión nacional e internacional. Cuando el libro es pensado desde su concepción para ser un best-seller se articulan en su promoción todos los intereses y mecanismos de la industria cultural (sondeos de mercado, «horizonte de expectativa» del público, condiciones históricas peculiares, eficacia de la información, etc.). Véase el libro *Sociología de la literatura*, de Robert Escarpit.

BILDUNGSROMAN. Con este término alemán, que significa «novela de formación o de educación», se delimita un tipo de relato en el que se narra la historia de un personaje a lo largo del complejo camino de su formación intelectual, moral o sentimental entre la juventud y la madurez. Lukács y, tras él, Goldmann, especializan el término para designar a la novela que acaba con una autolimitación voluntaria por parte del héroe que acepta contentarse con los valores que le parecen empíricamente realizables, y que normalmente corresponden a una ideología dominante. Como ejemplo de *Bildungsroman* se pueden citar el *Wilhelm Meister* de Goethe —el prototipo para Lukács—, *La educación sentimental* de Flaubert, el *Lazarillo*, el *Camino de perfección* o *La sensualidad pervertida* de Baroja. Generalmente, en la novela contemporánea la formación del héroe se realiza por medio de una dura relación con la sociedad burguesa, llena de disidencias y heridas, de la cual el héroe puede salir espiritualmente maduro, aunque esta madurez pueda conducir a su destrucción (*El árbol de la ciencia*, de Baroja).

BLANK VERSE. Verso de la poesía épico-dramática inglesa, constituido por un endecasílabo de andadura yámbica. Corresponde, aproximadamente, a nuestro endecasílabo. Es el verso del teatro shakesperiano, de la poesía épica de Milton, de Keats y de otros grandes poetas.

BORDÓN. V. SEGUIDILLA.

BRAQUILOGÍA. La braquilogía es una forma de elipsis que consiste en el uso de una expresión corta equivalente a otra más larga o más complicada sintácticamente: *Creí morir* (= creí que me iba a morir). Si en algunos casos puede conducir a la oscuridad, en otros puede tener una alta importancia estética: *Dios anclado* (García Lorca) por «Dios afincado para siempre en la tierra en la hostia».

Se entiende también por braquilogía la eliminación de un término cuando es común a dos o más proposiciones contiguas: *Allí estaba el toro blanco de los cuernos fulgentes, con la mujer maravillosa echada sobre el lomo; allí, el hombre de la cabeza de toro que custodiaba el laberinto de Creta; allí, la divinidad mitad doncella y mitad vacuno* (Mújica Láinez).

BUCÓLICA. Composición de ambiente pastoril, de muy antigua ascendencia clásica. V. ÉGLOGA.

BURLESCO. Robert Jammes, al estudiar la poesía burlesca de Góngora *(Études sur l'oeuvre poétique de Don Luis de Góngora y Argote)*, señala el parentesco de lo burlesco y de lo satírico puesto que ambos géneros implican una visión crítica de la realidad social entendida en un sentido amplio. «La diferencia fundamental [...] aparece en el momento en que se considera la actitud crítica del escritor en relación no con la realidad en sí misma, sino con el sistema de valores que constituye o que supone» [i.e. la ideología dominante]. El autor satírico se coloca en ese sistema de valores, lo acepta y critica lo que contradice a esta ideología. El autor burlesco —o la literatura burlesca— se sitúa fuera del sistema, frente a él y contra él: a los valores de la ideología dominante opone unos antivalores, de sentido inverso a aquéllos, los exalta y proclama su superioridad. Esta línea se encuentra en la literatura española desde las *Obras de burlas* del *Cancionero general* hasta nuestros días, con su culminación (en los siglos de oro) en Góngora —pero no en Quevedo, que sería fundamentalmente satírico— y en el *Estebanillo González*. Como se ve, este concepto de lo burlesco está muy cercano al de lo carnavalesco (V.) definido y estudiado por Bajtin.

CABO. Nombre que se da algunas veces a la finida (V.).

CABO ROTO. V. RIMA.

CACOFONÍA. Repetición de sonidos con efecto desagradable o de difícil articulación: *Tres tristes tigres* (Cabrera Infante); *Un gitano de Jerez / con su faja y traje majo.* A veces la cacofonía puede tener efectos imitativos (V. ARMONÍA IMITATIVA) o irónicos, paródicos o expresionistas: *La chulapona del chal, con chalanería: Pues a mí un jifero jarifo me enjaretó un jabeque aquí en la jeta y luego allí sobre los jaramagos me rajó en seco de una jiferada de jabalí. ¡Yo la jifa y él el jifero!* (Julián Ríos).

CALAMBUR. Juego de palabras que se produce cuando un reagrupamiento y redistribución de una o más palabras producen un sentido distinto. Ejem.: *La vez que se me ofrecía / cabalgar a Extremadura, / entre las más ricas de ellas / me daban cabalgadura.* (Góngora: Extremadura / extrema dura; el calambur se combina con un riquísimo juego de dilogías); *Dore mi sol así las olas y la / espuma que en tu cuerpo canta, canta / —más por tus senos que por tu garganta— / do re mi sol la si la sol la si la.* (Ángel González).

CALIGRAMA. Término inventado por Apollinaire para designar a un poema lírico cuya distribución en la página (es, por lo tanto, un poema para ser leído, no para ser recitado u oído) dibuja aproximadamente el objeto que le sirve de base. Del caligrama derivará la poesía figurativa, concreta o lo que se ha llamado «escritura en libertad».

CAMPO. Se puede definir el campo como un conjunto estructurado de elementos. En lingüística es particularmente importante el campo semántico, que está constituido por las unidades léxicas que denotan un conjunto de conceptos incluidos dentro de un concepto etiqueta que define el campo (Mounin, *Dicc.*, s.v.). Sin embargo se debe de tener presente que los campos conceptuales (por ejemplo, los que conciernen al parentesco, la política, etc.) no coinciden con los campos semántico-léxicos, porque la estructura del lenguaje no es isomorfa de la estructura del pensamiento. Para delimitar la estructura de un campo semántico es preciso descomponer cada uno de los lexemas en rasgos semánticos generales (o SEMAS, V.). Para el análisis de componentes véase SEMÁN-TICA, 1.

Guiraud, en los *Essais de stylistique,* introdujo el concepto de campo estilístico, formado por las estructuras semánticas de una obra literaria (o de varias), patentizadas por la relación contextual que determina el sentido de algunas palabras-clave. Piénsese en el término *tarde* en la poesía de A. Machado: su campo estilístico estará constituido por todos los términos que lo connotan. Véase también ONOMASIOLOGÍA.

CANAL. Medio a través del cual se trasmiten los mensajes en el proceso de la comunicación (V.).

CANCIÓN. En un sentido originario, que nunca se olvidará del todo, la palabra canción sirve para designar a cualquier texto poético que se pueda cantar: éste es el valor con que aparece en Berceo o en el *Libro de Alexandre:* así pues, las jarchas (V.), los villancicos (V.) y, sobre todo, las cantigas (V.) en cualesquiera de sus formas (las galaicoportuguesas o las que compuso el Arcipreste de Hita), serían canciones.

La presencia de la lírica provenzal y sus no bien determinadas relaciones con las formas métricas peninsulares fueron haciendo que, durante el siglo XV, el término canción fuera desplazando, hasta sustituirlo completamente, al de cantiga. Sin embargo, el parentesco de algunas formas poéticas provenzales (virelay, cosaute, viadeira) con las formas de cantigas paralelísticas (V.) o con estribillo, la indefinición de la fórmula de la *cansó* provenzal y su parentesco con la dansa, el discor, la balada, etc., hicieron que en el siglo XV y después se aplicaran a módulos y contenidos muy diversos e, incluso, dispares. En las colecciones del siglo XV parece aplicarse el término a un tipo de composiciones que se encabezan con un mote no popular ni popularizante —eso la diferencia del villancico— y una serie de coplas de longitud variable que introducen en su final la disposición métrica de la cabeza, a veces la rima, en otras ocasiones alguna parte íntegra de la cabeza. La canción puede constar de una sola estrofa —además de la cabeza o mote— o de varias, con mucha frecuencia tres, a las que puede acompañar una finida. Las serranillas del Marqués de Santillana y sus canciones pueden servir de ejemplo de varias posibilidades.

Junto a este tipo de canción, el siglo XVI verá aparecer, de la mano de Boscán y Garcilaso, en nuestra literatura la canción italiana —descendiente de la *cansó* provenzal—, que había alcanzado altísimas cotas, en un proceso similar al que siguió el soneto, con Dante y con Petrarca. Esta canción se compone de un número indeterminado de estrofas —en Petrarca no menos de cinco ni más de diez— escritas en versos endecasílabos, generalmente combinados con heptasílabos. El esquema fijado en la primera estrofa ha de seguirse obligatoriamente en todas las demás. La estrofa —llamada estancia— está repartida en dos bloques bien diferenciados, la fronte y la sírima, unidos entre sí por un verso de transición (*chiave* o eslabón), semejante al verso de vuelta del villancico. La fronte se divide en dos pies de igual número de versos; la sírima puede ser unitaria o dividida en dos partes denominadas *volte;* si es unitaria, es frecuente que se cierren con un dístico. La *chiave* tiene la misma rima que el último verso de la fronte. El esquema de una estrofa de la *Canción III* de Garcilaso:

	1.er pie	Con un manso ruido	a
		de agua corriente y clara	b
fronte		cerca el Danubio una isla que pudiera	C
	2.º pie	ser lugar escogido	a
		para que descansara	b
		quien, como estó yo agora, no estuviera:	C
chiave		do siempre primavera	c
		parece en la verdura	d
		sembrada de las flores;	e
sírima		hacen los ruiseñores	e
		renovar el placer o la tristura	D
		con sus blandas querellas	f
		que nunca día ni noche cesan de ellas.	F

La canción puede cerrarse con una estrofa breve —más corta que las estancias—, llamada *commiato* o envío; esta última estrofa puede presentar estructuras muy variadas. La presencia del envío es casi general en las canciones escritas en el siglo XVI; desaparece, en cambio, en las escritas tras Herrera.

La vida de la canción ha sido larga tanto en la literatura italiana como en la castellana, unas veces con modificaciones que, por quererla acercar a la lírica cantada, la van aproximando a la oda o a la silva, hasta borrar los límites (así en Unamuno); otras, conservando su estructura rígida, como hace Cernuda en *Égloga* y en *Oda,* que es una canción, a pesar de su título. En algún caso sólo la estructura interna nos marcará el parentesco con aquella forma renacentista: véase, por ejemplo, la *Canción a una muchacha muerta* de Vicente Aleixandre, construida con un doble envío.

Con el sentido medieval —o los sentidos— de la palabra canción, pasados por la criba de la poesía popular y tradicional, más que con la canción italiana, enlazan las canciones que componen los libros —y son ejemplos típicos— *Canción* de Juan Ramón Jiménez, el *Libro de canciones* de García Lorca, tan íntimamente ligado a *Suites* o al *Poema del cante jondo,* o las *Nuevas canciones* de Antonio Machado. La cantidad de juegos poéticos, la diferencia de contenidos expresivos y comunicativos, la inmensa y diversa riqueza formal de todos estos libros hacen imposible intentar, aquí, una fórmula unívoca que abarque a todos esos poemas.

CANTIGA. En los cancioneros gallego-portugueses se llama cantiga a cualquiera de sus composiciones, sea cual fuere su forma y asunto; su finalidad primaria era el canto, y de ahí su nombre. Se distinguían tres subgéneros fundamentales: a) *cantigas de amigo,* colocadas en boca de una muchacha que expresa un sentimiento básico de soledad; son, como se sabe, por estas dos causas muy cercanas a las jarchas, y alguna vez se ha pensado en que están cerca de una poesía popular, aunque las que conocemos han sido compuestas por trovadores o segreles; sus principales recursos formales son el paralelismo (muchas veces unido al leixaprén) y el estribillo, en la estructura de cosaute; por la forma de presentación, Rodrigues Lapa *(Lições de Literatura Portuguesa)* distingue entre cantigas con forma de monólogo lírico (aunque se presente una invocación inicial a la madre, al amigo, a algún elemento de la naturaleza, etc.), el diálogo con el amigo, el diálogo con la madre, la pastorela (pero con el caballero simple testigo silencioso) y la albada. b) *cantigas de amor,* colocadas en boca del hombre, con tema amoroso, y sin que presente siempre en ellas el sistema paralelístico o el estribillo; influidas acaso por el sistema de amor cortés provenzal, este sentimiento, sin embargo, se desjerarquiza y se acerca a detalles reales y cercanos, lejos de aquella estética. c) *cantigas de escarnho e mal dizer,* de carácter satírico, emparentado con el del sirventés (V.) provenzal; en las de escarnho, el autor se burlaba de alguien o de algo «por palabras cubiertas que tengan dos sentidos para que no se entienda de ligero», como dice el prólogo del *Cancioneiro da Biblioteca Nacional;* en las de mal dizer se ataca directamente, sin tapujos. Las *Cantigas* de Alfonso X desarrollan el tema religioso, inexistente hasta este momento, y la posibilidad narrativa.

El término *cantiga* pasa a los cancioneros de corte castellanos más antiguos. En el de Baena ya no es el término único, pero aún se aplica a muchos poemas que después se denominarán *decires.* La diferencia de éstos con la cantiga, aunque nunca bien definida, parece ser que ésta denomina a los poemas con estribillo y glosa con vuelta, mientras que el decir es para ser recitado, carece de estribillo y sus estrofas pueden no tener entre sí otro rasgo en común que el ajustarse a un mismo esquema de metros y rimas, según dice Rafael Lapesa *(La obra literaria del Marqués de Santillana)*. En cancioneros posteriores la palabra cantiga va dejando su lugar a la de canción, quedando relegada la antigua al lenguaje popular.

CAPÍTULO. Unidad de lectura que, en un texto narrativo, el autor o el narrador proponen al lector o destinatario. Está compuesto generalmente de varios parágrafos y casi siempre está precedido por un número y/o un subtítulo. El cambio de capítulo puede indicar una modificación del modo o de la voz de la escritura.

En métrica renacentista se denominaba capítulo a una composición en tercetos encadenados de tema ético o erótico, pero con tratamiento meditativo. Así llama a sus composiciones en tercetos Diogo Bernardes.

CAPTATIO BENEVOLENTIAE. Es un *topos* (V.) retórico que aparece con frecuencia al principio o al final de una composición (desde el discurso oratorio a la obra teatral), mediante el cual el autor busca concitar un acogimiento benévolo por parte del receptor. No demasiado frecuente en la literatura contemporánea, pueden sin embargo verse algunas manipulaciones del *topos*. Véase, por ejemplo, el prólogo de *La zapatera prodigiosa* de García Lorca y el parágrafo *Prácticas de oratoria* en el capítulo II del *Juan de Mairena* machadiano. Para un elenco de los procedimientos de *captatio benevolentiae*, véase Curtius, *Literatura europea y Edad Media Latina,* excurso II.

CARÁCTER. Conjunto de cualidades psicológicas y morales que bosquejan a un personaje (V.). Aristóteles, en la *Poética,* lo define como «aquello según lo cual decimos que los que actúan son de una determinada manera». Los caracteres (en Teofrasto, en La Bruyère o en la comedia denominada «de caracteres», desde Molière a Chejov) se presentan como un conjunto de rasgos específicos que corresponden a un temperamento, a un vicio o a una virtud. En el teatro cómico el carácter puede terminar por asumir formas estereotipadas y estilizadas que desemboquen en el tipo (el viejo, el criado, el enamorado), que a veces puede llegar al figurón o a la máscara de la *commedia dell'arte*. Conviene, pues, distinguir entre la categoría de carácter y la de tipo: esta última presenta personajes poco elaborados y repetitivos, mientras que los caracteres, más allá de su patrón general, tienen siempre algunos rasgos individuales que lo hacen real. Carácter y enredo, que se presentan como inversamente proporcionales tanto en el relato como en la acción dramática, son, sin embargo, dos elementos constantes y dialécticos en ellas. Una descripción y un estudio excesivamente minucioso de los caracteres acarrean el riesgo de destruir la forma dramática o narrativa, de hacer que en el texto no pase nada; por el contrario, un predominio del enredo vacía a los personajes para dejar simplemente un esquema de fábula, como sucede en tantas novelas policíacas o de aventuras.

CARACTERIZACIÓN. En un sentido amplio, la caracterización es el proceso crítico con el que se define la fisonomía distintiva de un texto, de un tema o de un personaje. En la novela, especialmente en la del realismo, adquiere una importancia destacada el procedimiento usado para caracterizar ambientes o personajes (V. PERSONAJE). La descripción (V.) puede ser directa —hecha por el autor—, dada por los otros personajes o filtrada por medio del relato (piénsese en las diferencias entre *Fortunata y Jacinta* y *La Regenta*). En alguna clase de crítica —especialmente en la idealista: Croce, Vossler—, la caracterización es una fase del juicio estético: la determinación del carácter de una obra no considera la expresión, sino el contenido o motivo fundamental, que está referido a una clase o tipo psicológico determinados, por medio de una fórmula. El estudio de Vossler, *La poesía de la soledad en España*, podría ser un modelo de este tipo de crítica. Sobre sus limitaciones, baste ver la imposibilidad de clasificación de las *Soledades* gongorinas.

CARICATURA. Retrato de un personaje, bien en sus caracteres físicos (V. PROSOPOGRAFÍA), bien en los éticos (V. ETOPEYA), en el que por procedimientos muy diversos se exageran determinados rasgos. Aunque en la mayor parte de los casos las caricaturas son cómicas (las serranas del Arcipreste) o satíricas hasta llegar a la crueldad (Quevedo, Francesillo de Zúñiga, Valle-Inclán), en otros se puede destacar una visión peculiar, expresionista (los *Retratos contemporáneos* de Gómez de la Serna) o lírica (*Españoles de tres mundos. Caricaturas líricas* de Juan Ramón, u otras figuras que aparecen en sus prosas).

CARNAVALESCO. Sobre la categoría literaria de lo carnavalesco ha insistido el crítico ruso Mijail Bajtin, que ha puesto de relieve sus orígenes folklóricos y sus modalidades expresivas, ligadas a los estratos populares inferiores y a la relación negativa y paródica establecida por ellos con las manifestaciones culturales de las clases dirigentes. Desde la antigüedad el carnaval («fiesta de locos» medieval, saturnalia romana, etc.), que es una experiencia fundamentalmente colectiva, es el momento de la risa, de la transgresión, de la sátira y de la parodia, de la exaltación, en resumidas cuentas, del «mundo al revés» con la consiguiente contestación de las relaciones jerárquicas y de los valores ideológicos establecidos. La fiesta de carnaval, con su espíritu corrosivo, ha influido profundamente, según dice Bajtin, en géneros literarios cómico-realistas, sobre todo por medio del lenguaje: un lenguaje radicalmente antiliterario, familiar, plebeyo, barriobajero, coloquial hasta la obscenidad, corporal e instintivo, alegre y vitalista. Para Bajtin, la máxima expresión del espíritu y de la lengua carnavalesca es Rabelais, al que le dedica un valiosísimo estudio (*La cultura popular en la Edad Media y en el Renacimiento: El contexto de François Rabelais)*: si las raíces antropológicas y culturales del escritor francés se hunden en un suelo antiquísimo, que pasa por el cristal del humanismo, elementos de la manera carnavalesca salpimentan en el *Gargantúa* los más variados géneros literarios, frecuentemente en una dialéctica irónica y paródica con los géneros llamados serios.

Bajtin, además, extrapola el concepto de carnaval para hacer de él un principio explicativo de la literatura y un elemento estético e histórico esencial de su poética. En *La poétique de Dostoievsky* dice que «la carnavalización es una forma extremadamente flexible de visión artística»; es ella la que permite a Dostoievsky, por ejemplo, «calar en los estratos más profundos del hombre y de las relaciones humanas», por mediación de «su pathos de cambios y renovaciones».

CATACRESIS. Metáfora de uso corriente, ya lexicalizada y no advertida como tal. La traslación, o sea, la extensión del sentido, sirve de hecho para colmar un vacío semántico, la falta de una palabra específica para designar a un objeto. Por ejemplo, son catacresis los sintagmas *ojo de aguja, cuello de la botella, dientes de la llave*. Los términos «ojo», «cuello», «dientes» tienen una extensión metafórica que ya ha sido absorbida en el uso común de la lengua de comunicación general.

Morier —siguiendo en esto a los retóricos barrocos ingleses y a Gracián— da a este término una nueva especificación: en la catacresis la extensión de sentido se establece entre dos realidades sensibles radicalmente diferentes. Gracián la indica como una de las más agudas expresiones del concepto. Ejem.: *Érase una nariz sayón y escriba* (Quevedo); *Radiador, ruiseñor / del invierno* (J. Guillén). Bastantes de las greguerías de Ramón Gómez de la Serna son catacréticas.

CATÁFORA. Procedimiento semántico fundamental, junto a la anáfora (V.), para garantizar la coherencia de un texto. Se produce cuando un término se refiere a otro que lo sigue y le da, desde él, su sentido estricto. Ejem.: *Ésta ha sido siempre mi doctrina: / Todo lo ha hecho la fuerza poética del hombre* (León Felipe): el término *ésta* funciona como catafórico porque nos «arroja hacia adelante», implica lo que sigue y se explica desde ese segundo miembro. En el soneto de Machado *Esto soñé*, el demostrativo del título implica todo el poema.

En retórica se denomina catáfora a la colocación de una palabra (normalmente el sujeto) al final de una frase, de tal manera que sólo cuando llegamos a ella adquiere sentido la frase entera: *Está en la sala familiar, sombría, / y entre nosotros, el querido hermano* (Antonio Machado). Se podría hablar también de un procedimiento catafórico de composición de un texto cuando la última frase le hace adquirir un sentido propio o distinto al que el lector está advirtiendo durante la lectura. Citemos como ejemplos el famosísimo soneto de Lope *Desmayarse, atreverse, estar furioso* (v. 14: *esto es amor: quien lo probó lo sabe*), el poema de Lorca *En la redonda / encrucijada, / seis doncellas / bailan. / Tres de carne / y tres de plata. / Los sueños de ayer las buscan / pero las tiene abrazadas / un Polifemo de oro. / ¡La guitarra!* En la narración, un ejemplo claro podría ser *La casa de Asterión* de Borges.

CATÁLISIS.   V. SECUENCIA.

CATARSIS.   Según Aristóteles, es el efecto purificador de las pasiones que se produce en el receptor de la poesía y, especialmente, de la tragedia.

CATÁSTASIS.   Momento dilatorio de la tragedia griega. Por extensión se aplica el nombre al momento en que una obra teatral —o literaria— culmina su interés.

CATÁSTROFE.   Solución (normalmente luctuosa) de la tragedia.

CAZAFATÓN.   Juego de palabras producido cuando la concurrencia de varias sílabas pertenecientes a palabras distintas forman o sugieren una palabra o expresión de sentido obsceno o sucio; ejem.: *Si en todo lo qu'hago / soy desgraciada, / ¿qué quiere qu'haga?* (Góngora); *—Un osso os envié famoso. / —¿Osso a mí? —Osso a Vos. / ¿Osso no os dieron mis viles / (pierdo el reposo) criados? / —Digo que osso no me han dado. / —Pues osso di y osso dieron.* (Navarro de Cascante).

CENTÓN.   Obra literaria producida por la mezcolanza de versos o sentencias pertenecientes a otras obras de uno o varios autores. Su finalidad puede ser o bien jocosa (por ejemplo los centones de hemistiquios o versos virgilianos) o de homenaje al autor (los centones gongorinos del siglo XVII). Se llama también centón a una obra poco original mechada de citas, referencias o calcos de otros textos.

CESURA.   Junto a la pausa terminal (pausa versual), que determina los límites del verso, en las composiciones métricas aparece en el interior de los versos de más de nueve sílabas —y en ocasiones en los de menor medida— otra pausa interior secundaria que se denomina cesura. Dentro de estas cesuras se distinguen dos clases: la cesura mayor, algunas veces llamada también pausa (pero el término es confuso), que impide la sinalefa y modifica la medida del hemistiquio si éste acaba en palabra aguda o esdrújula (ejem., la cesura del verso alejandrino: *Colón, devoto, ascético — y místico hasta el éxtasis*) y la cesura propiamente dicha, que no impide la sinalefa ni ocupa un lugar fijo en el verso. Esta cesura es un factor importante de creación de ritmo, sobre todo en las combinaciones de endecasílabos, al jugar con la posición de los acentos rítmicos y, en algunas ocasiones, determinándola. También lo es para el verso de doce sílabas (distribuciones de 6+6, 7+5, 5+7, y, en Rubén Darío, 4+4+4). Los juegos de cesuras se han utilizado en la poesía moderna para dar coherencia a textos escritos en versos de medidas no compatibles: Véase, por ejemplo, el *Nocturno* de José Asunción Silva o la aproximación a la métrica del versículo de Aleixandre que hace Bousoño en su estudio sobre la obra de este poeta.

La voluntariedad en la colocación de la cesura permite en algún caso —u obliga a— la lectura metanalítica de algún verso. Ejem.: el verso de Rubén Darío *que era alondra de luz por la mañana* permite la cesura tras *alondra* o tras *luz*; el de Espronceda *brota en el cielo del amor la fuente*, tras *cielo* o tras *amor*, con la ambigüedad sintáctica y estilística que permite esta doble opción.

El grupo D.I.R.E. ha planteado también la necesidad de estudiar la cesura en la prosa, con condicionamientos rítmicos y estilísticos muy semejantes a los del verso.

CINÉSICA.   Rama de la teoría de la comunicación (V.) que estudia las realizadas por medio de los gestos, la expresión no verbal o el movimiento. Estas actitudes (la gestualidad) pueden subrayar, sustituir o contradecir lo expresado oralmente: *—¡Cuidadito! —dijo levantando su índice y moviendo significativamente la cabeza antes de desaparecer en el peligroso y reducido lugar* (Martín Santos). La cinésica interesa profundamente al teatro, de tal modo que, para algunos críticos, constituye la base de la teatralidad (V.).

CIRCUNLOCUCIÓN.   V. PERÍFRASIS.

CIRCUNSTANCIA.   Es un factor de la comunicación que precisa la relación entre un signo (una palabra, un enunciado) y otro signo, permitiendo que se contextualice el primero en un texto global. Por ejemplo, la frase *He visto comer una liebre* puede tener un doble sentido: 1) he visto a una liebre que comía; 2) he visto que se comían a una liebre. Al insertarla en un texto la frase pierde su ambigüedad: *He visto comer una liebre. ¡Qué buena que estaba!* Y, mejor aún, para evitar cualquier incertidumbre: *He visto comer una liebre. ¡Qué buena que estaba! Los cazadores se chupaban los dedos.* Las frases que acompañan al enunciado ambiguo forman la circunstancia o el contexto lingüístico que permite la comprensión global del texto.

CIRCUNSTANCIAL. Se llaman circunstanciales los complementos o expansiones que indican las circunstancias en que se realiza una acción (tiempo, lugar, modo, causa, finalidad, etc.). Ejemplo: en la frase *Luis ha comido en casa,* el sintagma preposicional *en casa* es un circunstancial de lugar. En esta categoría se incluyen también los adverbios: por ejemplo, en la frase *Luis vendrá mañana, mañana* es un circunstancial de tiempo.

CITA. Es la inclusión, explícita o disimulada, de una frase o de un verso de un texto en otro texto de diferente autor. Si se considera la literatura como un sistema en el que las obras asumen un valor caracterizado por su mutua relación, la cita es un caso evidente de intertextualidad (V.), que revela el nexo entre el autor que cita y el citado. Esta relación puede presentar distintas connotaciones: tanto puede indicar la voluntad de unirse a una tradición ideológico-cultural, como puede connotar intentos paródicos, irónicos o satíricos. Así, cuando Blas de Otero comienza un poema *Niños de España, decidme,* la cita del verso de César Vallejo nos lleva a pensar en el texto («La solución, mañana») como una prolongación de *España, aparta de mí este cáliz,* con la significativa sustitución de *del mundo* por *de España,* de *digo, es un decir* por ese *decidme*: se une a un texto, a un pensamiento poético, pero lo varía para adecuarlo a su voz y a su tiempo; recordemos también los versos de Garcilaso que Gil Polo gusta de incluir en sus poemas. Por el contrario, el desvío de Valle-Inclán con respecto al mundo de la bohemia modernista se manifiesta en la aparición de palabras, frases, versos *(DORIO DE GADES: ¡Padre y maestro mágico, salud!)* insertos en el esperpento *Luces de Bohemia.* Normalmente la cita, tanto en un sentido como en otro, consigue como efecto estilístico la transcodificación (V.), porque el elemento reproducido en el texto adquiere una función y un valor nuevos con respecto al texto originario, al variar el contexto en que se sitúa. Así, desde aquí, se penetra ya en el problema de la intertextualidad literaria (V.).

CITACIÓN. Algunos críticos utilizan este término en vez de cita (V.).

CLASE. Conjunto de elementos lingüísticos con una o varias propiedades comunes. El concepto tiene muy diversas aplicaciones teóricas: sustituye, como clase de palabras, a las partes del discurso cuando las unidades se distribuyen de forma análoga en la estructura de la frase (ejem.: la clase de los determinantes en relación con la de los nombres); se remite, en semántica, a la categoría de campo (V.) para caracterizar la taxonomía de determinados elementos. Por ejemplo, en el campo semántico de la familia, *progenitor* pertenece a una clase más amplia que la del término *padre*: el primero es hiperónimo respecto al segundo, que es hipónimo (V. HIPONIMIA).

CLASEMA. Conjunto de semas genérico-connotativos (para Pottier) o contextuales (para Greimas). Por ejemplo, *automóvil* se puede describir en forma de un conjunto de semas específicos («medio de transporte, con ruedas, con motor...»), de semas genéricos («medio de transporte veloz, que puede estropearse...») y connotativos («objeto de prestigio social, deportivo...»). Los clasemas son semas genéricos o connotativos. Para Greimas en *rugir* hay un sema constante («emitir una especie de grito») y una serie de clasemas que dependen del contexto: *el león ruge* («animal»), *el actor ruge* («humano»), *el motor ruge* («no humano», «no animal»).

CLÁUSULA. En la retórica clásica la cláusula era una peculiar forma de ordenar rítmicamente el final de un período o de un miembro de él. Las cláusulas están formadas por pies tradicionales: yambo (˘–), espondeo (– –), troqueo (–˘), ditroqueo o dicoreo (–˘–˘), dáctilo (–˘˘), crético (–˘–), peón primero (–˘˘˘). Lausberg (*Manual de retórica literaria*, §§ 990 a 1052) expone detalladamente los tipos de cláusulas que se originan por el encuentro de determinados pies. En la latinidad tardía, al perderse el sentido de la cantidad de las sílabas, sustituido por el principio acentual, se pasó de la cláusula al *cursus,* es decir, a la ordenación rítmica de las dos últimas palabras de una frase. Se distinguen cuatro tipos de *cursus* medievales, imitados después en las lenguas románicas: a) *cursus planus: estámos sujétos,* (...ó o/ oóo); b) *cursus velox*: de Fr. Antonio de Guevara, *deseándolo conocér* (...ó o o/ o o ó o); c) *cursus tardus*: Fr. Antonio de Guevara; *víven los Príncipes* (...ó o/ o ó o o); d) *cursus trispondiacus* (peón + troqueo).

Navarro Tomás denomina cláusula al grupo de sílabas que se organizan alrededor de una tónica para constituir la base del verso rítmico; sería el equivalente, en la métrica acentual, del pie en el verso cuantitativo.

Hoy cláusula se toma muchas veces como sinónimo de frase u oración, sobre todo para referirse a la oración llamada absoluta.

CLEUASMO. Ironía que el habitante dirige en un enunciado contra sí mismo: *Tan campante, sin carrera, / no imperial, sí tomatero, / grillo tomatero, pero / sin tomate en la grillera. / Canario de la fresquera, / no de alcoba o mirabel. / ¿Quién aquél? / ¡El tonto de Rafael!* (Rafael Alberti).

CLICHÉ. El cliché es un sintagma o construcción expresiva en sus orígenes que se ha trivializado y codificado por la frecuencia de su empleo. Ejemplos: *las perlas de su boca, el astro de la noche* (Cfr. Dubois, *Dictionnaire,* s.v.). El cliché es en su origen un estereotipo (V.), una expresión que, por desgaste de uso, pierde cualquier relieve y se automatiza. El fenómeno es típico, por ejemplo, de la épica de cualquier tiempo *(el que en buen hora ciñó espada, el fuerte brazo)*; Borges hace un inventario de las *kenningar* que se encuentran en las sagas islandesas *(Historia de la eternidad)*. El lenguaje periodístico o publicitario está plagado de clichés: *la hidra de la anarquía, atractivo irresistible,* etc.

CLÍMAX. V. GRADACIÓN, TENSIÓN.

CODA. V. SIRIMA.

CODIFICACIÓN. Producción de un mensaje por medio de un código (V.).

CÓDIGO. Se ha definido el código (V. COMUNICACIÓN, 1) como un conjunto finito y abstracto de unidades y leyes de composición y de oposición, susceptible de producir un número ilimitado de operaciones o, en el ámbito de la semiología, un número ilimitado de mensajes. En el esquema de Jakobson (V. LENGUAJE, 1), el código es un factor de la comunicación necesario para la producción y para la interpretación del mensaje. En este sentido, la dicotomía saussuriana *lengua-habla* se refleja, en términos de teoría de la comunicación, en la pareja *código-mensaje*. Los códigos pueden ser distintos, según el tipo de señales (o signos o símbolos) que se organizan en un sistema gobernado por determinadas leyes. El código lingüístico y el gráfico, por ejemplo, están formados por signos sonoros y escritos; las señales marítimas y las de tráfico están relacionadas con códigos gestuales o visuales específicos (piénsese en los movimientos de los brazos del que agita las banderas navales para comunicar a lo lejos un determinado mensaje, en los ademanes de un guardia de la circulación, en los colores del semáforo).

Naturalmente, estos aspectos generales y comunes de los códigos no eliminan las diferencias y las especificidades que existen entre los códigos en relación con el tipo de señales usadas. El código verbal se diferencia de código del juego del ajedrez o del de la circulación por el valor específico de los signos (la intencionalidad del empleo de los signos y las cualidades secundarias del mensaje verbal). Con respecto a esto, remitimos al lector a las voces SIGNO y SEMIOLOGÍA, para los problemas, bastante complejos, planteados por una tipología de los signos.

Junto con código y mensaje han conseguido su derecho de ciudadanía en la lingüística términos como *codificar, decodificar, codificación, decodificación, emisor, receptor, fuente, destino,* etc. Emisor y receptor (o fuente y destino) son los equivalentes respectivos de hablante y oyente; codificación y decodificación (codificar y decodificar) se corresponden con los procedimientos de producción y de interpretación de los enunciados; en este sentido, *codificar un mensaje* no es más que un modo más o menos docto de decir «producir o construir un enunciado» (Martinet, *La lingüística*, s. v. *Lengua y habla*). Para Dubois (*Dictionnaire*, s. v. *Code*), la codificación sería el proceso mediante el cual la sustancia mensaje adquiere una [nueva] forma; podemos ejemplificarlo por el paso desde un mensaje gráfico a un mensaje acústico, efectuado por medio del código de la escritura. La forma codificada, que no ha sufrido ninguna transformación de sentido, puede ser transmitida a través del canal al destinatario (o receptor, o decodificador), que efectúa la decodificación del mensaje, es decir, que asigna un sentido a la forma codificada (V. COMUNICACIÓN). Es obvio que el código debe ser un sistema convencional explícito, para que sea posible el proceso de codificación y decodificación.

Algunas veces el mensaje codificado puede remitir a un segundo código metalingüístico, ocasionalmente secreto, que permita la exacta decodificación del texto; Martinet, *ibíd.*, recuerda que durante la guerra se transmitía desde Londres un mensaje como «los melocotones están maduros» que se debía interpretar como «haced saltar el puente». En este caso podemos hablar de desciframiento o de transcodificación, porque los signos reenvían a dos o más códigos coincluyentes, el primero lingüístico-referencial (los melocotones), el otro connotativo (melocotones en vez de puentes).

1. Los códigos y la literatura.   La comunicación literaria (V. COMUNICACIÓN, 2) implica un valor distinto de los signos, más complejos que los puramente lingüísticos (ambigüedad, connotación), y por consiguiente se produce un funcionamiento diferente del código. Si se acepta que un texto o mensaje literario es, ante todo, escritura (es decir, una elaboración estilística compleja que adquiere su valor distintivo en relación/oposición a otras obras en el ámbito del sistema literario general), será posible caracterizar a aquellas instituciones literarias en relación con las cuales la obra se define como un código (o subcódigo) tanto temático como formal. Así, con palabras de Corti, podemos decir que «la literatura, desde el punto de vista semiológico, se presenta como un sistema en el que coexiste e interactúa una multiplicidad de instituciones y géneros literarios, en cada uno de los cuales se va produciendo lentamente una codificación en el punto de encuentro de las diversas líneas —ideológico-temáticas y formales— con las que se va dibujando el género».

Un género literario como código está caracterizado por una temática (código simbólico) y por un lenguaje connotativo (escritura o código estilístico); la codificación acontece, en el área de un género, en varios niveles, tanto en el plano de los contenidos como en el plano formal. Avalle Arce ha estudiado la evolución de la novela pastoril en el Siglo de Oro español mostrando la evolución y caminos que ha sufrido este género desde las formas bucólicas neoplatonizantes enraizadas en Sannazaro hasta la novela-clave o la transformación del género a lo divino, señalando muy bien los entrecruzamientos con otros géneros (la novela de caballerías o la sentimental) o, incluso, con elementos extratextuales; señala cómo, en algunas novelas, permanecen algunos elementos tipológicos del código simbólico (la Arcadia como elemento paradisíaco, los personajes que repiten el tema del buen salvaje, por ejemplo), pero cambian el sentido y la simbología de los constituyentes.

En cuanto que es una operación cultural, la escritura literaria remite a una pluralidad de códigos que presentan una homogeneidad y coherencia sistemática propias. Todos los escritores, y sobre todo los grandes, tienen su personal *Weltanschauung* que crítica, fantástica y utópicamente modifica el valor del mundo historicocultural en el que, sin embargo, se enraíza su mensaje. El sistema literario tiene una diacronía propia, tanto porque cualquier mensaje humano es histórico como porque las connotaciones literarias requieren una comprensión sutil y compleja que moviliza un entramado de alusiones y de referencias descifrables únicamente en el contexto de códigos peculiares. Las visiones de la vida, las tipologías culturales, los modelos axiológicos y pragmáticos constituyen un gran código primario de referencia, individualizable ocasionalmente en determinados subcódigos: es la «serie» histórico-cultural que forma la filigrana del mensaje literario, lo sitúa existencialmente, por decirlo así, en aquel mar de signos por el que discurre la derrota de la civilización. La escritura literaria refleja también otros códigos más íntimos en las operaciones formales que le son propias. Piénsese en las sistematizaciones normativas de la métrica y de la prosodia, en los recursos expresivos de la retórica, en las instituciones tematicoestilísticas de los géneros. El estilo de una obra, desde este punto de vista, puede concebirse como una modificación del valor de los elementos codificados: cuanto más densa y significativa sea esta modificación, tanto más original aparecerá la forma de la expresión de la obra.

COHERENCIA. El hombre se expresa mediante textos o actos comunicativos que, para ser comprendidos, han de ser semánticamente coherentes. Para la lingüística textual, la coherencia de un discurso (o de un texto) puede depender de factores semánticos internos (relaciones de implicación) o de factores que dependen de la circunstancia y de la situación (presupuestos, enciclopedia, isotopías).

La coherencia funcional es para Goldmann, junto con la riqueza y el carácter conceptual de lo imaginario, uno de los tres elementos constitutivos del valor estético de la obra literaria.

COLISIÓN. Es la relación conflictiva entre los personajes de un relato; éste avanza de una situación a otra por medio de la tensión producida por la colisión, en un proceso «análogo al desarrollo de los procesos histórico-sociales, en los que cada nuevo estadio histórico es el resultado de la lucha sostenida por diversos grupos sociales, pero es, al mismo tiempo, el campo de batalla de los nuevos grupos sociales que componen el «sistema social existente» (Tomachevski, *Teoría de la literatura*).

COLLAGE. «La técnica del *collage* consiste en tomar un determinado número de elementos de obras, de objetos, de mensajes ya existentes e integrarlos en una creación nueva para producir una totalidad original en la que se manifiestan rupturas (discordancias) de tipos diversos.» Grupo μ, *Collages, Révue d'esthétique*, 1978. El término, usado primeramente para las artes plásticas, se ha extendido hoy a diferentes técnicas textuales: homenaje, centón, cita (V.), parodia (V.), etc.

COMBINACIÓN. Es el proceso de formación del enunciado en el eje sintagmático del lenguaje por medio de la correlación de las unidades utilizadas (V. EJES DEL LENGUAJE). La función combinatoria es la posibilidad de los elementos lingüísticos de asociarse para formar grupos de nivel superior: la combinatoria de los fonemas lleva a los monemas, la de éstos a los sintagmas, y así sucesivamente hasta la frase o el discurso.

Ducrot y Todorov *(Diccionario enciclopédico)* definen también una combinatoria semántica: véase allí s.v.

COMEDIA. En sus orígenes griegos, la comedia estaba ligada, como su hermana la tragedia, a los cultos dionisíacos. Para Aristóteles, «la comedia es la imitación de las personas más vulgares; pero no vulgares de cualquier clase, de cualquier fealdad física o moral, sino de aquella única especie que supone lo ridículo, porque lo ridículo es una clase específica de lo feo». Mientras que Platón condena al cómico como representación del hombre ridículamente presuntuoso, Aristóteles subraya su aspecto irónico por medio del cual incluso lo feo puede convertirse en una especie de catarsis. Mauron *(Psychocritique du genre comique)*, recogiendo aquella idea, dice que «la tragedia actúa en nuestras angustias profundas, la comedia sobre nuestros mecanismos de defensa». En la antigüedad, como ha mostrado Auerbach, se encomendaba a la comedia y al estilo cómico la descripción, intelectualmente deformada, de los aspectos concretos y risibles de la vida cotidiana —no podía recurrir, por tanto, al mito ni a la historia—. Por la ley de la separación de los estilos (V. ESTILO), «lo que corresponde a la realidad vulgar, a lo cotidiano, no puede ser representado más que en la comedia, sin ahondamientos problemáticos. Todo lo cual impone estrechos límites al realismo antiguo, y si empleamos esa palabra con mayor rigor habremos de convenir en que se excluye cualquier acogida seria, en la literatura, de los oficios y clases corrientes —comerciantes, artesanos, campesinos, esclavos—; de los escenarios cotidianos —casa, taller, tienda, campo—; de la vida habitual —matrimonio, hijos, trabajo, alimentación—; en una palabra, del pueblo y de su vida. [...] Para la literatura realista antigua, la sociedad no existe en tanto que problema histórico, sino en todo caso moral, y todavía más la moralidad se refiere mejor al individuo que a la sociedad. La crítica de los vicios y deformidades, por muchas que sean las personas viciosas o ridículas que salgan a escena, plantea el problema en forma individual, y no podrá conducir nunca al descubrimiento de las fuerzas que mueven a la sociedad» (*Mimesis,* cap. «Fortunata»).

Es comprensible que se unan, a partir de Teofrasto, a la línea aristotélica las descripciones de «caracteres» individuales, bases imprescindibles para la representación de lo cómico. Para Auerbach, únicamente los escritores cristianos, al tomar como modelo la Biblia, pudieron romper la rígida tripartición de los estilos (V. Estilo), elevando lo cotidiano a una dignidad desconocida por los antiguos y recuperando su auténtico valor realista. Al olvidar el teatro antiguo, nos encontramos en Dante (que emplea la palabra *comedia* en un sentido no teatral) con una poderosa mezcla de lo cómico-realista, de lo elegíaco y de lo trágico-sublime, según las exigencias expresivas y morales del tema (por esto no sorprende el violento *di questo ingrassa il porco Sant'Antonio / ed altri ancor che son assai più porci,* en boca de Beatriz en el *Paraíso).* Y no se puede olvidar tampoco la importancia del carnaval en la caracterización de las fuentes antiguas de lo cómico, como nos ha enseñado Bajtin. En el carnaval la realidad está sujeta a una desacralización corrosiva, el mundo se vuelve del revés, las jerarquías se derrumban; lo cómico se une a la sátira y a la parodia, inyectando en la farsa popular una mayor y más auténtica atención hacia la vida de las clases humildes. A la luz de estos presupuestos se puede comprender que la comedia y lo cómico estén particularmente conexos a la realidad social y política, y sufran por tanto fuertes condicionamientos en su evolución literaria.

El título y el influjo del poema de Dante hacen que, cuando el término «comedia» haga su aparición en nuestra literatura, no sea para referirse a obras teatrales —se preferirán los nombres de «representación», «égloga», «farsa»— sino a textos en verso alegóricos (La *Comedieta de Ponza* o, en sentido paródico, la *Carajicomedia);* sólo a fines del siglo xv, con cierta timidez al principio (*Farsa o quasi comedia,* en Lucas Fernández), con más soltura después, al hacerse presente el conocimiento de la literatura italiana (Torres Naharro), de la latina por los humanistas o de la comedia humanista o de colegio *(Comedia de Calisto y Melibea),* se especializará la denominación para designar a una obra de teatro, que no tendrá que tener obligatoriamente carácter cómico: para Cervantes o para Lope será comedia cualquier obra representable de cierta extensión (el término se opondrá al de entremés), desde *La viuda valenciana* a *El caballero de Olmedo,* a pesar de los caracteres trágicos (*hamartia* e *hybris*) que contiene esta última. Sólo con el neoclasicismo se intentará de nuevo establecer las líneas que separen la tragedia de la comedia. Sería preciso señalar también en qué momento y cómo lo cómico se desprende de la expresión estrictamente teatral para teñir otros géneros, y fundamentalmente, a la novela.

Refiriéndonos sólo al género teatral y a lo que tradicionalmente se denomina comedia en las preceptivas, señalemos que a la evolución de la comedia —que sufre, como hemos adelantado, múltiples condicionamientos— contribuyen factores muy diversos, tanto inherentes al sistema literario —como el lenguaje, los mecanismos convencionales (la confusión de personas, el reencuentro, etc.), los tipos fijos, la división en unidades menores (escenas, jornadas, actos)— como externos al sistema, sobre todo los hechos histórico-culturales. El concepto mismo de lo cómico cambia y se complica con rapidez: la ironía romántica, el sentido de lo lúdico, la teoría de la risa bergsoniana convergen para lograr una actitud más compleja del escritor, que reclama de los espectadores una comprensión más profunda y humana de los acontecimientos. Así, la ironía subraya el sentido del límite, la inevitabilidad de los contrastes; la risa es el reconocimiento de una imperfección que se supera, el humorismo subordina lo cómico a lo elegíaco, a lo patético o, en Pirandello y en la comedia pirandelliana, al emerger del «sentimiento de lo contradictorio». La comedia se acerca al drama burgués, superando las intenciones tradicionales del «final feliz» o del puro entretenimiento sonriente y evasivo. En la obra teatral contemporánea (piénsese en las tragedias grotescas de Arniches, en los esperpentos de Valle, en algunas obras de Lorca, en el teatro del absurdo tal como lo realiza Beckett), los géneros institucionalizados, la comedia y la tragedia con sus respectivas codificaciones temático-estilísticas, se funden y se alean con resultados inéditos y con frecuencia perturbadores. Y no hay que olvidar, aunque sea en un veloz bosquejo, la fecundidad genial de la teoría brechtiana de la «distanciación», que ha contribuido potencialmente a la renovación de la acción teatral.

Por otra parte, Frye ha subrayado con justeza la importancia de la *masque* (= representación basada en la música y en el espectáculo; corresponde al teatro de los italianos que Lope vio en Valencia) por la importancia que asume el público en ella, no tanto por un compromiso catártico como por una mayor participación individual y problemática en el acontecimiento que se presenta sobre las tablas (cfr. Frye, *Anatomy of Criticism*). La renovación del teatro, desde el *Ubu Roi* de Jarry (1896), pasa por la recuperación de todas las características de la *masque*: lo fabuloso, lo surreal, lo antinaturalista, el personaje-marioneta, el rescate de elementos populares y grotescos, la música. Del café cantante, del género chico —sainete o parodia—, derivan tanto el teatro de variedades como las obras más altas; todo un patrimonio de cultura popular (desde el romance de ciego o la tonadilla al teatro de títeres) adquiere una dimensión «cómica», anticonvencional. También las experiencias recientes (el Living Theater, Dario Fo, Arrabal, el *happening*) vuelven a tomar antiguas exigencias de la fiesta carnavalesca, del contacto libre con el público, de la «fiesta de locos» satírico-paródica, dirigiendo el género y el estilo cómico hacia una indagación política provocativa.

COMMIATO. Es la estrofa, más breve, que cierra la sextina o la canción italiana; algunas veces también otro tipo de composiciones, como, por ejemplo, los *Cantos* de Ausias March. En la métrica española el término —muchas veces mantenido— se traduce en ocasiones por envío.

COMMUNICATIO. Figura retórica que consiste en apelar desde el texto al lector u oyente, buscando su opinión o suponiéndole preguntas a las que el autor responde: *Preguntaréis: ¿Y dónde están las lilas? / ¿Y la metafísica cubierta de amapolas? / ¿Y la lluvia que a menudo golpeaba / sus palabras llenándolas de agujeros y de pájaros? / Os voy a contar todo lo que me pasa* (Neruda).

COMPAGINACIÓN. El escritor contemporáneo y más el poeta lírico, por su condición, tiene conciencia de que su obra no va a ser recitada en voz alta, ni siquiera musitada para que el lector se oiga a sí mismo, sino que, en la mayoría de los casos, va a ser leída mentalmente por una persona que ni aun modulará las palabras. Esta condición de la obra poética, tan distinta de la tradicional, cuando el poema se cantaba, hace que el escritor preste peculiar atención a la forma en que el poema pasa a la plana blanca y se ajuste, entero y cada una de sus líneas, a la compaginación. De ella extraerá nuevos recursos expresivos, tanto con la utilización de los espacios manchados como con los blancos que quedan entre ellos. Recordemos la conciencia de Jorge Guillén: *En la página el verso, de contorno / resueltamente neto, / se confía a la luz como un objeto / con aire blanco en torno*; estos versos de *Cántico* sirven de epígrafe a otro poema, «Al amigo editor», de *Homenaje* en el que el poeta reitera y aclara estas ideas: *«El ánimo contempla, / relee bien, domina el mundo, goza. / La mente, los oídos y los ojos / así consuman acto indivisible / compartiendo en su centro de silencio / tal plenitud de acorde mantenido / por esta convivencia de la página.»* El poema es un «objeto» total, cuya música —es bien conocido el ímpetu mélico de los libros de Guillén— llega a la mente a través de los ojos: poema total. No otra era la intención de Mallarmé cuando publicó *Un coup de dés*.

Los recursos que el escritor extrae de estas posibilidades de disposición son innumerables y no demasiado bien estudiados todavía.

Sin que esté en nuestro ánimo enumerar aquí, y mucho menos analizarlos, todos los procedimientos que la impresión ha descubierto al escritor, sí que querríamos dejar constancia, a lo menos, de los más frecuentes.

El primer caso, el aparentemente más sencillo, es el de la renuncia por parte del poeta del blanco que individualiza al verso, a la estrofa e, incluso, al poema. Esta exclusión implica la aparición de otro tiempo de lectura al suprimir las pausas versuales y estróficas, y de otra disposición del discurso, ahora fluido, y de la materia poética al ofrecer las isotopías en distinta posición y en otro horizonte de expectativa. Es el lector o el poema el que produce su ritmo poético, el que hace que aquello no sea prosa ni siquiera poema en prosa (V.). Citemos, como ejemplo de esta actitud, la transformación del *Espacio* juanramoniano desde su organización primitiva a la que presenta en las ediciones definitivas; y la presentación —menos afortunada, a nuestro parecer— de algunos poemas en verso libre en *Leyenda*. Barbara Johnson (*Poétique,* n.º 28) ha estudiado, aunque con otro propósito, la transformación del poema de *Les fleurs du mal*, «La chevelure» en el poema en prosa «Un hémisphère dans une chevelure».

Se puede prescindir también, con efectos semejantes, de la tradicional marca de separación de estrofas, bien mediante el blanco, bien mediante la sangría, bien utilizando ambos procedimientos. La estrofa deja de ser así pensada como una unidad exenta y el poema, a veces de forma muy tradicional, sufre una subversión en su sintaxis expresiva. Pedro Salinas prescinde de los ejes de organización en los tres sonetos que publica en *Presagios* (el primero comienza, muy significativamente, *Deja ya de mirar la arquitectura*).

Por el contrario, el blanco separador de estrofas puede producir un efecto de extrañamiento (V.) al sobreponerse a una forma que, tradicionalmente, no los comporta. Así, al distribuir los diez versos de una décima en 2 + 6 + 2, Jorge Guillén presenta en «Al sol del Sur» *(Homenaje)* como tres signos en yuxtaposición, como tres momentos, lo que normalmente se ve como sucesión, marcada más aún —la contraposición es dialéctica— por estar construida la décima solamente sobre dos rimas, y ser planteados como dísticos el grupo inicial y final. Un tipo de rotura parecida se produce cuando la pausa estrófica —gráficamente marcada, recordamos, por un blanco o una sangría— es salvada por un encabalgamiento de segundo grado. El blanco entre versos —cada uno se destaca en su individualidad— marca un «tempo» de lectura, además de poder hacer confluir diferentes formas de meditación lírica. Véanse los tres «momentos» que se entrecruzan en los siguientes versos de Guillén:

> *El agua quieta y plúmbea en su foso.*
> *Vagamos solos dentro de la ruina.*
> *Se movió un cordelero en lo remoto.*

La sangría larga y el paso de línea en el mismo verso es un procedimiento usado con fines muy diversos. Es acaso Octavio Paz el poeta que más uso ha hecho de él para rotura y mantenimiento de la unidad métrica, y con más riqueza. Véase este procedimiento, unido al anterior, en el poema «Razón» de Juan Larrea:

> *Sucesión de sonidos elocuentes movidos a resplandor, poema*
> *es esto*
>   *y esto*
>   *y esto*
> *Y esto que llega a mí en calidad de inocencia hoy*
> *que existe*
>   *porque existo*
>   *y porque el mundo existe*
> *y porque los tres podemos dejar correctamente de existir.*

El blanco entre palabras puede modificar o dar indicaciones sobre el «tempo de lectura» del verso, convirtiéndose en un signo de segundo grado:

> *La   vida   es   un   único   verso   interminable*
> (Gerardo Diego)

o puede desarrollar una doble isotopía, una doble lectura del poema, si se interrelacionan los dos signos que el blanco separa:

>   *Bandadas de flores*
> *Flores de sí*   *Flores de no*
>   *Cuchillos en el aire*
>   *que rasgan las carnes*
>   *forman un puente*
> *Sí*   *No*
>   *Cabalga el soñador*
>   *Pájaros arlequines*
>   *cantan el sí*   *cantan el no*
> (Gerardo Diego)

Un efecto muy parecido puede lograrse por el ajuste de líneas. Así, en Octavio Paz encontramos estos dos ejemplos:

> *Piel*   *Llama negra*
>   *del mundo*   *Heliotropo*
> *Sonido*
>   *Sol tú misma*

En el poema, una estrofa sangrada en todos sus versos con respecto a las demás impone para ella unas isotopías propias que se oponen y complementan desde su autonomía a las que se desarrollan en el resto del texto. Compárese la distinta lectura que propone Jorge Guillén para algunos de sus poemas (por ejemplo, en «Ciudad de los estíos») entre el *Cántico* de 1936 y el de 1945 y ediciones sucesivas.

En un texto, el blanco puede funcionar por ausencia, destacando la palabra que falta: es el procedimiento que Morier, al describirlo en Claudel, llama *blanchissement*. Pero puede ser también un punto de fuga, de convergencias y divergencias que propicien la patentización de irradiaciones (V.) múltiples, por separación y por contacto, entre signos muy diversos que, de otro modo, no podrían ser relacionados. Es magistral el juego de aperturas, acercamientos, simetrías y organización que hacia y desde un centro y a través de él —además de la acostumbrada relación horizontal de línea de lectura— se propicia por la bien pensada compaginación, con la ambigua forma del blanco central, del poema *Custodia* de Octavio Paz. El mismo poeta mexicano utiliza los diferentes géneros de blancos que hemos señalado, la espaciación y —aquí también como en el poema mallarmeano básico— la parangonación de tipos de imprenta diversos para producir la multiplicidad de lecturas (que, en definitiva, es una única lectura) de su «Blanco», poema de título emblemático.

De la parangonación usa igualmente con frecuencia García Lorca, que se sirve de ella para combinar dos series de isotopías diversas que se funden en un solo poema: véase, entre otros casos posibles, la «Baladilla de los tres ríos», en la que las dos series se intercalan en una unidad, o los «Tres retratos con sombra», en los que o bien el primer poema se modifica con el segundo (la «sombra»), o bien pesa sobre el segundo la lectura anterior del primero.

La disposición libre de los versos en la página puede utilizarse para reproducir en dibujo el objeto a que el texto se refiere (V. CALIGRAMA), pero también para dejar al lector que construya su propio poema desde los materiales de los que le provee el escritor, o para organizar la lectura según unas direcciones que le resulten extrañantes al lector: de ambos casos se encontrarán ejemplos en la antología *La escritura en libertad,* o en los *Topoemas* y los *Discos visuales* de Paz, aquí añadiendo un factor nuevo: la sorpresa que ha de producir el descubrimiento de un fragmento de texto nuevo al mover el círculo superior.

En prosa, los procedimientos de compaginación se han empleado para la expresión de la simultaneidad de dos hechos narrados: en *Tigre Juan* de Pérez de Ayala se pasa de la composición en línea tirada a la doble columna; en otros casos se intercalan las líneas del doble relato, bien con diferente tipo de letra, bien con el mismo. La parangonación se ha usado para subrayar algún trozo de texto, indicar el tono de voz, expresar el discurso mental frente al oral, etc.

COMPARACIÓN. La comparación, también llamada símil, es una figura retórica que establece una relación entre dos términos en virtud de una analogía entre ellos. Se marca bien por la presencia de una correlación gramatical comparativa (*como... así*), bien por la unión entre los dos miembros por un morfema que la establezca (*como, más que, parece*, etc.). Ejem.: *Como perro olvidado que no tiene / huella ni olfato / y yerra / por los caminos, sin camino, como / el niño que en la noche de una fiesta / se pierde entre el gentío / y el aire polvoriento y las candelas / chisteantes, atónito, y asombra / su corazón de música y de pena, / así voy yo* (Antonio Machado); *Flérida, para mí dulce y sabrosa / más que la fruta del cercado ajeno* (Garcilaso); *Ni nardos ni caracolas / tienen el cutis tan fino* (García Lorca).

COMPETENCIA. En la terminología de la gramática generativo-transformacional (V. LINGÜÍSTICA, 5), la competencia es el sistema de reglas lingüísticas interiorizado por los hablantes para conformar su saber lingüístico, gracias al cual pueden formar y entender un número infinito de enunciados. La finalidad de la gramática sería describir y definir la competencia lingüística, poniendo de manifiesto los mecanismos que generan las frases correctas y que permiten comprender las que son ambiguas (por ejemplo, *Los pollos están preparados para comer, Luis silbaba y el perro ladraba* y no *Luis ladraba y el perro silbaba*). El binomio chomskyano *competencia-actuación* (*competence-performance*) se ha emparentado con frecuencia al saussuriano lengua-habla o también a la pareja código-mensaje. La actuación es la ejecución, la realización (más o menos parcial) de la competencia en los actos de habla, teniendo en cuenta los condicionamientos individuales y sociales (desde la memoria y la emotividad hasta el ambiente social) que inciden sobre la realización de los enunciados. Para Chomsky es preciso distinguir una competencia universal, formada por reglas innatas que subyacen bajo las gramáticas de todas las lenguas, y una competencia particular, formada por las reglas específicas de una lengua (español, francés, inglés, etc.).

COMPROMISO. Decisión tomada por el escritor de escribir sus obras de tal manera que intervengan en la historia, desde un punto de vista social, político, ético, primando esta decisión sobre presupuestos fundamentalmente literarios. El compromiso supone a la vez una toma de conciencia y una situación de hecho.

COMUNICACIÓN. La teoría de la comunicación estudia los fenómenos de transmisión de las señales, tanto entre máquinas (aparatos reguladores de otros, o correctores, por ejemplo), como entre hombres o entre máquina y hombre (una señal luminosa de aviso puede servir de muestra). El que indicamos a continuación es un esquema general del proceso de comunicación.

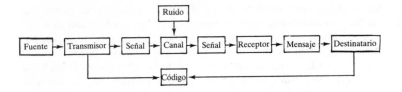

Desde una fuente de información (que puede ser bien un depósito de gasolina, por ejemplo, bien un pensamiento), por medio de un aparato transmisor (la boya, la voz) se produce una señal (impulso eléctrico, emisión sonora); la señal viaja a través de un canal (alambres, ondas acústicas) y puede ser entorpecida por un ruido (alteración, atenuación, interferencia). Después de salir del canal, la señal es percibida por un receptor (amplificador, oreja) que la transforma en un mensaje (lucecita roja, palabras) comprensible para el destinatario mediante un código, es decir, un sistema de reglas y de indicaciones común al transmisor y al destinatario (libro de instrucciones, lengua). A esta operación se la llama decodificación, y gracias a ella el destinatario recibe por el mensaje una determinada (y cuantitativamente determinable) información.

El proceso de comunicación es ante todo un trasvase mecánico de información, que puede prescindir perfectamente de un destinatario humano. Cuando el agua de un embalse alcanza un nivel de peligro, dispara un sistema eléctrico que produce automáticamente la apertura de una compuerta de seguridad; pero si al mismo tiempo se pone en funcionamiento una sirena de alarma, la comunicación se convierte en significación, porque implica un código interpretativo, es decir, un destinatario humano capaz de decodificar la información (el sonido) en un mensaje (situación de alarma).

1. La comunicación lingüística.   La comunicación lingüística se puede considerar como un intercambio verbal entre un sujeto hablante que produce un enunciado con destino a otro sujeto hablante, un interlocutor del que se desea la escucha y/o la respuesta. Saussure presenta la comunicación lingüística como un circuito del habla que se establece entre dos o más personas. Si llamamos A al emisor (o destinador) en un determinado mensaje o acto de habla y B al destinatario (o receptor) de este mensaje, la comunicación sucede de esta forma: A transforma conceptos en sonidos mediante impulsos transmitidos desde el cerebro a los órganos de la fonación; los sonidos, por medio de ondas sonoras, pasan de la boca de A al oído de B, y de aquí a su cerebro; B decodifica los sonidos en significados gracias al código de la lengua, que se supone común para A y B. En este momento, B puede responder con un proceso semejante al examinado.

El esquema de la comunicación lingüística presupone los siguientes factores:

a) el emisor, que es también la fuente del mensaje: él selecciona en el área de un código ciertas señales que combina para producir la información; en este aspecto, el emisor se denomina también codificador;

b) el destinatario (o receptor-decodificador) al cual se dirige el mensaje para que sea interpretado o decodificado sobre la base de un código que es, al menos en parte, común con el del emisor;

c) el código, que comprende un conjunto de señales y las reglas de combinación inherentes al sistema de estas señales; para Saussure el código es la *lengua* como institución social que permite la comunicación entre los miembros de una sociedad determinada;

d) el mensaje, es decir, un enunciado o una serie de enunciados que el emisor forma seleccionando y combinando los signos del código lingüístico; es el *habla* de Saussure, el acto o ejecución individual;

e) el canal, soporte físico de la transmisión del mensaje, el medio a través del cual son enviadas las señales: las ondas sonoras, pero también otras formas en el caso de transmisiones especiales (por radio, con sistemas electrónicos, etc.);

f) el referente, o sea la realidad verbal o susceptible de ser verbalizada y comprendida por el destinatario (V. LENGUAJE, FUNCIONES DEL LENGUAJE según Jakobson).

El *medium* específico de la comunicación lingüística es la palabra, mientras que el canal está constituido por las ondas sonoras. Sin embargo, las informaciones nos pueden llegar a través de todos los canales sensoriales: en el cine, por ejemplo, vemos las imágenes y oímos las palabras, músicas, ruidos, etc. Un perfume puede ser señal de la presencia de una persona, el gusto de un vino nos puede evocar una ciudad o un encuentro, etc.

Por fin, la comunicación verbal puede ser entorpecida por lo que los técnicos de la comunicación llaman ruido (por ejemplo, las interferencias en las transmisiones de radio). El ruido puede ser un hecho exterior a la comunicación (estridencia, distracción, etc.), que impide la recepción del mensaje. Pero también puede haber factores disturbantes de la parte del destinatario que anulan —al menos parcialmente— la comunicación: por ejemplo, la mala recepción de un sonido que da paso a un signo distinto («perro» en vez de «berro») o la arbitraria decodificación de un mensaje debida a la sobreposición (por ejemplo ideológica o social) del código del destinatario o de sus subcódigos particulares. Por ejemplo, si el emisor dice: «Estoy parado» y el destinatario interpreta «parado = sin trabajo», se puede tener una falla de la comunicación: el disturbio deriva de la equivocidad de los códigos.

2. El modelo integrado de la comunicación. El esquema de la comunicación de Jakobson, organizado sobre seis factores fundamentales, exige ser completado por otros elementos más específicos. Ante todo, cualquier forma de comunicación sucede siempre en una situación temporal y espacial determinada, en la cual el emisor y el receptor se relacionan según clases (sociales, jerárquicas, profesionales, etc.) que no pueden dejar de condicionar las opciones lingüísticas del mensaje. Son muy conocidos, por ejemplo, los fenómenos psicolingüísticos conexos a la mayor o menor seriedad de la situación, al rango social o al prestigio de los interlocutores, a la competencia, al conocimiento recíproco, etc. Además, toda comunicación va dirigida no sólo a un cambio de informaciones, sino también a ejercer una acción sobre el receptor: las miras de quien habla o escribe pueden ser de carácter pragmático, pueden considerar servicios, prestaciones, órdenes o deseos, y, en general, las relaciones entre los participantes en la comunicación. La teoría de los actos lingüísticos (V.) ha iluminado la sutil estrategia ilocutoria claramente implicada en las prácticas de la comunicación. Por último no se debe olvidar que tras de cada mensaje (la parte explícita de la comunicación) hay una compleja e intricada realidad que se podría denominar «lo no dicho», esto es, todo lo que queda implícito y se presupone por parte del emisor. Las presuposiciones (V.) tanto semánticas como culturales o «enciclopédicas» se dejan a la labor de desciframiento que realiza el receptor, el cual debe integrar el sentido manifiesto del texto —mensaje y un conjunto de significaciones suplementarias que orientan el sentido global o profundo del mensaje mismo. Para algunos aspectos remitimos a las voces: IMPLÍCITO, PRESUPOSICIÓN, REMA y TEXTO.

Un Modelo integrado de la Comunicación debería comprender los siguientes factores:

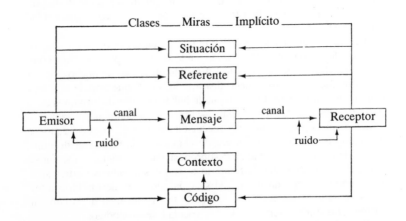

3. La comunicación literaria. En el caso de un mensaje estético (literario), la comunicación se complica, aunque sólo sea por los motivos siguientes:

la identidad entre el código del emisor y el del destinatario no siempre se produce: piénsese en el caso de la poesía medieval;

el mensaje ofrece una información no siempre fácilmente decodificable porque es complejo, ambiguo, connotado (V. CONNOTACIÓN);

el código lingüístico es simplemente el sustrato del signo literario, de la forma de la expresión (V. FORMA), porque la estilización artística manipula profundamente el valor denotativo de las palabras (V. DE-NOTACIÓN) gracias a múltiples procedimientos de escritura (por ejemplo, retóricos);

la mayor dificultad de la decodificación consiste en que detrás del mensaje literario no está solamente el sistema lingüístico del autor, sino un conjunto de subcódigos (V.) histórico-culturales evidentemente distintos del conjunto de referencias del lector. Entran aquí en juego no sólo la diferencia en el área de la *lengua,* sino la especificidad connotativa de los signos artísticos.

Tratemos de simplificar el proceso comunicativo de la siguiente forma:

En el emisor se resumen tanto la fuente como el transmisor: en nuestro caso es el artista, mientras que el lector es el destinatario. Si los códigos fuesen distintos, será preciso que el destinatario refiera cada uno de los signos-palabra del mensaje al código del artista, históricamente determinado, por medio de los recursos filológicos adecuados, esto es, mediante el estudio histórico de la lengua (filología y lingüística). Llamamos a esta operación exégesis (o decodificación): ésta consiste en la paráfrasis del mensaje en el código del lector, tras ocasionales recursos filológico-lingüísticos.

Así pues, el mensaje es comprendido en su nivel primario, es decir, en el plano denotativo, por los contenidos que transmite:

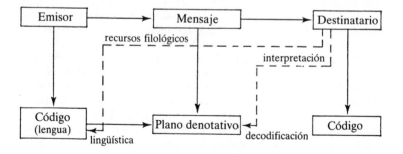

La exégesis es el presupuesto de cualquier interpretación, especialmente para los textos complejos y oscuros. Sin embargo, la interpretación crítica no se puede reducir, como es obvio, a la mera paráfrasis de los contenidos. Si denominamos ideología (V.) a la visión de la vida que tiene un autor —visión que siempre se remonta a un ambiente históricocultural— y si denominamos subcódigo a la tradición literaria y retórica a la cual se remite el artista, en alguna manera, para «formar» estilísticamente su obra, el esquema antes dibujado se hace algo más complejo:

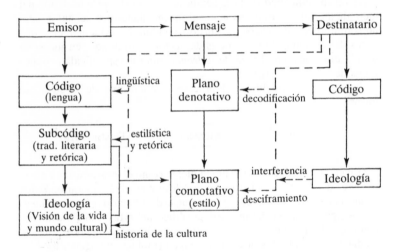

Como se ve, el mensaje estético se especifica ahora no sólo en el plano denotativo, como mero contenido parafraseado en el código del destinatario, sino también en el plano connotativo, como significado global, como expresión estilística. En este esquema, la interpretación crítica se entiende como desciframiento, puesto que es la caracterización estética de contenido y forma en la unidad indivisible del estilo. El mensaje poético (o literario) expresa una sustancia informativa por medio del código (la lengua) y el subcódigo (la tradición literaria, con sus instituciones, las escrituras, la retórica) propio del autor y referido a su mundo cultural (la ideología). El desciframiento del mensaje, esto es, su lectura crítica, debe tener en cuenta el hecho de que también el destinatario posee su propio código, no coincidente, como es obvio, con el del escritor. Una interpretación exacta exigiría, por lo tanto, por parte del lector un proceso de adecuación al código y a la ideología del autor, lo que se puede conseguir únicamente con una minuciosa reconstrucción histórica del mundo cultural del escritor, mediante diversos recursos filológicos (lingüística, estilística y retórica, historia de la cultura). No es preciso subrayar que el crítico debe evitar la adaptación del texto a su código y a su ideología, o la proyección de ideas y contenidos que pertenecen a su mundo cultural (= interferencia), so pena de deformar el auténtico mensaje del autor.

Léase, como ejemplo de empleo de diferentes códigos posibles por parte de varios lectores (y todos resumidos en uno) y el que se supone para el autor, el admirable ejercicio de desciframientos que Borges nos relata en «Pierre Menard, autor del Quijote» (en *Ficciones*).

CONATIVA (Función). La función conativa, según Jakobson, está orientada hacia el destinatario y encuentra su expresión más pura en el imperativo y en el vocativo. Ejem.: *Compre usted en El Corte Inglés*; *Que la sinceridad / con que te has entregado / no la comprenden ellos, / niña Isabel. Ten cuidado.* (Gil de Biedma). Un caso que presenta interés suplementario es el que se plantea cuando todo el texto se dirige, en primera instancia, a un interlocutor expreso: es el *Salinas* de la oda de Fray Luis, el *Palacio*, amigo de Antonio Machado, o el *Vuestra Merced* del Lazarillo, estudiado por Francisco Rico. O cuando el propio autor se convierte en receptor primero a través de la segunda persona: piénsese en *Ocnos* de Cernuda, o en el *Don Julián* de Goytisolo.

CONCATENACIÓN. En la terminología sintáctica la concatenación es el lazo de unión que se establece entre los grupos o sintagmas de una frase (ejem.: F = SN + SV; o también SN = det. + N; la concatenación se indica mediante el signo +).

En la retórica, la concatenación es una forma de gradación que consiste en la continuación progresiva de la anadiplosis (V.). Ejem.: *Y desventurados de los que por ostentación quieren tirar la barra con los más poderosos: el ganapán como el oficial, el oficial como el mercader, el mercader como el caballero, el caballero como el titulado, el titulado como el grande, el grande como el rey, todos para entronizarse.* (Mateo Alemán); *El chamariz en el chopo / —¿Y qué más? / El chopo en el cielo azul / —¿Y qué más? / El cielo azul en el agua / —¿Y qué más? / El agua en la hojita nueva / —¿Y qué más? / La hojita nueva en la rosa / —¿Y qué más? / La rosa en mi corazón / ¿Y qué más? / ¡Mi corazón en el tuyo!* (Juan Ramón Jiménez).

CONCESIÓN. Figura oratoria que consiste en admitir que el adversario pueda tener razón, para proseguir con una argumentación victoriosa. La admisión puede ser hipotética (*admitamos que, concedamos, acaso nos parezca,* etc.), o atañer a elementos secundarios del problema tratado. «Restringiendo las pretensiones, abandonando algunas tesis, renunciando a ciertos argumentos, el orador puede hacer más fuerte su postura, más fácil de defender, y dar muestra en el debate a la vez de juego limpio y de objetividad» (Perelman-Olbrechts, *Traité de l'argumentation*). La fórmula más simple de la concesión sería el manido *Sí, pero...*

Ejemplos de concesión pueden ser el primer diálogo que sostienen el Zapatero y la Zapatera en *La zapatera prodigiosa* de García Lorca (I, 3.ª), o el divertido parlamento, entretejido de tópicos, del Alcalde cuando quiere conquistar a la zapaterita en el acto segundo: *¡Qué desengaño de mundo! Muchas mujeres he conocido; como amapolas, como rosas de olor... mujeres morenas con los ojos como tinta de fuego, mujeres que les huele el pelo a nardos y siempre tienen las manos con calentura, mujeres cuyo talle se puede abarcar con estos dos dedos, pero como tú, como tú no hay nadie. Esto es pura experiencia. Conozco bien el ganado. Yo sé lo que me digo.*

CONCINNITAS. Elegancia formal obtenida mediante un especial esmero en la *dispositio* (V.), prestando atención, sobre todo, a los efectos rítmicos y eufónicos de la prosa. Es el canon fundamental de Cicerón y también de Fray Luis de León: *El bien hablar no es común, sino negocio de particular juicio, así en lo que se dice como en la manera como se dice. Y negocio que, de las palabras que todos hablan, elige las que convienen, y mira el sonido de ellas, y aun cuenta a veces las letras; y las pesa y las mide y las compone, para que no solamente digan con claridad lo que se pretende decir, sino también con armonía y dulzura.*

CONDUPLICACIÓN. V. EPANALEPSIS.

CONECTOR. Rasgo que pone en comunicación dos isotopías (V.) diferentes que actúen en un mismo texto.

CONGEDO. V. ENVÍO.

CONJUNCIÓN. Unión narrativa fundamental junto con la disyunción (V.), el contrato (V.) y la prueba (V.) en la teoría de Greimas. Para este crítico, el núcleo de un relato viene dado por una serie de transformaciones, que consisten en conjunciones y disyunciones de los sujetos con los objetos (V. ACTANTE).

CONMUTACIÓN. Figura que consiste en contraponer dos frases que contienen las mismas palabras, pero en distinto orden y función: *¿Siempre se ha de sentir lo que se dice? / ¿Nunca se ha de decir lo que se siente?* (Quevedo).

CONMUTADORES. Se llaman conmutadores o *shifters* a aquellas palabras cuyo referente no puede ser determinado más que en relación a los interlocutores; su sentido varía con la situación comunicativa. Son conmutadores los deícticos (V.), como por ejemplo los términos *aquí, allí, ahora, antes, tú, yo,* etc. Para Jakobson, que ha introducido la palabra, procedente de Jespersen, todo lo que pertenece al código y remite al mensaje tiene la función de conmutador; por ejemplo, el modo, el tiempo, la persona.

CONNOTACIÓN. La idea de connotación se empareja y opone desde siempre a la de denotación (= valor informativo-referencial de un término, regulado por el código), en cuanto indica una serie de valores secundarios, no siempre bien definidos y en algunos casos extralingüísticos, ligados en ciertas ocasiones a un signo, bien para un grupo de hablantes, bien para uno solo. Así *zorro* tiene un significado denotativo, en relación al referente (animal mamífero de la familia de los cánidos); pero tiene también un valor connotativo cuando, metafóricamente, se refiere a una persona: «Es un zorro» puede querer decir que es astuto, pero también que es hipócrita. Este uso de connotación es, como se ve, muy impreciso: para Todorov, connotación es un concepto en el que cabe todo, que engloba «todas las significaciones no referenciales».

Buscando una definición más precisa de la palabra, la glosemática hjelmsleviana (V. LINGÜÍSTICA, 3) establece los límites del concepto partiendo de la fórmula ERC que caracteriza a un signo como relación (R) entre el plano de la expresión (E) y el plano del contenido (C). Cuando un primer sistema ERC llega a funcionar como plano de la expresión o significante de un segundo sistema, se dice que el primer sistema constituye el plano de denotación y el segundo el plano de connotación. La connotación se puede representar entonces con la fórmula (ERC)RC. En el ejemplo que hemos dado antes, la transcodificación (V.) —es decir, el paso desde un determinado nivel de sentido a otro— implica la relación: zorro (= animal) → zorro (= hombre astuto o hipócrita).

La fórmula gráfica de la connotación sería:

Ste 1	Sdo 1	
Ste 2		Sdo 2

en donde Ste = Significante y Sdo = significado. Sdo 2 será el significado de connotación.

Esta es la definición que acepta y sigue Barthes, así como un buen número de críticos literarios. Sin embargo, no ha sido acogida por todos los lingüistas.

Para obviar estas dificultades y poder ampliar la noción de connotación a todas las actividades instrumentales, incluyendo la semiótica, Luis Prieto (*Estudios de lingüística y semiología generales*, 1977, pp. 258-259) define el concepto de manera distinta: «Proponemos llamar "connotativa" la forma de concebir y en consecuencia de conocer un sentido que se transmite o una operación que se ejecuta, que resulta del medio, signo o instrumento, de que uno se sirve para transmitirlo o para ejecutarla. Esta forma de concebir el sentido o la operación es entonces la que se realiza a través del significado del signo empleado para transmitirlo o a través de la utilidad del instrumento empleado para ejecutarla, y se agrega a la concepción "denotativa" o, como preferimos llamarla, "notativa" [...] Cada vez que se dice o se hace algo, se quiera o no, se connota. Cada vez que se dice o se hace algo, en efecto se concibe en forma connotativa lo que se dice o hace. Sin embargo la connotación no me parece poder ser significativa más que si el emisor del acto sémico o el ejecutante del acto instrumental disponen, para decir o hacer lo que quieren decir o hacer, de varios signos o instrumentos distintos: en efecto, en este caso y sólo en él, la forma connotativa de concebir el sentido o la operación no depende necesariamente de la forma (de)notativa de concebirlos. Dicho de otra manera, no me parece que la connotación pueda ser significativa más que si el emisor o el ejecutante dispone de la opción en cuanto al medio a emplear para decir o hacer, y, con dicha opción, la de la forma connotativa en que concibe lo que dice o hace.»

CONNOTADOR. Elemento que en un texto está fuertemente connotado, es un signo estilísticamente pertinente y, desde su connotación, tiñe el contexto en que se encuentra. V. CONNOTACIÓN.

CONSONANCIA. V. RIMA, PARONOMASIA.

CONSTITUYENTES. En la lingüística estructural se llaman constituyentes inmediatos los sintagmas nominales y verbales que forman la frase. Por ejemplo, en *El buen pastor vigila su ganado* los constituyentes inmediatos son: «el buen pastor» (sintagma nominal) y «vigila su ganado» (sintagma verbal). En análisis sucesivos se aíslan otros constituyentes hasta llegar a los menores de la primera articulación, los monemas. V. LINGÜÍSTICA, 4.

CONTENIDO. El concepto de contenido está estrechamente ligado, desde la época clásica, al de forma, muchas veces concebidos como opuestos o, a lo menos, como discernibles. Sólo la estética moderna ha considerado la creación artística como una totalidad, en la que forma y contenido son inseparables. La tendencia a valorar la forma como un ornamento expresivo que se sobrepone al mensaje comporta una concepción exclusivamente retórica del estilo y un acercamiento a él puramente formalista, en el mal sentido de la palabra; por otra parte, el estancamiento del contenido «desnudado» de la forma, reduce el texto artístico a una mera sustancia que no puede dejar de contemplarse con términos del contenido (sociológicos, psicológicos, etc.), muy alejados de lo que pueda ser un arte.

La dicotomía forma-contenido puede asumir sentidos distintos en distintos contextos estéticos y metodológicos:

a) el contenido es el argumento de la obra (por ejemplo, la *fabula,* la historia relatada), del cual se puede hacer una paráfrasis; la forma es el ornamento que se añade;

b) el contenido es el tema, el motivo inspirador, el sentimiento fundamental de una obra; la forma es la *dispositio* y la *elocutio,* la forma de ordenar el contenido y su expresión artística. Incluso la concepción de la forma como perfecta adecuación al contenido («tal es el contenido, tal es la forma», dice de Sanctis) privilegia al contenido, sobre el cual se concentra la atención del crítico; es lo que hace la crítica idealista, que parte de Taine o de Croce y Vossler;

c) el contenido es la visión de la vida, la ideología, la *Weltanschauung* del artista ya «hecha forma», es decir, estructurada en determinadas «formas del contenido», a partir de la materialidad de la expresión (palabras, sonidos, «colores», etc.), de la disposición morfosintáctica, de la interacción entre los distintos niveles (semánticos y fonoprosódicos, rítmicos, etc.) de la obra (V. TEXTO).

La crítica de los formalistas rusos (V. FORMALISMO) a la idea de la forma como mero recipiente del contenido es decisiva para la revalorización del carácter significativo de la forma: la obra como sistema estructurado de signos, en la que, en distintos estratos, se realiza siempre una compleja semantización de cada uno de los elementos, para «formar» el sentido total del mensaje.

Por lo tanto, en una perspectiva semiológica, el contenido de un texto se estudia siempre como «forma del contenido», es decir, como estructura de campos semánticos que atraviesan el texto (o diversos textos del autor), en la peculiaridad de sus isotopías (V.) patentizadas por la connotación formal (o sea, por el modo en que el texto está «hecho»). La teoría del signo que elaboró Hjelmslev (V. LINGÜÍSTICA, 3) ha significado una contribución fundamental en esta dirección: los planos de la expresión (significante) y del contenido (significado) se separan ulteriormente en dos estratos, la forma y la sustancia, que permiten —en la hipótesis del texto literario, que es la que aquí nos interesa— considerar la significacidad o sentido total como resultante de la interacción que se efectúa entre la forma del contenido y la forma de la expresión.

El discurso que reseñamos implica una concepción de la especificidad de lo «literario», de tal manera que el contenido no se privilegia con respecto a otra realidad externa, social, por ejemplo, de la cual deba ser o bien el reflejo (sociologismo vulgar), o bien la transposición de un pensamiento político-social (crítica ideológico-política); o bien de la ideología con la que entraría en contacto social (presión de los grupos intelectuales), cultural o literario (historicismo). También la psicocrítica (Maurer) se ocupa del contenido, analizando en el texto las actuaciones del inconsciente (a veces con una trasposición ilícita a la biografía del autor). La contribución hermenéutica del psicoanálisis puede integrarse, en ciertos casos, en una consideración semiológica de la obra, puesto que es indudable que en la creación artística intervienen también —pero no únicamente— los símbolos inconscientes.

CONTERA. V. SEXTINA.

CONTEXTO.   Se llama contexto al conjunto lingüístico que precede o sigue a una determinada forma o unidad. El contexto condiciona la función del elemento: por ejemplo, una palabra-clave, un estilema, un connotador están caracterizados en relación al contexto, es decir, se convierten en pertinentes para la interpretación del texto. Por ejemplo, en el poema *No sé si el mar es, hoy,* CXC del *Diario de un poeta recién-casado* de Juan Ramón, las palabras *mar* y *corazón* asumen un importante valor connotativo en la estructura dialéctica del poemita, es decir, en conexión con la relación establecida de oposición e identificación entre el yo íntimo y cerrado y lo otro, abierto y externo. Se puede considerar el contexto como un código de referencias sobre el que se proyecta el elemento que hay que descifrar; en este sentido, el contexto no viene dado únicamente por las unidades intratextuales (o cotextuales), sino también por las de otros textos del mismo escritor: el elemento caracterizado entra así en una urdimbre bastante extensa que constituye la intertextualidad literaria (V.), que implica también obras de otros autores, si no lo hace con el sistema de la literatura en su conjunto.

Estúdiense los versos siguientes de *Poeta en Nueva York*: *Un río que viene cantando / por los dormitorios de los arrabales, / y es plata, cemento o brisa / en el alba mentida de New York.* Para comprender exactamente el sentido del microtexto es preciso contextualizarlo en los sistemas semánticos mayores del poema, el libro, la obra entera del poeta. Así, *río* tiene una precisa connotación simbólica y representa —desde Manrique— la vida: se opone en Lorca al agua cerrada —la muerte— y en el poema a ese Hudson que «se emborracha con aceite». Los *arrabales* significa en oposición a *New York*, y envía a todos esos seres marginales y vivos de Lorca —recuérdese el prólogo y epílogo al Cristobita—, el alba mentida es *La aurora de Nueva York,* que desarrollará en otro poema.

Otra definición muy distinta de contexto concierne al conjunto de datos y acontecimientos sociales que condicionan el comportamiento lingüístico e incluso estilístico: en el caso anterior, la presencia del poeta en el crac del 29. La relación entre contexto situacional (o situación sociohistórica) y creación artística la estudia en particular la crítica sociológica. Y no ha de olvidarse la definición de contexto como factor lingüístico en la teoría de la comunicación (V. COMUNICACIÓN, 1; LENGUAJE, 1). Y véase también: EXTRATEXTUALIDAD, INTERTEXTUALIDAD, INTRATEXTUALIDAD, TEXTO.

CONTEXTUALIZACIÓN. Proceso semiótico que permite insertar un mensaje en otro para construir un texto omnicompresivo coherente. La contextualización permite también desambiguar una frase que, tomada aisladamente, sería incoherente, ambigua, etc. Ejem.: *El extremo vio el rojo* es una frase acontextual, ambigua, que se especifica en la interacción con otras frases: *El extremo izquierdo del equipo azulgrana cometió una grave falta, y el árbitro, mostrándole la cartulina roja, lo expulsó del campo.*

CONTRAASONANCIA. V. RIMA.

CONTRADICCIÓN. V. IMPLICACIÓN.

CONTRAPUNTO. Procedimiento o estrategia de composición de un texto por el cual varias isotopías distintas se suceden alternándose. El término, que procede de la música, se aplica a la literatura a partir de la novela *Contrapunto* de Aldous Huxley. En nuestra literatura se podría aducir el ejemplo de *La colmena* de Cela, pero quizá se vea más claramente empleado en algunos poemas de Lorca; véase, por ejemplo, el que se establece en *¡Ay!* del *Poema del cante jondo* entre el cuerpo del poema y los versos colocados entre paréntesis:

> El grito deja en el viento
> una sombra de ciprés.
> (Dejadme en este campo
> llorando.)
>
> Todo se ha roto en el mundo.
> No queda más que el silencio.
> (Dejadme en este campo
> llorando.)
>
> El horizonte sin luz
> está mordido de hogueras.
> (Ya os he dicho que me dejéis
> en este campo
> llorando.)

CONTRARIEDAD. V. IMPLICACIÓN.

CONTRASONANCIA. V. RIMA.

CONTRATO. Para Greimas, el contrato es uno de los principales sintagmas narrativos del relato; el contrato implica a un destinador y a un destinatario (V. ACTANTE); el primero propone un programa-objeto (un querer hacer) al segundo, que puede aceptarlo o rechazarlo. La aceptación del contrato transforma al destinatario en sujeto (el héroe) que comienza la búsqueda del objeto del deseo. V. Greimas. *En torno al sentido.*

CONTREREJET. Se usa el término francés para designar, en un encabalgamiento (V.), la palabra o palabras colocadas al fin de un verso y que pertenecen a la estructura sintáctica cuya parte principal está en el verso siguiente: *Campo desnudo. Sola / la noche inerme. / El viento / insinúa latidos.* (Aleixandre). «Sola» y «El viento» son *contrerejets.*

COORDINACIÓN. V. PARATAXIS.

COPLA. En la lengua general actual, copla es cualquier composición poética breve que, bien aislada, bien en serie, sirve de letra en una canción popular o que la remeda: así se llaman coplas a las soleares, a las seguidillas o a las especiales estrofas en que se escribe el *Martín Fierro.* En un sentido métrico más estricto se denomina hoy copla a una estrofa de cuatro versos octosílabos o de menor medida con rima asonante en los pares (*Todo pasa y todo queda, / pero lo nuestro es pasar, / pasar haciendo caminos, / caminos sobre la mar.* Antonio Machado). El falso reconocimiento popular de cuatro versos como unidad en el romance —la llamada «copla de romance»— hace que se compongan textos seguidos en coplas: citemos el caso de los corridos mexicanos.

En la época medieval, copla era equivalente estricto de lo que hoy designamos como estrofa. V. ARTE MAYOR, ARTE REAL.

COPLA CASTELLANA. V. ARTE REAL.

COPLA DE ARTE MAYOR. V. ARTE MAYOR.

COPLA DE PIE QUEBRADO. V. ARTE REAL.

COPLA REAL. V. ARTE REAL.

CORPUS. En sentido amplio, se entiende por corpus una colección de testimonios (por ejemplo, las cantigas galaico-portuguesas), de obras jurídicas, filosóficas, literarias, etc. En la lingüística moderna el corpus es un conjunto de enunciados emitidos por los usuarios de una lengua en un momento histórico determinado; de ellos nos servimos para realizar la descripción y el análisis científico de aquélla. El método distribucional deduce del corpus un orden sistemático de los elementos, por ejemplo los contextos en los que puede hallarse una unidad. Véase Ducrot-Todorov, *Dicc.* s. v. *Distribucionalismo.*

CORRECTIO. V. EPANORTOSIS.

CORREFERENCIA. Dos términos se denominan correferentes cuando se refieren al mismo objeto. Por ejemplo, en la frase *Luis lee el libro que le ha dado Pablo,* los elementos *que* y *le* se refieren por correferencia a *libro* y *Luis,* respectivamente. La correferencia es, con mucha frecuencia (pero no siempre), un factor de coherencia semántica del texto.

CORRELACIÓN. Dámaso Alonso ha especializado el término de correlación para definir el fenómeno, ampliamente usado en la literatura, que consiste en presentar en un texto varios conjuntos de elementos semejantes entre sí y organizados cada uno de ellos paradigmáticamente por coherencia semántica o sintáctica, de tal modo que a cada uno de los miembros que constituyen cada conjunto corresponde un elemento de otro —en teoría de los conjuntos se podría hablar, acaso, de aplicación biyectiva—. Dámaso Alonso llama a cada uno de los conjuntos pluralidad. Ejem.: *Pací (A_1), cultivé (A_2), vencí (A_3), / pastor (B_1), labrador (B_2), soldado (B_3), / cabras (C_1), campos (C_2), enemigos (C_3), / con hoja (D_1), azadón (D_2) y mano (D_3),* en donde la letra designa el conjunto a que pertenece cada uno de los elementos y el subíndice los elementos en correlación entre sí. Una clase especial de correlación, destacada por Dámaso Alonso, es aquella que está formada por dos conjuntos cuyos elementos son iguales (correlación reiterativa), o aquella que recoge al final del texto los elementos que se han ido diseminando a lo largo de todo él (correlación diseminativo-recolectiva). Véase Alonso-Bousoño, *Seis calas en la expresión literaria española.*

CORRELATO OBJETIVO. Término que emplea T.S. Eliot para expresar una determinada forma de construcción poética que hace suya: «El único medio de expresar la emoción en la obra de arte es encontrar un *correlato objetivo* [= objetive correlative]; en otras palabras, un conjunto de objetos, una situación, una sucesión de acontecimientos, que serán la fórmula de esa *particular* emoción; de tal manera que, cuando los hechos externos que deben terminar en una experiencia sensorial han sido ofrecidos, la emoción sea inmediatamente evocada» (*Hamlet,*

1919). El estado de ánimo no se expresa, pues, directamente, sino por medio de objetos, acontecimientos, situaciones que representan la equivalencia de la emoción.

Algo parecido podemos encontrar en otras literaturas. Friedrich hace remontar una intuición muy semejante hasta un Mallarmé que se apoya en Baudelaire y Rimbaud *(Estructura de la lírica moderna)*. Específicamente en la literatura en español encontramos una definición muy parecida en Luis Cernuda, que habla de «equivalente objetivo», desde una independencia —al menos práctica— de Eliot: «Quería yo hallar en poesía el "equivalente correlativo" para lo que experimentaba, por ejemplo, al ver a una criatura hermosa [...] o al oír un aire de jazz»: la poesía de Cernuda objetiva su experiencia propia en su primera época de un modo directo, después —quizá a partir de *Las Nubes*—, usando el espejo de hechos o personajes históricos: recordemos el *Luis de Baviera* o la visión de Galdós. El mismo procedimiento podríamos señalar en Guillén o en Lorca. Amado Alonso señala el correlato objetivo («lo objetivo: espejo de lo subjetivo») como una de las constantes de la producción poética de Neruda desde sus primeros libros. Cernuda descubre algo expresado teóricamente de una manera muy parecida en Campoamor, y Vicente Gaos, que anota la relación entre el asturiano y Eliot, lo corrobora. No sería difícil tampoco encontrar textos similares entre las prosas de Machado.

COSAUTE. Tipo de baile medieval, seguramente de ritmo lento, que se acompañaba con una canción. La crítica inglesa, y tras ella la española, apoyándose en el famoso cosaute de Diego Hurtado de Mendoza, el almirante, *A aquel árbol que vuelve la foja / algo se le antoja*, ha especializado el nombre para designar con él a una clase de canción de bailada encadenada, olvidando otras apariciones de la palabra calificando a composiciones poéticas que no responden a esta estructura. El cosaute, en el sentido limitado, consta de una cabeza de dos versos y de una serie de dísticos paralelísticos y con laixaprén entre los que se intercala, como estribillo, el último verso de la cabeza (V. CANTIGA). Para este problema véase Eugenio Asensio, *Poética y realidad en el cancionero peninsular de la Edad Media*; M. Rodrigues Lapa, *Lições de literatura portuguesa. Época medieval*. Por una mala lectura en los orígenes este tipo de canción ha recibido, hasta la corrección de Asensio, el nombre de *cosante*.

COUPLING. Para Levin *(Estructuras lingüísticas en la poesía)*, lo lingüísticamente específico de la poesía se funda en el *coupling*, es decir, en la relación fónica, rítmica, semántica, sintáctica, métrica, etc., que se establece entre los diversos elementos de la obra. La idea del *coupling* aparece larvada en el concepto de función poética expuesto por Jakobson, por la que la iteración de elementos similares es el factor constitutivo principal de la frase lírica. El *coupling* se presenta en la poesía como una estructura —a la vez sistema y mensaje— en la que los elementos lingüísticos de naturaleza semejante (en el nivel fónico, morfosintáctico o semántico) están planteados en una relación de equivalencia o, por lo menos, se aproximan y enfrentan en una única isotopía (V.), es decir, según un determinado nivel de sentido. El *coupling* puede actuar también de forma mucho más compleja, relacionando, si se puede decir así, verticalmente los distintos niveles del texto y creando isotopías entre elementos que pertenecen a estratos distintos. Para la valoración de los *coupling* y su aplicación al estudio de un texto en particular, véase el apéndice de Fernando Lázaro (donde se comenta el soneto de Góngora *Tras la bermeja aurora, el sol dorado*) al libro de Levin antes citado.

CRÓNICA. Exposición de hechos o acontecimientos centrada sobre un personaje o un lugar, la crónica constituye la forma embrionaria de la historiografía. En castellano destacaremos la *Crónica general* de Alfonso X, o las crónicas escritas en el siglo xv, algunas de ellas (el *Victorial*, las redactadas sobre Pedro I, especialmente la del Canciller Ayala) verdaderas obras de arte literarias. Desde época temprana la crónica no fue sólo histórica, sino que recubrió una peculiar forma del relato: así se podría establecer una sucesión entre la *Crónica troyana polimétrica* y la *Crónica del alba* de Sender o la *Crónica de una muerte anunciada* de García Márquez.

CUADERNA VÍA. Estrofa formada por cuatro versos alejandrinos (V.) que riman entre sí con el mismo consonante. En ella se escriben los poemas narrativos y didácticos del mester de clerecía desde el *Libro de Alexandre* hasta el *Libro* del Canciller Ayala, en el que la estrofa y el verso comienzan a alternar con otros de arte mayor, que acabarán por sustituirlos enteramente. Su origen parece estar ligado a la *Vagantenstrophe* usada por los goliardos, en la que estaban escritos algunos de los libros que se utilizaban en los estudios medievales españoles (la *Alexandreis*, el *Verbiginale*, etc.). En la segunda mitad del siglo xiv los hemistiquios de siete sílabas se van mezclando con los de ocho, bien irregularmente *(Libro de miseria de omne)*, bien respondiendo a unos propósitos estilísticos más o menos claros y explícitos, como sucede en el *Libro de buen amor*, en el que se suceden episodios en cuartetas de alejandrinos enfrentados a otros escritos en cuartetas de octonarios. Para una mejor comprensión véase F. Rico, *La clerecía del mester*, HiR, 1985; Avalle, *Le origini della quartina monorima di alessandrini*, en *Saggi... in memoria di Ettore Li Gotti* y la edición del *Libro de buen amor* preparada por J. Corominas.

CUANTIFICADOR.   Determinante que indica una cantidad, como *dos, todos, pocos.*

CUARTETA.   Estrofa de cuatro versos de ocho o menos sílabas métricas, con rima alternada (ABAB) consonante, aunque en época contemporánea se utiliza también la asonancia.

CUARTETO.   Estrofa de cuatro versos con rima consonante y disposición abrazada (ABBA). Los versos son normalmente de métrica mayor, pero pueden combinarse en algún caso con versos de menor medida, como sucede en la estrofa sáfico-adónica o en las limitaciones de la oda horaciana. Desde Bécquer aparecen cuartetos o serventesios (V.) con rima asonante.

CUENTO LITERARIO.   Con sus orígenes en el cuento popular o tradicional, pero diferenciándose de éste en que su transmisión no es oral y, por lo tanto, no «vive en variantes» ni se producen contaminaciones entre ellos, el cuento literario pertenece al discurso de la escritura. Bajo este nombre agrupamos a una serie de formas narrativas que, sin delimitación precisa entre ellas, reciben diferentes nombres —y diferentes contenidos— en la historia, en las distintas lenguas, en los sistemas críticos o, incluso, en la intención de los autores: desde el ejemplo o el apólogo medieval, el cuento o la patraña renacentistas españoles, la *novella* italiana, el *novel* o *short story* ingleses, o el *cuento, relato* y *narración* que emplean los escritores hispánicos. En la crítica inglesa (cfr. Scholes y Kellog, *The Nature of Narrative*) se distingue entre los cuentos primeros dos tipos: el *romance,* que es el cuento o relato heroico, idealizado, sublime (podría servir de ejemplo el *Flores y Blancaflor*) y el *novel,* más apegado a la vida cotidiana (así, los *fabliaux* franceses o sus equivalentes en otras literaturas; la oposición, sin embargo, no puede ser rígida, puesto que en la novela —entendido este término en su sentido moderno (y el cuento o la *novella* italiana son géneros precursores de ésta)— los elementos miméticos e históricos se amalgaman con otros fantásticos, fabulosos o legendarios. La misma idea se encuentra en Lukács *(Teoría de la novela),* que piensa que el cuento italiano (desde el *Novellino* al *Decamerón*) anticipa el universo de la novela ya que, al iniciar la descripción del mundo, de la sociedad y de los caracteres psicológicos de los personajes, se aleja de las tipologías abstractas y simbólicas de la Edad Media; el héroe del cuento italiano prerrenacentista es —directa o indirectamente— el comerciante burgués, con su valoración de la inteligencia y su falta de prejuicios. No se puede olvidar tampoco el influjo del elemento carnavalesco (V.) y dialógico que, según Bajtin, está en la raíz no sólo de la sátira menipea, sino también en la de los cuentos y relatos que refieren hechos contemporáneos (antiépicos y desmitificadores, como el *Satiricón* de Petronio o *El asno de oro* de Apuleyo, en los que se insertan narraciones que desarrollan lo fantástico, lo mágico y lo erótico-picaresco).

Una breve historia del género no podría dejar de citar las antiguas colecciones indias, entre las cuales la más famosa fue el *Panchatantra,* de carácter básicamente mítico y fabuloso; en la literatura griega fueron famosas por su liviandad las *fábulas milesias* (II a. C.), que formaron parte casi obligada de la narrativa aventurera y picaresca *(La matrona de Éfeso,* en el *Satiricón).* El cuento literario medieval surge en Europa con la *Disciplina clericalis* de Pedro Alfonso y, en lengua vulgar, con el *Calila y Dimna.* La utilización de la prosa artística y la disposición organizada del relato se da en *El Conde Lucanor* y en Boccaccio, que va a ser el modelo para la narración breve posterior, al conseguir una narración vivaz y apropiada para el nuevo público receptor (cfr. los trabajos de Vittore Branca), con una trama sólida, una dinámica inventiva muy atractiva y un bosquejo psicológico original trazado siempre en función de la aventura. Desde Chaucer y Margarita de Navarra a los cuentistas italianos o españoles del siglo XVI el modelo boccaccesco tuvo un enorme éxito. En esta época se combinó con el descubrimiento español del relato picaresco (el *Lazarillo,* en primer lugar) y se enriqueció con el desarrollo que le imprimió Cervantes en sus *Novelas ejemplares,* que hacen nacer un nuevo género, la novela corta, con sus leyes propias (V. Riley, *Teoría de la novela en Cervantes),* que desde este momento vivirá, con delimitaciones muy imprecisas, junto al cuento literario; el siglo XVIII redescubre el relato erótico; los siglos XIX y XX se abren a una vasta experimentación, desde Maupassant o Clarín a Cortázar o Felisberto Hernández, que abarcará y mezclará todos los temas y todos los discursos.

CUENTO POPULAR. Ligados a las formas literarias orales, a los mitos y a las leyendas, los cuentos populares tienen raíces antiquísimas, en la mayor parte de los casos folklóricas y religiosas. Mircea Eliade ha mostrado que muchos cuentos no son más que versiones degradadas de mitos de héroes divinos que deben sufrir pruebas iniciáticas, como la lucha con el dragón, el descenso a los infiernos, la muerte seguida de una resurrección milagrosa, etc. María Rosa Lida *(El cuento popular y otros ensayos)* ha rastreado la presencia de motivos narrativos populares desde las más antiguas manifestaciones de la literatura griega hasta nuestros tiempos —en versión oral o escrita— a través de un riquísimo número de apariciones en la literatura clásica española.

La clasificación de los cuentos populares según sus características ha sido muy discutida. Reproducimos la trazada por Stith Thompson (acaso la más completa) aceptada por Daniel Devoto en su *Introducción al estudio de don Juan Manuel* (6.8):

1) El *cuento*, entendiéndose por *cuento* el mal llamado *cuento de hadas* (en francés *conte populaire*, que engloba los *contes de fées;* en inglés, como en español, *fairy tale*); la denominación no es exacta, ya que existen cuentos de hadas sin hadas (así *Barba Azul*), y se tiende a utilizar la voz alemana *Märchen* o la italiana *fiaba*, que designa un relato aventuresco o fantástico, desarrollado en un mundo irreal o, por lo menos, no localizado en tiempo ni espacio (*Había una vez, Érase que se era,* etc.), de origen popular y transmitido oralmente, en el que viven y actúan personajes dotados de poderes excepcionales, como hadas, brujos, ogros, duendes, etc. Se empezaron a recoger y a estudiar en el siglo XIX (Basile, Grimm, Afanasiev) y en ellos basó Propp su fecundo análisis y teoría.

2) La *novella* (V.), palabra italiana que designa las formas literarias empleadas en el *Panchatantra*, en las *Las mil y una noches* o en el *Decamerón*. Su acción transcurre en un mundo real y definido. En el siglo XVI, Timoneda las adaptó a la literatura española con el nombre de *cuentos* o, acaso con alguna distinción formal, *patrañas*.

3) Los *cuentos heroicos* (en inglés *romance*: los estudia Frye en *Anatomy of Criticism*), que están vinculados a las formas anteriores, pero que se caracterizan por ligar los acontecimientos o acciones a un héroe determinado, histórico o imaginario. Tienden a organizarse en ciclos.

4) Las *narraciones* o *leyendas locales*, que relatan un hecho extraordinario que se da como sucedido en la realidad, aunque en otros lugares se cuente lo mismo, referido a acontecimientos sucedidos en estos otros lugares. Pueden ser de carácter realista, incluso histórico, maravilloso (la construcción de un puente por el diablo), o de carácter religioso. Se caracterizan, sobre todo, por estar vinculadas a un lugar, edificio, accidente geográfico (el salto del Roldán), etc.

5) El *cuento etiológico*, que trata de explicar el origen o características de algo: poblaciones humanas, objetos, forma de algún animal, etc. Aparece muchas veces unido a un *Märchen* o un cuento heroico. En ocasiones es difícil separarlo de la leyenda o el mito.

6) El *mito* (V.), que tiene un contenido muy amplio. El hecho narrado sucede en un mundo anterior al orden presente, y aunque se pueda vincular por su materia al cuento etiológico o heroico tiene siempre una significación religiosa.

7) Los *cuentos de animales*, siempre que éstos no encierren ningún valor religioso (entonces, como en los cuentos mexicanos, serían mitos), sino que se limiten a relatar la astucia o estupidez de algún animal determinado, sin más propósito que la diversión. Citemos, como modelo, el ciclo de las aventuras del zorro, tan común en la narrativa medieval, cristalizado en el *Roman de Renard*.

8) La *fábula* (V.), cuento de animales —en algún caso de hombres:

la fábula de la lechera— provisto de un propósito moral definido, muchas veces expreso en una moraleja.

9) El *chiste,* chascarrillo o facecia, relato corto, a veces anecdótico —pero, por su carácter, opuesto al cuento heroico—, por lo general cómico, satírico, obsceno o, simplemente, absurdo.

Devoto concluye: «Aunque estas categorías responden, en sus líneas generales, a un deseo de precisión, ya hemos visto que sus límites no siempre son claros: ciertos relatos admitirían entrar en más de una categoría, y ciertos nombres designan en el lenguaje corriente muchas cosas distintas [...]. Aun el empleo técnico de estos nombres es bastante dificultoso. Insistiendo sobre el papel de la fe que se presta a estos relatos, y que proporciona un criterio de diferenciación, el propio Stith Thompson reconoce esa dificultad: "La diferencia entre cuento, tradición y mito es difícil de establecer, pero normalmente los cuentos no se creen, mientras que las tradiciones se aceptan como verídicas. Si estas tradiciones tratan de dioses o de héroes, o del mundo que existía antes que éste, las llamamos generalmente mitos" (*The challenge of Folklore,* PMLA, 79, 1964).»

CULTURA.   En una concepción semiológica, la cultura puede ser definida como el conjunto de las informaciones transmitidas a través del tiempo por una sociedad. La cultura, construida sobre las lenguas naturales y elaborada y difundida por su mediación, es para Lotman y la escuela de Tartu (Cfr. Lotman et al., *Semiótica de la cultura*) un sistema secundario que reproduce en su organización interna la estructura de la lengua. Con mayor exactitud se diría que la cultura es un sistema modelizador, es decir, que tiene la capacidad de organizar según unas determinadas reglas los elementos que lo constituyen. Los textos manifestados por una cultura determinada son también sistemas modelizadores secundarios.

El llamado lenguaje espacial es una de las formas más generales que usan las culturas para transportar las informaciones. Un texto puede expresar su mensaje por medio de rasgos topológicos (= espaciales) como «interior vs. exterior», «nosotros vs. los otros», «alto vs. bajo», etc.

Para Lotman, el espacio de un texto está distribuido entre un Interior (IN) delimitado por una frontera (o confín) y un Exterior (EX), según el siguiente modelo:

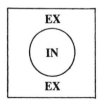

La división espacial asume una orientación originada por el punto de vista del exto, que puede coincidir con el espacio interior o con el exterior:

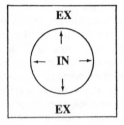 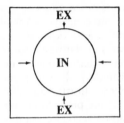

Se producirán, así, oposiciones semánticas verdaderamente significativas: «nosotros (IN) vs. los otros (EX)», o por el contrario «Nosotros (EX) vs. los otros (IN)», de donde deriva que la posición interior refleja una ideología que podríamos denominar asediada, defensiva con respecto a la posición agresiva del exterior. Semantizado ulteriormente, este modelo puede explicitar un gran número de textos construidos, por ejemplo, sobre la oposición entre «griegos» y «bárbaros» (el debate del *Buen Amor*), «cristianos» y «moros» (romances fronterizos), «nobles» y «villanos» *(Peribáñez),* etc. Al respecto, véanse las oportunas aplicaciones que hace Cesare Segre en *Semiótica filológica.*

La bipartición del espacio puede explicar también la separación del mundo terrenal frente al más allá, con la especificación cristiana de un EX positivo (cielo) y un EX negativo (infierno), mientras que la tierra es el IN sometido a los influjos contrarios de uno y otro EX: los misterios franceses medievales, con la disposición de sus múltiples escenarios, o *Rayuela* de Cortázar (recuérdese el esquema del juego, reproducido en la portada de casi todas las ediciones) responden gráficamente a este modelo. Se pueden, por tanto, dar culturas en las que existen dos espacios externos:

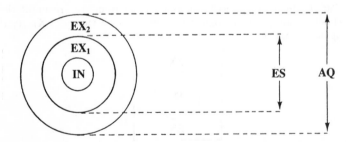

La oposición se produce entre «esto» (ES) y «aquello» (AQ): ES comprende un IN y un EX_1 (por ejemplo, los dos «nuestros»), mientras que AQ representa lo distinto. La frontera 1 (entre IN y EX_1) subordina a ella a la frontera 2 (entre EX_1 y EX_2). Lotman cita el caso de los dioses de IN (antropomorfos) y los de más allá de la frontera (monstruosos); o también el reparto del espacio entre la casa, el bosque y la tierra de los malvados. Segre recuerda a los héroes artúricos «que se mueven entre la corte y/o el corazón de su amiga y esposa, y un mundo externo y extraño, que alcanzan con frecuencia páramos de fuera del mundo, gobernados por leyes —incluso físicas— distintas de las nuestras».

Para ahondar más en esta voz y recordar los caminos que se están siguiendo (la cultura es un concepto en progreso, no bien definido todavía) remitimos a Cesare Segre, *Semiótica, historia y cultura* y *Principios de análisis del texto literario,* sobre todo el cap. I.4.

CURSUS.   Desarrollo de la cláusula, después que se perdió, en la latinidad tardía, el valor cuantitativo de las sílabas. El *cursus* medieval está determinado «no ya por la cantidad silábica sino por la situación de los límites de las dos últimas palabras de la frase y el acento de estas palabras». (Lausberg). Para los distintos tipos de *cursi* V. CLÁUSULA.

CHIAVE. V. ESLABÓN.

DÁCTILO. Pie métrico de la poesía grecolatina, formado por una sílaba larga seguida de dos breves (‒ ◡ ◡). En la poesía acentual, por una tónica seguida de dos átonas. En la poesía española es la base del endecasílabo llamado «de gaita gallega» *(Cando te vexo do monte n'altura)*, que fue usado en la poesía castellana desde el siglo XIV. En los siglos XVI y XVII se aplica a una serie de bailes, aunque en ellos no es exclusivo el endecasílabo. Rechazado por los utilizadores del endecasílabo italiano, fue recuperado por Rosalía de Castro y por Rubén *(Libre la frente que el casco rehúsa)*. El ritmo dactílico se aplicó también por Rosalía, Bécquer y el modernismo a versos de otras medidas.

DATIVO ÉTICO. Peculiar construcción enfática del pronombre personal, aparentemente pleonástico, mediante la cual el emisor y el receptor, o ambos, aparecen expresos en el mensaje: *¡No te me hagas el loco!; ¡Ay señor, la Sabeliña se le puso enferma!* (Valle-Inclán).

DECASÍLABO. El decasílabo es un verso de diez sílabas. No es muy corriente en la literatura española, aunque se encuentra esporádicamente en alguna composición popular. Se caracteriza por llevar acentos en la tercera y sexta sílaba. En el siglo XIX se usó para la composición de algunos himnos.

Entre los decasílabos hay dos distintos al tipo que acabamos de reseñar; uno es el distribuido en dos hemistiquios iguales por una cesura marcada *(Yo soy ardiente, yo soy morena)*, otro es el que se inicia con una palabra esdrújula *(cálamos forme el sol de sus luces)*. El primero fue empleado por Bécquer y Rosalía, el segundo por Sor Juana Inés de la Cruz: ambos por el modernismo.

DECIBLE. Lo que puede ser dicho y, en particular, lo que una ideología (V.), una escritura (V.) o la eficacia específica de una institución (V.) permiten expresar, frente a una realidad empírica externa al campo del habla. Piénsese cómo un cambio de ideología, al modificar el ámbito de lo decible, hace necesarias nuevas escrituras (el endecasílabo en el Renacimiento español) o nuevos géneros (la novela picaresca).

DÉCIMA. Estrofa de diez versos octosílabos con rima consonante. Procede, seguramente, de una de las formas posibles de la copla de arte real (V.) —entre otras, es cercana de la llamada quintilla doble—. En los finales del siglo XVI adquiere su forma canónica, que supone no sólo una distribución de rimas, sino también una muy precisa organización de la materia poética (abba:ac:cddc); se empleó autónomamente o en series, tanto en la poesía lírica como en el teatro antiguo. En la lírica moderna se han introducido nuevas formas de la décima: Jorge Guillén —acaso el más hábil poeta con esta estrofa— ha empleado, junto a la forma tradicional, la forma francesa o la apoyada en ella (cuarteta o redondilla: pareado: cuarteta o redondilla), la constituida por diez versos de romance; ha usado los versos heptasílabos o endecasílabos, juntos o por separado; incluso ha escrito poemas de diez versos, con estructura interna de décima, en versos libres.

DECIR. V. CANTIGA, SIRVENTÉS.

DECODIFICACIÓN. V. COMUNICACIÓN, CÓDIGO, DECIFRACIÓN.

DEÍCTICO. Factor de la deixis, elemento que indica, indicador (V. DEIXIS).

DEIXIS. «Todo enunciado se realiza en una situación que está definida por coordenadas espaciotemporales: el sujeto refiere su enunciado al momento de la enunciación, a los participantes en la comunicación y al lugar en que se ha producido el enunciado. Las referencias a esta situación forman la *deixis* y los elementos lingüísticos que concurren para "situar" el enunciado (a imbricarlo en la situación) son los *deícticos*» (Dubois, *Dictionnaire*, s.v.). Para Weinreich son factores de la deixis verbal los pronombres de primera y segunda persona (Cfr. Benveniste, *Problèmes de linguistique générale*), los demostrativos, los elementos espaciotemporales (*aquí, ahí, ahora,* etc.); las formas que Jakobson llama *shifters,* que no tienen denotación concreta y que sólo son identificables en relación con la situación (ejem.: *¡ven aquí!,* para comprender el valor de *aquí* es preciso tener en cuenta al locutor y a la situación).

Bühler ha señalado la existencia de un tipo distinto de deixis de especial interés para los textos literarios; es la que él llama *deixis en fantasma,* que se produce «cuando un narrador lleva al oyente al reino de lo ausente recordable o al reino de la fantasía constructiva y lo obsequia allí con los mismos demostrativos para que vea y oiga lo que allí hay que ver y oír (y tocar, se entiende, y quizá también oler y gustar)»: *Pero de pronto tú / dijiste: «Yo, mañana...» / Y todo se pobló / de carne y de banderas.* (Pedro Salinas). *¿Mi amor?... ¿Recuerdas, dime, / aquellos juncos tiernos?* (A. Machado).

DENOTACIÓN. La denotación es el valor informativo-referencial de un signo, indicado con precisión por el código. En este sentido la denotación está ligada a la función referencial del lenguaje (V.). Pottier la define como el conjunto de semas constantes ligados a una unidad léxica; Mill, que la caracteriza por oposición a la connotación (V.), señala que la denotación es el elemento estable, analizable fuera del discurso y no subjetivo de la significación. En lo literario, la denotación constituye el primero y más elemental nivel semántico del signo, vinculado al código lingüístico de una época determinada (por ejemplo, *galgo* tiene como significado denotativo «perro de caza»). Pero como el signo literario es polisémico, el valor denotativo puede cargarse de otros sentidos que estén en relación con la compleja operación semántica que se produce por la formalización artística (V. COMUNICACIÓN LITERARIA, LENGUAJE, ESTILO, TEXTO, TRANSCODIFICACIÓN). Así el galgo de la *Divina Comedia* —y el «galgo de ayer» machadiano—, al estar inserto en un sistema superior (el poema), asume una connotación (en este caso alegórica) que enriquece el sentido literal básico del término. Los conceptos de denotación y denotativo pertenecen a la semiótica de la connotación, según los criterios fijados por Hjelmslev (V. LINGÜÍSTICA, 3). Véanse también las voces: AMBIGÜEDAD, CONNOTACIÓN, CORRELACIÓN, EXPRESIÓN, POESÍA, ESCRITURA, ESTILO.

DEPRECACIÓN. Morier (*Dictionnaire,* s.v.) piensa que la deprecación es una «figura patética (del mismo género que la exclamación, la interrogación retórica, la imprecación, la ironía) con la cual se suplica a un ser humano invocando los motivos adecuados para conmoverlo». La definición nos parece demasiado extensa y demasiado alejada del uso específico del término en la oratoria jurídica antigua. Como recuerda Lausberg, la *deprecatio* es una forma de defensa del reo, que confiesa su culpa, pero alega sus méritos, invocando un juicio benigno. Es típica de los «discursos» de la épica antigua, de la tragedia, del poema caballeresco. Recordemos el ruego de Príamo a Aquiles en la *Ilíada (Aquiles, respeta a los dioses y apiádate de mí, acordándote de tu padre; que yo soy todavía más digno de compasión que él, puesto que padecí lo que ningún otro mortal: llevé a mi boca la mano del hombre matador de mis hijos).* Y en Blas de Otero: *Yo, pecador, artista del pecado, / comido por el ansia hasta los tuétanos, / yo, tropel de esperanza y de fracasos, / estatua del dolor, firma del viento. / Yo, pecador, en fin, desesperado / de sombras y de sueños: me confieso / que soy un hombre en situación de hablaros / de la vida. Pequé. No me arrepiento.*

DESAMBIGUAMIENTO. Procedimiento de decodificación mediante el cual un enunciado, susceptible de distintas interpretaciones (y por lo tanto, ambiguo) es interpretado correctamente. El desambiguamiento está producido por el conocimiento de las distintas isotopías (V.) que atraviesan el texto. Así, en la frase: *Las gallinas están preparadas para* *comer* habrá dos interpretaciones distintas según las isotopías sintácticas que se valoricen: *Las gallinas están preparadas: a) a comer, b) a ser comidas.* Normalmente, la contextualización (V.) puede servir para desambiguar un enunciado o parte de él. Véanse las voces: DIÁFORA, DISCURSO.

DESCIFRACIÓN. En el proceso normal de la comunicación el resultado de la interpretación de los signos por parte del destinatario se denomina descifración o, más corrientemente, decodificación. En nuestro entender, en la lectura crítica de un texto literario sería útil diferenciar entre una más elemental decodificación a nivel denotativo-«de contenidos» y una descifración global del texto en el nivel estilístico-connotativo. Para otras explicaciones, V. COMUNICACIÓN, 2; CÓDIGO.

DESCRIPCIÓN. En la retórica antigua la *descriptio* o *ékfrasis* es, como señala Barthes (*La antigua retórica*, B.2.9), «una serie fluctuante de estasis», inserta en un momento en que la *narratio* se suspende y el autor describe un lugar o un personaje. La descripción de un lugar se llama topografía; la de un personaje, si de su físico, prosopografía, si de su carácter, etopeya.

Para Tomachevsky la trama de un relato está formada por motivos ligados (necesarios) y libres (eliminables sin perjuicio para la fábula): entre estos estarían las digresiones y también las descripciones. El mismo crítico considera las descripciones naturales, ambientales o paisajísticas como motivos estáticos, que no comportan cambio de situación. Para Barthes (*Communications*, n.º 8), las funciones del relato son: los núcleos (que abren, mantienen o cierran una secuencia), las catálisis (que tienen un carácter completivo; de aquí, por tanto, que las descripciones se clasifiquen entre las catálisis), los indicios (funciones ideológicas) y las informaciones (datos inmediatamente significativos, como la edad de un personaje; la descripción puede, pues, ser un informante).

¿Qué significado tiene la descripción en un relato? «Puede servir para crear un ritmo en la narración», aseguran Bourneuf-Ouellet (*La novela*, pág. 134); por ejemplo, provoca un remansamiento después de un pasaje de acción, o bien una impaciente espera cuando interrumpe la narración en un momento crítico; representa una obertura que anuncia el tono e intención —a veces las claves de desciframiento— de la obra: piénsese en el inicio de *La de Bringas* de Galdós; establece una pausa emblemática o simbólica, etc. O también la descripción tiene una función pictórica, hace ver; por ello, determina una transmisión de información desde un personaje a otro, plantea el problema de la relación visual entre un personaje y los objetos, se concentra sobre la representación del personaje mismo (en Galdós, por ejemplo, mediante las informaciones sobre su estado civil, sobre su psicología, su fisonomía, su ambiente).

Secuencia relativamente autónoma en el relato, Genette ha señalado cómo se va integrando, sin embargo, en la diégesis: «Es más fácil concebir una descripción pura, exenta de todo elemento narrativo, que lo inverso, pues la designación más sobria de los elementos y circunstancias de un proceso puede aparecer como un bosquejo de descripción» *(Frontières du récit,* en *Figures II)*. La descripción puede estar focalizada en un personaje que ve un objeto determinado o mira una escena, un paisaje, un ambiente, a otro personaje (Don Fermín de Pas contemplando Vetusta desde lo alto de la catedral con un catalejo puede ser ejemplo), o bien puede ser asumida por el narrador mismo y constituir, de esa forma, una pausa extradiegética, pero incluso en este último caso es difícil que sea neutra: véase las descripciones barojianas, que hacen «avanzar» inevitablemente la fábula.

Para Hamon, una descripción se articula en un sintagma narrativo de tres términos:

Conjunción de 1 personaje A (o de 2 personajes A y B) y de un objeto/marco ambiental C.	a) tarea de A sobre C ante B. b) palabra de A y B a propósito de C c) mirada de A sobre C.	transferencia de información a B (o a C en el caso C)

En la narración realista la descripción es en gran medida tributaria del ojo: un personaje fijo ante un panorama o una escena móvil, un personaje móvil que pasa revista a un marco ambiental (calle, habitación...). La descripción puede depender también de la palabra (un personaje informado que describe algo a otro personaje no informado) o de la acción (la enumeración de los actos de un personaje ante otro es ya, de por sí, una descripción). Generalmente una secuencia descriptiva puede abrirse y cerrarse mediante señales demarcativas de muy diversos tipos («se asomó a la ventana... se apartó de la ventana y volvió a la mesa») que delimitan la interrupción de la diégesis verdadera y neta.

«Una descripción dimana frecuentemente de la conjunción de uno o varios personajes (P) con un marco ambiental, un hábitat, un paisaje, una nómina de objetos. Este ambiente, tema introductivo de la descripción (T-I), pone en marcha la aparición de una sucesión de subtemas, de una nomenclatura (N), cuyas unidades constitutivas están en relación metonímica de inclusión con respecto a aquél, una especie de «metonimia difusa»: la descripción de un *jardín* (tema principal introductivo implicará casi obligatoriamente la enumeración de las distintas flores, arriates, calles, acirates, árboles, parterres, etc.) que lo forman. Cada subtema puede también ser origen de una expansión, tanto calificativa como funcional (PR), que glosa a aquel subtema. La fórmula de la descripción-tipo sería, por tanto:

$$P + F + T\text{-}I \ (N + PRc + PRf)$$

en la que F tiene muchas veces la forma /mirar/, /hablar de/, /actuar sobre/; en la fórmula cada unidad puede estar más o menos distante de las otras, funcionar por ausencia, o ser permutada» (Hamon, *op. cit.*).

DESEMANTIZACIÓN. Pérdida de valor semántico, desvaimiento del significado profundo de un término. Por ejemplo, la mayor parte de las palabras de significado sexual se desemantizan para convertirse en interjecciones.

DESTINADOR. El término se emplea alguna vez como sinónimo de emisor de un mensaje o de hablante en la comunicación oral. Para Greimes, el destinador es uno de los actantes (V.).

DESTINATARIO. Es el receptor en el proceso de la comunicación (V.). En la comunicación literaria, el destinatario es el lector o, quizá mejor, ampliando el sentido, el público. En el análisis de un texto será preciso prestar atención tanto a la relación entre el emisor y el destinatario (por ejemplo, el lazo entre el escritor y el horizonte de expectativa de su público), como a los modos determinados históricamente de que se sirven los destinatarios para leer un mensaje determinado. En el estrato de la decodificación o, si se prefiere, de tipologías de lectura de textos se puede afirmar que la obra literaria es «abierta», es decir, que acumula en el tiempo —y a veces en el momento: piénsese en el vario público que presenciaba el teatro de Lope y su escuela— un catálogo bastante diversificado de respuestas a sus potencialidades sígnico-informativas; por otra parte, el texto, como realidad artística autónoma, es una obra cerrada, que tiene una estructura semiótica bien definida, aunque no sea posible que se agote en una lectura-desciframiento unívoca. Se produce un fenómeno de interferencia y, por ende, de distorsión del mensaje, cuando el destinatario superpone su ideología (sus códigos y subcódigos, determinados socialmente) a la connotación del texto, o también cuando la lectura se contempla como reescritura de la obra y el destinatario como un nuevo productor del texto, cuando no como el principal o el único: nos referimos aquí a determinadas posiciones de la nueva crítica francesa, por ejemplo al último Barthes —al de *S/Z* o *Le plaisir du texte*— y también a las posiciones del grupo de la revista *Tel quel* y, sobre todo, de Julia Kristeva.

En nuestra opinión, es preciso salvaguardar en todo lo posible la realidad del texto como sistema semántico cerrado (y por lo tanto históricamente determinado: véase, una vez más, L. Stegnano Picchio, *La méthode philologique*), ni nos parece absolutamente pertinente, aunque sea sugestiva, la idea de un destinatario como «colaborador de la vida polisémica del texto» (Corti, *Principi della comunicazione letteraria*), a no ser que el propio autor se lo proponga como finalidad en la creación del texto (recordemos el *Soneto de trece versos* de Rubén, con un catorceno en grado cero para que lo construya el lector). La fruición artística verdadera (dejamos aparte los razonamientos sobre la «sensibilidad» y sobre el «gusto» —categorías psicológicas no bien definidas— del lector) es una operación semiótica dirigida a la apropiación lo más completa posible, y en el límite inalcanzable, íntegra, de los códigos y subcódigos que subyacen en el texto, y de la intención del autor cuando emitió ese mensaje comunicativo. Presupone, por lo tanto, una reconstrucción histórica de las distintas series que se entrecruzan en la obra —el epistema del autor—, connotando sus signos; y luego, un gradual proceso de reconversión y recolocación de los signos en el sentido totalizador de la obra-mensaje, según las intenciones del escritor. La polisemia del texto, dicho con otras palabras, ha de ser relacionada (historizada) con la complejidad de los códigos y subcódigos, y con la hipersignicidad del mensaje (v. también el problema de la ambigüedad) anclado en el proceso de la comunicación literaria (V. TEXTO, INTERTEXTUALIDAD).

Sin embargo, es indudable que una lectura exhaustiva hasta ese punto es más un ideal que una práctica común. Como se ha notado, el destinatario se muestra interesado con frecuencia sólo en una de las facetas del mensaje artístico (en su contenido como *fábula* o como documento, en la tipología de los personajes, en la fruición identificativa, en aspectos del lenguaje, etc.) y, en la mayor parte de los casos, decodifica el texto a partir de su propio sistema cultural. Si estos hechos pueden parecer inevitables, especialmente para las obras «clásicas» o pertenecientes a otros sistemas culturales, será preciso para un tratamiento crítico tener en cuenta al archilector (V.) de Riffaterre, aunque sea temporario, es decir, de las diversas formas en que épocas enteras han disfrutado de determinados textos, en la medida en que se pueda sostener, aunque sólo sea sociológicamente, que la esfera de los significados de un texto resulta del conjunto de sus lecturas (realizadas o realizables). Obligatoriamente la comprensión de un texto es un fenómeno de transcodificación (de paso de un código a otro: ejemplo conspicuo, las traducciones de obras extranjeras): como cualquier transmisión de información este camino es ambiguo, porque puede tener el costo de una dilución del mensaje, de una entropía cualitativa, o puede comportar el riesgo de una «polisemia» ideológica, de un enriquecimiento de sentido condicionado por las tipologías culturales del público. En esta rampa de las lecturas «modernas» está hoy de moda la lectura «política» de los escritores del pasado, o de la «desmitificación» de obras, autores o tipos, con la consecuencia, que creemos peligrosísima, de extrapolaciones ideológicas que disminuyen, si no deforman, la riqueza de las escrituras: recuérdense —es el ejemplo más visible— algunos montajes teatrales (se representa al Valle-Inclán o al Lorca de «nuestro tiempo», no a Valle-Inclán o a Lorca).

Para el significado actancial de destinatario, véase ACTANTE.

DESVÍO. Distancia que se puede percibir, con mayor o menor rigor, entre un enunciado y una norma preestablecida: en la lengua el código lingüístico, el lenguaje estándar, etc.; en la literatura el arquetipo genérico sentido como canon. La noción es confusa, pero todavía la mantiene, con algunas modificaciones y adaptaciones, el grupo que redactó la *Rhétorique générale*.

DETERMINANTE. En sentido amplio, el determinante es el elemento que actualiza a un nombre, es decir, que lo determina, en la estructura del sintagma nominal (artículos, adjetivos, complementos del nombre). Por ejemplo, en el grupo *el hermano de Carlos,* tanto el artículo *el* como el complemento *de Carlos* determinan al núcleo *hermano.* Para Martinet (V. LINGÜÍSTICA, 2) el determinante en un monema dependiente.

DEVERBAL. Nombre formado a partir de un radical verbal (*toque, acercamiento, callandito,* etc.). Algunas veces se denominan también nombres postverbales.

DEUS EX MACHINA. En el teatro antiguo la divinidad intervenía con frecuencia para resolver situaciones embrolladas, bajando desde lo alto gracias a aparatos escénicos. Por extensión se define hoy como *deus ex machina* a la intervención providencial de un personaje importante o resolutor, sobre todo cuando su aparición o actuación no se justifica por la andadura de la obra.

DEUTERAGONISTA. En la tragedia antigua el deuteragonista es el personaje secundario con respecto al protagonista o personaje principal. En la comedia antigua española este papel aparece representado en muchas ocasiones por la figura de donaire.

DIACRÍTICO. Es un signo gráfico que modifica a otro signo, por ejemplo, el acento: *dómine, domine, dominé.*

DIACRONÍA. La oposición entre diacronía y sincronía —es decir, la contemplación de la lengua desde un punto de vista histórico-evolutivo frente a la descripción de un determinado «estado» de la lengua— es una de las dicotomías establecidas por Ferdinand de Saussure. La diacronía estudia los hechos lingüísticos en su sucesión y en su transformación en el eje temporal (para Saussure es una sucesión de estados sincrónicos).

La rígida oposición entre sincronía y diacronía ha sido cuestionada por los funcionalistas (V. LINGÜÍSTICA, 2), porque todo sistema lingüístico que sea posterior a otro no puede ser analizado más que en términos de transformación de la estructura sincrónica precedente en la que le va a suceder. Por otra parte es muy difícil —si no imposible— establecer cuál sea el sistema sincrónico de una lengua, teniendo en cuenta los diferentes estados que ésta presenta en los distintos grupos sociales y en sus diversas localizaciones geográficas: *vos* es un arcaísmo en la Península, pero no lo es en Argentina. Para un análisis crítico del problema, véase Martinet, *La lingüística*, s.v., y del mismo autor *La economía del cambio lingüístico*.

DIÁFORA. Es una figura semántica que se produce al usar dos veces una misma palabra, pero con diferente significado o con distinto matiz. Por ejemplo, en el poema de Góngora: *Cruzados hacen cruzados, / escudos pintan escudos, / ... / ducados dejan ducados / y coronas majestad. /* las palabras *cruzados, escudos, ducados* tienen primero el valor de monedas, para transformarse después en términos nobiliarios. La diáfora implica una doble isotopía (V.), por medio de la cual se efectúa una transcodificación: en el caso que hemos citado, el paso de un subcódigo económico a un subcódigo de clase social. Véase también ANTANACLASIS.

DIALEFA. Figura métrica (V.), contraria a la sinalefa, que consiste en pronunciar en sílabas diferentes la vocal final y la inicial de dos palabras contiguas de un verso. La dialefa ha sido utilizada con fines estilísticos por Herrera, que la señalaba poniendo un punto sobre cada una de las vocales que la formaban. Ejem.: *Y si no rompe,* ^v *antes que a la cumbre, y tú* ^v *alça de la úmida hondura, y en colossos a* ^v *una y otra parte.*

DIALOGISMO. En la retórica antigua se da este nombre a una forma de monólogo o de reflexión construida en forma de diálogo, frecuentemente con interrogaciones a las que el mismo hablante da respuesta: *¿Yo para qué nací? Para salvarme. / ¿Que tengo que morir? Es infalible* (Vargas Ponce).

Shklovski y Bajtin caracterizan con este término el sistema de composición fundamental de Dostoyevski: «Las controversias no ocurren sólo entre los personajes; los diferentes elementos del desarrollo del tema están también, de alguna forma, en conflicto: los hechos son interpretados dialogísticamente, la psicología de los personajes se contradice; esta forma emana del propio principio de Dostoyevski» (Shklovski:

Sur la théorie de la prose). Julia Kristeva señala el carácter dialógico de la novela como género.

DIÁLOGO. Es la forma estilística en la cual el emisor se dirige a un destinatario. Ducrot-Todorov (Diccionario, s.v. *Estilo*) determinan algunos rasgos generales de la pareja antitética monólogo/diálogo: «El monólogo puede describirse por los siguientes rasgos: énfasis puesto sobre el hablante; escasas referencias a la situación alocutiva; marco de referencia único; ausencia de elementos metalingüísticos; frecuencia de exclamaciones. Por oposición, el diálogo se describirá como un discurso que: pone el énfasis en el hablante como interlocutor; se refiere abundantemente a la situación alocutiva; se remite simultáneamente a varios marcos de referencia; se caracteriza por la presencia de elementos metalingüísticos y por la frecuencia de las formas interrogativas.» Un ejemplo, este diálogo entre Don Quijote y Sancho: *Y díganme, ¿por ventura habrá quién se alabe que tiene echado un clavo a la rodaja de la fortuna? No, por cierto; y entre el sí y el no de la mujer no me atrevería yo a poner una punta de alfiler, porque no cabría. Denme a mí que Quiteria quiera de buen corazón y de buena voluntad a Basilio, que yo le daré a él un saco de buena ventura: que el amor, según yo he oído decir, mira con unos antojos, que hacen parecer oro al cobre, a la pobreza riqueza, y a las lagañas perlas. / ¿Adónde vas a parar, Sancho, que seas maldito? —dijo don Quijote—. Que cuando empiezas a ensartar refranes y cuentos no te puede esperar sino el mismo Judas, que te lleve. Dime, animal, ¿qué sabes tú de clavos ni de rodajas ni de otra cosa ninguna? / —¡Oh! Pues si no me entienden —respondió Sancho—, no es maravilla que mis sentencias sean tomadas por disparates. Pero no importa: yo me entiendo, y sé que no he dicho muchas necedades en lo que he dicho; sino que vuesa merced, señor mío, siempre es friscal de mis dichos, y aun de mis hechos. / —Fiscal has de decir —dijo don Quijote—; que no friscal, prevaricador del buen lenguaje, que Dios te confunda.* Nótese la sucesión de interrogaciones, la relación interlocutoria (tú-vuesa merced), la simultaneidad de referencias (el amor, un amor, la fortuna, el lenguaje en varios niveles), la función metalingüística de preguntar y preguntarse sobre el registro lingüístico que se emplea.

El diálogo como forma literaria (piénsese en los diálogos platónicos) está ligado, en sus orígenes, al problema dialéctico de la búsqueda de la verdad. El interlocutor se ve obligado a aceptar la verdad tras la sucesión de las argumentaciones del orador. Se presupone que el interlocutor es la encarnación del auditorio universal (Perleman-Olbrechts Tyteca, *Traité de l'argumentation*). En el diálogo, los diversos interlocutores entablan una discusión, aportando distintos argumentos susceptibles de una conclusión (diálogo heurístico). Cuando el protagonista se propone vencer al adversario se produce el llamado diálogo erístico (de *éris* = contienda), mientras que la forma pragmática más común es aquella en que los distintos participantes buscan persuadirse recíprocamente.

Importado a Roma por Cicerón, el diálogo fue muy pronto considerado como un género fundamental para la apologética cristiana (San Agustín) o para la búsqueda ética introspectiva (el *Secretum* de Petrarca, el *Diálogo de la dignidad del hombre* de Fernán Pérez de Oliva). El uso del diálogo en la literatura española no puede separarse de los debates medievales como forma poética: debate es la obra de Anselm de Turmeda. De esta situación sale por obra de Llull y, sobre todo, Bernat Metge; en castellano, el *Diálogo de Bias contra Fortuna* marca claramente una nueva dirección ideológica en el diálogo poético. En el Renacimiento, junto a la influencia italiana, se hará presente el influjo de los *Colloquia* de Erasmo: ambas fuentes convertirán a este género en una de las formas predilectas de nuestra literatura que la usará para la didáctica (el *D. de la léngua*), la polémica (D. de Mercurio y Carón), la apologética *(D. de la Doctrina cristiana),* hasta llegar a las cimas estilísticas e ideológicas de *De los nombres de Cristo,* o las muy peculiares del *Coloquio de los perros.*

Junto a esta forma dialogística, será preciso considerar la utilización del diálogo puro como forma narrativa. Partiendo de la *Celestina* y de su sucesión —destaquemos la *Eufrósina*—, recalando en *La Dorotea* de Lope, la forma, perdida durante doscientos años, es recuperada por Galdós —*La loca de la casa, Realidad*— y llega hasta Baroja *(Juan de Alzate, Paradox, rey)* e informa los esperpentos —de nuevo teatro— de Valle-Inclán.

DIÁSTOLE.   Es una figura de acentuación irregular, típica de la poesía, que depende del ritmo. La diástole es paso del acento en una palabra a una sílaba posterior a la que normalmente le corresponde. Su contrario es la sístole (V.). Ejem.: *Ví de Eufrátes al Mediterráno.* Cfr. Lázaro, *La poética del arte mayor castellano.*

DIATRIBA.   En la antigüedad, disertación de carácter didáctico o moral. Muy pronto el término significó, sin embargo, discurso polémico o sarcástico.

DICOLON.   Correspondencia sintáctica entre dos miembros de un conjunto (frase, verso, poema, período). Se puede considerar como una forma de paralelismo. Ejem.: *Y una errancia me coje ajena y mía, / mía y de ala; / y una esencia me envuelve ajena y mía, / mía y de rosa* (Juan Ramón Jiménez).

DIDASCALIA.   V. ACOTACIÓN.

DIÉGESIS. En Aristóteles es el relato puro, transmitido por el narrador, mientras que la mímesis es el relato recitado por los personajes. En la acepción actual la diégesis es la historia (V.), el conjunto de acontecimientos narrados en un relato: si se quiere, el contenido de un relato frente al significante de la narración (V.). Al reordenar la narración en una serie de núcleos constitutivos que siguen una sucesión lógico-cronológica, la diégesis deja entrever, en la operación crítica, la llamada *fabula* (V.), el modelo funcional del relato.

DIÉRESIS. El encuentro de dos vocales en el interior de una palabra puede dar lugar a la figura métrica de la diéresis cuando las dos se mantienen diferenciadas y computadas como dos sílabas distintas. Ejem.: *Donde el límite rojo de Oriente* (Herrera).

DIGRESIÓN. La digresión o *excursus* es aquella parte de un relato o, en general, de un discurso en la que el escritor, pareciendo alejarse del tema que está tratando, divaga sobre aspectos que aparentemente son secundarios o complementarios, deteniéndose a describir un paisaje o insertando en la *fabula* (V.) otro relato distinto (piénsese en las novelas intercaladas en la primera parte del *Quijote*), una anécdota, un recuerdo, etc. La digresión es un aspecto peculiar de la urdimbre narrativa y tiene, por lo tanto, distintas finalidades artísticas: sirve para complicar la acción, anticipando, por ejemplo, elementos que volverán a ser retomados más adelante; crea una pausa en la acción principal, suspendiendo el tiempo de la historia (V. TIEMPO, NARRATIVA), para suscitar un determinado suspense en el lector (*Quijote,* I, viii y ix); puede coincidir con un *flash-back* (V.) cuando (interrrumpiendo la acción) se describe la vida y maneras de un personaje que se introduce en el relato *in medias res* (recordemos el modo de presentar los personajes en los inicios de *Ángel Guerra*); o puede también la digresión tener un cariz documental, como elemento de apoyo con valor referencial, como cuando remite a un tiempo histórico, a unas costumbres, etc., para dar verosimilitud a hechos y personajes de la narración: así, por ejemplo, se encuentra en tantas novelas españolas del período del «realismo crítico».

Un caso especial de la digresión es la llamada parábasis, tan frecuente en la tragedia griega: el autor, por medio de un corifeo, daba a conocer a los espectadores sus intenciones, sus opiniones, etc. No vemos la razón para limitar este término a aquel uso: podría extenderse a los casos de intrusión del autor en la obra, bien directamente (Cervantes en *Don Quijote,* Unamuno en *Niebla*), bien por medio de juicios personales (Baroja en casi todas sus novelas).

DILATORIO (SIGNO O INDICIO). Elemento o unidad narrativa (V.) que tiene la función de abrir un camino más o menos verosímil en el relato, induciendo al lector a una expectativa que no se ha de cumplir. El lector puede tomar este elemento ambiguamente, como función o indicio, sin serlo.

DILEMA. Término de la lógica clásica que indica una doble premisa para un silogismo irresoluble. Más en general, es una argumentación constituida por dos proposiciones contrarias (los «cuernos» del dilema), planteados como alternativas posibles. Véase Ferrater Mora, *Dicc. de filosofía*, s.v.

DILOGÍA. Uso de una palabra o expresión en dos sentidos distintos dentro de un mismo enunciado. Ejem.: *No encuentra al de Buendía en todo el año; / al de Chinchón sí, ahora, y el invierno / al de Niebla, al de Nieva, al de Lodosa* (Góngora); *Ah, las palabras más maravillosas, / «rosa», «poema», «mar», / son m pura y otras letras: / o, a...* (Blas de Otero). La dilogía, junto con el calambur, recibe a veces el nombre, menos preciso, de equívoco.

DISCORDANCIA. V. DISOCIACIÓN.

DISCURSO. En lingüística se denomina discurso al área de los procesos de comunicación superiores al enunciado o frase, en la que se había detenido la atención de Saussure. Para Benveniste, la frase es la unidad del discurso, que sería un conjunto de enunciados «sobrecodificados» por reglas transfrásticas de encadenamiento. En la concepción generativo-transformacional (V. LINGÜÍSTICA, 5), la gramática describe las reglas de competencia que sirven para producir, partiendo de enunciados profundos simples, frases superficiales estructuralmente complejas.

Entre los desarrollos de la lingüística reciente es preciso mencionar a la llamada lingüística textual, que puede ser considerada como una expansión autónoma del generativismo. Si por texto se entiende una forma comunicativa superior a la frase, cualquier teoría del discurso ha de ser incluida automáticamente en el ámbito de lo textual, con la precaución, sin embargo, de tener en cuenta que existe un salto cualitativo importantísimo entre el texto-discurso y la frase: el texto no consiste únicamente en una adición de frases: con respecto a las frases constituyentes el discurso presenta siempre un plus de significado. Por ejemplo, en muchos casos sólo el texto-discurso puede resolver la ambigüedad de algunas frases: *Los pollos están preparados para comer* puede adoptar dos significados distintos según cuál sea la ampliación textual: 1. *Ya podemos sentarnos a la mesa*; 2. *Voy a echarles el pienso*. Además un texto-discurso posee una coherencia totalizadora —las reglas transfrásticas— distinta de las frases aisladas e individuales: aclara los presupuestos de algunos enunciados, permite la integración de éstos en unidades semánticas jerarquizadas, etc. Para el discurso en sentido oratorio V. EXORDIO, DISPOSITIO.

Nos interesa ahora recordar una definición distinta de discurso, pertinente en particular para el análisis literario de un texto. En esta acepción más específica (que se remonta a Benveniste), el discurso es el acto de la enunciación en el que se puede manifestar: a) la patencia del sujeto en el enunciado (V.); b) la relación entre el locutor y el interlocutor; c) la actitud del sujeto en lo que toca a su enunciado, la «distancia» que establece entre sí mismo y el mundo por mediación del enunciado. En otras palabras, mientras el enunciado es la transmisión exclusivamente verbal de un mensaje, la enunciación es un procedimiento que actualiza elementos no verbales (el emisor, el destinatario, el contexto). El plano de la enunciación puede ser llamado también plano del discurso, en el sentido que se pone de manifiesto, por ejemplo, en las formas del llamado discurso directo e indirecto. Seguimos aquí las ideas de Todorov *(Qu'est-ce que le structuralisme? 2. Poétique)* cuando caracteriza distintos tipos de discurso (o estilo) partiendo de la estructura enunciativa: discurso valorativo, emotivo, modalizante. (Para una exposición más detallada V. ESTILO, 1.)

También es posible hablar de discurso literario si se comparte la idea de Lotman de que la literatura se vale de una lengua no coincidente con la común (aunque se construya sobre ella); esta lengua está formada por signos y reglas peculiares que parten de la iconicidad, de la motivación del signo literario. Característica privativa del discurso de la literatura es su total semantización: todos sus elementos fonológicos y morfosintácticos interactúan con el plano del contenido, asumiendo un valor significativo y activando el sentido global del texto. Véase LENGUAJE, 2; CONNOTACIÓN, CONTENIDO, CORRELACIÓN, FORMA, TEXTO.

DISFEMISMO. El disfemismo —opuesto a eufemismo (V.)— consiste en el empleo en el texto de una palabra o expresión de estrato vulgar o cómico, para sustituir a otra noble o, simplemente, normal. Ejem.: *estirar la pata* en vez de *morir, matasanos* en sustitución de *médico.*

DISFORIA. En el análisis del relato, los términos «disforia» y «euforia» se usan con frecuencia para caracterizar dos situaciones opuestas en las que se pueden encontrar los personajes: estado positivo, alegre, feliz (euforia); estado penoso, desgraciado, negativo (disforia).

DISOCIACIÓN. La disociación es una figura de tipo semántico que se produce cuando en una frase, construida con todo rigor sintáctico, se articulan elementos que son incompatibles semánticamente: *Estar cansado tiene plumas* (Cernuda); *nardos de angustia dibujada* (Lorca). La disociación nace de la presencia de dos isotopías (V.) todo lo diferentes que se quiera, e incluso opuestas, pero que en el creador tienen un mismo cimiento psicológico. La disociación se corresponde, aproximadamente, con lo que Bousoño denomina imagen (V.) visionaria o Angenot *(Rhétorique du surréalisme* y *Glossaire de la critique littéraire contemporaine)* discordancia. El término de disociación, que preferimos, ha sido propuesto por Zumthor, y aceptado por el grupo D.I.R.E.

DISONANCIA. V. CACOFONÍA. A veces puede buscarse el efecto de disonancia con intenciones estilísticas: *Este especialistito Casualidad, galeno / por vicio, ha visto a nuestro Hume-Wundtiano, cuando* (Juan Ramón Jiménez).

DISPOSITIO. Es la segunda de las cinco partes en que se divide tradicionalmente la retórica (V.). Se ocupa del orden y de la disposición de las ideas: orden que puede ser *naturalis,* es decir, normal según un desarrollo lógico del discurso, o bien *artificialis,* o sea estructurado de tal forma que suscite en el destinatario un efecto de extrañamiento (V.) por medio del empleo de figuras o por una disposición *in medias res* o utilizando otros artificios. La *dispositio* regula la división de una obra en partes distintas y establece la relación entre ellas. La bipartición frecuentemente lleva aparejada una antítesis; la tripartición comprende un principio, una parte central y un fin, con divisiones internas ulteriores en cada una de ellas. Así, en un discurso modélico, hay un exordio, que abre el contacto con el público (destinatario), una parte central informativa o narración —a veces continuada por una demostrativa, la argumentación, frecuentemente de carácter dialéctico—, y un epílogo en el que se resume el tema y se cierra, dirigiéndolo de nuevo hacia el destinatario. En la retórica antigua se llamaba disposición externa al conjunto de medios —que hoy denominaríamos pragmáticos— que se dirigen a la persuasión del destinatario. Existe toda una casuística de estrategias destinadas a conseguir el fin buscado, es decir, la persuasión: el empleo de medios intelectuales, como la información y la discusión; la utilización de instrumentos emotivos y psicológicos, ya moderados *(ethos),* ya extremados *(pathos)*: con el *ethos* se busca crear una situación emocional de tono medio, incluso agradable, con el *pathos* se quiere provocar conmoción, compasión, identificación, etc. Es claro que, para cada caso, la *dispositio* requiere una forma estilística apropiada, es decir, una *elocutio* que unas veces será sencilla, otras sutil, otras edificada de tal manera que sea capaz de apuntalar eficazmente la estrategia del discurso. Para estas cuestiones remitimos a las páginas iniciales de los *Elementos de retórica literaria* de Lausberg.

Un gráfico muy claro de la estructura de la *dispositio* se encuentra en *La antigua retórica* de Barthes, que expone en este paradigma las partes del discurso:

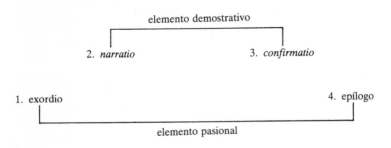

elemento demostrativo

2. *narratio*   3. *confirmatio*

1. exordio   4. epílogo

elemento pasional

Y lo explica: «La *dispositio* parte de una dicotomía que era ya, en otros términos, la de la *inventio*: *animos impellere* (conmover) / *rem docere* (informar, convencer). El primer término (llamada a los sentimientos) cubre el *exordio* y el *epílogo,* es decir, las dos partes extremas del discurso. El segundo término (la llamada a los hechos, a la razón) cubre la *narratio* (relato de los hechos) y la *confirmatio* (establecimiento de las pruebas o vías de persuasión), es decir, las dos partes intermedias del discurso. El orden sintagmático no sigue, pues, al orden paradigmático y nos encontramos con una construcción en quiasmo: dos "trozos" de elemento "pasional" enmarcan un bloque demostrativo.»

DISPOSITIVO.   En semiótica, se llama dispositivo a cualquier clase de estructura formal configurada de tal manera que pueda recibir datos y transformarlos. En este sentido, se puede estudiar como dispositivo cualquier institución literaria que sea susceptible de integrar determinados ideologemas o fragmentos intertextuales y adaptarlos a las finalidades propias del género. Sirva como ejemplo la reconducción del neoplatonismo en la novela pastoril.

DÍSTICO.   Agrupación de dos versos. El nombre recubre así formas que habían recibido nombres muy diversos (pareado, aleluya, auca, alegría, etc.) o que no se sabía cómo denominar. El dístico es, así, una de las formas más antiguas de organización de versos; los encontramos en las jarchas o, con un estribillo y reunidos en formas paralelísticas (V.), en el cosaute (V.) y en las cantigas (V.), sobre todo en las de amigo. Muchos villancicos (V.), en el primer sentido de la palabra, son dísticos, rimados *(No me las enseñes más, / que me matarás)* o no *(Lo que me quise, me quise, me tengo, / lo que me quise me tengo yo)*; algunas veces con un verso inicial sin rima cerrado por un dístico rimado, con forma de mote *(Vencedores son tus ojos, / mis amores, / tus ojos son vencedores)* o empezando por un dístico y cerrándose con un verso suelto: *Antes me beséis / que me destoquéis; / tocóme mi tía* (V. SOLEA). Forma de dístico tomaban las seguidillas (V.) antiguas cuando se copiaban o se imprimían, y dísticos son la mayor parte de los refranes.

En particular, se llama dístico al elegiaco de la métrica clásica, formado por un hexámetro y un pentámetro. En nuestra literatura encontramos alguna imitación de esta estructura en el Renacimiento (Fray Luis de León, traducción del *Beatus ille*; Medrano, *Ode XIV*) o, en la época moderna, en Unamuno (véase, por ejemplo, *Los ángeles de la guarda*), quizá en este caso por influjo de Carducci, tan admirado por el poeta vasco.

Está mucho más viva, sin embargo, la tradición popular. Juan Ramón Jiménez, García Lorca, Emilio Prados, entre tantos otros, la han revivido o recogido y le han dado al dístico y al poema concebido desde ellos un valor nuevo.

DISYUNCIÓN. El término se usa para denominar un fenómeno estilístico de naturaleza sintáctica que consiste en separar en el discurso dos elementos que deberían ir juntos. Ejem.: *Yo estaba contra, y prácticamente boicoteando el progreso* (Bryce Echenique). Distinto era el valor de la palabra *disiunctio* para la retórica clásica (Cfr. Lausberg, *Manual*, §§ 739-742), que correspondía a una especie de zeugma elaborado en el que elementos comunes a varias proposiciones se separaban de ellas para no ser repetidos, mientras que los no comunes se estructuran en paralelo sintáctico y/o semántico. Hoy este estilema se considerará mejor entre las estructuras de iteración semántico-sintáctica o como una forma de paralelismo.

En la teoría del relato la disyunción es una de las unidades narrativas fundamentales, junto con el contrato (V.) y con la prueba. Para Greimas, el relato se puede definir como una serie de conjunciones de sujetos con los objetos y de disyunciones de ellos. Pongamos como ejemplo, acaso excesivamente burdo, la relación de Lázaro con el pan en el capítulo del cura de Maqueda, el antagonista, que coloca obstáculos entre el héroe y el sujeto. La disyunción ubica al héroe en una realidad en la que se ve obligado a obrar (cerrajero, ratones, serpiente, etc.).

DITIRAMBO. Apartándose de su significado en la poesía griega (canto en honor de Dionisos, compuesto en sucesión de versos no sujetos a sistema), la palabra ha parado en denominar a una composición lírica que expresa sentimientos exacerbados y normalmente resueltos en elogios desmedidos hacia alguien o algo.

DITOLOGÍA. Pareja de elementos normalmente unidos por la conjunción *y*, muy frecuente en Petrarca y en el petrarquismo, hasta el punto de constituir uno de sus estilemas característicos: *En tanto que de rosa y azucena / se muestra la color en vuestro gesto, / y que vuestro mirar ardiente, honesto, / enciende al corazón y lo refrena* (Garcilaso): la triple ditología aquí está dispuesta en correlación (V.) y se unen, además, términos de significación opuesta; véase también la distinta disposición de los elementos unidos en cada pareja, con valores estilísticos definidos. La ditología produce, además de efectos semánticos, especiales efectos rítmicos. La ditología corresponde aproximadamente a lo que Dámaso Alonso (V. *Seis calas*) llama sintagma binario no progresivo: creemos que es preferible este término para evitar la plurivalencia de la voz sintagma. Por otra parte la construcción ditológica no es más que un caso especial —aunque el más usado— de la pluralidad estilística que el crítico español define, describe y estudia; como ésta, la ditología entra muchas veces como conjunto de una correlación (V.).

DIVINO (VUELTA A). Conversión de un texto profano en religioso mediante algunas transformaciones. Parece ser que se comenzó adaptando melodías de canciones populares («cantar al tono de»), conservando el estribillo tradicional, con ligeras modificaciones, para después mantener el cantar entero, al menos en su estructura fundamental. Se pasó a volver a lo divino a poetas enteros (Sebastián de Córdoba lo hizo con Boscán y Garcilaso) y, desde la poesía, se fue a la novela (*Pastores de Belén* de Lope es, según Avalle Arce, *La novela pastoril*, una vuelta a lo divino de *La Arcadia*) y al teatro, con Calderón que convierte sus comedias en autos sacramentales (Cfr. Aurora Egido: *La fábrica de un auto sacramental: «Los encantos de la culpa»*).

Para este tema véase B. W. Wardropper, *Historia de la poesía lírica a lo divino en la cristiandad occidental* e *Introducción al teatro religioso del Siglo de Oro*.

DOBLE ARTICULACIÓN. V. ARTICULACIÓN.

DODECASÍLABO. Verso de doce sílabas. Por la posición de la cesura se reconocen tres tipos: a) la cesura divide al verso en dos hemistiquios iguales, ej.: *Vivo de ofrecerte flores generosas* (Lugones); b) la cesura divide al verso en dos hemistiquios de diferente medida, con frecuencia de 5 + 7 o 7 + 5, con ritmo llamado alguna vez «de seguidilla»: aparece en las endechas (V.) canarias y es recuperado en el modernismo, ej.: *Cuentos sin hilo de mi niñez dorada* (Unamuno); Nebrija señala la existencia de un dodecasílabo de 8 + 4: *Pues son tantos los que siguen la pasión*; c) dodecasílabo ternario, formado por tres grupos rítmicos de cuatro sílabas, ej.: *Danzad, osos, ¡oh, cofrades, oh, poetas!* (Rubén Darío). El verso —o metro— de arte mayor (V.) se actualiza frecuentemente en dodecasílabos.

DOMINANTE. Término usado por los formalistas rusos (V. FORMALISMO) y sobre todo por Iuri Tinianov. En un texto artístico existen distintos factores que son correlatos entre sí: se llama dominante a aquel factor que subordina a él a todos los demás. Para Tinianov, el ritmo es el dominante del verso.

DRAMA. El término, apenas empleado antes del siglo XVIII, sirve para designar una forma mimética del relato no planteada por el narrador, sino representada directamente por medio del conflicto de los personajes y expreso por el diálogo entre ellos. Mientras que la poética clásica distingue con rigor entre la forma «elevada» de la tragedia y la «baja» de la comedia, ya a partir del humanismo se teoriza y se realizan obras de formas mixtas o intermedias, de tono lingüístico más variado, como la tragicomedia y el drama pastoril. Por otra parte el teatro (especialmente el isabelino inglés y la comedia española) lleva a las tablas ambientes, problemas y personajes cotidianos, anticipando así el drama moderno que, tras el impulso de ciertos ilustrados, se afirmará en el romanticismo; Víctor Hugo lo define así: «Shakespeare es el Drama, y el drama que funde en un mismo aliento lo grotesco y lo sublime, lo terrible y lo bufonesco, la tragedia y la comedia, el drama es la característica propia de la tercera época de la poesía, de la literatura actual» *(Prefacio a «Cromwell»).* Continúa con ello la teoría de Diderot, que postula la necesidad de un género literario realista, intermedio entre la tragedia y la comedia, de carácter burgués y centrado sobre los problemas del hombre contemporáneo (familia, profesión, relaciones sociales, etc.). Por el contrario, el alemán Lessing quiere conferir a los caracteres del drama moderno el tono elevado de la tragedia clásica. Dramas sentimentales, cotidianos y lacrimosos se construyen en toda Europa a lo largo del XIX, con énfasis distintos que se ponen sobre el patetismo, la denuncia naturalista y la introspección angustiosa (Ibsen). En la conciencia literaria de nuestro siglo, el drama se convierte en un instrumento complejo por medio del cual la burguesía se somete a un implacable autoanálisis (Pirandello, Valle-Inclán, Chejov, el drama irlandés, el teatro del absurdo, etc.). Véase también COMEDIA, TRAGEDIA.

Para el teatro contemporáneo, desde diferentes criterios, Pavis *(Diccionario del teatro)* propone una dicotomía dialéctica entre lo dramático y lo épico, concebidos ambos como un conjunto de procedimientos estéticos e ideológicos que se conjugan en la realización —escrita y puesta en escena— de la obra teatral.

DRAMATIS PERSONA. V. PERSONAJE.

DUBITACIÓN. Matriz retórica que consiste en plantear la posibilidad de elección entre varias palabras referidas al mismo objeto o entre varios sentidos posibles de una acción. Frecuentemente se deja la opción abierta hacia el destinatario. Ejem.: *No sabía / si era un limón amarillo / lo que tu mano tenía, / o el hilo de un claro día* (A. Machado).

ECFONEMA. Inciso exclamativo —es decir, relacionado con la función emotiva— que se introduce en un discurso de otro tono; ejem.: *Pero prefiero / hacer un verso vivo y verdadero, / y ¡allá él!* (Otero). Algunas veces basta con una interjección o una palabra expletiva: *Sí. Estás conmigo ¡ay!* (Juan Ramón Jiménez); *Trece y martes, toma del frasco* (Delibes). Lorca, algunas veces, presenta el término ecfonético sin signos exclamativos para reconducir la emoción hacia la reflexión sobre ella: *¡Cómo temblaba el farol! / Madre. / ¡Cómo temblaba el farolito / de la calle!; Suben por la calle / los cuatro galanes, / ay, ay, ay, ay.*

ECO. V. RIMA.

EDICIÓN. Se llama edición a la reproducción, por medios manuales o por la imprenta, de una obra para su difusión. Se llama edición prínceps a la primera edición de una obra, y definitiva a la última revisada por el autor. Cuando el cuidado del texto está a cargo de un crítico o de un filólogo, se pueden presentar muy diversos tipos de edición: facsímil, paleográfica, diplomática, diplomático-interpretativa, anotada, etc. (Cfr. Jauralde Pou, *Manual de investigación literaria,* cap. XI). La edición crítica de una obra es el resultado de unos complicados trabajos filológicos (V. FILOLOGÍA) destinados a establecer el texto en su redacción originaria (o, al menos, en la presentación de un arquetipo, V.), y así poner los fundamentos necesarios para una interpretación históricamente plausible. La edición crítica es absolutamente indispensable para los textos antiguos, cuyos originales se nos han perdido, y que, en la mayoría de los casos, nos han llegado deturpados o deformados al atravesar azarosamente el tiempo (transcripciones mal hechas, errores, sustituciones, interpolaciones, etc.). Estudiando la tradición directa e indirecta de una obra, conociendo las costumbres de los copistas y el epistema en que se movió el autor, colacionando los códices, eliminando los que están copiados con pruebas evidentes de otros que poseemos, construyendo, por último, una genealogía de los materiales y documentos (el *stemma*), el filólogo llega a un punto en que puede proponer la hipótesis de un arquetipo, la primera copia de la obra. Por norma, el texto viene acompañado de un amplio aparato crítico que incluye las variantes desechadas y en donde el editor expone las razones de su elección y sus interpretaciones. Para profundizar en esta cuestión, véase Alberto Blecua, *Manual de crítica textual*.

ÉGLOGA. La égloga es un tipo de poema de cierta extensión y de límites temáticos y estructurales que no aparecen demasiado bien definidos a lo largo de su prolongada y varia historia. En sus orígenes, que podemos situar en la poesía helenística (siglo III a. de C.) y sobre todo en la obra de Teócrito, se definió como una de las formas, la más desarrollada, del género bucólico (V.) o idílico-pastoril, hasta el punto de que esto se predicó como su carácter esencial. Pero ya las *Bucólicas* de Virgilio, que se declara discípulo del poeta griego, y que constituyen el paradigma del género en las literaturas en lenguas romances, se apartan del modelo teocriteo: hay en ellas un menor apego a la realidad observada, el paisaje se idealiza para crear la atmósfera utópica de la Arcadia, hecha mito y como tal recogida en autores posteriores, en la que los pastores pierden también sus pujos realistas para transformarse en estilizaciones, más o menos abstractas y simbólicas, pero salvadas de convertirse en estereotipos gracias al pathos melancólico con que el poeta revive y transfigura en el muro pastoril una muy precisa realidad histórica y personal.

En la literatura moderna el subgénero se revitaliza a partir del siglo XV, por la influencia directa de Virgilio, por una parte, y por la presencia de la *Arcadia* de Sannazaro por otra. Como ha demostrado Corti, el libro del escritor napolitano supuso una evolución del código primero, porque, a pesar de mantener algunos elementos temáticos (el paraíso arcádico, los personajes típicos, etc.), se cambia el significado y la simbología de esas presencias, ahora ligadas a un mundo cortesano y humanístico. De esta función alusiva que adquieren los símbolos pastoriles procede la posibilidad de utilizarlos como textos con clave.

Reaparece como un género mixto, entre lo lírico y lo dramático —es fundamental el diálogo lírico entre los personajes—, y ligado a un estilo —el *mediocris stylus* de la rueda virgiliana— que alcanza aquí su plenitud. Este estilo hace que se emparente con la comedia antigua, no bien conocida en la época: así las primeras églogas de nuestra literatura son las «traducciones» que Juan del Encina hace de las de Virgilio, adecuándolas a su tiempo, y continuadas por sus obras teatrales y por las de Lucas Fernández. De carácter esencialmente lírico —pero lo dramático está en el choque de los cantos— son las de Garcilaso, que sustituyen en la literatura española y portuguesa al paradigma virgiliano, adquiriendo carta de naturaleza el género desde él en el Renacimiento y en el Barroco, con alguna modificación en la situación de los personajes: ya no tendrán que ser únicamente pastores y, junto a las églogas pastoriles, aparecerán —por otra parte, ya pasaba algo así en la *Arca-*

dia— las piscatorias, las venatorias, etc. Los cantos de los pastores se podrán organizar en forma alternada (canto amebeo), o bien en dos o más largos textos. La égloga podrá ser pura, si sólo está constituida por el diálogo de los personajes, o mixta, si éstos van precedidos y/o seguidos por un texto ajeno al diálogo. Esto permitirá que la égloga se intercale en poemas o textos de distinta naturaleza: véase *Las Selvas de Aranjuez*, terminadas por un canto amebeo. También acrecerá la égloga sus asuntos; ya no tendrá que ser obligatoriamente amorosa o idílica, podrá ser incluso funeral: la égloga primera de Camoens o la égloga de Barahona a la muerte de Silvestre.

En época contemporánea la égloga se hace rara. Recordemos el ejercicio poético de Cernuda y, con otra intención, pero la égloga late en su fondo, los *Diálogos del conocimiento* de Aleixandre.

EJES DEL LENGUAJE.   Jakobson escribe que «el lenguaje implica dos ejes: la sintaxis se ocupa del eje de la concatenación, la semántica del eje de la sustitución. Si, por ejemplo, digo "el padre tiene un hijo", las relaciones entre "el", "padre", "tiene", "un" e "hijo" son relaciones en el interior de una secuencia: son relaciones sintácticas. Si comparo los contextos "el padre tiene un hijo", "el padre tiene una hija", "la madre tiene un hijo", "el padre tiene dos hijos", sustituyo ciertos signos por otros y las relaciones semánticas con las que trabajamos no son menos lingüísticas que las relaciones sintácticas. La concatenación implica a la sustitución». El eje de la concatenación es el eje sintagmático; el eje de la sustitución es el eje paradigmático. El eje paradigmático está constituido por las relaciones virtuales entre las unidades lingüísticas que pertenecen a una misma clase morfosintáctica o semántica: en este sentido, para Saussure es el eje de las opciones o de las relaciones *in absentia*, mientras que el sintagmático es el eje de las combinaciones o de las relaciones *in praesentia*. Un signo está en relación paradigmática y sintagmática con otros signos de la lengua. Por ejemplo, *profesor* está en relación paradigmática con *educador, maestro, docente*, etc., o bien con *enseñar, educar, instrucción, aprendizaje*, etc.; y también con *asesor, labrador, tensor*, etc. (por analogía de construcción). Está en relación sintagmática con *un, el, literatura, violín, instituto*, etc.

El paradigma es, por lo tanto, el conjunto de unidades que mantienen entre sí relaciones virtuales de sustituibilidad. Las unidades *a, b, c, …n* pertenecen al mismo paradigma si pueden sustituirse mutuamente en el mismo cuadro típico (sintagma, frase). La opción estilística tampoco puede dejar de ajustarse a la naturaleza del hecho de lenguaje, es decir, a la selección y combinación de las palabras. El análisis estilístico tendrá que volver a recorrer este proceso, haciendo aflorar las peculiaridades tanto del plano sintagmático —es decir, de la construcción definitiva de la frase— como del plano paradigmático —es decir, de la elección preliminar de las palabras en sí mismas y en relación a su campo semántico (V.), en cuyo ámbito el autor las ha seleccionado. Tomemos como ejemplo unos versos de Antonio Machado: *Al olmo viejo, hendido por el rayo / y en su mitad podrido, / con las lluvias de abril y el sol de mayo, / algunas hojas verdes le han salido.* El poeta quería representar el tímido renacer de la naturaleza en primavera, y, a la vez, esperar «otro milagro», una esperanza. La idea, como es obvio, se podía haber expresado de muchas otras maneras, y de hecho sobrarían posibilidades de ejemplo. Pero ¿por qué Antonio Machado ha escogido esta forma en particular entre las muy variadas posibilidades que le ofrecía el código de la lengua? Ante todo es preciso determinar con precisión las entidades en que se plasma el concepto general: son el árbol, la primavera, el renacer, las hojas. Machado desecha la representación genérica de la naturaleza (aquella «Natura» que hubiese dicho un renacentista) y se fija en un solo elemento (el árbol) para individualizarla, para poder comprenderla mejor y mejor dirigirse a ella. En el caso que nos interesa, el campo semántico «árbol» constituye el plano paradigmático del cual el poeta extrae la unidad preferenciada: *olmo*; a Machado le gusta, cuando refiere el poema a un primer nivel denotativo, elegir la palabra más distinta, más denotada; en el caso de este campo semántico serán también, en otros discursos, «chopos», «álamos», «limoneros», «pinos», muy rara vez el «árbol» comprensivo. La visión se determinará con la posterior elección de *hojas* (y no *rama*, como se consolidará después), porque hojas supone una mayor debilidad. Y hojas se acompañará con el indeterminado *algunas*, abierto a la esperanza: habrá más; y se connota con el aparentemente inútil adjetivo *verdes,* elegido entre todos los posibles («tiernas», «nuevas») pero que frente a ellos tiene latente el sentido simbólico de la esperanza. La *primavera* se concreta en *lluvias* (en plural) y *sol, abril* y *mayo*, que pertenecen a su campo semántico, pero que son más tangibles, menos abstractos. El verbo que reúne los tres elementos *(han salido)* se ha elegido en un campo semántico también muy extenso, entre elementos similares, como «nacer», «brotar», «surgir», etc. Pero *salir* acrece aquellos verbos posibles con los componentes semánticos de la palabra nueva («proceder de dentro»), más la sensación subjetiva del poeta, la sorpresa de ver esas hojas ahí, en ese olmo, viejo, roto por fuerzas celestes (el *rayo*) y podrido. En el nivel de la concatenación de las palabras en la unidad de la frase interviene la libertad estilística del poeta, que puede realizar de distintas formas la idea global. En este caso, Machado comienza por el objeto indirecto, en una particular inversión, para terminar con el verbo, subrayando así las connotaciones emotivas de los dos elementos —más marcados por el inciso separador de la aposición y del complemento circunstancial— y potenciar a la vez la unión entre verbo y sujeto haciendo recaer sobre éste la valoración de los otros dos elementos, favoreciendo la unión/oposición de las hojas con el árbol a través del contraste, modificado desde las connotaciones, *viejo / verdes*.

EKFRASIS. V. DESCRIPCIÓN.

ELEGÍA. Según el *Arte Poética* de Horacio, que reproduce el pensamiento común de la antigüedad, la elegía procedía ya de las ceremonias fúnebres (llantos e inscripciones en honor de un difunto), ya de las acciones de gracias votivas que acompañaban las obladas de los fieles. De aquí proceden los dos caracteres bien diferenciados de la elegía: la tristeza y el dolor por la muerte de alguien, la alegría que se debe al amor. En la literatura alejandrina, la elegía adquiere normalmente un carácter docto y trascendente, y frecuentemente las experiencias de amor desdichado se asocian a mitos y a historias ejemplares, ricas de pathos dramático. La expresión de sentimientos más personales y ligeros o más directos se confía generalmente al epigrama, que en muchos aspectos tiene una génesis paralela a la de la elegía. Los *neoteroi* latinos, es decir, los seguidores de la poética alejandrina —y entre ellos, Catulo—, cultivan ambas formas, sin establecer una distinción temática rígida entre ellas. La elegía ya no es exclusivamente mitológica y erudita, sino que expresa un sentimiento de amor personal y dolorido. La elegía del período de Augusto, con Tibulo, Propercio y Ovidio, reúne en una síntesis equilibrada aspectos tonales y temáticos que proceden de diversos géneros: el epilio, el epigrama, la elegía preciosista que procede de la tradición helenística, la poesía catuliana, desbordante de pasión. Se dibuja pues, más que un género, una atmósfera elegíaca, que se caracteriza por un sentimiento de dolor contenido, de tristeza y melancolía, que constituirá un módulo recurrente (aunque bastante variado), en la historia de la literatura, que, sin embargo, tendrá su lenguaje y su estilo propio. Dante, en *De vulgari eloquentia* lo define así: «Per elegiam stilum intelligimus miserorum» (Por elegía entendemos el estilo de los desdichados); el Pinciano dice que significa «Todo poema luctuoso y triste»; Herrera es, acaso, el que lo define con más justeza: «Conviene que la elegía sea cándida, blanda, tierna, suave, delicada, tersa, clara, y si con esto se puede declarar, noble, congojosa en los afectos y que los mueve en toda parte, ni muy hinchada ni muy humilde, no obscura con exquisitas sentencias y fábulas muy buscadas; que tenga frecuente conmiseración, quejas, exclamaciones, apóstrofes, prosopopeyas, excursos o parébasis. El ornato de ella ha de ser más limpio y reluciente que peinado y compuesto curiosamente» *(Comentario a la Eleg. I de Garcilaso)*.

El metro característico de la elegía es el dístico (V.), formado por un hexámetro y un pentámetro (recuérdese el sarcasmo de Góngora: «que vuestros pies son de elegía», referido a la cojera de Quevedo). En este metro y con tema amoroso, apoyado en Ovidio, se escribieron las comedias elegíacas en el siglo XII a las que algo deben, según María Rosa Lida, el *Libro de buen amor* y la *Celestina,* sobre todo al *Pamphilus.* Bruce W. Wardropper propone limitar el significado del término para designar a los poemas que parten de la muerte de una persona —frente a los poemas que hablan de la muerte en general—, para después, o antes, hacer consideraciones de carácter más o menos generalizador. Coincidiría así con una parte de lo que tradicionalmente se ha venido llamando llanto, desde el que se hace por el Arcipreste a la muerte de la Trotaconventos hasta el de García Lorca por la de Ignacio Sánchez Mejías.

ELIPSIS. Eliminación de algunos elementos de una frase. La elipsis puede ser situacional, cuando los términos suprimidos están integrados en la situación (Ejem.: *ya está cerrada:* la puerta, la caja, la olla, etc., según el contexto) o gramatical (*¡Las lágrimas cuando estés sola!,* se sobreentiende el verbo *las lloras*). Como ejemplo de composición planteada desde una escritura fuertemente elíptica, recordemos el *Diálogo del Amargo,* en el *Poema del cante jondo* de García Lorca.

En el análisis del relato (V. TIEMPO), la elipsis es un movimiento narrativo (V. ESCENA, SUMARIO, PAUSA) gracias al cual, al «saltarse» el narrador algunas partes de la historia, el tiempo del relato se sincopa o es infinitamente inferior al de la historia (Genette, *Figures III, Durée*).

ELISIÓN. La elisión es la caída de la vocal final de una palabra ante otra palabra que comienza por vocal: algunas veces es la inicial la que desaparece (*Algo'stá más quieto y reposado,* Garcilaso). Frecuente en los siglos medios (*nuef años,* Cantar del Cid), su uso se va restringiendo incluso en poesía: en el siglo XVI ya se limita a unos pocos casos (desto, nuestramo); sólo Herrera la marca con un apóstrofo y la utiliza rítmica o estilísticamente: *Lo que más m'agradó, no satisfaze.* Hoy sólo queda en las formas fosilizadas al y del.

ELOCUTIO. Una vez encontrados los argumentos *(inventio)* y distribuidas en grandes grupos por las partes del discurso *(dispositio),* viene la tercera función de la retórica (V.) que recibe el nombre de *elocutio,* en griego *lexis*: buscar las palabras y expresiones con que cubrir el discurso. La operación fundamental de la *elocutio,* al decir de Barthes en *La antigua retórica,* es la elección de las palabras *(electio),* seguida inmediatamente de su combinación *(compositio).* El primer acto nos introduce en el amplio campo de los tropos, es decir, en el campo de las figuras de sustitución lingüística; las figuras son necesarias al escritor porque la comunicación normal es neutra, no connotada, y debe, por lo tanto, ser «personalizada», «ornada», «coloreada». La distancia retórica y estilística introduce los colores, las luces, las flores, los «adornos», en una palabra, para recubrir la base desnuda del estado normal de la comunicación. Esto explica por qué la elocutio ha sido considerada como la parte más importante de la retórica, produciendo una proliferación desmesurada de catálogos de figuras y tropos: Barthes llega a hablar de «furor taxonómico». El concepto básico en que se apoya la teoría clásica del estilo adornado es el mismo del extrañamiento (V.) lingüístico: el poeta debe decir las cosas apartándose de los modos comunes —así lo recomienda Aristóteles— para provocar en el destinatario una sorpresa, un efecto imprevisto. El *ornatus* apunta en particular hacia la belleza de la expresión y puede ser «vigoroso» (como variante del estilo sublime, V. ESTILO), «suave», «elegante», etc. Se individualizan algunas propiedades típicamente oratorias, como la gracia, la pureza, la *concinnitas* (= armonía), la claridad brillante, la sutileza, etc.

ELOGIO. Expresión encomiástica en prosa o en verso, muy cercana al panegírico. De carácter lírico u oratorio en sus orígenes (Píndaro o Isócrates), pronto sirvió de pretexto para ejercitar el virtuosismo de los *rethores,* aplicándolo a asuntos que, muchas veces, eran inanes. Sin embargo, se pueden encontrar elogios insertos en obras de mayor enjundia.

En la literatura medieval son frecuentes los elogios *(De las propiedades que las dueñas chicas han),* y también, con carácter burlesco o satírico, en el Renacimiento: citemos el *Elogio de la locura* de Erasmo o el *Encomio de las bubas.* En el teatro da lugar a ciertos tipos de loa.

Un subgénero muy peculiar del elogio son las dedicatorias que los escritores del Siglo de Oro dirigen a sus posibles o reales mecenas y protectores.

EMBLEMA. Ducrot-Todorov *(Diccionario* s.v. *Personaje)* dan el nombre de emblema a un peculiar procedimiento de caracterización del personaje: un objeto que le pertenece, una forma de vestir o hablar, un lugar, están ligados a aquél estrechamente, de manera que su aparición en el seno del relato evoca, aun *in absentia,* al personaje del que son emblema; para los dos críticos, el emblema es «un ejemplo de utilización metafórica de las metonimias: cada uno de esos detalles adquiere un valor simbólico». Así, por ejemplo, la vacuidad y lo redondo, en *Tirano Banderas,* definirán al gachupín don Celestino Galindo, «orondo, redondo, pedante»; la lentitud y la quietud a Tirano. En *San Manuel Bueno* el lago y la montaña se refieren siempre a la figura del protagonista. En un sentido más restringido, la descripción física de un individuo, los detalles de su indumentaria, algún gesto característico pueden ser considerados emblemáticos, es decir, significativos de la condición (por ejemplo, social), del carácter moral o de la psicología de los personajes: por ejemplo, los modos de construir el relato en Galdós.

Se llama también emblema en la literatura de los siglos XVI y XVII a un dibujo de valor simbólico, acompañado o no de un mote, que puede ir seguido de un comentario en verso o prosa, o de ambos; si en lugar de tener valor universal el dibujo y la glosa, se refieren a una persona o a una clase social, la forma literaria se denomina Empresa. Creada la forma por Alciato, acaso alcanza su culminación literaria en Saavedra Fajardo. Gracián, en *El Criticón,* sustituye el gráfico por la descripción textual: así el objeto recoge un haz de valores simbólicos.

EMISOR. V. COMUNICACIÓN, LENGUAJE.

EMOTIVA (Función). Para Jakobson (V. LENGUAJE, 1) la función emotiva está enfocada sobre el emisor y pone de relieve la actitud del sujeto con referencia a aquello de lo que se habla. En sentido amplio, la función emotiva abarca las connotaciones psicológicas y sentimentales del yo, por ejemplo en la poesía lírica, en el monólogo interior, en el flujo de conciencia, etc.

EMPRESA. V. EMBLEMA.

ENÁLAGE. La enálage es, ante todo, una figura gramatical apoyada en el cambio funcional de una parte del discurso por otra; por ejemplo, los modos y tiempos del verbo, el adjetivo en lugar del verbo, etc. El llamado presente histórico o el imperfecto de narración, que sustituyen al pasado o al presente, son formas de enálage; pero también *mañana me voy, corre rápido* (en lugar de *mañana me iré, corre rápidamente*) caben en este tipo de sustitución gramatical. Marouzeau expone la existencia de una enálage de proposiciones, cuando la oración que es principal en cuanto al sentido se presenta bajo la forma de una subordinada: *Ya no lo esperábamos cuando, de pronto, llegó.*

Para algunos, la enálage se identifica con la hipálage (V.), si el cambio de posición atañe a un adjetivo: «El adjetivo se refiere gramaticalmente en vez de al sustantivo al que debía ligarse semánticamente, a otro sustantivo del contexto» (Lausberg, s.v.). Ejemplos clásicos: *altae moeniae Romae* (Virgilio), es decir, «los muros de la alta Roma» en vez de «los altos muros de Roma»; *ibant obscuri sola sub nocte* (Virg.) en vez de «ibant soli obscura sub nocte» = «iban solitarios en la noche oscura». En el siguiente ejemplo de Borges es difícil precisar si nos encontramos con una enálage o con una hipálage: *Yo fatigo sin rumbo los confines / de esa alta y honda biblioteca ciega.*

ENCABALGAMIENTO. Señala Alarcos que, en el poema, coexisten dos ritmos: el puramente lingüístico de la sintaxis, y el ritmo del verso, constituido por una secuencia marcada por acentos de intensidad colocados de una forma determinada y delimitada por la pausa versual o estrófica. Ambos ritmos, sintáctico y métrico, pueden o no coincidir; si no coinciden se produce el encabalgamiento: una unidad de sentido no cabe dentro de un verso y se desborda en el verso siguiente *(rejet)*, o bien se anticipan al fin de un verso elementos de la unidad de sentido que constituye el verso siguiente *(contrerejet)*. En encabalgamiento se producen importantes efectos en el ritmo:

> *Agora con la aurora se levanta*
> *mi luz; agora coge en rico nudo*
> *el hermoso cabello; agora el crudo*
> *pecho ciñe con oro, y la garganta.*

El encabalgamiento aquí tiende a hacer más breve la pausa versual, sustituyéndola por la sintáctica —que, sin embargo, no se borra— frenando la lectura, cada vez con oraciones más extensas (y nótese, en el último verso, la distribución del complemento directo en dos unidades simétricas a ambas partes del verbo *ciñe*) haciendo que aparezcan subrayados los elementos que constituyen el cuarteto, aumentando su intensidad emotiva. Dámaso Alonso distingue entre encabalgamiento suave, cuando el *rejet* ocupa todo el verso, y encabalgamiento abrupto o entrecortado, cuando el *rejet* ocupa sólo una parte del verso.

Las formas más comunes de encabalgamiento son las que se crean cuando la pausa versual (o la cesura, en los versos compuestos) separa dos palabras que constituyen un sintagma (*Cuando el llanto, tendido como un llanto / silencioso, se arrastra por las calles / solitarias, se enreda entre los pies,* Blas de Otero) o separa el grupo nominal de su complemento preposicional (*Es a la inmensa mayoría, fronda / de turbias frentes y sufrientes pechos,* Otero).

El encabalgamiento puede servir a veces para diluir una forma que normalmente adscribimos a un determinado modo de ordenar la materia poética. Así, en el *Canto a Teresa* de Espronceda, la octava narrativa se deshace líricamente ante el dolor y la indignación del poeta; así el romance se convierte en forma lírica en Juan Ramón. Otras veces, por ejemplo, en Pedro Salinas, pondrá de realce elementos rítmicos (asonancias, contrasonancias, aliteraciones) que reposan en el interior del verso.

Los encabalgamientos se producen también en los poemas construidos en el llamado verso libre, con efectos estilísticos muy diversos. En algún caso el encabalgamiento obliga al metanálisis de la lectura, bien deshaciendo un cliché (*Hombro a hombro, hasta ver a un pueblo en pie / de paz, izando un alba,* Otero), bien haciendo que liguemos al *rejet* un elemento que, en primera instancia, habíamos unido a una palabra del verso primero (*Domingo, flor de luz, casi increíble / día,* Ángel González).

Un tipo notable de encabalgamiento es el que concierne a la relación entre dos estrofas de un poema (los cuartetos o los tercetos de un soneto, las liras de una oda, etc.).

Para mayor profundidad en este tema, véase: Dámaso Alonso, *Poesía española. Ensayo de métodos*; Alarcos Llorach, *La poesía de Blas de Otero* y *Secuencia sintáctica y secuencia rítmica* (en *Ensayos y estudios literarios*).

ENCADENADO. Procedimiento narrativo estudiado por Shklovski como motivación de la trama. Consiste en ligar los distintos temas del relato por medio de un personaje.

ENCOMIO. V. ELOGIO y PANEGÍRICO, términos con los que se acostumbra a traducir la palabra griega.

ENDECASÍLABO. Verso de once sílabas, con ictus constante en la décima y otro acento rítmico principal que puede ocupar distintos lugares, con predominio de situación en la cuarta o sexta sílaba; a estos dos acentos básicos les pueden acompañar otros distintos que definen diversos ritmos. El endecasílabo está constituido por dos hemistiquios desiguales, separados por la cesura (V.), de tal manera que se originan dos clases de versos: a) el endecasílabo *a minore* si el primer hemistiquio (de cinco sílabas, a veces de cuatro) es más breve que el segundo; b) el endecasílabo *a maiore* si el primer miembro (de seis, a veces siete, sílabas) es más largo que el segundo. De la combinación entre la posición de la cesura y la de los acentos variables nacen múltiples tipos de endecasílabos: Di Girolamo *(Teoria e prassi della versificazione)*, refiriéndose al usado en la poesía italiana, ha caracterizado al menos veintidós tipos diferentes.

De un modo regular el endecasílabo italiano se asienta en la poesía española desde la famosa conversación entre Boscán y Castiglione en la Granada de 1526, aunque ya antes había sido usado por Micer Francisco Imperial y por el Marqués de Santillana en los *Sonetos fechos al itálico modo*. Sin embargo la medida, si no el metro (V.), había sido utilizada antes en la Península. La poesía catalana, con Ausias March a la cabeza, había aclimatado el llamado endecasílabo provenzal, con acentuación en cuarta sílaba y cesura tras ella *(llir entre carts, lo meu voler se tempra)*; el modelo está entre los aceptados por Garcilaso de forma esporádica *(ardiendo yo con la calor estiva; con mi llorar las piedras enternecen)* y recorre todos los tiempos hasta, por lo menos, Rubén Darío *(Yo soy aquel que ayer no más decía / el verso azul y la canción profana)* y Lorca *(Flor de jazmín y toro degollado; Tu corazón, paloma desatada)*. La poesía galaicoportuguesa había empleado el endecasílabo «de gaita gallega», con acentos en cuarta y séptima *(Fui eu fremosa fazer oraçon)*, que se encontraba también en la poesía popular en castellano y en los poetas cortesanos de los siglos XIV y XV (en el *Cancionero de Baena*) hasta emplearse en los siglos XVI y XVII como forma rítmica esencial de algunos bailes, como el sarao y la zarabanda *(Tanto bailé con el alma del cura, / tanto bailé que me dio calentura)*; también lo ha usado la poesía modernista (*Busca del pueblo las penas, las flores, / mantos bordados de alhajas de seda*, Rubén). Igualmente procede de la poesía galaicoportuguesa el metro que Navarro Tomás denomina «galaico antiguo», con acento en la quinta sílaba además del obligado en décima; se encuentra en *Baena* y lo emplea Rubén *(Don Ramón María del Valle-Inclán)*; añadamos la posible coincidencia del verso de arte mayor (V.), cuando alguno de sus dos hemistiquios comenzaba por sílaba tónica: *Bien se notaba que es madre en el duelo* (Mena).

El endecasílabo que se impone en la métrica española desde Boscán y Garcilaso es, indudablemente, el italiano, con dos ictus primarios, en la cuarta y décima sílabas en el endecasílabo *a minore*, en sexta y décima en el *a maiore*: ejem.: *Una frágancia de melancolía* (Rubén); *Con vuestra soledád me recreába* (Garcilaso). Pero lo normal es que el endecasílabo se apoye, además de en los necesarios, en otros acentos; el *a minore* presenta un nuevo ictus en octava y/o en sexta, constituyendo el modelo llamado sáfico: *Dichosa angústia de buscár tus mános* (Lugones); *De mi cantár pues yó te ví agradáda* (Garcilaso); puede también llevar el acento en séptima (*Lassar il vélo o per sóle o per ómbra*, Petrarca; *Tus claros ójos ¿a quién los volvístes?*, Garcilaso), aunque esta forma, incomprensiblemente, ha sido considerada incorrecta por los preceptistas tradicionales, pero no por los poetas: *Sobre tu pélo que al sól se bañába* (Unamuno); *con el amór en la trémula máno* (Salinas).

En cuanto al endecasílabo *a maiore*, puede comportar un acento rítmico de apoyo en la primera sílaba (endec. enfático): *Gríllos de nieve fué, plumas de hiélo* (Góngora); en la segunda (endec. heroico): *Saliéndo de las óndas encendído* (Garcilaso); en la tercera (endec. melódico): *En el témplo, en la cása y en la sála* (Góngora), y en la cuarta, coincidiendo entonces, en parte, con la estructura sáfica: *las cristalínas águas se cubriéron* (Garcilaso).

Como es evidente, esta clasificación se hace atendiendo exclusivamente a los ictus primarios del endecasílabo, sin tener en cuenta los posibles acentos secundarios e incluso los meramente prosódicos, que serían diferentes en algunos casos de los rítmicos. Si se emparejasen todas las posibilidades el resultado sería numerosísimo: Navarro Tomás en su artículo *Correspondencia prosódico-rítmica del endecasílabo* (en *Los poetas en sus versos: desde Jorge Manrique a García Lorca*) llega a enumerar 171 clases de endecasílabos.

En las combinaciones polimétricas el endecasílabo comporta tradicionalmente como pie quebrado al heptasílabo, y en la poesía moderna también al pentasílabo. Machado, Juan Ramón y Salinas lo han combinado alguna vez con el octosílabo, por medio de una sinafia entre versos. A su vez el endecasílabo funciona como pie quebrado del alejandrino.

ENDECHA. Composición lírica de carácter patético —a veces, cuando se refiere a una muerte, de sentido muy cercano a la elegía— en la que el cantor, con un tono exaltado y contenido a la vez, comunica su dolor o su pena. La primera endecha de nuestra literatura está perdida: es la que el Arcipreste de Hita hizo a la muerte de doña Garoza (1507a).

La forma de las endechas es, según Navarro Tomás, muy variada: desde el romance de versos de cinco, seis o siete sílabas a las redondillas o los versos sueltos. A partir del siglo de oro, la endecha encuentra como vehículo normal el romance heptasílabo, hasta el punto de dar el nombre a este tipo de estrofa aun cuando el tema no sea triste.

En el siglo XVI se dio el nombre de «endechas de Canaria» a unas densísimas poesías compuestas en trísticos monorrimos o dísticos —algunas veces en cuartetas hexasilábicas— que podían unirse entre sí formando series (ejem.: *Si los delfines mueren de amores / ¡triste de mí! ¿qué harán los hombres? / Que tienen tiernos los corazones*). V. Margit Frenk Alatorre, «Sobre las endechas en tercetos monorrimos» (en *Estudios sobre lírica antigua*) y «Endechas anónimas del siglo XVI» (en *Studia... Rafael Lapesa*).

Como forma estrófica, la endecha sirve para designar —como hemos adelantado— al romance de versos heptasílabos (el padre Sarmiento llamó «endecha doble» al alejandrino). Por otra parte se denomina endecha real a este mismo romance si cada cuatro versos el heptasílabo es sustituido por un endecasílabo; el nombre se extiende para los poemas escritos en cuartetas de versos de siete sílabas, si el último cumple aquella condición (esq.: abaB:cdcD) o incluso si se escribe en versos sueltos con esa estructura métrica.

ENDÍADIS. La endíadis es una figura sintáctica de origen clásico que consiste en expresar un concepto mediante dos términos coordinados. Así, en el virgiliano *pateris libamus et auro* la pareja de sustantivos (endíadis) está en lugar del sintagma *pateris aureis* (= con copas de oro). Construcción análoga puede considerarse la acumulación del tipo: *Siento faltarme alegría y vida* (= la alegría del vivir) e incluso una bimembración en la que los dos términos sean semánticamente afines o se completen recíprocamente: *Ilustre y hermosísima María* (Garcilaso).

ENEASÍLABO. Verso de nueve sílabas con acento delimitativo en la octava y otro u otros de apoyo en posición muy variable. El eneasílabo es metro frecuente en la poesía medieval, a veces en combinación con otros metros *(Auto de los Reyes Magos)*, y básico en la galaicoportuguesa. Se halla con frecuencia en los villancicos —entendida esta palabra en el sentido primario (V.)— populares *(Trébole, ay Jesús como huele, / trébole, ay Jesús qué olor; Arrojóme las naranjicas / con las ramas del blanco azahar)* y aparece, por lo tanto, en los bailes y canciones del teatro del siglo de oro; sin embargo no es, más que con rarísimas excepciones, un metro que utilice la lírica culta hasta el Romanticismo: lo usa Espronceda en algunos trozos de *El estudiante de Salamanca*. El modernismo, desde Rubén *(Juventud, divino tesoro)* le dará carta de naturaleza.

ÉNFASIS. El énfasis es una figura retórica que consiste en poner de relieve o llamar la atención sobre un término o frase de un texto. Ejemplos: *¡Ése, ése ya sabe lo que quiero decir!; Pedro es la persona a quien debes dirigirte; Eso es un hombre.* Este último ejemplo caracteriza a la figura según el significado que le da la retórica clásica, que considera el énfasis como una especie de alusión sobreentendida en las palabras que se pronuncian; de aquí que con *hombre* se querrá significar, según los textos, persona decidida, valerosa, leal, etc., o por el contrario débil, frágil, voluble. Cfr. Quint. IX, 2, 64.

«Para el orador y para el actor», precisa Lausberg, «el énfasis semántico se identifica con un "aumento de la intensidad de la voz y de los gestos". En las lenguas modernas la palabra énfasis asume este significado que se origina en la jerga técnica de los actores.» Así pues, el término coincide hoy con una peculiar forma de *elocutio* emotiva, exclamativa, hiperbólica, exagerada, afectada, sentenciosa, etc., en relación con las circunstancias del discurso, con el tono y con los subrayados expresivos con los que se quiere «marcar» una palabra o un concepto.

Citemos, como ejemplo de literatura construida desde un inteligentísimo uso del énfasis, cualquiera de las páginas que componen los *Papeles de Recienvenido,* de Macedonio Fernández, en las que la ironía, las alusiones sutiles y un profundo pensamiento filosófico y estilístico se transfiguran bajo cada una de las frases.

Véase también: ANTÍFRASIS, APÓSTROFE, CIRCUNLOCUCIÓN, DEPRECACIÓN, INTERROGACIÓN, HIPÉRBOLE, PATHOS, PRETERICIÓN, RETICENCIA.

ENSALADA. Composición poética de cierta extensión y de muy diversos temas (desde lo religioso al puro disparate) en la que se incrustan, regular o irregularmente, trozos ajenos: villancicos, canciones tradicionales o de moda, versos de romance, refranes, etc. La forma de la ensalada o ensaladilla es muy flexible: las hay escritas en una forma estrófica definida (desde la copla real o de arte menor hasta el romance), otras combinan distintas estructuras estróficas. El texto ajeno puede formar parte de la estrofa o quedar fuera de ella. En el canto, para el que esta clase de composiciones fue pensada, permite una concatenación y variación de melodías y ritmos muy heterogéneos. El género fue muy practicado, poética y musicalmente en los siglos XVI y XVII: citemos, como ejemplos más conocidos, las ensaladas musicales de Mateo Flecha, o algunos de los poemas que se contienen en el *Romancero espiritual* de José de Valdivielso.

ENTIMEMA. Es una forma de razonamiento silogístico-retórico en el que no aparece expresa una de las dos *rationes* o premisas. También se llama entimema a un silogismo o razonamiento que se basa en semejanzas o signos, es decir, en el que las premisas no presentan hechos reales, sino hechos posibles o ejemplos; así se ha podido oponer el género entimemático (el ensayo, el panfleto, el manifiesto, etc.) al género narrativo.

ENTKUNSTUNG. Con este término alemán se denomina la noción, capital en el pensamiento estético de Adorno y de la Escuela de Frankfurt, de la pérdida del carácter artístico de la obra de arte, bien por el uso inadecuado de ella, bien por el abuso industrial de los elementos que la integran. El resultado más evidente del Entkunstung es lo cursi o lo Kitsch (V.).

ENTONACIÓN. Entre los factores que desarrollan una función distintiva de lo significantes hay que incluir también los rasgos prosódicos o suprasegmentales. Éstos conciernen no al elemento simple o a la palabra, sino al menos a una combinación de elementos mínimos. El acento, el tono, la entonación, la duración y la pausa son los más importantes rasgos suprasegmentales. La entonación está constituida por las variaciones de tono que conforman la curva melódica de la frase y que comunican informaciones no contenidas en el significado de los elementos constituyentes de la cadena. Así, en la frase de entonación exclamativa, se nos comunica la alegría, la rabia, el ruego, etc.; en la entonación interrogativa, la pregunta. El valor connotativo de la entonación es evidente en el lenguaje literario y más aún en la poesía. Para el estudio de la entonación en español son clásicos los libros de Navarro Tomás: *Manual de pronunciación española, Manual de entonación española* y *La voz y la entonación en los personajes literarios.*

ENTREGA. Cada uno de los cuadernillos que componen un folletín (V.).

ENTREMÉS. Con un nombre que, en la Edad Media, servía para designar (juntamente con el de *momo*) un determinado tipo de fiestas cortesanas en las que la representación espectacular ocupaba un lugar predominante (véase, Eugenio Asensio, *De los momos cortesanos a los autos caballerescos de Gil Vicente,* en *Estudios Portugueses*), con cantos, bailes, máscaras y aparatos, se pasa a denominar, en el siglo XVI, a un género muy vario de espectáculo teatral breve derivado de los pasos de comedia —piezas cortas incorporadas en la línea argumental de obras mayores, aunque ni por situación ni por personajes tuvieran demasiado que ver con ellas—, en el momento en que éstos se independizan de aquélla y empiezan a utilizarse como intermedios colocados entre las jornadas o actos o al acabar la obra entera, constituyendo juntamente con ella el espectáculo teatral completo en las representaciones de los siglos XVI y XVII. Los nombres y la tipología del entremés son muy variados (entremés, baile, sainete, representación graciosa, comedia antigua, jácara, mojiganga, fin de fiesta, etc.), sin que sea fácil, ni siquiera en la época, determinar los límites entre uno y otro de estos posibles subgéneros; aunque la abundancia de términos da idea de la diversidad de funciones que había de cumplir este teatro breve o menor. Quizá una definición que pueda abarcar a todos ellos y en todas sus formas sea la que dio Lázaro Carreter: «Pasaje con personajes populares y de tono preferentemente humorístico, que aparece al principio o en medio [también al final] de una obra de carácter serio, sin conexión argumental necesaria con ella» *(El «Arte nuevo» y el término «entremeses»).* Y quizá sería preciso modificar el término humorístico por el de burlesco (V.) a lo menos en los mejores de ellos, teniendo en cuenta que es aquí donde mejor se cumplen, como señalan Asensio y Tordera, las características de carnavalización que describe Bajtin. El nombre de entremés será sustituido a partir del siglo XVIII por el de sainete, sin que varíe excesivamente su esencia.

Para la historia, tipología y recursos de este género, véase Eugenio Asensio, *Itinerario del entremés* y su edición de los cervantinos; H. E. Bergman, *Luis Quiñones de Benavente y sus entremeses* y ed. de *Ramillete de Entremeses y Bailes*; Tordera, ed. de *Entremeses, Jácaras y Mojigangas de Calderón*; H. Heidenreich, *Figuren und Komik den spanischen «Entremeses» des goldenen Zeitalters*; AAVV, *Risa y sociedad en el teatro español del Siglo de Oro.*

ENTROPÍA.   En la teoría de la información la entropía (el término procede de la termodinámica y expresa en ella un estado de desorden) representa la equiprobabilidad de los acontecimientos posibles en la fuente de producción (por ejemplo, cuántos mensajes pueden surgir desde el teclado de una máquina de escribir). El código, al introducir un sistema de reglas, selecciona los mensajes posibles, reduce la entropía y permite un cierto grado de información. La entropía siempre supone un factor de incertidumbre para el destinatario. *La biblioteca de Babel* que describe Borges encierra un número indeterminado de mensajes entrópicos.

ENTWICKLUNGSROMAN. Novela que sigue la formación psicológica y social de un personaje hasta su completa madurez, ilustrando con ella los conflictos con el mundo exterior sitos en un amplio marco historicocultural. Las fronteras con el *Bildungsroman* (V.) y con el *Erziehungsroman* (= Novela de educación) no están definidas netamente. Ejemplos de *Entwicklungsroman* podrían ser el *Wilhelm Meister Lehrjahre* de Goethe y, en nuestra literatura, las dos novelas de Urbano y Simona de Pérez de Ayala o *Entre visillos* de Carmen Martín Gaite.

ENUMERACIÓN. Es una forma de organización del discurso afín a la acumulación (V.), de la que se diferencia por ser un modo de definición propio de los conjuntos: consiste en reseñar los elementos que los componen: *El cuarto era angosto, bajo de techo y triste de luz; negreaban a partes las paredes, que habían sido blancas, y un espeso tapiz de roña, empedernida casi, cubría las carcomidas tablas del suelo. Contenía una mesa de pino, un derrengado sillón de vaqueta y tres sillas desvencijadas; un crucifijo con un ramo de laurel seco, dos estampas de la Pasión y un rosario de Jerusalén, en las paredes; un tintero de cuerno con pluma de ave, un viejo breviario muy recosido, una carpetilla de badana negra, un calendario y una palmatoria de hoja de lata, encima de la mesa; y, por último, un paraguas de mahón azul con corva empuñadura de asta, en uno de los rincones más oscuros* (Pereda, *Sotileza*). La enumeración puede ser completa, cuando se presentan los dos últimos miembros ligados por coordinación; incompleta, cuando la unión de los miembros es por yuxtaposición y se produce asíndeton; mixta, si la unión de los miembros es por polisíndeton; caben otras construcciones intermedias. Muy frecuente, sobre todo en prosa, es la recapitulación, en la que se anticipa o se relega al final un elemento que define al conjunto desarrollado en la enumeración; así se subraya con cierto énfasis (V.) el concepto fundamental sobre el que se quiere insistir (por ejemplo, *robos, rapiñas, extorsiones, violencias de toda clase: ésos son algunos aspectos de la grave crisis social y moral de nuestra sociedad*). Cuando la enumeración quiere ser total y absoluta, incluso con ordenación externa de los elementos, se llama inventario: Borges pone en evidencia el procedimiento (*En sus remotas páginas está escrito que los animales se dividen en (a) pertenecientes al Emperador, (b) embalsamados, (c) amaestrados, (d) lechones, (e) sirenas, (f) fabulosos, (g) perros sueltos, (h) incluidos en esta enumeración, (i) que se agitan como locos, (j) innumerables, (k) dibujados con un pincel finísimo de pelo de camello, (l) etcétera, (m) que acaban de romper el jarrón, (n) que de lejos parecen moscas. Borges, Otras inquisiciones*).

Si dos o más enumeraciones de un texto tienen sus elementos en relación biyectiva entre ellos, entonces aparece la forma de construcción denominada correlación (V.).

Un caso peculiar de enumeración, frecuente en poesía contemporánea, es la llamada «enumeración elíptica», que intenta dirigir la atención sobre los objetos, cargados de valor simbólico, y sobre todo relacionados con un eje común (acaso un recuerdo) que el lector ha de identificar: *El bastón, las monedas, el llavero, / la dócil cerradura, las tardías / notas que no leerán los pocos días / que me quedan, los naipes y el tablero, / un libro y en sus páginas la ajada / violeta, monumento de una tarde / sin duda inolvidable y ya olvidada, / el rojo espejo occidental en que arde / una ilusoria aurora. ¡Cuántas cosas, / limas, umbrales, atlas, copas, clavos, / nos sirven como tácitos esclavos, / ciegas y extrañamente sigilosas! / Durarán más allá de nuestro olvido; / no sabrán nunca que nos hemos ido* (Borges, y véase el comentario que el poeta hace en *Borges el memorioso*, pág. 124). En algún tipo de poesía (Neruda, Vallejo), en el monólogo interior y, sobre todo, en el flujo de conciencia, la enumeración puede desembocar en la enumeración caótica.

ENUNCIACIÓN.   La enunciación es el acto individual de la locución en el que se muestra el hablante, bien por medio de los pronombres personales (*yo, tú,* etc.), bien por el uso de otros deícticos (V.) que subrayan los factores de espacio o tiempo en que se produce la enunciación (*aquí, ahora, entonces,* etc.). También otros medios sirven para caracterizar a la enunciación en relación al enunciado: los verbos performativos *(prometo, aseguro),* las expresiones valorativas y emotivas (que implican un juicio o un sentimiento del sujeto de la enunciación), los elementos modalizadores (*acaso, sin duda, claro es que...,* etc.). El estudio de la enunciación (V. Todorov, ed.: *L'énontiation,* en *Langages,* 17) es de la mayor importancia para caracterizar las connotaciones estilísticas (V. ESTILO) y las funciones de la narración (V. VOZ).

ENUNCIADO.   El enunciado es cualquier secuencia cerrada y acabada de palabras emitida por uno o varios locutores. Puede estar formado por una o varias frases; y se caracteriza bien según el tipo de discurso —término con el que a veces alterna— (enunciado literario, satírico, lírico, político), bien según el canal de comunicación (enunciado verbal, escrito), bien según la lengua que se usa (enunciado castellano, catalán, francés, etc.). El enunciado se analiza en frases (y a veces se le identifica con la frase misma) según las distintas tipologías de la lingüística estructural.

En narratología, Greimas llama «enunciado narrativo simple» a lo que Todorov llama «proposición», es decir, a la unión del actante y de la función como sujeto y predicado isotópicos en la formalización de la diégesis.

ENVÍO.   V. COMMIATO.

EPANADIPLOSIS. Es una figura que consiste en repetir una palabra al principio y al fin de una frase o verso (o en dos frases o versos correlativos: *Crece su furia y la tormenta crece* (Valbuena), *Tejidos sois de primavera, amantes, / de tierra y agua y viento y sol tejidos* (A. Machado). Véase también ANADIPLOSIS. El término epanástrofe se usa como sinónimo de epanadiplosis.

EPANALEPSIS. Como figura sintáctica, la epanalepsis consiste en la repetición de una o varias palabras para reforzar la idea que se quiere expresar. Ejemplo: *En las condiciones actuales de nuestra economía —y subrayo «en las condiciones actuales»— el crecimiento del paro es inevitable.* Si la repetición es de una sola palabra se denomina reduplicación: *Abenámar, Abenámar, / moro de la morería*; y si el término iterado sirve para unir dos elementos de una frase, conduplicación: *Iba a buscar a don Cuadros, / a don Cuadros el traidor.*

En la retórica antigua la epanalepsis es una de las clases de la iteratio, es decir, de la repetición de un elemento de la frase en cualquier lugar del enunciado (comienzo, medio, fin). Morier, y con él Preminger, hacen coincidir la definición de epanalepsis con la de epanadiplosis.

Un caso especial de epanalepsis es la utilización de las primeras palabras de un texto para dar título a un poema, a un capítulo o, incluso, a una novela entera: *Si una noche de invierno un viajero* es el comienzo y el título de un relato de Italo Calvino.

EPANORTOSIS. Figura lógica que consiste en volver sobre lo que se ha dicho ya para matizar la afirmación ya para atenuarla o incluso para contradecirla (en este caso se habla también de corrección). Frecuentemente se introduce una fórmula —*mejor dicho, ¿pero qué digo?*— para indicarla. *La acción transcurre en un país oprimido y tenaz. [...] Ha transcurrido, mejor dicho, pues aunque el narrador es contemporáneo, la historia referida por él ocurrió al promediar o empezar el siglo* XIX (Borges). *Traidores... Mas ¿qué digo? Castellanos, / nobleza de este Reino* (García de la Huerta).

EPÉNTESIS. Es un metaplasmo (V.) que consiste en la inserción de un fonema en el interior de una palabra. Así en el lexema *invierno* la *n* no se justifica etimológicamente desde el latín *hibernum*. Como efecto estilístico, se empleó en el siglo XV para ajustar el ritmo del verso de arte mayor (V. Lázaro, *Poética del arte mayor castellano*): *del fuérte Cadíno* (Mena), en el XVI y XVII para reproducir el habla pastoril o infantil: *mi hermano Bartolo / se va a Ingalaterra* (atr. Góngora). En la literatura contemporánea puede dar lugar a formas nuevas, extrañas, con errores buscados irónicamente en la palabra, haciendo alusión a la función metalingüística o dando paso a palabras-valija: *Autorretracto*

(Cabrera Infante), *En la cinemanteca de Cuba* (Cabrera), *trabyecto, casa de trócame-roque* (Julián Ríos).

EPEXÉGESIS. Adición explicativa a un término o a una frase, de tal modo que sirva de aclaración o de comentario. Ej.: *Mi deplorable condición de argentino me impedirá incurrir en el ditirambo —género obligatorio en el Uruguay, cuando el tema es un uruguayo* (Borges). V. EPÍFRASIS.

EPEXÉGESIS. V. APOSICIÓN.

ÉPICA. El *epos,* como «discurso» confiado al compás del metro, transmitido oralmente de generación en generación por medio de la cantilena de los aedos o de sus equivalentes, suele ser una de las primeras manifestaciones literarias de cualquier civilización. Sus realizaciones, los poemas épicos, se remontan a un antiguo patrimonio de mitos (V.) y de leyendas, en que se alía con frecuencia lo imaginario (V. IMAGEN) religioso con historias de héroes unidos a los destinos de un pueblo. Desde la epopeya mesopotámica de *Gilgamesh* (*c.* 2000 a. de C.) a los grandes textos indios del *Mahabharata,* el *Ramayana* y *Purana,* de las leyendas egipcias a las persas recopiladas por Firdusi en el *Libro del Rey* (*c.* 1000 a. de C.), de los poemas homéricos o los diversos ciclos que conciernen a personajes emblemáticos del mito (Heracles) o de la tradición (los héroes, Edipo; o en la Edad Media inglesa o alemana, *Beowulf,* los *Nibelungos*) al *Kalevala* finés, recogido y ordenado en el Romanticismo: un espléndido y enorme caleidoscopio de vicisitudes, tramas, actores distintos, tras los cuales quizá sea posible entrever una estructura permanente de acciones y de actantes (V.): el héroe que se encarga o se obliga al cumplimiento de un deber, la búsqueda, las pruebas y las peripecias; el héroe se enfrenta al oponente o antagonista, con o sin la mediación de un adyuvante, etc.

Para nuestras literaturas, la épica —en su mayor parte— procede de Grecia. Allí, entre los siglos IX y VII a. de C. los aedos fueron conformando la *Ilíada* y la *Odisea,* al recoger la leyenda de la guerra de Troya y del retorno de Ulises a su patria tras la destrucción de la ciudad (el tema del *nostos,* del regreso, era con certeza el eje de otros poemas épicos, hoy perdidos). Es posible que, tras este desarrollo, un poeta único, acaso el Homero de la tradición, les diese forma unitaria. La visión de la vida que se desprende del *epos* homérico muestra el valor central del mito, no sólo como elaboración literaria, sino también como norma ética, en la transmisión de un relato ejemplar en el que los acontecimientos históricos se difuminan en un pasado indeterminado, fabuloso y admirable: dioses y héroes están mezclados, enfrentados y unidos por pasiones comunes, sin que —en último extremo— se advierta ninguna diferencia entre unos y otros, si no es la de los poderes. Como quiera que sea, esta epopeya es la celebración de un guerrero, de su incoercible individualidad (recuérdese la causa de la cólera de Aquiles) que aflora en la lucha contra los enemigos, de los cuales sólo son recordados los más dignos, mientras que la multitud permanece anónima, absolutamente insignificante, ninguneada. La *Odisea* tiene una estructura narrativa más variada, debido a una intriga que comporta una sucesión de diversos *topoi* (V.), como las peripecias del héroe, el relato de su vida, los obstáculos que ha de salvar y vencer para lograr su meta, las pruebas decisivas a las que se ve sometido, el reconocimiento, la venganza y la victoria final.

Hacia finales del siglo V a. de C. la épica tradicional comienza a decaer: las condiciones sociopolíticas han cambiado mucho y, además, la ejemplaridad axiológica del mito cayó en crisis al enfrentarse a la investigación histórica y filosófica: el mito dio paso a la razón. La nueva épica se dirige, exclusivamente, a relatar hechos gloriosos del pueblo griego, como la guerra contra los persas, de la que se ocupan —desde perspectivas distintas del discurso— Heródoto, Frínico y Esquilo. El mito, alejado en un pasado legendario y no creído, acrónico, se resucita en la poesía exclusivamente por su elegancia estética *(Los Argonautas)*. En la época helenística, la épica es abandonada definitivamente, aunque el mito siga siendo el núcleo constructivo de los epilios y de las refinadas composiciones etiológicas, que buscaban en las historias míticas los orígenes de ciudades, de cultos y misterios, de costumbres, con un estilo extremadamente intelectual.

La épica latina sufrió el influjo de la cultura helenística, aunque ya con Nevio y Ennio se habían establecido las bases de la epopeya nacional (la exaltación del destino glorioso de Roma), que llega a su cima poética y a su perfección con la *Eneida*. La obra de Virgilio denota una singular vuelta a la utilización del elemento mítico en la urdimbre epicohistórica, e innova los *topoi* tradicionales del género homérico, insistiendo tanto sobre el trazado psicológico de los caracteres (pensemos en el amor de Elisa Dido) como sobre los efectos dramáticos de las peripecias del héroe. El influjo que el poema ejerció sobre la cultura latina y sobre toda la tradición occidental, por ejemplo en el Renacimiento, fue enorme. Ni siquiera la *Farsalia* de Lucano, que quiso constituirse en una alternativa radical a la épica virgiliana, por construirse como poema plenamente histórico y «desmitizado», pudo evitar el careo con el modelo, imitado a veces en formas estructuralmente especulares.

En la Europa medieval se asiste a un nuevo nacimiento de la epopeya, seguramente por influjo germánico, con caracteres muy semejantes a los poemas homéricos: su génesis, su desarrollo y sus técnicas son muy parecidas, aunque la materia épica y su tratamiento estén condicionados por una sociedad y una ideología, por una cultura como es la cristiana completamente distinta a aquélla. Así surge en Francia la canción de gesta, el poema épico caballeresco que celebra los hechos de los paladines o de los adalides, los héroes de la corte de Carlomagno o las aventuras de los caballeros de la Tabla Redonda (ciclos carolingio y artúrico o bretón, respectivamente); más tarde se retomarán motivos y personajes del mundo antiguo (Alejandro, por ejemplo), adaptándolos al sistema de valores corteses y caballerescos que inspiran los poemas del otoño feudal.

Poemas semejantes se encuentran en España *(Cantar de mio Cid)*, en Alemania *(Tristán, Parsifal)*, en Inglaterra *(Beowulf)*; y sería preciso añadir los *Mabigoni* galeses y los *Eddas* nórdicos.

Junto a los cantares de gesta, que implican un público oyente más que lector, tendríamos que citar, en el medioevo, otros poemas épicos, con caracteres no clásicos, escritos por clérigos o autores cultos: citemos el *Libro de Alexandre,* de materia griega, el *Poema de Fernán González,* de tema histórico mítico, el *Perceval* de Chrétien de Troyes, que enlaza con el ciclo bretón, o los poemas hagiográficos y narrativos de Berceo.

En Italia se realiza la fusión entre el ciclo carolingio y el bretón en el *Orlando Innamorato* del caballero Boiardo, continuado en la gran obra maestra del Renacimiento, el *Orlando Furioso* de Ariosto, donde el *epos* se separa voluntariamente de la historia para seguir los caminos de la fantasía más desbordante; la *Gerusalemme liberata* de Tasso representa un intento de lograr el encuentro/desencuentro del poema heroico con la historia verosímil, necesaria y aún más cuando el texto se refiere a una empresa santa, como es la cruzada, sin renunciar a la invención poética, o sea, con la «licencia para fingir». Equilibrio difícil, que oscila entre el pathos lírico o dramático de algunos momentos cruciales y el aparato escenográfico manierista de las hazañas guerreras, de los desfiles, de lo sobrenatural, que representa la equivalencia cristiana de lo mítico, de lo mágico y de lo caballeresco. Estos tres poemas —junto con la *Eneida*— constituyen la base sobre la que se construye la épica posrenacentista y barroca peninsular (Cfr., M. Chevalier, *L'Arioste en Espagne*), cuyo mejor fruto será ese prodigio de equilibrio entre temas heroicos y cotidianos, entre el cristianismo y el mito antiguo, entre el discurso narrativo y el lírico, que son *Os Lusíadas*. Señalemos también en la Península la otra variación del género épico, con inclusión de temas y tratamiento nuevos a la vez que plantean un tratamiento popular muy peculiar: nos referimos al romancero viejo.

Al lado de este tipo de poemas que acabamos de reseñar, habría que colocar los poemas didácticos que se ajustan a un desarrollo narrativo o pseudonarrativo y se dirigen a la enseñanza, a la educación cultural, moral o civil de los destinatarios: desde *Los trabajos y los días* de Hesíodo, o el *De rerum natura* de Lucrecio, a los medievales *Roman de la rose* o la *Divina Commedia* (si es que este poema se puede catalogar en algún género), pasando por los *Fastos* de Ovidio y las *Bucólicas* virgilianas, existe y ha existido siempre en la literatura un vector didáctico muy definido que se ramifica en los distintos campos de la actividad humana, tanto manual como intelectual. Recordemos, por último, los poemas heroicocómicos o burlescos (V.), delicadamente literarios, por cuanto son frecuentemente parodia de temas o de formas de otros tipos serios de épica: recuérdese la relación entre el *Laberinto de Fortuna* y la *Carajicomedia*.

Es completamente imposible en estas líneas bosquejar siquiera los rasgos de todas las variantes del tema, dibujar las líneas de la evolución del género, desde el mito a la novela, como titula Dumézil uno de sus libros fundamentales. Remitimos a la múltiple bibliografía que, sobre cada uno de los temas que no hemos podido más que apuntar, encontrará el lector.

EPICEDIO. Composición poética clásica que se recitaba delante de un cadáver. Por extensión, cualquier composición en que se alaba a una persona muerta. El género se recuperó en el Romanticismo: recordemos el soneto de Espronceda a la muerte de Torrijos o las composiciones que algunos poetas —Zorrilla, Gil y Carrasco— recitaron en el entierro de Espronceda.

EPIDÍCTICO. Género de la elocuencia que estaba destinado a mostrar: su objeto es algo que se considera consabido por el orador y los oyentes. La dirección del discurso puede ser elogiosa (encomio, alabanza) o contraria (vituperio). Véase Lausberg, *Manual de retórica*, §§ 61 y 239.

EPIFANÍA. Con este término denomina James Joyce los fragmentos, impresiones rápidas que se presentan ante el hombre y que éste, si es escritor, debe fijar con la ayuda del lenguaje en todo su carácter apasionante y convertirlas en perceptibles para los demás. El término conviene perfectamente a las «notas y aforismos» Juanramonianos, entre otras prosas de este poeta.

EPIFONEMA. El epifonema es una figura lógica que consiste en una frase sentenciosa con la cual se cierra con cierto énfasis —muchas veces con forma exclamativa— el discurso: Ej.: *¡Oh Roma, en tu grandeza, en tu hermosura / Huyó lo que era firme, y solamente / lo fugitivo permanece y dura!* (Quevedo). *Esto es ser hombre: horror a manos llenas. / Ser —y no ser— eternos, fugitivos. / ¡Ángel con grandes alas de cadenas!* (Blas de Otero).

EPÍFORA. Repetición de una palabra o de un grupo de palabras al final de un verso, de una estrofa o, si se trata de prosa, de un período.

Es una figura sintáctica producida por iteración y, por lo tanto, se agrupa con la anáfora, la anadiplosis y la epanadiplosis, la epanalepsis, el estribillo, etc. Sinónimo de epífora es la epístrofe, aunque algunos críticos las distinguen, reservando el primer término para la reiteración de una palabra al fin de frase (*Y mi sangre seguiría / hablando, hablando, hablando,* Blas de Otero) y el segundo para la iteración al final de un período: *Parece que los gitanos nacieron en el mundo para ladrones: nacieron de padres ladrones, críanse con ladrones, estudian para ladrones, y finalmente salen con ser ladrones corrientes y molientes a todo ruedo* (Cervantes). Ejemplo paradigmático de epífora, combinada con otros procedimientos iterativos, es el conocido poema de Dámaso Alonso *Los insectos: Me están doliendo extraordinariamente los insectos, / porque no hay duda estoy desconfiando de los insectos, / de tantas advertencias, de tantas patas, cabezas y esos ojos, / Oh, sobre todo esos ojos, / que no me permiten vigilar el espanto de las noches, / la terrible sequedad de las noches cuando zumban los insectos, / de las noches de los insectos, / cuando de pronto dudo de los insectos, cuando me pregunto ah, ¿es que hay insectos?, / cuando me duelen los insectos por toda el alma, / con tantas patas, con tantos ojos, con tantos mundos de mi vida, / que me habían estado doliendo en los insectos, / cuando zumban, cuando vuelan, cuando se chapuzan en el agua, cuando... / ¡ah!, cuando los insectos.*

EPÍFRASIS. La epífrasis es una figura lógica que la retórica clásica colocaba entre los fenómenos de *amplificatio* del discurso; consiste en añadir a un enunciado acabado una expansión, ocasionalmente de carácter exclamativo o parentético, como complemento de tipo moral o como amplificación cuantitativa o cualitativa de la idea expresada anteriormente, o también como expresión de los sentimientos del autor o del personaje. En muchos casos la epífrasis se acerca al epifonema (V.). Ejem.: *De aquel trozo de España, alto y roquero, / hoy traigo a ti, Guadalquivir florido, / una mata del áspero romero. / Mi corazón está donde ha nacido, / no a la vida, al amor, cerca del Duero... / ¡El muro blanco y el ciprés erguido!* (Antonio Machado).

EPÍGRAFE. Inscripción de carácter conmemorativo. Para la literatura interesa una particular especificación del término: las frases cortas de un autor (un verso, una frase, etc.) que se colocan al principio de un libro, de un capítulo o de un poema, que sirven para indicar el clima de éste. Por ejemplo, el verso de García Lorca *(Las copas falsas, el veneno y la calavera de los teatros)* delante de la *Oda a Venecia ante el mar de los teatros,* de Pere Gimferrer.

EPIGRAMA. La palabra epigrama tiene en sus orígenes el sentido de inscripción en verso (dísticos) de carácter votivo o funerario. En la poesía griega el epigrama tiene con frecuencia un carácter reflexivo, gnómico, exhortativo e, incluso, amoroso. La literatura helenística, particularmente, lo utiliza para los temas más ligeros, con frecuencia sentimentales. Bajo esta forma se trasladó a Roma a fines del siglo II a. de C. en el círculo de Lutatio Catulo y de los *neoteroi,* los «poetas nuevos» formados en la escuela de Valerio Catón, entre los cuales el mayor poeta fue Catulo. El epigrama tiene frecuentemente carácter político, irónico o, simplemente, risueño: las *nugae* son precisamente poesías breves, desenfadadas, ricas de humor que se resuelve en un aguijón final. La cima del epigrama «ligero» la alcanza Marcial (s. I a. de C.).

En la literatura española, en este sentido, podrían considerarse epigramas algunas *cantigas de escarnio,* aunque no usen este término. La palabra se renueva en castellano a finales del siglo XVI para significar, en principio, poema breve de estructura cerrada —alguna vez los sonetos se denominan epigramas, sobre todo los funerarios (el de Góngora al Greco, el de Quevedo a Roma) o los que tienen esa forma con referencia al pasajero— o poema muy breve, de forma no definida, de carácter moral, cómico o fuertemente satírico, desde los que hace un Baltasar del Alcázar a los que se hacen contra Ruiz de Alarcón o Villamediana (aquí, el más sangriento de todos: *Las coplas todas leí / y el culo me fui a limpiar, / pero púseme a pensar / que eran del conde, y temí).* Este último es el sentido que mantienen, con raras excepciones (la traducción de Francisco de la Torre de los de Juan Owen), en la nomenclatura literaria. Son muy abundantes durante los siglos que van del XVI al XIX, para perderse en la literatura del modernismo y del 27, con rarísimas excepciones, bien porque no se escriban, bien porque no se publiquen: la excepción se llama Juan Ramón *(Ana de Nadie),* o los poemas de Salinas y Dámaso Alonso que se conservan en la tradición oral. Se recuperan en la última poesía y podemos encontrar ejemplos en Gil de Biedma, Celso Emilio Ferreiro, Pere Quart o Ángel González. Desde mayo del 68, los epigramas, cerrando el ciclo, pueden volver a leerse en las paredes: *Franquistas, joderos, que tenéis la sangre roja y el corazón a la izquierda.*

EPILIO. Poema breve de género mítico o narrativo y de cuidadosa elegancia expresiva, cultivado sobre todo por los poetas helenísticos (Calímaco, Teócrito, Mosco), en confrontación con los autores de largos poemas épicos. Como género ha vuelto a ser cultivado por la última poesía, acaso debido a la influencia combinada de Hölderlin, Cernuda y Kavafis.

EPÍLOGO. Es la conclusión del discurso, según la *dispositio* retórica. La técnica oratoria prevé dos formas de epílogo: la repetición resumida de los argumentos empleados y la invocación a los sentimientos. Sobre todo, este segundo procedimiento ofrecía al abogado numerosas oportunidades de exhibir un amplio repertorio de ingeniosidades, sin excluir los gestos teatrales: recordemos el juicio de Friné.

En una acepción más general, el epílogo es la secuencia conclusiva de un discurso literario (V.), por ejemplo en una novela, en un cuento, en un poema, separado a veces por un lapso del cuerpo del relato. Citemos el epílogo del *Llanto por Ignacio Sánchez Mejías*: *No te conoce nadie. No. Pero yo te canto. / Yo canto para luego tu perfil y tu gracia. / La madurez insigne de tu conocimiento. / Tu apetencia de muerte y el gusto de su boca. / La tristeza que tuvo tu valiente alegría. / Tardará mucho tiempo en nacer, si es que nace, / un andaluz tan claro, tan rico de aventura. / Yo canto su elegancia con palabras que gimen / y recuerdo una brisa triste por los olivos.*

EPINICIO. Canto en honor de un vencedor en los juegos gímnicos, típico de la poesía griega (ejem.: los epinicios de Píndaro). Por extensión se da este nombre a cualquier canto que celebre una victoria; su forma es la de la oda o, en el Renacimiento y Barroco, la de la canción. Citemos, como ejemplos, la *Canción por la Victoria del Señor don Juan*, de Herrera, la *Oda a Platko* de Alberti, el *Nuevo canto de amor a Stalingrado* de Neruda.

EPISODIO. Del significado técnico que el término episodio tenía en la tragedia griega (escena, que puede ser compleja, comprendida entre dos cantos corales) se derivó el de acción secundaria (episódica) inserta en una trama narrativa, una especie de desviación del tema fundamental, que no llega a ser digresión. En este sentido el episodio puede ser o una descripción muy amplia (el escudo de Aquiles en la *Ilíada*) o un relato en el relato (el episodio de Marcela y Grisóstomo en *Don Quijote*). En la moderna narratología se considera al episodio, por el contrario, como una unidad estructural de la trama, que nace de la seriación de varios episodios o macrosecuencias. Véanse las voces.

EPISTEMA. Término empleado por Foucault al analizar el *Quijote* (*Les mots et les choses,* cap. III), que designa grandes espacios sincrónicos e ideológicamente unitarios en una cultura, es decir, el saber y la ideología de esa época determinada considerados en toda su extensión.

EPÍSTOLA. Tipo de composición en la que el autor se dirige, en primer lugar, a un recèptor bien determinado, real o fingido, que se considera ausente. Como forma literaria en prosa su uso se remonta a las *Epístolas familiares* de Cicerón, que sirvieron de modelo para las construidas en el Renacimiento. En esta época se utiliza también como forma primaria del ensayo, tanto en Erasmo y en sus sucesores, como en autores de una línea ideológica y estilística diferente: recordemos las *Epístolas familiares* de fran Antonio de Guevara o las que este mismo autor atribuye al emperador Marco Aurelio en el *Reloj de Príncipes*. En la narrativa, la novela epistolar constituye un verdadero subgénero, datable en nuestra literatura por lo menos desde las novelas sentimentales de Diego de San Pedro, en las que quizá la forma surja por influjo de las *Heroidas* ovidianas.

La forma epistolar también se empleó en el verso, bien para referir el autor circunstancias personales suyas al amigo ausente (la epístola de Garcilaso a Boscán), bien buscando un estilo no excesivamente elevado para una poesía meditativa, moral o de sátira: recordemos, como ejemplo, las epístolas de Francisco de Aldana, la *Epístola moral a Fabio* o la *Epístola satírica y censoria* de Quevedo.

EPÍSTROFE. V. EPÍFORA.

EPITAFIO. Poema breve que se supone colocado sobre la tumba de una persona. La forma que adoptan es o bien un ruego al pasajero para una meditación sobre la persona sepultada, o bien un recuerdo de las calidades de la persona sepultada. La fórmula se empleó a veces con sentido burlesco, cercano al epigrama (V.).

EPITALAMIO. En la lírica clásica es un canto de bodas; compusieron epitalamios Safo, Teócrito, Calímaco, Catulo, etc. En la literatura española podemos recordar algunos de aire popular que se incluyen en obras teatrales —*Peribáñez, Fuenteovejuna*—, el de aire clásico que cierra la *Soledad primera* y el moderno, de Antonio Machado, a las *Bodas de Francisco Romero*.

EPÍTASIS. En la división tradicional del drama, la epítasis sigue a la prótasis (la información preparatoria) y comprende los episodios fundamentales, el núcleo de la acción. A la epítasis la continúa la catástasis o momento retardatorio, que presenta el resultado de la acción, a la cual pone término la catástrofe.

EPÍTETO. La retórica clásica emplea este término para designar a un tipo especial de calificativo que destaca una cualidad contenida implícitamente en el sustantivo. Este adjetivo se utilizaba sobre todo para contribuir al *ornatus* estilístico del enunciado *(epithetum ornans)*. El epíteto, en español, suele preceder al nombre; esto hace que la posición del adjetivo sea estilísticamente muy significativa en nuestra lengua: un adjetivo antepuesto será entendido por el oyente *como si* fuera, semánticamente, epíteto (*La dulce boca que a gustar convida,* Góngora), y a la inversa, un epíteto semántico pospuesto se analizará como adjetivo necesario (*Allí hay barrancos hondos / de pinos verdes donde el viento canta*, Machado).

EPITROCASMO. Es una acumulación de elementos nominales o verbales en los que, con deseada concisión, no se detiene el escritor. Ejem.: *¡Todo por la Patria! Aquella matrona entrada en carnes, corona, rodela y estoque, le conmovía como dama de tablas que corta el verso en la tramoya de candilejas* (Valle-Inclán).

EPIZEUSIS. La epizeusis o reduplicación es una figura de iteración: consiste en repetir una palabra o un grupo de palabras al comienzo, en el interior o al fin de un enunciado, sin intervalo. Ejemplos: *Amor, amor, un hábito vestí* (Garcilaso); *en el ala, no en el ave / y en ti sólo, en ti sólo, en ti sólo* (César Vallejo). A veces, la repetición sirve para añadir una nueva precisión: *La culpa de los desvíos de Pepita, decía mi padre, es sin duda su orgullo, orgullo en gran parte fundado* (J.Valera); *le cegó los ojos grises, grises como los de Pepa* (Mujica Lainez). La duplicación más frecuente es la inicial; ejemp..: *Rey don Sancho, rey don Sancho, / no digas que no te aviso.* La epizeusis recibe también el nombre de geminación. V. ITERACIÓN, EPANALEPSIS.

EPODO. Es la tercera parte del esquema de la oda de tipo pindárico, colocado detrás de la estrofa y la antistrofa (V.), a veces con diferente estructura métrica que aquéllas.

EQUIVALENCIA. V. IMPLICACIÓN.

EQUÍVOCO. «Caracteriza a la ambigüedad semántica de una palabra o de una expresión. Por lo tanto sacan provecho de él la alusión, la anfibología, la antanaclasis, la silepsis, etc.; se apoya en la polisemia, en la homonimia o en la homografía de las palabras» (Mounin, *Diccionario de lingüística*, s.v.). La equivocidad en sentido lúdico–irónico está en los fundamentos de los juegos de palabras que se apoyan en el encuentro y desencuentro de áreas semánticas afines. Es, por tanto, una modalidad de la plurisotopía del lenguaje. Para ejemplos se remite a las voces citadas.

EQUÍVOCO. V. DILOGÍA, CALAMBUR.

ERLEBNIS. El término alemán podría traducirse como «vivencia». Se emplea en la metodología literaria para designar al complejo de hechos revividos en la conciencia del escritor y que son reelaborados en la expresión artística. Se corresponde bastante bien con lo que Jorge Guillén, a propósito de Bécquer, llama «memoria poética», que se describe así en la segunda de las Cartas literarias a una mujer: «Por lo que a mí toca, puedo asegurarte que cuando siento no escribo. Guardo, sí, en mi cerebro escritas, como en un libro misterioso, las impresiones que han dejado en él su huella al pasar; estas ligeras y ardientes hijas de la sensación duermen allí agrupadas en el fondo de mi memoria hasta el instante en que, puro, tranquilo, sereno y revestido, por decirlo así, de un poder sobrenatural, mi espíritu las evoca. [...] Entonces no siento ya con los nervios que se agitan [...]; siento, sí, pero de una manera que puede llamarse artificial.» La *Erlebnis* no es, pues, sólo autobiografía inmediata, sino también la vivencia interior, especulativa, onírica, cultural, etc. Se podría comparar la *Erlebnis* con la sustancia de los contenidos que, en la creación estética, se transforma en la forma de los contenidos del mensaje (V. LINGÜÍSTICA, 3).

ERLEBTE REDE.   Expresión alemana que significa «discurso vivido»: corresponde al discurso indirecto libre. Véase: ESTILO.

ESCENA.   Es la parte de un texto, especialmente teatral, cerrada en sí misma y delimitada de forma que constituya una secuencia bien caracterizada de la trama; algunos autores (Valle-Inclán en las *Comedias bárbaras* o en los esperpentos) la convierten en la unidad principal de organización, sustituyendo al acto. Genette, citando a Ricardou, dice que «una escena dialogada (suponiéndola libre de cualquier intervención del narrador) nos da una especie de igualdad *convencional* entre el tiempo del relato y el tiempo de la historia» (Genette, *Figures III*). Para decir más adelante que si la velocidad del relato se puede definir por medio de la relación entre la duración de la historia (mensurable en días, minutos, años, etc.) y la longitud del texto (mensurable en líneas, períodos, páginas, etc.), la escena es un «movimiento narrativo» en el que el tiempo de la historia (TH) iguala *convencionalmente* al tiempo del relato (TR); en el sumario (V.) el tiempo del relato será inferior al tiempo de la historia. V. TIEMPO.

ESCOLIO.   Nota que se pone al margen o al pie de un texto para explicar algún término o algún párrafo.

ESCRITURA.   En un sentido primario y corriente, se entiende por escritura a un código de segundo grado, en cuanto que es una representación gráfica de la lengua hablada —es decir, del código primero de comunicación— por medio de signos visuales. No hay que descuidar este aspecto en la expresión del texto: el escritor, hoy y siempre (Cfr. Derrida, *De la gramatología*), ha hecho uso de los valores gráficos del texto (V. COMPAGINACIÓN).

La crítica literaria contemporánea ha cargado la palabra escritura con un nuevo sentido, derivada de aquél. Se sabe que una de las facetas específicas que han desarrollado los estudios semiológicos y estructurales sobre temas de arte y literatura han consistido precisamente en haber caracterizado al lenguaje poético o literario o, simplemente, artístico, por su significación icónica y autorreflexiva, por su plurisemia o connotatividad (o ambigüedad, V.), al funcionar en un texto; citamos sólo alguno de los aspectos más importantes. En breve: el discurso literario es un sistema de simulación «secundario» (Lotman), que se articula sobre el sistema primario de la lengua; este espacio lo ocupa el término escritura, que se puede, por tanto, definir como una operación consciente (y por lo tanto meditada, aunque concierna en algún momento a lo inconsciente) que el autor ejercita al objetivar su mensaje, al conformarlo en cuanto «mensaje literario», insertándolo, por ende, en el amplio sistema de la comunicación literaria. La literatura implica siempre mediaciones culturales conexas tanto a la *Weltanschauung* (V.) histórica del escritor, como a los códigos y subcódigos de la tradición literaria, a sus instituciones (géneros, lengua, retórica, poética, etc.) que no pueden dejar de proponerse ante el escritor como módulos o tipologías de referencia en el acto mismo de la operación artística (V. TRANS-CODIFICACIÓN). Cada género o subgénero recorre la literatura con un código peculiar simbólico-temático y con lengua estilizada o escritura que le es propia: se puede hablar de escritura épica, lírica, dramática, pastoril, etc., que corresponde a los distintos géneros históricamente caracterizados (por ejemplo, la escritura de la novela picaresca en el XVII).

Para Barthes *(El grado cero de la escritura),* que toma el término de los Goncourt, la escritura es una realidad formal intermedia entre la lengua (como código interindividual) y el estilo (como opción personal y subjetiva): «La escritura es una función: es la relación entre la creación y la sociedad, es el lenguaje literario transformado por su destino social, la forma captada en su intención humana y unida así a las grandes crisis de la Historia. Por ejemplo, Merimée y Fénelon están separados por fenómenos de lengua y por accidentes de estilo; sin embargo practican un lenguaje cargado de la misma intencionalidad, se refieren a una misma idea de la forma y del contenido, aceptan un mismo orden de convenciones, son el encuentro de los mismos reflejos técnicos, emplean con los mimos gestos, a siglo y medio de distancia, un instrumento idéntico, sin duda un poco modificado en su apariencia, pero no en su situación o en su uso; en definitiva, tienen la misma escritura». La escritura nace de la «reflexión del escritor sobre la función social de su forma», es «la moral de la forma, la elección del área social en el seno de la cual el escritor decide situar la naturaleza de su lenguaje», es «una manera de pensar la literatura». El concepto barthesiano de escritura implica diversas connotaciones: modalidades de gusto, de poética, de lenguaje, de ubicación ideal.

En un empleo más general, la escritura se confunde con el estilo de un autor («la escritura machadiana»). Parece preferible conservar, como quiere M. Corti *(Principi della comunicazione letteraria)*, la acepción de subsistema formal consolidado o registro. Las escrituras ofrecen «algo parecido a un modelo formal» y presentan un nimbo connotativo que se puede denominar «información suplementaria de registro». En este sentido, el grupo de *Tel Quel* habla de escritura textual, considerándola como «lugar de encuentro entre una práctica escritural y su teoría» (Sollers, en *Teoría de conjunto*) y viendo en ella su carácter «no representativo, sino productor» (Baudry, *Tel Quel*, n.º 36). Véase también *L'écriture et l'expérience des limites* de Philippe Sollers.

ESLABÓN.   Verso que une la fronte de la canción italiana con la sírima o coda. Generalmente es un heptasílabo que rima con el último verso de la fronte, aunque por el sentido se une a la coda en la mayor parte de los casos. Se le llama también *volta* o, con el nombre italiano, *chiave*.

ESPARSA.   Copla de arte real (V.) que constituye ella sola un poema.

ESTANCIA.   La estancia es la estrofa de una canción italiana. En el Siglo de Oro se denominaba así también a la octava.

ESTANCIA.   V. CANCIÓN, OCTAVA.

ESTATUTO INSTITUCIONAL.   Algunos críticos hablan del estatuto institucional de una obra o de un género para referirse a la imagen que la ideología (V.) dominante atribuye a su posición o su ámbito de influencia y prestigio en la sociedad; así se habla de «literatura infantil», «literatura popular», etc. Pero también se deforma así la intención de la obra: *Alicia* es un libro para niños, Bécquer un poeta para adolescentes o *Anoche, cuando dormía*, el poema de Antonio Machado, un texto religioso, un acto de fe.

ESTEREOTIPO.   El estereotipo es una fórmula fosilizada, un cliché, que ha perdido ya cualquier connotación estilística que haya podido tener. Los estilemas pueden ser considerados como estereotipos, pero ante todo, en la mayoría de los casos lo que hacen es evocar códigos específicos y subcódigos literarios (por ejemplo, la palabra *madre* que aparece en el poema *Sorpresa* de García Lorca es un estilema convencional en la copla popular). El estereotipo es más bien lo convencional lingüístico e ideológico (V. KITSCH); expresiones como *angustiosa espera, probo funcionario, esposa y madre ejemplar, bella como una rosa*, etc., son estereotipos. Metáforas prestigiosas en alguna época pueden convertirse en estereotipos; Gómez de la Serna escribió: «El primero que llamó a los dientes perlas fue un genio; el último, un idiota.»

El estereotipo (procedente de la propaganda comercial o política, de la paraliteratura o, incluso, de la misma literatura) puede ser reflotado y reutilizado con efectos de pastiche o irónico-paródicos por la literatura: *Conque le abordé al melecio porque los hombres hablando se entienden, y le dije: «Las cosas claras y el chocolate espeso; esto pasa de castaño oscuro, así que cruz y raya y tú por un lado y yo por otro; ahí te quedas, mundo amargo, y si te he visto no me acuerdo.»* (Jardiel Poncela); *la empresa / imperial / ancha es Castilla / estrecho el huso / un abuso / de recto sin vaselina / cruel bloqueo / de materias primas / pérfida Albión* (Vázquez Montalbán). En la novela, la limitación paródica de estereotipos se extiende desde el Quijote hasta nuestros días.

ESTICOMITIA. En el diálogo dramático, se produce esticomitia cuando cada réplica ocupa un verso. En la poesía se llama esticomitia al ajuste entre la forma sintáctica y la forma versual; se opone al encabalgamiento.

ESTILEMA. El estilema es una construcción formal peculiar que es recurrente en un autor y, si se puede decir así, característica de su lenguaje, de su escritura literaria. Algunos estilemas son matrices características de algunos géneros, movimientos, poéticas, gustos de una época determinada: en este caso se debería hablar con mayor exactitud de estereotipos (V.). Dámaso Alonso ha mostrado la presencia del estilema de correlaciones en Petrarca y en el petrarquismo.

ESTILÍSTICA. El concepto de estilística no es unívoco. Ante todo puede designar un conjunto de normas que conciernen a la formación exterior y adornada de la escritura. Pero hoy este significado ha sido superado completamente por el estudio histórico del lenguaje, que rechaza cualquier normatividad abstracta y ejemplar que sea exterior a la libertad creativa de los escritores. Por otra parte es innegable que existe en el campo literario una tradición de las formas expresivas (V. GÉNEROS, INSTITUCIONES LITERARIAS) en las que el escritor, con sus obras individualizadas, se inserta, unas veces renovando aquellas formas desde dentro de ellas, otras revolucionándolas. En este sentido la estilística puede ser una descripción y un análisis histórico de este avatar global de la lengua, en el cual no se olvidará el subrayar las influencias de gusto, de procedimiento literario, de poéticas que vertebran la tradición de una civilización. En todos los casos la estilística, tal como se entiende hoy, remite al estudio del lenguaje literario, ya sea como hecho objetivo, institución histórica y tradicional, ya sea como innovación personal, como estilo propiamente dicho (V. ESTILO, ESCRITURA).

En este aspecto la estilística se ha alejado también de su remoto origen lingüístico, que se remonta a la distinción saussuriana entre *lengua,* como sistema social del lenguaje, y *habla,* como expresión personal (V. LINGÜÍSTICA) remachada en seguida por su discípulo Bally que, al analizar la *lengua,* es decir, «los hechos de expresión del lenguaje organizados desde el punto de vista de su contenido afectivo», retoma el viejo nombre de estilística, aunque interesándose más en los «tipos expresivos» de la lengua hablada, que en el lenguaje literario en su faceta individual y creativa. El interés por el lenguaje se acrecentó en los primeros años de nuestro siglo, concordando con la crisis general del positivismo y, por tanto, de su concepción naturalista y evolutiva del «organismo» constituido por la lengua. A esta crisis contribuyó con fuerza la reacción idealista, que propuso una visión completamente nueva de la lengua como consecuencia de la primera *Estética* de Croce (1902). Para los idealistas, lenguaje y poesía se identifican, y así la lengua se convierte en una perenne y siempre nueva creación de la fantasía del escritor. La teoría crociana proveyó la base filosófica de la «revolución copernicana» de Karl Vossler, el verdadero iniciador de la investigación estilística, en el sentido en que, al negar la causalidad extrínseca de la lengua como conjunto de sonidos típica del positivismo, el filólogo alemán retraía al espíritu humano y, más exactamente, a la individualidad del escritor, la fuente creadora del lenguaje. Para Vossler, sin embargo, la estilística no significó el abandono del estudio de las instituciones históricas del lenguaje, y por ello pudo escribir una historia de la lengua francesa en la que se refleja la *Kultur,* la cultura toda de la nación.

La estilística interpretativa fue desarrollada con extremada sutileza psicológica por otro alemán: Leo Spitzer. Éste basa su método sobre el siguiente presupuesto: «A cualquier emoción, a cualquier alejamiento de nuestro estado psíquico normal, corresponde, en el área expresiva, un alejamiento del uso lingüístico normal; y, a la inversa, un alejamiento del lenguaje usual es indicio de un estado psíquico inacostumbrado. Una expresión lingüística peculiar es, en resumen, el reflejo y el espejo de una peculiar condición del espíritu.» Esta investigación requiere prestar una extrema atención a las indicaciones más latentes y aparentemente nimias del texto, que se pueden aprehender únicamente con un esforzado ejercicio de lectura, capaz de revelar el ánimo del poeta, los «centros emotivos», la inspiración fantástica. «Mi modo de afrontar los textos literarios se podría sintetizar en el lema *Wort und Werk,* "palabra y obra". Las observaciones hechas sobre la palabra se pueden hacer extensivas a toda la obra: se deduce de ello que entre la expresión verbal y el conjunto de la obra debe existir, en el autor, una armonía preestablecida, una misteriosa coordinación entre voluntad creadora y forma verbal.» Esta técnica inductivo-deductiva consiste en no perder nunca de vista el conjunto en el análisis de cada una de las partes, en el ir y venir de las partes al todo y de éste a aquéllas, en un *to-and-from-movement*, que Spitzer llama *Zirkel im Verstehen* o movimiento circular en el entender [luego lo denominará «círculo filológico»], que va desde los detalles externos al centro interior para más tarde retornar a otras sucesiones de detalles.

El método de Spitzer se vale de la auscultación del texto para aprehender en un elemento expresivo extrañador (el crítico dice «sorprendente»: *Überraschung*) la señal de un estado de ánimo determinado. El estilo se caracteriza como desvío de la norma, de un modo no muy diferente a como por aquellos años (1915–1930) estaban sosteniendo los formalistas rusos (V.), aunque con una diferente concepción estética y metodológica. Pero la desviación, el elemento extrañador ¿son siempre pertinentes para caracterizar el estilo (V.) de un escritor? Éste es el punto débil de la *Stilkritik,* con frecuencia acusada de subjetivismo, cuando no de intuicionismo arracional. A pesar de ello la obra de Spitzer se ha mostrado productiva: de ella parten los movimientos críticos más fecundos en Italia y en España, aunque corrijan algunos excesos del maestro alemán. Para su revalorización actual, léanse las páginas prologales de F. Lázaro a *Estilo y estructura en la literatura española.*

A una estilística menos inmanetística se une Erich Auerbach, conocido en España sobre todo por *Mímesis,* que reúne un grupo de ensayos dedicados a «la representación de la realidad en la literatura occidental», de la *Odisea* a Virginia Woolf. Partiendo de una serie de muestra de las obras, sometidas a un finísimo análisis de los diversos componentes lingüísticos, históricos, filosóficos, etc., Auerbach llega a una caracterización global del arte y de la personalidad de los escritores, con un sobresaliente sentido diacrónico y social de los fenómenos estilísticos. Acaso las posibilidades de su metodología sean más claras y lleguen más lejos en *Lenguaje literario y público en la baja latinidad y en la Edad Media.*

La estilística en España tiene como cabeza fundamental a Dámaso Alonso, que trata de superar el concepto, usual desde Bally, de que el lenguaje literario es diferente al común. El maestro español resume así sus ideas: «Creemos: 1.º) que el objeto de la estilística es la totalidad de los elementos significativos del lenguaje (conceptuales, afectivos, imaginativos); 2.º) que este estudio es especialmente fértil en la obra literaria; 3.º) que el habla literaria y la corriente son sólo grados de una misma cosa» (en *Poesía española. Ensayo de métodos y límites estilísticos*).

ESTILO. Entre las innumerables y no siempre coincidentes definiciones de estilo, se pueden elegir, como las menos polémicas las dos acepciones fundamentales de que parte Segre *(Principios de análisis del texto literario)*: «1) Conjunto de los rasgos formales que caracterizan (en su totalidad o en un momento en particular) el modo de expresarse de una persona, o el modo de escribir de un autor. 2) Conjunto de rasgos formales que caracteriza un grupo de obras, constituido sobre bases tipológicas o históricas.»

En una investigación de índole lingüística y semiológica se presentan distintas acepciones y explicaciones del estilo que, aun siendo *habla,* acto lingüístico individual, no puede ser creación *ex nihilo,* como piensa el idealismo, sino que se cimenta siempre e inevitablemente en el patrimonio común de la *lengua.* Pero ¿cuál es la relación entre estilo y lengua? Si se admite, siguiendo la teoría de Riffaterre, que existe una función estilística, su tarea será subrayar los rasgos significativos del mensaje, en oposición a la normalidad del contexto. Nos encontramos frente a una primera definición del estilo como «desviación» con respecto a la norma. Para Guiraud, Henry, Rosiello y otros, es posible medir objetivamente estas variaciones, aplicando un método estadístico. En particular, Rosiello intenta operar una síntesis entre lingüística, método estadístico y teoría de la información: «El concepto de estilo puede llegar a coincidir con el de información: un mensaje será más o menos informativo en tanto en cuanto que el sistema de combinaciones entre unidades sea más o menos previsible.» Frente al discurso normalizado de la comunicación habitual, el mensaje poético pone de relieve la arbitrariedad del signo. Nos preguntamos, sin embargo, si será posible medir los elementos pertinentes (que caracterizan el estilo) basándonos en su respetabilidad, o sea, con criterios estadístico-matemáticos, cuando un sólo elemento puede ser pertinente porque asume una función connotativa en la matriz del texto. Otra objeción que se puede oponer a esta definición del estilo es que el mensaje poético o, en general, literario no es sólo un hecho lingüístico, sino también y sobre todo un acto de escritura (V.); véase también la doble conclusión que, sobre la lengua literaria, plantea Lázaro Carreter en *Lengua literaria frente a lengua común* (en *Estudios de lingüística).* Parece más productivo considerar el estilo como lenguaje connotado, como interacción entre las formas del contenido y las formas de la expresión. El sistema formal (tanto sobre el plano temático como sobre el expresivo) procede de códigos y subcódigos históricamente determinados, de escrituras que se entrecruzan en la factura estilística de la obra: una perspectiva semiológica está interesada, pues, en reconstruir y estructurar el macrosistema del texto en sus componentes y, ocasionalmente, en señalar la desviación específica que existe entre una determinada realización y las instancias virtuales implícitas en la escritura o en el género al que se remite la obra. Como se ve, el concepto de desviación se recupera aquí de nuevo, pero en el seno del sistema literario (lengua, instituciones, escrituras, etc.), que es siempre un sistema «secundario» con relación al de la lengua (dicho en otros términos: está connotado culturalmente).

1. La descripción del estilo. La estilística (V.) y, en general, la crítica literaria formal y estructuralístico-semiológica se proponen describir los caracteres específicos de estilo de un texto o autor determinado, sin olvidar, como dice Segre en el libro citado más arriba, que en una obra —y más en un autor— hay varios *estilos* copresentes y armonizados. Todorov (en Ducrot-Todorov, *Diccionario*) distingue entre el plano del enunciado (V.) y el plano de la enunciación (V.), es decir, la transmisión puramente verbal del mensaje y el proceso que convierte en acto elementos no verbales (el emisor, el destinatario, el contexto). Por ejemplo, en el principio del capítulo V de la segunda parte del *Quijote*: «Llegando a escribir el traductor desta historia este quinto capítulo, dice que le tiene por apócrifo, porque en él habla Sancho Panza con otro estilo del que se podía prometer de su corto ingenio, y dice cosas tan sutiles, que no tiene por posible que él las supiese; pero no quiso dejar de traducirlo, por cumplir con lo que a su oficio debía», se efectúa una enunciación, que implica una llamada al destinatario como juez para que considere —de acuerdo con el traductor, más apócrifo que el capítulo— las cualidades de forma y de contenidos colocadas de ahí en adelante en boca de Sancho y, además, obligándole a compararlas con otras que se han dicho antes y que se dirán después, en otros capítulos que Cervantes no juzgue apócrifos.

El análisis del enunciado estudiará el estrato del significante, el morfosintáctico (se podrán observar los tipos de relaciones entre frases: lógicas, temporales, espaciales) y el aspecto semántico. Por ejemplo, el enunciado «Llegando a escribir el traductor desta historia este quinto capítulo, dice que le tiene por apócrifo» tiene un mínimo de representatividad frente a este otro enunciado: «El decir esto y el tenderse en el suelo todo fue a un mesmo tiempo; y al arrojarse hicieron ruido las armas de que venía armado, manifiesta señal por donde conoció don Quijote que debía ser caballero andante; y llegándose a Sancho, que dormía, le trabó del brazo, y con no pequeño trabajo le volvió en su acuerdo». En el primero no hay una referencialidad narrativa directa —más bien se niega—, dado que el autor —o traductor— da un juicio sobre el propio texto que va a trasladar: podemos notar también, en el plano semántico, la figura de ironía sobre la que está construido el párrafo entero. El mismo Todorov diferencia, en el estrato de la enunciación, el estilo (o discurso) valorativo, en el cual el narrador indica su opinión propia, juicio, valoraciones de carácter estético, ideológico, moral, etc.; el estilo (o discurso) emotivo que coloca el énfasis sobre el hablante (cfr. la función emotiva de Jakobson); el estilo (o discurso) modalizador, cuando el acento se pone sobre la verdad de la relación entre el texto y su referencia, desarrollando esta valoración mediante determinadas categorías lingüísticas: los verbos y los adverbios modales («poder», «deber», «quizá», «seguramente», «parece», «sin duda», etcétera).

De gran importancia, especialmente en el análisis de la narrativa, es la distinción entre estilo directo, indirecto e indirecto libre. El estilo directo es el modo de enunciación que implica directamente al emisor y al destinatario: en un relato, por ejemplo, los personajes que hablan entre sí o incluso con una especie de interlocutor ausente o en grado cero (soliloquio); es distinto el caso del monólogo interior (V.). El estilo indirecto es el modo del enunciado del discurso relatado *(dijo que...)*. El estilo indirecto libre (en alemán *erlebte Rede,* en inglés *represented speech, narrated monologue*) aparece como característico de la novela moderna: el narrador cede la palabra indirectamente a los personajes, «insertando en el relato, como parte integrante de él (y no sencillamente como monólogo "aparte") fragmentos del discurso» (Terracini, *Analisi stilistica. Teoria, storia, problemi*). Véase este fragmento de Güiraldes: «Carlos volvía a sus explicaciones. ¿Quién podía saber y en caso de saberlo atribuir nada malo a sus visitas a Lobos? Era puramente una satisfacción para el padre verle efectuar ese viaje a Inglaterra, donde a su juicio aprendería mucho estudiando los más reputados "Farms", en compañía de un hombre entendido. —Tres meses o cuatro... ¡me parece tan largo, Carlos!» Después de la primera frase, aun manteniendo el discurso en el plano de la tercera persona (indirecto, objetivo), el narrador cede la palabra a los personajes, sin recurrir al diálogo y sin servirse del estilo indirecto, introducido por un verbo declarativo y por alguna conjunción subordinante. Obsérvese cómo, en la última frase, al discurso indirecto libre se puede responder mediante el directo.

La intervención del narrador, en forma que podríamos denominar «enmascarada», se advierte en la variación de los modos y de los tiempos verbales, por ejemplo en los juegos de oposición indicativo-condicional, presente-futuro, pretérito indefinido-imperfecto. Véase este trozo de *La Regenta*: «Todas estas locuras las pensaba, sin querer, con mucha formalidad. Las campanas comenzaron a sonar con la terrible promesa de no callarse en toda la tarde ni en toda la noche. Aquellos martillazos estaban destinados a ella; aquella maldad impune, irresponsable, mecánica del bronce repercutiendo con tenacidad irritante, sin por qué ni para qué, sólo por la razón universal de molestar, creíala descargada sobre su cabeza. No eran *fúnebres lamentos,* las campanadas como decía Trifón Cármenes en aquellos versos del *Lábaro* del día, que la doncella acababa de poner sobre el regazo de su ama; no eran fúnebres lamentos, no hablaban de los muertos, sino de la tristeza de los vivos, del letargo todo; *¡tan, tan, tan!* ¡Cuántos!, ¡cuántos!, ¡y los que faltaban!, ¿qué contaban aquellos tañidos? Tal vez las gotas de lluvia que iban a caer en aquel *otro* invierno». Desde un punto de vista lingüístico, el párrafo se abre con tres frases que pertenecen al plano del enunciado, en cuanto que refieren unos hechos: la protagonista piensa, las campanas suenan, Ana se estremece. Pero en seguida comienza el discurso indirecto libre, de carácter metalingüístico, al insistirse y describirnos la traducción que Ana Ozores hace del mensaje recibido del tañer de las campanas y compararlo con otro mensaje, escrito con otro código —el verso: los *fúnebres lamentos*—. Pero en el texto se introducen factores de enunciado («la doncella acababa de poner sobre el regazo de su ama»), e incluso un fragmento en estilo directo *(¡tan, tan, tan!)*, que no se traduce directamente, pero que se descifra al hacerlo entrar en correlación —incluso gramatical, si lo entendemos como término de comparación— con el «¡cuántos!, ¡cuántos!», ya en estilo indirecto libre. Y es evidente la intervención del narrador en algunas calificaciones psicológicas anteriores al inicio del discurso *(terrible promesa)* o modalizadoras *(comenzaron a, acababa de)*, o emotivas *(tal vez,* las interrogaciones) y, sobre todo, valorativas.

2. Estilo y escritura.   Hemos definido el estilo, más arriba, como la expresión personal de un autor o como la fisonomía formal de una obra. Se puede hablar del estilo de Garcilaso, pero también del estilo de las *Soledades.* Hemos señalado también cómo existe una concepción más amplia del término, al referirlo a un determinado movimiento literario, a una escuela o, sin más, a un período artístico íntegro: se habla entonces del estilo de la escuela salmantina o de los poetas gongorinos, del estilo simbolista, modernista o parnasiano, del estilo barroco, neoclásico, romántico. Así en el área más general de las artes figurativas, de la música y hasta del adorno y de la moda la denominación de los diversos estilos sirve para indicar un complejo de caracteres específicos y constantes claramente identificables por referencia a algunos ideales estéticos o a tendencias precisas del gusto, de la cultura, de las convenciones sociales de una época determinada.

Recientemente se ha introducido el término de escritura (V.) como sustituto de estilo individual, con una señalada referencia al aspecto lingüístico, es decir, de las elecciones en el seno del código efectuadas por el escritor. En nuestra opinión es necesario precisar el carácter semiótico del concepto de escritura como conjunto de rasgos literarios y, por lo tanto, pertenecientes al sistema de la literatura y a sus códigos y subcódigos, que se reflejan en el estilo de un autor. Es evidente que cuanto más personal es la realización estilística de un texto, tanto mayor ha sido la elaboración y la transformación del modelo de escritura en cuyo ámbito se ubican tanto la obra como la poética del escritor.

Sin embargo, como señala Segre siguiendo a Bajtin, un texto, especialmente si es narrativo o dramático, puede ser estilísticamente —y escriturariamente— fragmentado, presentar una pluralidad de estilos, según quien hable, con los ojos de qué personaje se vean los hechos y los lugares en que se coloquen. El espectro crece más si pensamos en la posibilidad de que el autor cree uno a varios personajes-narradores situados en el interior de una misma obra. Por eso quizá sea preferible hablar de *los estilos* —o las escrituras— de una obra y ver cómo se conjugan para crear un estilo —o una escritura— individual coherente. Señalemos dos casos muy distintos: *Alfanhuí* y *El Jarama* —este último libro con muy diversos interlocutores— son coherentes entre sí; en el *Claroscuro* (y no es narrativa; es lírica) Juan de Mena enfrenta dos formas de escribir, la del arte mayor y la del arte menor, diversas. La unidad acaso se produzca por referirse obligatoriamente el escritor a una tradición codificada, o a una intertextualidad que evidencia, en la continuidad de una escritura personal, la novedad y cohesión de la obra que surge.

3. La clasificación de los estilos.   La retórica antigua consideraba al estilo separado del objeto específico o contenido, como una virtualidad de instrumentos expresivos adaptables a cualquier argumento según un complejo de normas rígidamente codificadas; se habla así de estilo ático, asiático, rodio, lacónico. El estilo no es tanto expresión personal como potencialidad formal abstracta y caracterizada por la observancia de unas normas determinadas. Desde este punto de vista, es de la máxima importancia la relación entre el escritor (o su obra) y los modelos fijados por la tradición, de tal forma que el valor de una obra depende de su conformidad con la norma. Como codificación de instrumentos y de ideales expresivos, la retórica tiende a convertirse en preceptiva, repertorio cerrado de esquemas distribuidos según los distintos géneros en verso o en prosa (V. GÉNERO LITERARIO).

Uno de los aspectos más característicos de la retórica antigua es la distinción de tres géneros de estilo, que se aplican sobre cualquiera de los cuatro que hemos reseñado arriba: sublime (o *gravis*), mediano (o *mediocris*) y bajo (o *humilis*), distinción que pasa de San Agustín y San Isidoro a las *artes dictandi et versificandi* medievales, que la codifican en la conocida *rota Virgilii*, en la que se ejemplifican, dependiendo de los tres estilos, unos campos léxicos que hacen referencia a los tipos de los personajes, sus nombres, los animales, los instrumentos, las plantas y los lugares en que se desarrolla la acción; la distribución de estilos, que ya no se emplea en literatura, se ha continuado en la paraliteratura: véanse los nombres, profesión, lugar, etc., que tienen, por ejemplo, los personajes de una novela rosa. La rota tiene como punto de referencia los tres poemas de Virgilio: *Eneida, Geórgicas* y *Bucólicas,* respectivamente. Para la retórica antigua los tres estilos deben quedar rigurosamente estancos, sin que se pueda mezclar el uno con el otro: los temas elevados, de carácter heroico, deben ser expresados en el *sublimis stylus*; los temas realistas o cómicos comportan el *humilis,* que puede llegar —Petronio o Plauto— a formas más populares que las estilizadas, no realistas, de las églogas virgilianas. El realismo antiguo, como ha señalado Auerbach, presenta una deformación cómica, sin profundizar en los problemas, porque el intelectual de extracción aristocrática no toma en consideración a las fuerzas sociales que están en la base de la representación (el pueblo, los campesinos, los esclavos, el trabajo, etc.). La *Ilíada* nos presenta como protagonistas reyes, príncipes, dioses, héroes que se enfrentan y combaten en memorables batallas en las que mueren incontables soldados, sin que el poeta se incline a contarnos su tragedia. El suceso de Tersites es sintomático: su peligrosa protesta es rechazada por Ulises, y Homero subraya el abismo que se abre entre los dos describiendo de forma cómica el aspecto deforme del peón y su frase vanidosa y estridente.

En la Edad Media la distinción entre los tres estilos es evidente en gran número de casos; pero el mismo Auerbach ha puesto de relieve cómo el cristianismo ha roto la tripartición canónica de los estilos, por el «escándalo» que supone el lenguaje bajo de la Sagrada Escritura, señalado ya por San Agustín: síntesis de lo sublime y de lo humilde ejemplificada por la encarnación y la pasión de Cristo, con las cuales el drama cotidiano del hombre asume un significado más profundo, la vida no se cierra en el breve lapso de la existencia mundanal, sino que la eternidad está presente como mensaje de juicio y de esperanza. Esto quiere decir que, para los escritores cristianos, que se contemplan en el modelo de la Biblia, toda la realidad tiene valor y es digna de ser representada artísticamente. Emblema de este cambio revolucionario de perspectiva es la *Divina Comedia,* obra maestra del realismo cristiano medieval, una de cuyas novedades estilísticas más importantes es precisamente la magnífica mezcla de los estilos tradicionales. A la extraordinaria variedad de los temas y de los personajes corresponde una excepcional inventiva imaginativa y estilística, que permite a Dante, por citar un único ejemplo, romper la tensión sublime del Paraíso con versos del tipo: *e lascia pur grattar dov'è la rogna* (XVII, 129: «que rascarse la sarna es cosa buena», trad. de A. Crespo), inimaginable en un autor clásico, como podría ser su maestro Virgilio.

ESTÍQUICA. Se denomina composición estíquica del poema a la no estructuración formal de éste en estrofas regulares, que se compone de una sucesión libre de versos semejantes. El primer ejemplo en la literatura española sería el de las tiradas que constituyen los cantares de gesta. Con la entrada del endecasílabo se recupera esta forma de composición, en Italia por imitación de los modelos clásicos (Virgilio), en España por la presencia de aquellos modelos y de los itálicos; ahora se emplea sobre todo el verso suelto: el primer ejemplo es la epístola de Garcilaso a Boscán. Luego se mantendrá la rima, pero se alternarán diferentes tipos de versos (endecasílabos y heptasílabos), pero con formas de agrupación libre: las *Soledades* gongorinas serían el mejor ejemplo de esta libertad de estructuración.

ESTRAMBOTE. Conjunto de versos que se suman a una composición poética que presenta una forma fija y cerrada, sobre todo al soneto. En este caso el estrambote consta ordinariamente de un heptasílabo que rima con el último verso del terceto final y de uno o dos pareados de endecasílabos. El ejemplo de todos conocido es el soneto *Al túmulo de Felipe II*, de Cervantes. En poesía contemporánea el estrambote puede adquirir una entidad mayor y distinta forma: véase el soneto de Antonio Machado *A un olmo viejo*.

ESTRIBILLO. Verso o conjunto de versos que se repiten total o parcialmente a lo largo de un poema de una manera regular. Muchas veces funcionan como *leitmotiv*. El estribillo caracteriza a ciertas formas de poema, como el cosaute, la cantiga de amigo, el villancico, el zéjel, la letrilla, etc. En algunas ocasiones, sobre todo en la poesía contemporánea, el estribillo reproduce estructuras más que palabras: véase, por ejemplo, «Tierra seca» de García Lorca, en el *Poema del cante jondo*. Algunas veces se llama estribillo al villancico (V.), entendido en su primera acepción.

ESTROFA. La estrofa es un módulo métrico institucional que constituye una unidad de orden superior a la del verso, al agrupar a varios de éstos según un esquema preestablecido en un determinado ámbito de convenciones métrico-literarias (variables históricamente). El modelo estrófico se define usualmente por el número y medida de los versos empleados, y también —es lo más frecuente en la lírica románica— por la clase y distribución de la rima: esta distribución acompaña, en principio, a una determinada organización del discurso poético. Se dice que una estrofa es isométrica cuando todos los versos que la componen tienen la misma medida o responden al mismo metro (así, las estrofas de arte mayor son isométricas aunque sus versos no tengan siempre el mismo número de sílabas); heterométrica en el caso contrario.

Hay también estrofas de formas fijas —pareado, cuarteto, redondilla, etc.—, mientras que otras poseen un esquema que permite un número diferente de versos en cada realización (canción, zéjel, villancico, etc.), y otras —la tirada, el «pie de romance»— son formantes de poemas. Por último hay algunos módulos estróficos que autonómamente puede constituir el poema (copla, redondilla, décima, soneto), frente a otras que exigen, con raras excepciones, su repetición periódica (terceto, lira, etc.).

ESTRUCTURA. La estructura es un sistema que está caracterizado por ser total, autorregulable y transformable de acuerdo con las reglas que ordenan el funcionamiento de los elementos y su relación recíproca. Para estos problemas V. ESTRUCTURALISMO, 1. La lengua puede ser considerada como un sistema estructurado en distintos niveles; a partir del análisis sincrónico de Saussure se define la lingüística estructural (V.) moderna, con sus diversas escuelas y tendencias. Particularmente, con Chomsky la gramática generativo-transformacional (V. LINGÜÍSTICA, 5) postula una diferencia entre la estructura superficial de la frase, o sea, la ejecución semántica y morfosintáctica, y su estructura profunda, es decir, la organización abstracta del enunciado anterior a la intervención de determinadas transformaciones que regulan el paso de la estructura profunda a la superficial.

En la metodología de la crítica literaria de inspiración semiológica, el texto puede considerarse como productividad sígnica, como operación escritural en distintos niveles, incluso inconscientes. La estructura profunda del texto recoge ocasionalmente los símbolos inconscientes que afloran en la estructura superficial (por ejemplo, en la *fabula*) gracias a la deformación del lenguaje poético (metáforas y metonimias, según Lacan). Para estos problemas véanse las voces: CONNOTACIÓN, FENOTEXTO; GENOTEXTO, INTERPRETACIÓN, ISOTOPÍA, NIVEL, PARALELISMO, SENTIDO, SERIE, TEXTO.

ESTRUCTURALISMO. Denigrado por muchos como ideología tecnocrática, exaltado por otros como el más importante descubrimiento epistemológico del siglo XX, el estructuralismo se ha impuesto a la atención de la cultura contemporánea por la multiplicidad y la fecundidad de sus aplicaciones en muy variadas ramas de la investigación científica, de la lingüística (V.) a la antropología, de la psicología al arte. Como primera aproximación, de carácter general, podríamos utilizar las palabras de Starobinski: «El estructuralismo no es más que una actitud dispuesta a considerar la interdependencia y la interacción de las partes en el seno de un todo. De aquí, su validez universal, que lo hace aplicable a la lingüística, a la economía, al arte, etc.; pero de aquí también la necesidad de precisar el programa del análisis estructural, por medio de un deslinde, de un método específico para cada disciplina, si es que no para cada objeto en particular.»

1. Estructuralismo y estructura. Es menester, por lo tanto, precisar el concepto de estructura, que ciertamente no es nuevo, pues ya Cicerón y Quintiliano hablaban de *verborum structura* y Ovidio de *carminis structura*. Se trata de acepciones muy genéricas, que remiten a una idea de ordenamiento, de disposición racional de los elementos en un todo único, de una organicidad que posee los caracteres de coherencia y unitariedad: baste pensar en una estructura arquitectónica. Munárriz, al traducir las *Lecciones sobre la retórica y las bellas letras* de Hugo Blair, dice: «Otra especie de belleza es la que resulta... de ver que las partes de una cosa corresponden al todo que se intenta. Cuando consideramos la estructura de un árbol o planta, observamos que todas sus partes, como raíces, tronco, corteza y hojas, están acomodadas al crecimiento y nutrimiento del todo: mucho más cuando examinamos todas las partes y miembros de un animal vivo, o cuando registramos una de las obras curiosas del arte... Cuando miro, por ejemplo, un reloj..., cuando examino la construcción del muelle y de las ruedas y alabo la belleza de la máquina interior, entonces el placer nace enteramente de ver el admirable artificio con que partes tan varias y tan complicadas se unen a un intento.» La única definición orgánica de estructura que anteceda al estructuralismo lingüístico (V. LINGÜÍSTICA) es la marxista, es decir, la base económico-social bajo la cual se sitúan las relaciones de clase y sobre la cual se erige el complejo mundo superestructural (del derecho a la cultura, de la moral al arte), condicionado históricamente por aquella base y en relación dialéctica con ella.

Piaget emprendió el examen comparado de distintas disciplinas científicas desde el punto de vista de las estructuras, cuyas características fundamentales serían la totalidad, las transformaciones y la autorregulación.

La faceta de la totalidad es la más evidente, porque una estructura no es un conglomerado de elementos independientes, sino un conjunto entrelazado, en que el cambio de un elemento comporta el cambio de todos los demás; la totalidad es la resultante de las relaciones que se establecen entre los elementos. La sincronía (V.) de un sistema estructural no excluye la exigencia de un desarrollo diacrónico (V. DIACRONÍA), como muestra la gramática generativo-transformacional de Noam Chomsky (V. LINGÜÍSTICA). Las transformaciones generan elementos que pertenecen siempre a la estructura y conservan las leyes de ella. De aquí se infiere la autorregulación de la estructura, que, sin embargo, no le impide formar parte como subestructura de una estructura más extensa. Escogiendo al azar entre los ejemplos aducidos por Piaget, recordaremos para las estructuras matemáticas la importancia del «grupo» de Galois, las «estructuras madres» del método de Bourbaki, las diversas estructuras de la lógica simbólica; en el campo de la física, la aplicación de estructuras matemáticas operativas; para la fisiología podrían servir de ejemplo las nociones de homeostasis o la de autorregulación; en el área de la psicología, la teoría de la *Gestalt,* imbricada en la idea de la totalidad perceptiva, y las teorías cognitivas del propio Piaget; en la sociología, la relación estructura-función en Parson, y para la filosofía los trabajos de los marxistas estructuralistas Althusser y Godelier.

Según Piaget, al que acompañan otros estudiosos, como Boudon, Eco, Wahl, el estructuralismo es una concepción epistemológica fundada sobre el concepto de modelo (o forma) evidenciable por abstracción y verificable operativamente. «El estructuralismo no genérico», dice Eco en *La estructura ausente,* «tiende a descubrir formas invariantes en el interior de contenidos diferentes», por lo cual «se puede hablar legítimamente de estructura únicamente cuando se ponen en juego más elementos de los cuales se pueda abstraer un modelo constante». Las estructuras, en resumidas cuentas, existen sólo gracias a las operaciones estructurantes del investigador que resuelve el objeto en un modelo.

El concepto de estructura en lingüística lo define lúcidamente Benveniste: «El principio fundamental es que la lengua constituye un sistema, en el que todas las partes están unidas por una relación de solidaridad y de dependencia. Este sistema organiza unidades, los signos articulados, que se diferencian y se delimitan mutuamente. La doctrina estructuralista enseña el predominio del sistema sobre los elementos, trata de aprehender la estructura del sistema a través de las relaciones de los elementos, tanto en la cadena hablada como en los paradigmas formales, y muestra el carácter orgánico de los cambios a que está sometida la lengua» (en *Problèmes de linguistique générale*).

2. Estructuralismo y literatura. Nos detendremos brevemente en las propuestas del estructuralismo en el dominio de la crítica literaria. Si una obra puede ser considerada como un sistema de estructuras, una estructura literaria será ante todo una producción lingüística que se relaciona tanto con la lengua (en un momento determinado de su desarrollo) como con la lengua literaria, que es un sistema peculiar de signos, caracterizado por determinados procedimientos de escritura (V.). El texto como sistema de estructuras no se referirá a un único código (V. COMUNICACIÓN) lingüístico (la *lengua*: V. LINGÜÍSTICA, LENGUA), que produce el valor denotativo-referencial del signo (V. DENOTACIÓN), sino a una variedad de códigos y subcódigos culturales a los cuales se remite el autor: las instituciones tradicionales de la literatura, como son los géneros, los procedimientos retóricos y estilísticos, las escrituras, etc. El texto asume, por consiguiente, un carácter fuertemente connotado (V. CONNOTACIÓN), y pone su mensaje en relación dialéctica con la lengua común y con el sistema literario general.

Las metodologías estructuralístico-semiológicas (V. SEMIOLOGÍA) se proponen descifrar la obra en su sentido global, delimitando el modelo interno y las complejas relaciones que se establecen entre los signos, tanto en el nivel de las formas del contenido como en el nivel de las formas de la expresión (V. FORMA). La investigación crítica puede seguir diversos caminos, según que considere la obra en sí, la obra en relación con el resto de la producción del autor, la obra en relación al sistema literario y a sus subsistemas (géneros, instituciones). El primer tipo de asedio, privilegiado por los formalistas (V. FORMALISMO), descompone la obra en los estratos estructurales que le son propios, para evidenciar las relaciones mutuas, intratextuales, y acercarse al modelo implícito. El segundo tipo de análisis se dirige a definir la relación entre el «microcosmos» (el texto) y el «macrocosmos» (la producción íntegra de un autor). La obra es una estructura respecto al sistema del escritor: de aquí, la posibilidad de examinar el sistema en función de la estructura, y a la inversa. En obras fuertemente estructuradas, como la *Divina Comedia,* es necesario con frecuencia para poder comprender el sentido de una unidad estructural (un canto, un episodio, un personaje, a veces una palabra) partir de un análisis sincrónico del sistema (la *Comedia,* una canción, un conjunto de cantos, etc.). El tercer tipo de análisis se inclina sobre la relación mensaje-código (V. COMUNICACIÓN): tiende a verificar la relación (y el «desvío») entre la obra, como conjunto temático, y las instituciones del sistema literario consideradas como codificaciones culturales peculiares (por ejemplo, los géneros).

3. Críticas al estructuralismo.   Las críticas de más relieve que se han alzado contra el estructuralismo (nos referimos fundamentalmente al campo literario) son de procedencia historicista y marxista. Petronio resume las siguientes reservas: el estructuralismo se basa en ideas platónicas, en arquetipos eternos, en estructuras inmutables; el estructuralismo conjura a la historia, el cambio, las transformaciones, antepone la sincronía a la diacronía, niega el devenir; el estructuralismo se aplica a construir modelos eternos y arquetípicos, de los cuales los «objetos» no serían más que manifestaciones: así, en el ámbito literario, los arquetipos serían preexistentes a las obras, reducidas a simples epifenómenos; el estructuralismo no sería más que la extrema manifestación idealista del cientificismo típico de la ideología tecnocrática y capitalista. Por cuanto algunas de estas observaciones son pertinentes, conviene precisar que el estructuralismo es una metodología que desemboca en una ciencia, la semiología o semiótica (V.), que estudia los sistemas de signos —entre los cuales están la cultura y el arte—, sin olvidar, como es obvio, las relaciones que tales signos establecen con la base social e histórica en la que se desarrollan. Son significativos a este propósito los análisis de los semiólogos rusos (Lotman, Uspenski, etc.) y las indicaciones teóricas de Mukarovsky.

ETHOS.   Para la retórica clásica, el *ethos* es un grado moderado de emoción con el que el orador busca conmover a sus auditores. Forman parte de este efecto emotivo la *delectatio,* la *voluptas,* el *placere,* condiciones todas favorables al logro del consenso, también alcanzable por el *ridiculum.* Un grado más violento de emoción es el *pathos,* capaz de suscitar efectos dramáticos y particularmente adecuado para el estilo elevado o grave.

Una definición muy diferente de este término se encuentra en Northop Frye y en el *New Criticism.* Para Frye el ethos es el contenido social interno de una obra literaria, y comprende las características de los personajes, el marco literario de la ficción y las relaciones entre el autor y su lector o su auditorio en su forma literaria temática. V. Frye, *Anatomie de la critique.*

ETIMOLÓGICA. V. FIGURA ETIMOLÓGICA.

ETOPEYA. En la retórica antigua es la descripción de las costumbres y rasgos morales de una persona (carácter, valores éticos, gustos, etc.). Azorín subtitula *etopeya* su novela *Félix Vargas* o *El caballero inactual*: el término se podría extender también a *María Fontán* o *Doña Inés*.

EUFEMISMO. El eufemismo es una figura de pensamiento con la que se atenúa o suaviza una expresión o palabra que designa algo molesto, crudo, inoportuno, etc. Es corriente en la lengua común: por ejemplo, *ya no está con nosotros, ha pasado a mejor vida, ha terminado de padecer, descansa en el Señor*, etc., son formulaciones eufemísticas del referente «morir». El eufemismo se sitúa entre las figuras que implican una equivalencia semántica, como la litotes, la perífrasis, la alusión, la hipérbole o, en el límite, la antífrasis (V.): los griegos llamaban Euménides (= benévolas) a las Furias. Con frecuencia es una sustitución lingüística debida a las conveniencias sociales que destierran el uso de ciertas palabras, consideradas impronunciables o tabúes: así, la pregunta *¿dónde puedo lavarme las manos?* sustituye al más real y crudo «¿dónde está el retrete?»; o la frase leída: *Los ricos se embriagan, los pobres nos emborrachamos.* A veces la sustitución eufemística responde a motivos políticos o de «ennoblecimiento» profesional: en la época de Franco los obreros se convirtieron en «productores», las comadronas en «profesoras en partos», etc.

El eufemismo está, por lo tanto, ligado a códigos precisos de comportamiento social —o a ideologías (V.)—, históricamente determinados (piénsese en los manuales de educación y en la anatematización de algunas palabras referentes al sexo). La violación sistemática de estos códigos comporta una especie de retórica del antieufemismo, por ejemplo en el uso del lenguaje vulgar, típico de los últimos tiempos, aceptado en el nivel literario incluso (y sobre todo) en obras ideológicamente conformistas. El antieufemismo, como rotura del lenguaje esperado, puede adquirir, sin embargo, valor estilístico significativo: véase la serie «Eros con bastón», de *Canciones* de Lorca, y especialmente el poema «En Málaga». Véase también DISFEMISMO.

EUFONÍA. Efecto musical agradable, armonía producida (especialmente en la poesía) por los valores tímbrico-melódicos de las palabras. Es el término contrario a cacofonía (V.).

EUFORIA. Estado positivo y feliz. V. DISFORIA.

EX ABRUPTO. Presentación inesperada e imprevista de un hecho o de un personaje. Fontanier *(Les Figures du discours)* llama abrupción al trozo de diálogo inserto, de modo brusco e imprevisto, en un contexto narrativo sin recurrir al verbo *dicendi* introductorio que es normal. Como ejemplo de un principio ex abrupto véase *La calle de Valverde* de Max Aub.

EXCERPTA. Trozos de una o varias obras de un autor publicadas separadamente.

EXCLAMACIÓN. Forma típicamente emotiva del lenguaje con la que se expresan los más diversos sentimientos, con un cierto énfasis subrayado por la entonación y por el signo diacrítico de la exclamación. Ejem.: *¡Avisad a los jazmines / con su blancura pequeña! / ¡Que no quiero verla!* (García Lorca). Lorca consigue efectos estilísticos remitiendo las exclamaciones (función emotiva) a una función referencial, al suprimir el signo diacrítico. Ejem.: *¡Cómo temblaba el farol! / Madre. / ¡Cómo temblaba el farolito / de la calle! / Suben por la calle / los cuatro galanes, / ay, ay, ay, ay.*

EXCURSUS. V. DIGRESIÓN.

EXÉGESIS. V. COMUNICACIÓN, 2; INTERPRETACIÓN.

EXEMPLUM. Tipo de relato medieval, en latín o en lengua vulgar, cercano por su construcción y finalidades a la fábula o el apólogo (V.). Battaglia lo hace depender del concepto griego de *parádeigma,* estudiado por Aristóteles, y especializado en el medioevo en el sentido de un relato que tiene un valor ejemplar absoluto, de testimonio o prueba válida para todos los hombres, sin ser en sí mismo «ni moral ni inmoral; es sólo una indicación, una muestra del bien y del mal que cohabitan en la experiencia de los hombres» *(L'esempio medievale).* Welter *(L'Exemplum dans la littérature religieuse et didactique du Moyen Âge)* señala que el *exemplum* es «un relato o una historia, una fábula o una parábola, una moralidad o una descripción que puedan servir de prueba en apoyo de un discurso doctrinal, religioso o moral. [...] Tenía que contener tres elementos esenciales: un relato o una descripción, una enseñanza moral o religiosa y una aplicación de esta última al hombre». El ejemplo alcanza su mayor perfección literaria en *El Conde Lucanor.*

EXORDIO. En la oratoria clásica, el exordio es la parte inicial del discurso en la que se busca, sobre todo, predisponer al auditorio hacia una benévola atención. Tras el exordio se desarrolla el núcleo del discurso, constituido normalmente por la *propositio* (breve resumen de las tesis que se van a demostrar), por la *narratio* (relato de los hechos y de las circunstancias), por la *argumentatio* (exposición de las pruebas). La parte final o peroración es la *conclusio* del discurso, ocasionalmente construida sobre una breve recapitulación de las pruebas. Véase también *dispositio*. En sentido amplio, el exordio es el comienzo de una trama, al proemio de un poema épico, en el que el escritor, en la proposición, resume el argumento del relato: en la *Grandeza Mexicana* de Balbuena, la octava de exordio servirá, verso a verso, de epígrafe para cada uno de los ocho cantos, escritos en tercetos, que conforman el poema. El exordio es también la apertura, muy variada, de una obra narrativa, en la que el escritor —o el narrador, si es distinto al escritor— puede anticipar algunos temas o problemass o situaciones del desarrollo de la historia. Es en la carta-prólogo, construida, como señala Rico, según los esquemas del exordio clásico, donde Lázaro nos dice que su propósito es contar a vuesa merced el «caso»; también en *Don Segundo Sombra* el inicio de la obra nos da cuenta de que todo va a ser una mirada hacia atrás y desde una posición social y cultural del narrador completamente distinta, y aun opuesta, a aquella en que suceden los hechos novelados. En algunos exordios, el autor busca un contacto con el destinatario, solicita la atención, explica que se adapta o rompe con las expectativas conexas a algunos modelos estereotipados de género literario.

EXPANSIÓN. En lingüística la expansión es todo término o grupo de términos que puede ser suprimido en una frase sin que ésta deje de serlo y sin que se modifiquen las relaciones sintácticas entre los elementos preexistentes. Ejem.: *Luis corre.* Expansiones: *Luis, aquel gamberro, corre que levanta los adoquines por la calle principal del pueblo.*

En el análisis estilístico de un texto se pueden caracterizar como expansiones todas las formas de iteración semántico-sintáctica que dependen de un término base, por ejemplo, las enumeraciones, las acumulaciones nominales, las reduplicaciones, etc. Por ejemplo, los versos de Antonio Machado: *Allá, en las tierras altas, / por donde traza el Duero / su curva de ballesta / en torno a Soria, entre plomizos cerros / y manchas de roídos encinares...* están construidos en forma de expansiones sucesivas, cada vez más precisas, del *Allá* inicial.

EXPLICIT. Voz latina (se opone a *implicit*) con que se denominan las palabras finales de un texto. Ejem.: *El explicit de las oraciones es Amén.* El *explicit* de *Los milagros de Nuestra Señora* de Berceo (*Madre, del tu Gonzalvo sei remenbrador / que de los tos miraclos fue enterpretador...*) ha servido para recolocar el de Teófilo al final de la colección en las últimas ediciones.

EXPRESIÓN. Según Hjelmslev (V. LINGÜÍSTICA, 3) la comunicación lingüística es una estructura de sonidos específicos o significantes que comportan determinadas estructuras de significados. El mensaje es analizable tanto desde el punto de vista de la expresión como desde el del contenido. La expresión y el contenido son analizables posteriormente como sustancia y como forma. La sustancia de la expresión, sonora o visible, según el código oral o escrito, es la masa fónica o gráfica en la que se manifiesta la forma de la expresión, es decir, los elementos morfofonológicos de una lengua dada. La sustancia del contenido es la semántica como estudio de las entidades conceptuales o culturales, mientras que la forma del contenido es la organización estructurada de los significados.

En lo que se refiere a la literatura, es posible estudiar el concepto de signo, propuesto por Hjelmslev, y su correspondiente distinción entre valor denotativo y valor connotativo (V.), en una teoría semiológica que investigue el sentido de un texto como sistema formal tanto en el plano de la expresión (V. ESTILO) como en el de los contenidos. El sentido no depende exclusivamente de los significados, sino de la relación activa y actuante entre significantes y significados, esto es, de la correlación entre formas de la expresión y formas de los contenidos. (V. TEXTO).

El análisis de la forma de la expresión ha de unirse, en el discurso poético, al nivel prosódico, o sea a las manifestaciones suprasegmentales del texto y a los moldes convencionales (metro, ritmo, rimas, estrofas, etc.) que organizan o modelan el nivel semántico sintáctico. En la zona de la narrativa la forma de la expresión atañe no sólo a las manifestaciones sintagmáticas y transfrásticas, sino también a las delicadas manipulaciones expresivas que surgen del punto de vista del narrador (V. DISCURSO, ESTILO).

EXTRAÑAMIENTO. El extrañamiento es, para los formalistas rusos (V.), el procedimiento estilístico mediante el cual el artista nos ofrece una percepción inédita de la realidad, desautomatizando el lenguaje, deformando los materiales que lo componen, dislocando semánticamente la expresión. Para Shklovski la forma artística no es nada más que una suma de procedimientos: el *priom ostraneya,* el efecto de extrañamiento, convierte a la imagen en nueva, imprevisible, distinta de la percepción común o trivializada. Jakobson dirá que, mediante el extrañamiento, «la palabra se siente como tal palabra y no como simple sustituto del objetivo designado ni como explosión emotiva».

EXTRATEXTUALIDAD. En un acercamiento primario, puede considerarse extratexto todo lo que materialmente es exterior a la obra: referencias histórico-culturales, detalles biográficos, propuestas e intenciones de poética, etc. Genot se refiere explícitamente a la ideología o cultura de una época. En este sentido, el concepto de extratexto (o extratextualidad) llega a coincidir con el de serie extraliteraria (V. FOR-

MALISMO, SERIE), en la pluralidad correlativa de sistemas de valores (histórico-culturales, sociales, religiosos, filosóficos, etc.) que denotan a una personalidad artística bien caracterizada. La obra no existe si no se cuenta con el discurso literario mediante el cual es comunicada. «Todo el conjunto de códigos artísticos formados históricamente, ese conjunto que hace al texto significativo, se refiere a la esfera de los vínculos extratextuales» (Lotman). La obra, por tanto, se caracteriza como un sistema de elecciones operadas en un conjunto de elementos extratextuales que constituyen el sistema de la literatura o el discurso literario. Se constituyen así varios niveles extratextuales: desde la serie histórico-cultural o los códigos artísticos hasta el extratexto más directo, que es la producción específica de un autor al relacionarla con la obra que se estudia. Por ejemplo, la reciente edición de las *Suites* lorquianas han iluminado algunos aspectos oscuros del *Poeta en Nueva York* o del *Diwán del Tamarit*.

La relación entre estructuras textuales y extratextuales han sido consideradas de forma muy distinta por la crítica sociológica y por la semiológica. Para Goldmann el influjo dominante procedería del grupo intelectual del que el autor forma parte, de manera que la obra literaria representará de forma coherente la ideología social de una clase o de una parcela homogénea de ésta. La homología, sin embargo, no siempre se puede establecer directamente: es preciso tener en cuenta la función mediadora y transformadora que ejercitan las instituciones literarias —los géneros, por ejemplo— en la invención de una obra o en su fruición; ni pueden olvidarse tampoco otros obstáculos que hacen problemática cualquier extrapolación sociológica desde el área específica de la literatura: la presencia de lo imaginario, entre obra y autor, entre obra y realidad, los caracteres utópicos (progresistas o reaccionarios) conexos a la visión de la vida de cada escritor.

En la perspectiva semiológica se plantea el problema de la interserialidad, es decir de la relación entre serie literaria y serie extraliteraria, sobre el cual ha trabajado sobre todo Mukarovski. En cuanto que es signo comunicativo, el texto se ubica en el sistema de la literatura como individualidad (o valor) interrelacionada, i.e. en correspondencia con otros textos: la intertextualidad (V.) es un factor primordial tanto en la génesis como en la manifestación y disfrute de la obra. La remisión del escritor a una tradición, a unas fuentes, a ciertos topoi, a géneros o modelos, etc., implica una transcodificación que está siempre históricamente determinada (piénsese en la relación entre el mundo pastoril del romancero nuevo —y de algunos textos afines— y el género bucólico de la Arcadia); de este modo, el extratexto histórico-cultural actúa como acicate innovador o, a lo menos, modificador en la operación literaria; por lo tanto debe ser considerado en función de la especificidad del texto y no a la inversa.

FABLA. Convención idiomática, remedo de la lengua medieval, con la que en algunos romances nuevos y en el teatro del Siglo de Oro se hacía hablar en ocasiones a personajes históricos.

FÁBULA. 1. El término *fabula* fue puesto en circulación por los formalistas rusos (V.) para indicar, en el análisis de un texto narrativo, una peculiar modalidad de presentación o consideración del contenido temático de una obra narrativa, en un modo especial de ligarse las unidades-motivo de la obra. Segre *(Principios de análisis del texto literario)*, apoyándose en Tomachevski, establece la relación entre *fabula* y trama. De las palabras del crítico ruso («Asociándose entre sí, los motivos forman los nexos temáticos de la obra. Desde este punto de vista, la *fabula* es un conjunto de motivos en su lógica relación causal-temporal, mientras que la trama es el conjunto de los mismos motivos en la sucesión y relación en que son presentados en la obra») el crítico italiano induce que «en la *fabula* se parafrasea el contenido narrativo, observando el orden causal-temporal que a menudo se altera en el texto; la *trama (sjužet)*, por el contrario, parafrasea el contenido manteniendo el orden de las unidades presentes en el texto». Es, pues, una doble paráfrasis lo que se produce, no dos momentos en la creación y en la lectura; como señala Eco *(Lector in fabula)* la fábula es una isotopía narrativa que se construye en el estrato de abstracción que se considera [subjetivamente] más fructífero y que, por lo tanto, si se considera ajena a la trama puede conducir a interpretaciones parciales de la obra literaria. Por eso no hay que olvidar que, en el estrato de la trama, la narrativa ha infligido siempre transformaciones y manipulaciones sobre la *fabula* (analepsis, prolepsis, tramas múltiples, relatos intercalados, etc.).

Segre, relacionando el texto narrativo con el emisor y el destinatario, con el texto y con el contexto cultural, analiza cuatro niveles diferentes que se dan unidos en la obra narrativa. La diferenciación y relación se pueden materializar en el siguiente modelo:

Texto   Contexto cultural

Receptor

1. Discurso   1. Lengua (incluidas retórica,
                                            métrica, etc.)

2. Trama   2. Técnicas expositivas.

3. *Fabula*   3. Materiales antropológicos.

4. Modelo narrativo   4. Conceptos clave y lógica de
                                            la acción.

Emisor

El discurso es el texto narrativo significante (podríamos definirlo como la narración o la forma de la expresión); la trama es la construcción, elegida por el autor para representar los acontecimientos; la *fabula* es una abstracción del lector, que confronta el orden «natural» de los motivos con el «artificial» de la escritura literaria, haciendo constar los procedimientos empleados por el escritor para distribuir estéticamente los acontecimientos (trama) y construir la obra; el modelo, por último, es «la forma más general en que un relato puede ser expuesto conservando el orden y la naturaleza de sus conexiones».

2. Se llama fábula a un tipo de poemas que, desde perspectivas no épicas, sino fundamentalmente líricas o meramente retóricas, adelgazando la narración hasta dejarla en los mejores casos en un simple hilo conductor, reproducen asuntos procedentes de la mitología o tratan, de acuerdo con aquella matriz, modelos inventados o procedentes de otras fuentes. Así, Alberti pudo recoger una preciosa antología de este tipo de poemas o pudieron ser historiados y estudiados por José María de Cossío *(Fábulas mitológicas en España).* El género ha sido empleado en la poesía contemporánea: recordemos la *Fábula de Equis y Zeda,* de Gerardo Diego, o la *Fábula y rueda de los tres amigos* de García Lorca.

3. Se denomina también fábula a una composición breve, constituida en la mayor parte de los casos por un solo episodio —alguna vez dos, fuertemente ligados— que puede estar compuesta en prosa o verso, cuyos protagonistas son animales o seres inanimados, y que comporta un propósito moral o ideológico (V. IDEOLOGÍA). La fábula literaria se termina casi siempre por unos pocos versos o palabras, de carácter gnómico, que constituyen la moraleja. En las literaturas occidentales los orígenes del género pueden situarse en Esopo y Fedro, que tuvieron gran difusión en la Edad Media (los *Ysopetes,* historiados o no) y, en la Península, entraron en relación con una tradición oriental a través de libros como la *Disciplina clericalis* o el *Calila e Dimna:* citemos las fá-

bulas incluidas en el *Libro de buen amor*. La fábula, olvidada como género en el Renacimiento, se volvió a cultivar en el siglo XVII francés (La Fontaine) y en el XVIII español, con finalidad moralizadora (Samaniego) o didáctico-satírica (Iriarte). No olvidada en el XIX (Harzenbusch, Campoamor, Príncipe fueron sus principales cultivadores), sus formas, con intención irónica, han sido rescatadas hoy. Piénsese en las *Fábulas* de Luis Goytisolo o en *Bestiario* de Arreola.

Los límites entre fábula, apólogo, exemplum medieval y algún tipo de cuento popular no están bien definidos: véase Daniel Devoto: *Introducción al estudio de Don Juan Manuel*, §§ 6 a 20.

4. Si la palabra fábula aparece acompañada del adjetivo milesia, nos referimos a un relato antiguo de carácter inmoral. Así, el famoso de *La matrona de Efeso* del *Satyricón* o los introducidos en *El asno de oro* de Apuleyo.

FÁBULA. V. TRAMA, NARRATIVA.

FALDA. Llama así Dorothy C. Clarke a los pareados que, esporádicamente, pero con función delimitadora, aparecen en un poema escrito en versos sueltos. El más claro ejemplo y mejor estudiado es el del *Arte nuevo de hazer comedias* de Lope, en que la finalidad de la falda es múltiple y polivalente. Véase Juan Manuel Rozas, *Significado y doctrina del «Arte nuevo» de Lope de Vega*. La aparición de rimas puede suceder también en prosa: Daniel Devoto la ha señalado en el *Guzmán de Alfarache*.

FANTÁSTICO. Lo fantástico, dice Todorov (*Introducción a la literatura fantástica*), es un género narrativo que se mueve entre la representación de la realidad extraña y la de lo maravilloso. Lo fantástico se articula sobre una duda planteada y mantenida por el narrador y comunicada al narratario —y al lector— acerca de la realidad o irrealidad de lo narrado. Citemos, como ejemplo de este tipo de literatura, *Las babas del diablo* de Julio Cortázar.

FARSA. Como indica su nombre latino, o el español, que tiene exactamente el mismo valor, la farsa es un relleno, una mezcolanza de motivos diferentes —como la antigua *satura* (V. SÁTIRA) o la ensaladilla de los pliegos sueltos— organizados ahora en una estructura teatral de carácter cómico. Continuando, acaso, los juegos de escarnio y algunas posibles representaciones carnavalescas, con asuntos de carácter realista —en el sentido retórico medieval de la palabra— que recuerdan a los personajes y temas de los *fabliaux*, la farsa como tal surge en Francia a mediados del siglo XV: son obras escénicas breves, situadas al margen de las fiestas religiosas y de sus manifestaciones escénicas (misterios, milagros y moralidades), que crecen en ambientes estrictamente populares. Y están ligadas con lazos muy estrechos a los demás géneros «bajos», en estilo *humilis* (V. ESTILO, CARNAVAL), como la comedia, la sátira, las composiciones goliardescas, etc., con las que sostienen una delimitación muy lábil y, por lo tanto, no muy bien definida. Cuando de Francia pasa a España, Lucas Fernández hace el equilibrio denominativo de llamar a alguna de sus obras *Farsa o cuasicomedia*, Juan del Encina llama farsa a su *Plácida y Vitoriano* y Gil Vicente extiende el nombre, oponiéndolo ahora a auto: quizá se destaque así la ausencia de elementos religiosos, o la aparición de elementos caricaturescos; pero tampoco este concepto aparece claro si pensamos en algunas farsas de López de Yanguas o de Diego Sánchez de Badajoz, que nos dejan perplejos en cuanto al contenido o forma del género en los orígenes del teatro en el occidente de la Península. Perdido el término —lo utiliza Molière y alguna obra francesa del teatro de feria del siglo XVIII—, vuelve a recuperarse en la segunda década del siglo XX para denominar tanto en Italia como en Francia o en España, a un tipo de obras en que la realidad se deforma estilizándola, haciéndola grotesca o carnavalizándola. Quizás el primero que intente este subgénero, aunque no utilice el nombre, sea Jarry, y tras él, Chiarelli y Crommelynck. En España hacen farsas, con este nombre, Valle-Inclán: *Farsa italiana de la enamorada del rey*, *Farsa infantil de la cabeza del dragón*, *Farsa y licencia de la reina castiza* (llamamos la atención por el empleo de la palabra «farsa» en primer lugar, y hacia el complemento que la acompaña), como camino necesario para el esperpento, Jacinto Grau y Federico García Lorca (*La zapatera prodigiosa. Farsa violenta*; los dos *Títeres de Cachiporra*), también como camino para su teatro posterior.

FÁTICA (Función). La función fática concierne a la relación entre el emisor y el destinatario en la comunicación (V.) a través del canal. Son ejemplos puros de función fática las formas que sirven para abrir o cerrar el contacto (al descolgar el teléfono: *¿Diga? ¿Con quién hablo?*), para comprobar la continuidad de la comunicación (*¿Me oyes?; ¿entendéis?*) o para darla por concluida (en un discurso: *He dicho*). Malinovski —y de él toma el término Jakobson— llama también fática a la comunicación mantenida sin que importe el mensaje transmitido: fórmulas de cortesía, conversaciones sobre el tiempo, etc.

En un nivel artístico se podrían considerar como basadas en la función fática algunas obras de Ionesco, en las que el autor quiere poner de evidencia la trivialización de los discursos (V. *La cantante calva*); también alguna parte de los diálogos entre Vladimiro y Estragón en *Esperando a Godot*. Especial atención merecen los procedimientos que, insertos en un texto, sirven en un momento determinado para acrecer la atención del destinatario hacia el trozo de mensaje que va a venir a continuación: *Fablava mio Cid commo odredes contar*.

FEED-BACK. La palabra inglesa significa «retroalimentación» y designa al elemento informativo que se dirige hacia atrás modificando al sistema que lo ha producido. La comunicación normal prevé también el efecto regulador del *feed-back,* por ejemplo en la intervención del receptor que confirma haber comprendido un concepto determinado y, en general, en todos los modos, directos o indirectos, que permiten comprobar los efectos de la comunicación sobre los destinatarios.

FÉNIX. Palabra que no tiene ninguna otra que rime en consonante con ella. Martín de Riquer da como ejemplo la propia palabra «fénix».

FENOTEXTO. Usa el término el grupo de la revista francesa *Tel Quel* y particularmente Julia Kristeva, y lo usan en relación con genotexto: el primero es la superficie fenomenológica del enunciado o del texto basada en un código, es decir, manifiesta en las estructuras lingüísticas; el segundo es la operación con la que se genera el fenotexto, la complejidad indiferenciada (el «volumen») de los significantes y de los significados (V. Kristeva: *Semiótica,* cap. «El engendramiento de la fórmula»). El genotexto es el «lugar de estructuración del fenotexto, pero también el lugar sobredeterminado del inconsciente, en el espacio bisagra en el cual puede sorprenderse la significación como práctica, porque es aquí donde se articula el sujeto de la enunciación. Como tal, el genotexto es un territorio heterogéneo: por una parte, campo verbal (signos y articulaciones de signos); por otra, campo de la práctica del sujeto enfrentado a lo "otro" y al objeto» (Kristeva).

En la teoría de la *nouvelle critique* estas ideas están ligadas estrechamente, e incluso dialécticamente, al pensamiento psicoanalítico de Jacques Lacan; de ahí procede la importancia del genotexto o texto profundo como lugar de la sobredeterminación inconsciente de los signos que se manifiestan (y se ocultan) en las estructuras lingüísticas del fenotexto. Véase Ducrot-Todorov, *Diccionario,* s.v. *Texto,* en Apéndice; Kristeva, cit. arriba y *La révolution du langage poétique*: A. Préliminaires Théoriques, 12.

FIABA. V. CUENTO POPULAR.

FIGURA. La teoría de las figuras constituye el centro de atención de la retórica clásica, entendiendo por figuras las formas expresivas peculiares que son usadas sobre todo por los poetas y, por eso mismo, se consideran como una desviación con respecto al lenguaje normal. Pero la paradoja de la retórica, como dice Genette —y véase también Lázaro: *Lengua literaria frente a la lengua común—,* consiste en que las figuras son abundantísimas también en la lengua usual, con lo cual parece que la desviación es absolutamente normal. Incluso, como se señala en el

FIGURA 165

Diccionario de Ducrot-Todorov, se puede observar cómo no todas las figuras consisten en una desviación: no la hay en el asíndeton o en el polisíndeton; en nuestra lengua es difícil señalar los límites del hipérbaton. Por otra parte, como dice Lázaro Carreter, es casi imposible definir la norma con respecto a la cual se efectúa la desviación. Así pues, no parece excesivamente productivo contraponer, como lo hace Cohen, el estatuto de la figura al de un tipo distinto de discurso, por ejemplo, la prosa científica: no se comprende por qué una clase de discurso deba considerarse no en sí mismo, sino como norma frente a otro preconcebido como desvío. Análogos problemas se encuentran en la definición de estilo (V.).

Aparece como más ventajoso, en una perspectiva neorretórica, caracterizar a la figura «como distancia existente entre signo y sentido, como espacio interno del lenguaje» (Genette, *Figures I*). Para que *vela* sea entendido como término figurado es necesario el conocimiento de su relación *in absentia* con *nave*: de la correlación entre los dos signos nace la sinécdoque, en cuanto que *vela* sustituye a *nave* como parte de un todo. La figura es un proceso basado en la connotación, y como tal implica la conciencia de la ambigüedad del lenguaje y, en particular, del discurso literario: *vela* es polisémico porque se refiere literalmente a sí mismo (denotación) y, figuradamente a la nave a través de una motivación (aquí, la parte por el todo) que es el germen de la figura. La retórica es un código institucional de la literatura que no sólo —ni en primer lugar— tiene la tarea de inventariar las figuras, sino la de atribuirles un valor específico de connotación. «Cada vez que el escrito emplea una figura reconocida del código, requiere a su lenguaje no sólo para "expresar su pensamiento", sino también para anunciar una cualidad épica, lírica, didáctica, etc., para designarse a sí mismo como lenguaje literario y para dar seña de literatura. Por eso, la retórica se preocupa muy poco de la originalidad o de la novedad de las figuras, que son cualidades de cada palabra en particular y por este motivo no le conciernen... En último extremo, su ideal sería organizar el lenguaje literario como una segunda lengua en el interior de la primera, en la cual la evidencia de los signos se impusiese con la misma incidencia que tiene en el sistema dialectal de la poesía griega, donde el empleo del dialecto dórico significa, por su sola presencia, *lirismo,* el del ático *drama,* el del jónico-eólico *epopeya.* Para nosotros, actualmente, la actuación de la retórica no tiene ya, en su contenido, más que un interés histórico (por otra parte, minusvalorado). El pensamiento de resucitar su código para aplicarlo a nuestra literatura sería un anacronismo estéril... La función autosignificante de la literatura ya no pasa a través del código de las figuras, y la literatura moderna tiene su propia retórica que es justamente, al menos por ahora, el rechazo de la retórica» (Genette, *ibid.*).

1. La clasificación tradicional de las figuras. El problema fundamental de la retórica, desde la antigüedad hasta el siglo XVIII, consistió en la identificación y catalogación de las figuras. No es posible trazar un esquema unitario y válido para todos los teóricos y todas las épocas, teniendo en cuenta la proliferación de géneros y especies reconocidos en cada uno de los numerosísimos manuales (baste con pensar en los del barroco, en Gracián y en su *Agudeza*), pero podemos reconocer en casi todos ellos al menos las siguientes categorías (y cfr. Quintiliano, VII, 6 y IX):

a) figuras de pensamiento: conciernen a un enunciado completo, en su conformación creativa e imaginativa; son la prosopopeya, el apóstrofe, la interrogación, la imprecación, la exclamación, el epifonema, la reticencia, la preterición, la ironía, la perífrasis, la hipotiposis, la antítesis;

b) figuras de significación o tropos: conciernen al cambio de sentido de las palabras: son la metáfora, la metonimia, la sinécdoque, la antonomasia, la hipérbole, la litote;

c) figuras de dicción: consisten en la modificación de la forma de las palabras: apócope, paragoge, aféresis, metátesis, etc.;

d) figuras de elocución: conciernen a la elección y variedad de las palabras más adecuadas: son el epíteto, la repetición (con todas sus posibilidades), la sinonimia, el asíndeton, el polisíndeton, la amplificación, etcétera;

e) figuras de construcción: estudian el orden de las palabras en la frase; son el quiasmo, la anáfora, el hipérbaton, la elipsis, el zeugma, etcétera;

f) figuras de ritmo y melodía: se interesan particularmente de los efectos fónicos: son la onomatopeya, la armonía imitativa, la aliteración, etcétera.

En la actualidad, estas clasificaciones y otras similares nos parecen poco satisfactorias e incluso arbitrarias. La diferenciación lógica de las figuras implica numerosas características internas. Así Fontanier enumera, sólo en lo que se refiere a las metonimias, las de causa (*Eros* por *amor*), las de instrumento (*pluma* por *escritor),* las del continente (*vaso* por *vino*), las de origen (*el Pórtico* por el *estoicismo*), las de signo (*trono* por *monarquía*), las del cuerpo (el *corazón* por el *amor*), las del protector (*mis lares* por *mi lugar natal*), las de la cosa *(espada* por el torero que la usa, *matador*). Genette recuerda la tentativa del cartesiano Lamy de dar una explicación psicológica de las figuras, intentando encontrar en cada una de ellas el «carácter» de una pasión (el hipérbaton representaría a la emoción que subvierte el orden de las cosas, y por lo tanto también de las palabras).

2. Tipologías modernas. Se han intentado clasificaciones y definiciones actualizadas de las figuras, basándose, para lograr una coherencia mayor

FIGURA   167

del sistema, en la consideración de la estructura lingüística en la que se realizan aquéllas.

El primer trabajo ha consistido en delimitar los rasgos constitutivos de los procedimientos literarios y estudiar los que forman cada una de las figuras, pues, como subraya Dupriez —y tras él asoman los trabajos de la escuela de Quebec—, «un rasgo no es exclusivo nunca de la figura que define: el quiasmo presenta un punto común con el paralelismo (miembros sintácticamente similares), otro con la inversión (orden invertido de los términos)... Si se considera la totalidad de los rasgos necesarios para la definición de las figuras (una sesentena) y sus posibilidades combinatorias (millones) se comprende que Lamy haya podido pensar que *el número de las figuras es infinito*». Por eso, lo que hoy parece posible es la redacción de una retórica de los semas (los sememas —el léxico— son demasiado grandes), que podría ser verdaderamente sistemática. Distintos esfuerzos se han hecho en este sentido y parecen dar sus frutos: Greimas, Genette, Ducrot, el grupo μ, los lingüistas de Lyon, los del grupo D.I.R.E. de Montreal, el grupo de Lieja, distintos acercamientos desde la semiótica se ocupan de estos problemas.

Acaso la tentativa más ambiciosa de una clasificación total de las figuras con apoyo en aspectos lingüísticos sea la debida al llamado «grupo μ», formado por Dubois, Edeline, Klinkenberg, Minguet, Pire y Trinon (cfr. *Rhétorique générale,* París, 1970). Considerando las figuras como un efecto de transformación del lenguaje, los estudiosos de este grupo distinguen:

a) metaplasmos, modificaciones de palabras y de elementos inferiores a la palabra desde el punto de vista de la expresión;

b) las metataxis, esto es, las transformaciones formales de la estructura de la frase;

c) los metasememas, las modificaciones de las palabras en cuanto a su significado;

d) los metalogismos, las modificaciones del valor lógico de la frase.

Las figuras se distribuyen en estas cuatro áreas mediante cuatro operaciones lógicas: la adición, la supresión, la supresión-adición y la permutación.

Se producirán así las siguientes figuras de tipo A (metaplasmos: operaciones morfológicas):

aféresis, apócope, síncopa y sinéresis cuando la supresión es parcial; el espacio en blanco cuando la supresión es total;

la prótesis, diéresis, epéntesis, paragoge, cuando la adición es simple; reduplicación, insistencia, rima, aliteración, paronomasia cuando la adición es repetitiva;

el equívoco y el calambur cuando la supresión-adición es parcial; los arcaísmos, los neologismos, cuando es completa;

el anagrama, la metátesis son resultado de permutaciones.

Figuras de tipo B (metataxis: operaciones sintácticas): el trunca-miento de la frase cuando la supresión es parcial («Por la puente, Juana»); la elipsis, el zeugma, el asíndeton y la parataxis cuando es completa;

el paréntesis, la concatenación, la enumeración cuando la adición es simple; la repetición, el polisíndeton, la simetría cuando es repetitiva;

la silepsis, el anacoluto cuando la supresión-adición es parcial; el quiasmo cuando es completa;

la tmesis, el hipérbaton y la inversión cuando hay permutación.

Figuras de tipo C (metasememas: operaciones semánticas):

Sinécdoque y antonomasia generalizadoras, comparación, metáfora *in praesentia* cuando la supresión es parcial;

la sinécdoque y la antonomasia particularizadoras cuando la adición es simple;

la metáfora *in absentia* cuando la supresión-adición es parcial; la metonimia cuando es completa; el oxímoron cuando es negativa.

Figuras de tipo D (metalogismos: operaciones lógicas):

la litotes cuando la supresión es parcial; la reticencia, la suspensión, el silencio cuando la supresión es completa;

la hipérbole cuando la adición es simple; la repetición, el pleonasmo, la antítesis cuando es repetitiva;

el eufemismo cuando la supresión-adición es parcial; la alegoría, la parábola, la fábula moral cuando es completa; la ironía, la paradoja, la antífrasis cuando es negativa;

la inversión lógica o cronológica cuando se produce por permuta-ción.

´Demos algunos ejemplos: *moto* por *motocicleta* es un apócope ob-tenido por supresión parcial; *la golonlonlondrina* (Huidobro) es una forma de adición repetitiva (insistencia); *luengo* por *largo* es una forma arcaica que se obtiene por sustitución completa. Para las metataxis: el zeugma: *El mascarón. ¡Mirad el mascarón! / Arena, caimán y miedo sobre Nueva York* (García Lorca), donde tenemos, en el segundo verso, la supresión completa de un término, que puede ser el mismo *mirad,* o *ved,* o *hay*; en el anacoluto (por ejemplo, en el *No preguntarme nada* del mismo Lorca) la supresión-adición es parcial; en el hipérbaton te-nemos un procedimiento de permutación en el orden sintáctico: el bec-queriano —estudiado por Dámaso Alonso— *Del salón en el ángulo os-curo.* Para los metasememas: la sinécdoque generalizadora (*mortal* por *hombre*) y particularizadora *(Tu cintura de arena* por *inaprehensible)* derivan de operaciones de descomposición de los elementos sémicos (lo veremos más detenidamente cuando hablemos de la metáfora y de la metonimia). En cuanto a los metalogismos recordemos la litotes, por ejemplo *no es un lince,* en el que hay una disminución o atenuación de un concepto *(no es muy inteligente),* por medio de una operación sémica de supresión; también el eufemismo comporta operaciones de sustitución lógico-semántica.

Esta teoría del grupo de Lieja (o grupo μ) es extremadamente interesante, aunque aparezca en su conjunto como excesivamente artificiosa y discutible en más de un punto. Pueden verse las críticas tácitas que le hacen tanto los miembros del grupo de Montreal (Cfr. *En soixante-dix symboles. Introduction à la poïétique formalisée, document de travail du groupe D.I.R.E.*), como los trabajos teóricos y prácticos del OuLiPo.

En este trabajo sólo en parte seguiremos el esquema propuesto, teniendo en consideración sobre todo el concepto de modificación en el área morfológica y sintáctica (operaciones relativas a la expresión) y en la semántica y lógica (operaciones relativas al contenido).

FIGURA DEL DONAIRE. V. GRACIOSO.

FIGURA ETIMOLÓGICA. V. ANNONIMATIO.

FIGURÓN. V. TIPO.

FILOLOGÍA. Para una tradición que se remonta al humanismo renacentista, la filología es la disciplina que estudia los textos antiguos para restablecer su lección original (eliminando errores o deturpaciones), para aclarar sus ocasionales problemas (sobre el autor, la época, ambiente cultural, etc.), y por último, para explicarlos e interpretarlos, especialmente desde una perspectiva lingüística. Sobre estas bases, la filología es definida corrientemente como una ciencia auxiliar o preliminar en relación a otras ciencias que comparten con ella el bien común del texto, en particular con respecto a la crítica literaria e histórica (de tipo cultural, político, social, etc.).

Esta concepción ancillar es contestada hoy por la nueva filología, básicamente hermenéutica, que considera indispensables para realizar las operaciones filológicas las bases científicas de la lingüística y del conocimiento histórico, y en general todos los conocimientos extratextuales que puedan facilitar más profundamente lo específicamente literario de las obras. «La filología» —observa Branca— «mediante sus útiles históricos, lingüísticos, exegéticos, apunta, por consiguiente, no sólo a la reconstrucción sino también a la interpretación, a la hermenéutica, de los textos escritos del pasado [...]. Comprender a fondo y evaluar razonadamente una obra literaria quiere decir darse, filológica e históricamente, cuenta a través del entramado y de la realidad del texto en sí mismo, del mensaje —a la vez personal y social— que se encomendó a aquella obra y del significado que aquélla tuvo para la vida espiritual y para la vida práctica de su tiempo, y del significado que mantiene aún y siempre» (Branca, *La filología e la critica letteraria*).

Entre las variadas tareas de la filología recordemos: 1) Establecer el texto más seguro y auténtico posible (texto crítico) por medio de varias operaciones de reconstrucción, de varias naturalezas (V. Blecua, *Manual de crítica textual*), para llegar al arquetipo; 2) identificar el eventual conjunto de variantes del texto y estudiarlas «desde adentro» (valores estilísticos, temático-culturales, etc.) para razonar las preferencias; 3) estudiar la tradición textual como vehículo activo y caracterizador de la definición de un texto; analizar la vida de una obra, su fortuna, sus modos de transcripción y circulación, su acogida por parte del público, las reacciones que ha causado, etc.; 4) proceder a una evaluación íntegra del texto, en su compleja realidad (cultural, histórica, pedagógica, formal), bajo una óptica necesariamente interdisciplinaria.

La filología no es, pues, una disciplina, sino un método que Stegnano Picchio define así: «Es preciso admitir que el "comportamiento" filológico es una actividad crítica en toda la extensión de la palabra: una actitud con una constante caracterizable como el proceso continuo de adecuación (con una rigurosa verificación de todos los datos, o de todo lo que se presume dato) a una determinada situación histórica que se pretende "reconstruir" [...] No queremos eludir el dilema que puede surgir en cada momento en el trabajo del filólogo, siempre propenso a redefinirse en relación a las renovadas técnicas interpretativas que le son ofrecidas por una generosa, pero pletórica, metodología crítica, siempre invitado por *verba* y *res,* por sonido y por sentido, dilacerado institucionalmente por antinomias (aparentes o reales, según la ideología) como historia y ciencia o, si se prefiere, investigación histórica y método científico, exégesis y estadística, visión diacrónica y visión sincrónica de los fenómenos considerados» (L. Stegnano Picchio, *La méthode philologique*).

FINIDA. Estrofa más breve que las que constituían el cuerpo de un poema y que sirve para cerrar en la poesía de cancionero un decir o una canción.

FLASH BACK. El término se usa en el cine para designar a una o varias secuencias de carácter retrospectivo. Corresponde, por lo tanto, en el análisis de la narrativa, a la analepsis —es el término que prefiere Genette— o retrospección, que se produce cuando se rompe el orden cronológico sucesivo del relato para evocar hechos sucedidos en época anterior al momento en que se encuentra la historia. Por ejemplo, en *Ángel Guerra* se vuelve desde el amanecer del veinte de septiembre para contarnos los acontecimientos del diecinueve, de la revolución setebrina, o la figura de Dulce se describirá en una serie de amplios *flash back,* de carácter distinto según de donde proceda la evocación (los Babeles, la madre de Ángel, etc.). A veces la analepsis se convierte en el elemento fundamental de estructuración del relato; así sucede en *La muerte de Artemio Cruz* o en el *Requiem por un campesino español,* en este caso en combinación con otro procedimiento decronologizador por el futuro: el romance que canta el monaguillo, que supone una mitificación del personaje.

FLUJO DE CONCIENCIA. Es la traducción del inglés *stream of consciousness* que, para muchos críticos, corresponde al moderno «monólogo interior», que se caracteriza por la emergencia del inconsciente, como en la narrativa de Joyce. Para Dujardin, que Joyce cita como su antecesor inmediato, el monólogo interior intenta la «introducción directa del lector en la vida interior del personaje, sin ninguna intervención por parte del autor para explicarla o glosarla» y es «expresión de los pensamientos más íntimos, los que están más cercanos al inconsciente». G. Debenedetti *(Il romanzo del Novecento)* resume con precisión los diversos planteamientos críticos que se han realizado sobre el monólogo interior, citando también la definición de Wilcock, para el que el monólogo interior se diferencia del soliloquio (V.), que presupone un «auditorio inmediato» al que se comunica un estado de ánimo «sin intervención del autor». En nuestra opinión, es preciso distinguir entre el flujo de conciencia, el monólogo interior y el soliloquio, según que prepondere el inconsciente, el autoanálisis o la confesión a un destinatario —aunque éste sea imaginario o sea el propio yo receptor—. Quizá por eso Genette *(Figures III,* cap. «Mode») piensa que la expresión «monólogo interior» es desdichada y prefiere hablar de *discurso inmediato,* «puesto que lo esencial, como no le pasó desapercibido a Joyce, no es que sea interior, sino que se emancipe en seguida ("desde las primeras líneas") de cualquier tutela narrativa». Por todo ello, seríamos proclives a extender el área del monólogo interior en la narrativa del siglo veinte más allá de los límites que le fijó Debenedetti (por ejemplo, en Svevo, en *El túnel* de Sábato); mucho más raro, sin duda, es el empleo del flujo de conciencia.

Como ejemplo paradigmático de monólogo-*stream of consciousness* fragmento que expresa el magma confuso de pensamientos, imágenes, sensaciones, deseos de Molly Bloom en el *Ulises* de Joyce: *Un alivio dondequiera que estés no guardar el aire en el cuerpo quién sabe si esa chuleta de cerdo que tomé con la taza de té después estaba fresca con este calor no sentí ningún mal olor estoy segura de que ese hombre extraño de la chacinería es un enorme sinvergüenza confío en que esa lámpara no esté humeando me llena la nariz de hollín mejor que arriesgarme a que él me deje abierto el gas toda la noche no podía descansar tranquila en mi cama en Gibraltar me levantaba hasta para ver pero por qué demonios me preocupo tanto por esto aunque me gusta en invierno se está más acompañada...*

En *Abaddón el exterminador,* con ironía y dramatismo, Sábato juega con el monólogo interior: *Et ce pauvre Monsieur Szulberg que los toma en serio y edita antologías con esos atilas de la tipografía, que donde pisan no crecen más las mayúsculas ni los puntos ni las comas, y tenés que escribir todo así como ahora estoy haciéndolo porque como decía hegel se aprende a nadar nadando que eso es la dialéctica y por eso mao se cruza el yang-tse-kiang antes del desayuno para mantener la forma y servir de ejemplo a los chicos de la revolución cultural así que imagínense el bodrio padre que se arma si se empieza a suprimir puntos y comas...*

La estructura del monólogo interior será también muy diferente: más desarticulada semántica y sintácticamente se sirve del flujo oscilante del pensamiento, entre conciencia e inconsciente; controlada más en la construcción de los períodos, a pesar de los «saltos» lógicos de una imagen a otra, de un tiempo a otro, si el personaje conserva algún dominio sobre su propio yo; puede llegar al propio y verdadero autoanálisis, que consiste en poner al desnudo —a veces con implacable lucidez— las contradicciones interiores.

FOCALIZACIÓN. V. PUNTO DE VISTA.

FOLLETÍN. El término, calco del francés *feuilleton,* designaba en principio escritos seriados que se publicaban en los periódicos, bien en la falda de algunas páginas, bien en hojas especiales dispuestas para ser cortadas, dobladas y encuadernadas. La costumbre de este tipo de publicación comienza en España a mediados del siglo XIX y se extiende hasta bien entrado el nuestro. De esta forma —a la que acaso sería mejor llamar «folletón», como se ha propuesto, para distinguirla del folletín como género— se publicaron desde novelas folletinescas (el folletín de «La Correspondencia») hasta muchos libros de verdadera calidad literaria: citemos, entre otras, obras de Galdós, Baroja, Valle-Inclán e, incluso, de Ortega y Gasset.

Desgajándose del periódico se comienzan a editar novelas y libros de los que sale un cuadernillo semanal vendido por suscripción. Aquí es donde nos encontramos los verdaderos folletines: novelas de gusto «popular», paraliterarias, con fuertes contrastes entre el bien y el mal, entre buenos y malos, persecutores y víctimas; cargadas de episodios no siempre bien ligados entre sí: raptos, fugas, duelos, envenenamientos, aventuras y bandoleros, con una acción que termina siempre con el restablecimiento de la justicia entre las lágrimas compasivas o melodramáticas. A mediados del XIX escriben novelas por entregas —acaso denominación más justa— escritores como Balzac, George Sand, Dumas y Eugenio Sue, cuyos *Misterios de París* pueden ser considerados como paradigma del género. En España los folletinistas más importantes serán Ayguals de Izco, Ortega y Frías, Parreño, Pérez Escrich y Manuel Fernández y González, pero también escribieron novelas por entregas Maeztu, Blasco Ibáñez y Valle-Inclán. Y no sólo se publicaron por entregas novelas folletinescas, sino otros libros que, por su precio, no eran comprables de otro modo por un público extenso o que, por circunstancias de composición, no podían ofrecerse de otra forma: así se vendieron por entregas *El diablo mundo* de Espronceda, la doble edición de *Los españoles pintados por sí mismos* o la edición ilustrada de los *Episodios nacionales* de Galdós.

La novela por entregas creó unos rasgos estilísticos y de composición específicos que, si hacemos caso a las palabras de Baroja y del mismo Galdós, influyeron sobre la forma de concepción de la novela en los escritores posteriores, especialmente en los de la generación del 68 y sus sucesores y en la del 98. Para profundizar en el problema véase Juan Ignacio Ferreras, *La novela por entregas*; Zamora Vicente, *Valle Inclán, novelista por entregas* y Pío Baroja, *Desde la última vuelta del camino.*

FONEMA. El fonema es la menor unidad desprovista de sentido que se puede delimitar en la cadena hablada (Dubois, *Dictionnaire,* s.v.). Como se sabe, Martinet (V. LINGÜÍSTICA, 2) considera a los fonemas como unidades distintivas de la segunda articulación del lenguaje; al combinarse, forman los monemas, es decir las unidades ya provistas de sentido léxico o gramatical. El fonema está constituido por rasgos distintivos, diversos para cada lengua, que lo oponen a los otros fonemas. Por ejemplo /p/ se define como fonema no líquido (frente a /l/, /r/, etc.), oral (frente a /m/), difuso y grave, esto es, labial (frente a /k/, /t/ y /č/), oclusivo frente a /f/), sordo (frente a /b/). Para la fonología española véase Alarcos Llorach, *Fonología española,* de donde procede la definición precedente.

FONÉTICA. La fonética estudia los sonidos desde el punto de vista de su producción física (fisiológica y acústica). Es distinta de la fonología, rama de la lingüística que estudia los sonidos del lenguaje desde el punto de vista funcional. A su vez, la fonología se divide en fonemática, que se ocupa de los fonemas, y en prosodia que estudia los fenómenos suprasegmentales, como la entonación, el acento, etc.

FONOLOGÍA. V. FONÉTICA.

FONOSIMBOLISMO. V. ARMONÍA IMITATIVA.

FORMA. En lingüística, el concepto de forma se actualiza tanto en el plano del contenido como en el plano de la expresión. Según Hjelmslev, la sustancia del contenido (lo que para Saussure era el pensamiento amorfo) recibe una forma, constituida por las unidades cognitivo-culturales propias de una lengua determinada; así la sustancia de la expresión (la masa fónica) se estructura como forma en los significantes de la lengua (V. LINGÜÍSTICA, 3).

Más compleja es la definición de forma en la obra artística, aunque nos limitemos a reseñar solamente las experiencias de nuestro siglo, que se remontan al formalismo ruso (V.), al *New Criticism* angloamericano, a la estilística (V.), al estructuralismo y a la semiología (V.). Se podrá decir, como hace Pagnini, que «la crítica formalista presta una atención particular a cómo está hecha una obra, es decir, compuesta y construida, y dos tareas presiden su ejercicio: que el universo literario se alcanza únicamente a través de su conjunto de signos, de sus peculiares formas sensibles; que la distribución de la materia fónica, sintáctica y organizativa de las frases, constituye un plan transitoriamente apreciable en sí mismo, como (por poner una comparación) una arquitectura que se contemple con espíritu geométrico, más allá de su función práctica, o una pintura que se mire a distancia con los ojos entornados para que resalte de ella la composición y el diálogo de las manchas. De acuerdo con estas dos premisas, el crítico observará minuciosamente el contexto tonal, articulatorio, rítmico y sintáctico transfrástico del enunciado literario».

El concepto de forma aparece tradicionalmente ligado al de contenido, del que es correlativo; y es bien sabido que varias doctrinas estéticas han defendido la prioridad de hecho y de valor del contenido sobre la forma, que surge naturalmente de aquél. Se han dirigido acusaciones de ejercer una crítica sobre contenidos psicológicos —y no erróneamente— a Croce y a la escuela de crítica idealista (Vossler, la escuela española de estilística), para los cuales la forma artística es una e idéntica en todas las obras. Incluso en Lukács la forma tiene un mero valor evocatorio, por lo que la atención se desvía inevitablemente hacia los aspectos sociológicos e ideológicos del contenido (V.). Sin embargo, en la crítica marxista aparece una tentativa de elaborar una teoría del arte como forma cuando sus posiciones se aproximan a las de la lingüística estructuralista. Es lo que sucede con Galvano della Volpe, para el cual la forma es concepto —es decir, racionalidad—, mientras que el contenido es la materia proteica de lo sensible imaginativo, y por lo tanto de lo aorgánico y de lo discontinuo. Si el arte es unidad, orden, coherencia, armonía, esto significa que el artista ha elaborado racionalmente y ha dado forma orgánica a las solicitaciones caóticas de la fantasía. El arte, en cuanto forma, no se diferencia del conocimiento científico: su especificidad es de naturaleza semántico-expresiva. Para della Volpe, el lenguaje normal es equívoco-omnitextual, el discurso filosófico-científico es unívoco-omnicontextual, el discurso poético es polisémico o contextual orgánico (cfr. *Crítica del gusto*).

El formalismo ruso ha rechazado con fuerza la vieja idea de la forma como recipiente del contenido, un recipiente embellecido retóricamente para volver más agradable la sustancia. Shklovski acentúa polémicamente la primacía del *priom*, del procedimiento y de los efectos de extrañamiento sobre los «materiales», reducidos a meras motivaciones del artificio formal. Con Tinianov se supera la idea de forma como suma de procedimientos (idénticos en el tiempo y alejados de los materiales) para caracterizar al texto poético como una «integridad dinámica» de elementos correlatos entre sí.

Comienza así a delinearse una concepción del texto como sistema sígnico-estructurable en distintos niveles coimplicados dialéctica y funcionalmente (niveles que podremos considerar como isotopías, V.). El signo literario no es meramente lingüístico, sino que es connotado, «secundario» (Lotman), es decir, referido no sólo a la lengua común sino también, y sobre todo, a la lengua literaria, a sus códigos y a sus escrituras. Esta idea es fundamental para comprender el significado semiológico de la forma (V. CÓDIGO, 1; LENGUAJE, 2; ESTILO; TEXTO).

En la estructuración de la obra en distintos niveles se realiza una semantización muy compleja (Lotman) de los elementos con el fin de «formar» el sentido total del mensaje. En otros términos, el aflorar del sentido no puede confiarse a operaciones de pertinencia lingüística, porque el signo poético es autorreflejo y motivado; cada uno de sus elementos está semantizado e interacciona con las estructuras primarias de sentido, es decir, las remitidas a los significados textuales. Tanto los componentes fonológicos (y más ampliamente prosódicos) como los morfosintácticos, asumen en el texto poético un valor semántico que contribuye eficazmente a la creación del sentido total, hiperconnotado, del mensaje.

Véase, por ejemplo, la siguiente estrofa de García Lorca: *Verte desnuda es recordar la Tierra. / La Tierra lisa, limpia de caballos. / La Tierra sin un junco, forma pura / cerrada al porvenir: confín de plata.* Si se analiza el texto en el nivel fonoprosódico, se ve cómo son pertinentes algunos fonemas que crean isotopías tanto en sentido horizontal como vertical. Limitémonos a indicar la aliteración de las dentales, la de las nasales en el centro del tercer verso, la paranomasia *(lisa, limpia),* las iteracciones, la gradación climática, etc. El sistema de relaciones evidenciado encuentra confirmación en el nivel morfosintáctico, de suerte que se manifiestan las estructuras semántico-connotativas del texto, orientadas por el sistema fonoprosódico; así, vemos cómo, en el último verso, la sensación de vacío, de espacio cerrado, se manifiesta desde la simetría de las vocales tónicas (a-i, i-a) que recubren la cesura, potenciada por la señal diacrítica de los dos puntos.

El ejemplo confirma cómo en el arte actúa una sutil dialéctica: los valores temáticos se formalizan y los valores formales (acaso mejor fonoprosódicos) se semantizan. Lotman había escrito: «una información (un contenido) no puede existir de ninguna manera ni ser transmitido

fuera de una estructura (forma) determinada»; y tampoco puede imaginarse, por otra parte, una forma literaria que no formalice ningún contenido. De la interacción entre las dos series nace el sentido total del
mensaje, es decir, su forma de la expresión (o estilo, si se prefiere), al
ser la forma artística una comprensión o inteligencia específica de lo
real.

FORMALISMO. En una primera acepción de carácter muy general se
puede definir el formalismo como la tendencia crítica que se dirige a
considerar la obra artística por los modos y las formas con que está construida. En Francia, a fines del siglo xix y principios del actual, Mallarmé
y Valéry afirmaron el predominio de la construcción formal sobre la
mera objetividad de los contenidos: los valores fónicos, melódicos y rítmicos del habla poética no son un puro ornamento extrínseco que acompaña a las ideas, sino formas concretas en que se encarnan los sentimientos. Tras ellos, tanto Eliot como el llamado *New Criticism* angloamericano (Richards, Empson, Ramsom, Brooks, por subrayar los nombres de mayor relieve), a pesar de la diversidad de sus vías de asedio y
de sus elecciones metodológicas, coinciden en considerar la obra artística como una forma orgánica, como una estructura convertida en acto
por medio de operaciones funcionales: la ironía o la paradoja metafórica
en Brooks, la ambigüedad del lenguaje poético en Empson, la complejidad contextual autónoma en Richards.

Las búsquedas de los formalistas rusos tendieron a la creación de
una teoría de la literatura como ciencia autónoma y específica en sus
instrumentos de investigación. En 1915 surgió el Círculo Lingüístico de
Moscú en torno a las fuertes personalidades de Jakobson, Tomashevski
y Brik, en estrecho contacto con las experiencias del grupo futurista
encabezado por Maiakovski. Al año siguiente Shklovski, Eichenbaum
y otros dieron vida en San Petersburgo a la Sociedad para el Estudio
del Lenguaje poético *(Opoiaz)*. Este grupo y el anterior actuaron en
estrecha colaboración, aunque los intereses del Círculo de Moscú fuesen
sobre todo lingüísticos y los de la Opoiaz más estrictamente literarios.

Los primeros estudios de los formalistas se dirigieron hacia la investigación del lenguaje poético, considerándolo como realidad fónica
y oponiéndolo al lenguaje común o «práctico». Polemizando con los
simbolistas, que consideraban que la poesía consistía primordialmente
en un discurso realizado con imágenes, los formalistas dan prioridad al
empleo peculiar de los diversos «materiales» en la elaboración artística,
elaboración que permitirá comprender la «forma» del lenguaje poético.
De aquí nace el interés por los procedimientos artísticos, iniciado por
el famoso ensayo de Shklovski *El arte como procedimiento*, editado en
1917. El lenguaje poético se distingue del cotidiano por la perceptibilidad de su construcción, impulsada en primer lugar por efectos verbales

que suponen un desvío de la norma. Los otros constituyentes de la obra de arte, sobre todo los tradicionales «contenidos», eran considerados por el formalismo como secundarios o subordinados en relación a los «procedimientos» y, por tanto meras motivaciones técnico-expresivas.

La automía del discurso literario, que en la consideración de Shklovski llegaba incluso a la negación del valor social del arte («El arte ha sido siempre algo disociado de la vida, y en su color nunca se ha reflejado el color de la bandera que ondea en la fortaleza de la ciudad»), se convierte —tras la Revolución de Octubre— en el foco de una acalorada polémica con la crítica marxista; en ella acabaron ahogándose paulatinamente los fermentos fecundos del formalismo: el mismo Shklovski se vio forzado, en 1930, a una humillante palinodia de su método, considerado como erróneo y reaccionario. Una nueva campaña antiformalista, que llegó a implicar incluso a Shostakovich, se desplegó en 1936; diez años más tarde el célebre Jdanov provocó otra depuración contra los adversarios del «realismo socialista», acusándolos de estetas y formalistas.

Completamente distinta había sido la polémica abierta por León Trotski en un importante ensayo titulado «La escuela formalista de poesía y el marxismo» (Trotski: *Literatura y revolución*). Desde su convencimiento en la superioridad científica del marxismo, Trotski está dispuesto a admitir que «los procedimientos metodológicos de los formalistas pueden ayudar a esclarecer las peculiaridades artístico-psicológicas de la forma», dado que «en una amplia medida, la forma artística es independiente». Y más adelante: «La creación artística... es una alteración, una deformación, una transformación de la realidad según las leyes particulares del arte.» «Es absolutamente exacto que no es posible en ningún caso apoyarse únicamente en los principios del marxismo para juzgar, rechazar o aceptar una obra de arte. La obra de arte debe, en primer lugar, ser juzgada según sus propias leyes, es decir, según las leyes del arte. Pero sólo el marxismo es capaz de *explicar* por qué y cómo, en un determinado período histórico, ha aparecido una determinada tendencia artística, es decir, quién ha expresado la necesidad de esas formas artísticas, con exclusión de otras, y por qué... El arte puede y debe ser juzgado desde el punto de vista de sus realizaciones formales, pues fuera de ellas no hay arte.»

Estas posiciones resultaron demasiado avanzadas en la atmósfera enrarecida de los años treinta, y pronto fueron aplastadas por la miope ortodoxia staliniana, instigadora de la chata «reproducción» en las superestructuras ideológicas de las económicas, hasta llegar a la canonización del realismo, con el consiguiente rechazo de todas las teorías de vanguardia. Hoy, en el debate sobre el significado y los límites de los métodos estructurales y semiológicos en general, las ideas de Trotski aparecen extrañamente actuales, desde el punto en que precisan con exactitud la relación entre el marxismo como método de análisis «externo» de los hechos culturales, y la teoría de la literatura como método de análisis «interno» de la progresión artística, no separada en absoluto del contexto más amplio de los referentes extraestéticos.

1. Shklovski: los procedimientos de extrañamiento. *El arte como procedimiento* puede ser considerado como el manifiesto del primer formalismo y la exposición más clara de las tesis originales de Viktor Shklovski. «Para recobrar nuestra percepción de la vida, para hacernos sentir las cosas, para hacer de la piedra una piedra, existe lo que llamamos arte. La finalidad del arte es proporcionarnos una sensación del objeto, una sensación que debe ser visión y no sólo reconocimiento. Para conseguir este resultado el arte se sirve de dos artificios [= procedimientos]: el extrañamiento de los objetos y la complicación de la forma, con la cual se logra aumentar la dificultad de la recepción y prolongar su duración. El proceso de la percepción en el arte es un fin en sí mismo y debe ser prolongado». El problema estético es, por lo tanto, el de la perceptibilidad de la construcción verbal; gracias al *priom ostraneia* (es decir, al procedimiento-efecto de extrañamiento) el lenguaje poético devuelve a la imagen poética su novedad, su imprevisibilidad, su distancia con la percepción común, liberándola, en resumen, del «automatismo». El extrañamiento es el procedimiento artístico más importante: se puede conseguir mediante un «deslizamiento (o desvío) semántico» que determina la nueva visión del objeto: las imágenes y tropos son casos particulares de desvío expresivo.

La rebeldía contra la idea de forma como mero recipiente de un contenido privilegiado ideológica y psicológicamente se concreta en la distinción entre «materiales» y «procedimientos». El contenido es únicamente un aspecto de la forma o, sin más, la «suma de los procedimientos estilísticos» utilizados en la obra literaria. El contenido-material es todo aquello que pueda ser manipulado por el procedimiento: sonidos, palabras, imágenes, temas, que constituyen —como hechos externos a la obra— meras motivaciones del *priom*. La perceptibilidad del material puede ser efecto de su «deformación», otro procedimiento muy caro a Shklovski y a los formalistas, que aparecerá de nuevo en la metodología de Jakobson (V. LENGUAJE, 2). A la pareja materiales-artificio corresponde, en la prosa, la pareja *fabula-syužet* (trama); la *fabula* es el material de la elaboración de la trama, la «historia» como sucesión cronológica de los acontecimientos. El *syužet* es la composición estilística del relato, el conjunto de procedimientos de que se sirve el autor para presentarnos motivos y personajes. Nótese que también los personajes son el resultado de una peculiar deformación del material, cuando se utilizan, por ejemplo, para ensartar los motivos de una construcción «encadenada».

Gran parte del trabajo de los formalistas se dedica al análisis de la construcción de la trama (dilación, estructura escalonada, paralelismo, creación y desarrollo del marco, encadenamiento, etc.). En esta línea se pueden recordar los ensayos *Cómo está hecho «El abrigo» de Gogol* de Eichenbaum, los de Shklovski sobre *Don Quijote* y sobre el *Tristam Shandy* de Sterne, los análisis reunidos en *La teoría de la prosa* y en *Sobre la prosa literaria* y la sistematización general de Boris Tomashevski en *Teoría de la literatura,* que se editó en 1928.

2. El formalismo maduro de Tinianov. Si con Shklovski la investigación literaria de los formalistas se había polarizado en torno a la búsqueda de los procedimientos, con un substancial desinterés por los materiales, los trabajos de Iuri Tinianov contribuyeron a una ampliación muy notable de la perspectiva teórica y metodológica, que se abrió hacia una concepción más equilibrada de la obra literaria, contemplada como una interacción de diversos factores cuyas características es menester definir.

«La obra es un sistema de factores en correlación. La correlación de cada factor con los demás es su *función* con respecto a todo el sistema. Es evidente que cada sistema literario no está formado por la interacción pacífica de todos los factores, sino por el predominio de uno (o de un grupo) de ellos, que subordina funcionalmente y tiñe a todos los otros. Este factor se denomina —con el término ya acuñado en las obras científicas rusas (Christiansen, Eichenbaum)— dominante. Esto no quiere decir, sin embargo, que los factores subordinados no sean importantes y puedan ser dejados de lado. Por el contrario, en esta subordinación, en este condicionamiento de todos los factores por el más importante, se manifiesta la acción del factor principal, la acción dominante. Es evidente también que no existen en literatura obras aisladas, sino que cada obra es parte del sistema de la literatura, entra en relación con todas las demás obras por su género y por su estilo (diferenciación en el interior del sistema); que existe una función de la obra en el sistema literario de una época determinada.»

Tinianov rechaza, por consiguiente, el concepto de forma como suma de *procedimientos,* que permanecen idénticos en el tiempo y separados de los materiales; considera la obra como una «integridad dinámica» de elementos correlacionados entre sí. En su importante ensayo teórico *El problema de la lengua poética* considera al ritmo como factor constructivo de la poesía, capaz de organizar (dinamizándolos y deformándolos) tanto los elementos fonológicos como los morfoléxicos del verso.

Muy importante es la recuperación de los aspectos semánticos del discurso poético, que el primer formalismo había despreciado. Para Tinianov los significados verbales se constituyen por «indicios fundamentales» y por «indicios secundarios». En la contextualidad rítmico-formal «la fluctuación de los dos planos semánticos puede llevar a un obscurecimiento parcial del indicio fundamental —y patentizar los indicios de significado fluctuante». Estos indicios «fluctuantes» se manifiestan también gracias a la «función semántica» del encabalgamiento, de la rima y de la instrumentación, es decir de la «correlación entre los elementos objetivos y formales del habla». Las investigaciones de Tinianov son extremadamente interesantes y actuales, no sólo porque proponen una semántica poética que hoy denominaríamos connotativa, con sus características específicas que la diferencian de la semántica comunicativa, sino también porque el subrayado de los indicios fluctuantes que emergen de la semantización compleja de los elementos en virtud del ritmo anticipa las modernas investigaciones acerca de la polisemia y la pluriisotopía (V. ISOTOPÍA) del discurso poético.

Según el crítico formalista, la obra literaria resulta incomprensible si no se coloca en relación con el sistema más amplio de la literatura y, por lo tanto, de las diversas series histórico-culturales. «La obra literaria en sí constituye un sistema, pero a su vez la literatura es un sistema. Únicamente sobre la base de esta concordancia es posible la construcción de una serie literaria que, sin tomar en consideración el caos de los fenómenos y de las series heterogéneas, se los plantea por el contrario de un modo sistemático.» Un análisis funcional correcto no se limitará a extrapolar los procedimientos literarios, sino que pondrá en relación todos los elementos evidenciados «por una parte con la serie de los elementos similares que pertenecen a otras obras-sistemas e incluso a otras series, por otra parte con los otros elementos del mismo sistema *(autofunción y sinfunción)*. Así el léxico de una obra determinada entra en correlación simultáneamente por un lado con el léxico literario y con el léxico en general, por el otro con los restantes elementos de la obra». La revolución literaria consiste en la redistribución de las formas (procedimientos) y de las funciones. La forma transmuta la función, la función cambia la forma.

3. El postformalismo: el acercamiento semiológico de Mukarovsky. A pesar de sus desavenencias internas y de su carácter ampliamente experimental, el formalismo constituye en la cultura del principio del siglo XX la tentativa más orgánica de elaboración de una teoría de la literatura consciente de la autonomía de su objeto y de sus métodos de investigación.

Exportado a Checoslovaquia, gracias a Jakobson, el formalismo sufrió una profunda revisión, como se atestigua en la «Tesis» del 29 (V. LENGUAJE, 2).

Ya no se habló de formalismo, sino de «estructuralismo» y de «concepción semiológica del arte», sobre todo por obra de Jan Mukarovsky, uno de los miembros más eminentes del Círculo de Praga: «Al emplear el término "estructuralismo" no olvidamos que existen movimientos análogos (aunque no siempre idénticos) en otras ciencias. Los lazos más estrechos se establecen con la lingüística, tal como la concibe el Círculo

Lingüístico de Praga. Con los estudios sobre fonología, la lingüística abrió a la teoría de la literatura el camino que posibilitaba el análisis del aspecto fónico de la obra de arte literaria; con el de las funciones lingüísticas proveyó de posibilidades nuevas los estudios de la estilística de la lengua poética y, al subrayar la naturaleza semiótica de la lengua, hizo posible la comprensión de la obra de arte como signo» (Mukarovsky, *La función, la norma y el valor estético como hechos sociales*).

Para Mukarovsky la obra literaria es a la vez signo autónomo y signo de comunicación: la autorreflexividad del signo artístico se deriva del hecho de que el mensaje está dominado por la función estética, a la que se subordinan todas las funciones comunicativas. El estudioso checoslovaco toma del formalismo el criterio de estudiar el sistema literario como inmanente, subrayando el carácter eminentemente lingüístico (pero no exclusivamente) del signo poético, en una dirección de investigación que prolongará después Jakobson. Pero, a diferencia de los formalistas, coloca el hecho literario en un contexto social más amplio y lábil, en el cual el receptor ejerce una función muy importante; de aquí que, con frecuencia, haya un impulso que subraye las facetas comunicativas y extraestéticas del mensaje, que modifique sustancialmente la función específica del arte en respuesta a las solidificaciones históricas y sociológicas en que se produce la comunicación literaria. Mukarovsky amplía así la perspectiva, al añadir el problema del público (V.) y del contexto social a los de obra y autor, los únicos sobre los que los formalistas habían fijado su atención. Resumiendo y prolongando las observaciones del último Tinianov, el crítico checoslovaco analiza el discurso literario en la interacción de sus componentes: la obra como sistema de signos, el tema, la lengua como material, la relación con la tradición y con los géneros, la posición en la historia de la literatura, el nexo autor-sociedad, el contenido ideológico de la obra, el público receptor. Alejándose más aún de la orientación empírica de los formalistas, Mukarovsky construye un riguroso sistema estético, que salvaguarda la autonomía del valor artístico (y de la investigación crítica) frente al constrictivo intento de infeudación del marxismo, al que reconoce una prioridad metodológica indudable en el ámbito histórico-social, pero que no roza, sin embargo, la especificidad del arte.

FRAGMENTO. Trozo perteneciente a un texto mayor que se nos presenta aislado por alguna razón, bien porque es aducido así (V. PERI-COPA), bien porque alguna razón histórica ha hecho perder el resto de la obra: así, por ejemplo, ha sucedido con los fragmentos de los presocráticos. El fragmentismo por selección de los recitadores o de los recopiladores primitivos es, según Menéndez Pidal, una de las características de los romances viejos, que presentan en muchas ocasiones un principio *ex abrupto* y un final trunco. Estos hechos hacen que, a partir del romanticismo alemán —Schlegel, Novalis— el fragmento no se subordine a una búsqueda de la totalidad, sino que se considere en sí mismo y se planteen las razones —modo de transmisión, acción del pueblo creador, etc.— por las que se ha producido ese estado. De aquí que se origine un modo de creación literaria en el que el texto nuevo se presenta, por ironía o por enfrentamiento con la idea de totalidad, como fragmento o como constituido por una serie de fragmentos entre los que se extiende un vacío. Véase, por ejemplo, el poema *Espacio* de Juan Ramón Jiménez, compuesto por tres fragmentos. En la novela recordaremos las últimas páginas de *La Vorágine* de José Eustasio Rivera, que añaden a su carácter de notas rápidas un final trunco. Así, en la época moderna el fragmento adquiere, en palabras de Derrida, «el estatuto de una estrategia».

FRASE.   Enunciado o unidad básica del discurso. Su significado y valor son superiores a los de sus elementos constitutivos (grupos, sintagmas, palabras).

FRECUENCIA.   En el análisis lingüístico, la frecuencia es el índice estadístico calculado a partir del número de ocurrencias de un elemento en uno o varios textos (Mounin, *Dicc.*, s.v.). El análisis estadístico evidencia, por ejemplo, que cierto número de palabras se repiten con una frecuencia notable hasta constituir una lista de términos fundamentales. El análisis estadístico ha encontrado también aplicaciones en literatura, si se considera el estilo como desvío o imprevisibilidad con respecto a la lengua usual (v. ESTILO). Aquí nos preguntamos si el criterio de la frecuencia es apto para caracterizar siempre los factores estilísticos pertinentes (o connotadores) de un texto literario determinado. La repetibilidad, de hecho, no es siempre significativa, y en cambio frecuentemente un solo elemento puede resultar pertinente cuando adquiere un valor funcional-connotativo en el texto (la palabra *culo* en el poema *En Málaga* de García Lorca).

FRUICIÓN.   La fruición es el modo de decodificar y de «usar» la obra literaria por parte del lector destinatario. Subrayamos el concepto de uso del texto, porque en determinadas direcciones sociológicas o en la óptica de la «obra abierta» la fruición consiste en completar el significado artístico: «la obra literaria es el resultado de la acción del autor y del lector, es la coronación de un esfuerzo, para no hablar de un esfuerzo común... El contenido de la comunicación cambia con el receptor. La obra literaria, el libro, el impreso son lo que hace de ellos el lector. Leer es construir» (Robine, *Le littéraire et le social*). Semejante concepción del texto literario debe, creemos, no ser rechazada (cfr. Hirsch), aun cuando sea indudable que la decodificación está siempre condicionada por el *status* social del lector, por su cultura, por sus gustos, por delicados procesos de interferencia y de superposición del lector en el texto escrito.

Los sustentadores de la fruición creativa, es decir, de la lectura como reescritura del texto citan el Sartre de *Qu'est-ce que la Littérature?*, cuando afirma que la obra literaria es una invocación, una llamada al lector, que debe darle vida en el acto de la lectura o, aún mejor, colaborar a la producción del sentido. Es preciso, sin embargo, distinguir entre el sentido del texto como sistema cerrado de signos, y las significaciones o interpretaciones que el texto asume en la fruición condicionada históricamente, en la que se conjugan también los modelos literarios que son poseídos por los destinatarios. Se puede decir también, como hace Corti, que «cada época aplica sus propios códigos de lectura, su distinto punto de observación, de tal modo que el texto acumula contiguamente posibilidades sígnicas, comunicativas, puesto que está en el interior de un sistema en movimiento»; es preciso advertir, sin embargo, que una lectura correcta consiste en la proyección del texto sobre los códigos y subcódigos que subyacen en su génesis.

Es preciso indicar ahora que la fruición de la obra literaria es hoy bastante distinta de lo que era en el pasado, cuando la lectura suponía la dicción, la recitación, la audición —y por lo tanto la actualización de las virtualidades fónico-materiales de las palabras, especialmente en la poesía (rima, equivalencias melódicas y rítmicas, métrica, etc.)—. La lectura actual, sin renunciar a aquellos valores, plantea otros elementos de la organización textual como escritura: factores visuales, mnemónicos, gráficos, que inciden tanto sobre el sistema literario como sobre la fruición de la obra.

Barthes, en *Le plaisir du texte,* distingue entre «texto de placer» y «texto de fruición»: «Texto de placer: aquel que contenta, llena, provoca euforia... está ligado a una práctica *confortable* de la lectura. Texto de fruición: aquel que nos coloca en estado de privación, el que desconsuela (acaso hasta llegar a causar enfado), hace vacilar las bases históricas, culturales, psicológicas del lector, la consistencia de sus gustos, de sus valores y sus recuerdos, sitúa en crisis su relación con el lenguaje»; y añade más adelante: «El placer es decible, la fruición no lo es.»

FUENTE. El estudio de las fuentes de una obra literaria se caracterizó en la metodología positivista de la llamada «escuela histórica o filológica» por ser una búsqueda diligentísima y esmerada de todas las influencias histórico-literarias que se acumulaban en un texto determinado: citemos, entre los ejemplos destacados de esta tendencia, los capítulos centrales del libro de Lecoy sobre el *Libro de buen amor,* el de F. Castro Guisasola, *Observaciones sobre las fuentes literarias de «La*

Celestina» o los estudios de Fucilla. Los antecedentes se estudian sobre todo desde un punto de vista temático, de donde se deducía una especie de fluencia en el desarrollo de los géneros, cayendo en ocasiones en lo que Marc Bloch llamaba «la idolatría de los orígenes». Su labor, sin embargo, no fue inútil, puesto que propició tanto lo que hoy se entiende como literatura comparada (cfr. Claudio Guillén, *Lo uno y lo diverso*), sobre todo en lo que se refiere a los temas y los motivos, como al estudio actual de la literatura como sistema en el que cada obra se ubica y define en relación con las otras obras (especialmente con las que le son afines), planteando una intertextualidad (V.) no orgánica, sino dialéctica, como ya lo habían hecho Amado Alonso, María Rosa Lida o Daniel Devoto. Amado Alonso decía que «las fuentes literarias deben ser referidas al acto de la creación como incitaciones y como motivos de reacción», es decir, que la investigación de las fuentes no debe ser enfocada como búsqueda material, sino como tela de encuentros y desencuentros entre experiencias literarias distintas. Esto permitirá que asistamos al momento privilegiado de la transcodificación (V.), es decir, al modo de desvío innovador con relación al modelo y al cambio de valoración original que es propio de la obra importante.

FUNCIÓN. Para Tinianov *(El problema de la lengua poética)*, la función es la correlación que se establece entre un elemento de la obra literaria y todos los demás y, por consiguiente, con el sistema; con mayor exactitud, se podría diferenciar entre una función interna (relación de un elemento con los demás de la misma obra) y una función externa (relación de un elemento con otros afines de otras obras). En el análisis del relato, la función es —desde Propp— la acción ejecutada por un personaje. Se discute si las funciones, en cuanto clases de acciones (por ejemplo, la persecución, el daño, la remoción de la falta inicial, las pruebas, etc.) pueden ser consideradas universales narrativos o, por el contrario, si son inventarios variables, que dependen de una concepción del mundo precisa y determinada históricamente y, por lo tanto, son válidas únicamente en el área de un solo texto narrativo. Véase lo que dice Segre en el capítulo 3 de *Principios de análisis del texto literario*. Para Greimas, la función es una relación entre actantes (V.) formalizada como enunciado narrativo (en el que la función es el proceso o «hacer» y el actante es el sujeto). Véanse también las voces: AGENTE, SECUENCIA, NARRATIVA.

Para las funciones del lenguaje, véase LENGUAJE.

GEMINACIÓN. V. EPIZEUSIS.

GÉNEROS LITERARIOS. «El texto, salvo casos excepcionales, no viene aislado en la literatura, sino que, debido a su función sígnica, pertenece con otros signos a un conjunto, es decir, a un género literario, el cual, por esta causa, se configura como el espacio en que una obra se sitúa en una compleja red de relaciones con otras obras» (Corti, *Principi della comunicazione letteraria*). Un género literario es, pues, una configuración histórica de constantes semióticas y retóricas que es coincidente en un cierto número de textos literarios. Estas constantes forman un sistema cuyos componentes son inteligibles por la relación que establecen entre sí. Este «modelo estructural», como lo llama Lázaro Carreter, puede ser definido también de un modo no inmanente, si lo colocamos en presencia y oposición con otros géneros y discursos de los que selecciona, integra o altera ciertos estilemas o procesos. A la disciplina que estudia los géneros se le llama genología.

El problema de la definición de los géneros, su número, sus relaciones mutuas ha sido y es arduo de resolver. Como señala Claudio Guillén, siguiendo a Lázaro Carreter, «los géneros ocupan espacios que evolucionan a lo largo de los siglos. Son modelos que van cambiando y que nos toca en cada caso situar en el sistema o polisistema que sustenta un determinado momento en la evolución de las formas poéticas» *(Entre lo uno y lo diverso).* Por ello se han intentado diversos modos de clasificar que no partan de la observación directa de los textos, sino de una teoría general de la literatura. Así, Aristóteles planteó su tríada tradicional (Épica, Lírica, Dramática), cuya validez, acaso con la inclusión moderna de la narración como único género extenso moderno, se mantiene hasta nuestros días, aunque, como es natural, dentro de cada uno de los grandes apartados se pueden establecer, por motivos menores, por contactos entre unos y otros, una gran cantidad de subgéneros, muchas veces con un valor temporal muy limitado en cuanto a la creación: así, por ejemplo, la fábula mitológica en la literatura española tiene validez sólo entre los siglos XVI y XVIII; si después encontramos algo parecido, es porque ha sido sometida a una serie de transformaciones —a veces paródicas o cómicas, como señala Bajtin para todos los géneros— que la convierte en otra cosa distinta, acaso de forma radical. La clasificación más consistente, según Segre, es la propuesta por Hernadi *(Beyond Genre. New Directions in Literary Classification),* que el crítico italiano resume así:

«Más flexible, aunque parte todavía del canon de los cuatro géneros, es la representación propuesta por Hernadi (1972) (cf. fig. I). Su inteligibilidad se produce, no tanto por la tetrapartición interna de cada género (que comprende más que verdaderos subgéneros, variedades y modos internos de los géneros), como por su referencia a una doble polarización: *authorial,* "autorial" e *interpersonal,* "interpersonal" (correspondientes más o menos a diegético y mimético), *private,* "privado"

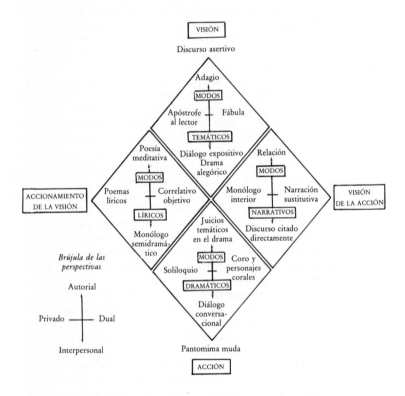

y *dual,* "dual". El polo *authorial* constituye la "thematic *presentation*" de una visión, el polo *interpersonal* la "dramatic *representation*" de una acción; perpendicular a este eje hay otro que tiene en un polo, en el del *dual,* la *envisioned action,* "visión de la acción", combinación de la "authorial perspective of vision" y de la "fictive interpersonal perspective of action", en el otro, en el del *private,* el tiempo y la perspectiva de la *enacted vision,* "accionamiento de la visión", en que se combinan la cualidad extratemporal de la visión temática y el desarrollo temporal subjetivo de la acción dramática. Sobre los dos ejes se ordenan los cuatro géneros pero también, en sus respectivas áreas, las variedades conexas.

»El interés de la organización de Hernadi consiste sobre todo en la movilidad que concede a los ejemplos de cada género en este esquema: se pueden admitir cambios de lugar de carácter histórico, y hasta variedad de polarizaciones dentro de un solo texto. Hernadi ha vuelto otra vez a esta doble polaridad (1976), pero definiendo de forma distinta sus dos ejes: ahora llama "eje retórico de la comunicación" al que une horizontalmente escritor y lector, y "eje mimético de la representación" al que une verticalmente lengua e información. Hernadi tiene a la vista una descripción general de las operaciones críticas, y enriquece su esquema con detalles inspirados en las teorías del "acto lingüístico" y del *implied author,* en un cuadro netamente semiótico; se puede, sin embargo, entrever en esta organización una aportación a la teoría de los géneros que podrían, creo, ser definidos basándose en coordenadas correspondientes a la posición relativa sobre los dos ejes.»

Algunos críticos añaden a este esquema básico el género didáctico, ligado al principio a otras formas de manifestación (el poema épico en *De rerum natura,* la narrativa en *El Conde Lucanor,* etc.), pero exento desde las *Epístolas familiares* de Fray Antonio de Guevara o, con mayor proyección, desde los *Essais* de Montaigne. Sin embargo, creemos que, con ciertas apreturas, las obras que se consideran pertenecientes a este género se pueden incluir en alguna de las categorías delimitadas por Hernadi.

Señalemos también el pluralismo genérico de muchas obras, sobre todo narrativas y dramáticas, pero también de las pertenecientes a los otros géneros: piénsese que la novela ha sido definida por Bajtin precisamente en función de su «heteroglosia».

El problema, de todos modos, sigue vivo, y hay en estos momentos dos revistas consagradas sólo al estudio de los géneros: *Zagadnienia Rodzajòw Literackich* (Polonia) y *Genre* (Oklahoma, EE.UU.).

Para este problema y su relación con los subgéneros y géneros mixtos remitimos a Lázaro Carreter, «Sobre el género literario» (en *Estudios de poética*); Claudio Guillén, *Entre lo uno y lo diverso. Introducción a la literatura comparada;* W. Ruttkowski, *[Bibliografía de la poética de los géneros literarios];* C. Segre, *Principios de Análisis del texto literario.*

GENOLOGÍA. Parte de la literatura que estudia los géneros literarios tanto histórica como tipológicamente.

GENOTEXTO. Se usa este término en relación a fenotexto (V.). El genotexto, lugar de la elaboración profunda de la obra, envía no sólo a la producción de signos como transcodificación literaria —es decir, como renovación y transformación de elementos del sistema de la literatura—, sino también y sobre todo a la sobredeterminación o sobreconnotación inconsciente de los signos, que se manifiestan (y al mismo tiempo se ocultan ambiguamente) en las estructuras del lenguaje y en la superficie del texto, es decir, en el fenotexto.

GESTO. V. CINÉSICA.

GLOSA. Breve nota que se encuentra en algunos manuscritos, interlineada, al margen de la página o a su pie, debida al copista, a un lector del código o, incluso, al propio autor. Generalmente la glosa es una traducción —si el texto está en lengua diferente a la hablada por el autor—, una explicación o interpretación de un término si éste es docto, ambiguo o inusual; también puede proponer breves observaciones, variantes, remisiones a otros lugares del mismo texto o de otros textos, etc. Interés especial tienen para nosotros las glosas emilianenses y las silenses; en estas últimas aparece, como es sabido, la primera frase escrita en lengua vulgar en la Península, además de documentar por primera vez algunas palabras en euskera.

Se denomina también glosa el comentario de un pasaje o de un texto, sea cual sea su extensión. Así son frecuentes las glosas a los poemas del siglo xv, desde el *Laberinto* de Juan de Mena o las *Coplas* de Jorge Manrique a las Coplas de *Mingo Revulgo*. Igualmente los textos jurídicos aparecen en muchas ocasiones con glosas y comentarios, que incluyen a veces hasta las fazañas o jurisprudencia.

En métrica se llama glosa a una composición poética que, partiendo de un texto anterior del mismo poeta o ajeno al que se llama mote, desarrolla un número de estrofas construidas de tal forma que cada una de ellas acaba con uno o más versos del mote, bien los últimos de éste, bien en cada estrofa algunos de aquél hasta reproducirlos todos. La forma de la estrofa-comentario no es fija. La glosa —a veces muy cercana a la letrilla— es una de las formas de desarrollo poético más común entre los siglos xv y xvii; hoy se encuentra viva en el folclore de algunos países de Hispanoamérica.

GLOSEMÁTICA. Teoría lingüística expuesta por el danés Luis Hjelmslev y desarrollada por el círculo de Copenhague. Véase LINGÜÍSTICA, 3.

GNOME. La gnome es una frase sentenciosa, una máxima, un proverbio. La poesía gnómica es una de las más antiguas formas de expresión literaria y está presente en todas las culturas, bien como documento de la sabiduría o de la experiencia popular (los refranes, tantas veces en forma rimada y ritmada), bien como testimonio de un determinado mundo ideal o de una ideología. En la literatura española son ejemplo de poesía gnómica los *Proverbios* de Don Sem Tob y los del Marqués de Santillana; en la literatura contemporánea podríamos citar los proverbios y cantares de Machado o algunos poemas de ética estética *(No le toquéis ya más...)* de Juan Ramón. En el discurso literario la aparición del gnome o, simplemente, de formas sentenciosas, son índice del estilo valorativo (V. ESTILO), del surgir de un personaje o de la voz del narrador: Ejem.: *¿Ves o miras? Que no todos miran lo que ven* (Gracián). Una sentencia que concluye un pensamiento, generalizando una experiencia particular, se llama epifonema (V.).

GRACIOSO. Procede y evoluciona desde el pastor o el bobo de la comedia antigua, que representaba en ella muchas veces, además del papel cómico o humorístico, el papel que se asignaba al coro en el teatro clásico: servir de enlace con el público espectador o dar la visión popular de lo que se está representando (cfr. el pastor de Diego Sánchez de Badajoz), y a veces el personaje moralmente más sano (*Barca do inferno* de Gil Vicente); está emparentado con el *loco* de las fiestas carnavalescas medievales (así en Shakespeare) o con el tramposo de la farsa y del teatro isabelino *(Volpone).* En el teatro del Siglo de Oro español, combinará su figura con la del confidente y se articulará como visión especular del personaje noble o principal de la comedia, apareciendo a veces en escalera —varios graciosos que dependen unos de otros— dado el carácter de distribución social y de atributos que organizan este teatro en Lope y sus sucesores, convirtiéndose en lo que Montesinos prefiere llamar, con razón, *figura del donaire,* para marcar la distancia que lo separa del gracioso primitivo o del que aparece en el entremés: «quiero hacer notar que una gran parte de los caracteres señalados no son cómicos. [...]. El sentido de este personaje en la comedia responde a su función constructiva; lo cobra en la contraposición de dos posiciones ante la vida. [...]. Pero además, por lo que a la economía de las piezas dramáticas se refiere, es una "voz" necesaria, un complemento armónico de la voz del galán, y por ello ha de estar en la comedia y decir lo que dice, sea ello cómico o no. (Graciosos ha habido en el teatro español, como el Catalinón de Tirso, que por razones de contraste han tenido que ser voceros de la más acendrada moral católica.) [...]. Lope y los poetas de su escuela vieron en esta figura la posibilidad de expresar temas —serios o cómicos— que enlazaban armónicamente con los temas que habían de desarrollar los galanes».

Para estos temas véase José F. Montesinos, *Algunas observaciones sobre la figura del donaire en el teatro de Lope de Vega* y *Lope de Vega, figura del donaire.*

GRADACIÓN. En la retórica clásica, la gradación o *climax* consistía en una continuación progresiva de la anadiplosis (V.), es decir, en el encadenamiento de elementos relacionados entre sí por cualquier faceta (causal, cronológica, etc.). En la actual retórica, el término se usa para designar una sucesión de palabras o grupos de palabras (V. también ANTICLIMAX), cada uno de cuyos elementos supone una amplificación o precisión semántica (o de connotación) con respecto al inmediatamente anterior. Según la dirección que tome el acrecimiento semántico o rítmico de la sucesión se tiene una gradación ascendente *(climax)* o una gradación descendente *(anticlimax),* si el escritor quiere atenuar progresivamente y cerrar la curva del interés. El poema de Machado *La plaza tiene una torre* hace un doble uso de la gradación: dos gradaciones, construidas con los mismos términos, en el mismo orden, invierten su tensión. Muchas veces es difícil decidir si nos encontramos con una gradación ascendente o descendente: *en tierra, en humo, en polvo, en sombra, en nada...* (Góngora). Borges, tan propenso en su poesía a la utilización de enumeraciones, piensa que cualquier enumeración encubre —o manifiesta— una gradación.

El término *climax,* que se emplea también como sinónimo de gradación ascendente, ha especializado su significado en algunos críticos para designar el punto culminante de ella o, en el relato, el punto de máximo interés. El anticlimax es, entonces, el trozo de discurso que se extiende entre el climax y el cierre.

GRADO CERO. Se entiende por grado cero la ausencia significativa de un término determinado que tenga connotaciones retóricas o estilísticas en un contexto. Barthes llama «grado cero de la escritura» a la escritura neutra, hipoconnotada.

GRAFEMA. Es un elemento de un sistema de escritura, que en la escritura alfabética corresponde a las letras del alfabeto. La visualización de los fonemas en las escrituras adquiere importancia, en el seno de lo literario, en los experimentos de las escuelas vanguardistas (futurismo, dadaísmo, ultraísmo, etc.); véase el poema *Estanque* de Juan Larrea, o algunos de los textos de José Joaquín Tablada. Esta valoración de los signos gráficos han desembocado en la más reciente poesía visual.

GRAFO. Elemento no lingüístico incluido en un texto, bien para aclararlo (esquemas, dibujos; por ejemplo el *grafo* del árbol saussuriano para explicar la doble cara del signo), bien para complementarlo por prolongación o por contraposición; citemos como ejemplos, el libro de *Cousas* de Castelao o la mano dibujada en el poema *Noche en claro* de Octavio Paz.

GRAMÁTICA. Para la lingüística moderna, la gramática es la descripción completa de la lengua. La gramática comprende a la fonología (V.) sintaxis (V.) y semántica (V.). Para Chomski (V. LINGÜÍSTICA, 5) la gramática es un modelo de la competencia ideal del hablante.

GRAMATICALIDAD. Cualquier sujeto hablante, que por definición posee la gramática de su lengua, puede suministrar juicios de gramaticalidad acerca de enunciados emitidos; puede decir si una frase compuesta con palabras de su lengua está bien formada, se acuerda con las reglas que él tiene en común con todas las otras personas que hablan esa lengua; esta actitud pertenece a la competencia de los sujetos hablantes y no depende ni de la cultura ni del grupo social del hablante. En castellano, por ejemplo, *Al niño le gusta el chocolate* es una frase gramatical; por el contrario, **chocolate gustar el niño* es una frase agramatical (se señala con un asterisco). Existen distintos tipos y grados de gramaticalidad: de cualquier forma hay que diferenciarla del significado o de las implicaciones lógico-semánticas (*los que comen por las esquinas diminutas pirámides del alba y el sordo oye perfectamente* son frases gramaticalmente bien formadas, pero asemánticas o ilógicas), y también de su aceptabilidad (*El amigo del muchacho que ahora está atravesando la calle vestido con un traje azul es muy inteligente* es una frase gramatical, pero difícilmente aceptable por su excesiva complejidad). La agramaticalidad puede ser aceptable, sin embargo, en un contexto lírico: Francisco García Lorca ha estudiado los valores expresivos del verso, imposible en castellano, *Verde que te quiero verde*; algunos versos de César Vallejo *(Todo avía verdad; Lado al lado al destino y llora / y llora.)*

GROTESCO. Como categoría literaria, lo grotesco es descubierto en el Romanticismo (Víctor Hugo, Gautier, Bécquer en España), aunque su práctica, como muestra Bajtin (*La cultura popular en la Edad Media y en el Renacimiento,* cfr. sobre todo, la intr. y el cap. V), era muy anterior. Bajtin lo define como «una exageración premeditada, una reconstrucción desfigurada de la naturaleza, una unión de objetos imposible en principio tanto en la naturaleza como en nuestra experiencia cotidiana, con una gran insistencia en el aspecto material, perceptible, de la forma así creada». Las causas de la deformación grotesca pueden ser, como afirma Pavis, extremamente variables: van desde el puro gusto por el efecto cómico hasta la sátira política o filosófica. Sin embargo, todas las formas tienen en común la referencia a una realidad que reconocemos y esa mezcla de elementos diversos, que no permiten que nos ríamos abiertamente con esta especie de caricatura: así, bajo la deformación de las serranas del Arcipreste se encuentran los temas serios del miedo y del amor, Quevedo mezcla vida y muerte, u ojo de la cara y ojo del culo (V. Octavio Paz, *Conjunciones y disyunciones*), Góngora hace grotesca la fábula de Acis y Galatea, al dar el papel protagonista al canto de Polifemo. Lo grotesco se proyecta siempre en el texto entero, comprometiendo su comprensión. En la literatura contemporánea el ejemplo más elaborado de uso de lo grotesco quizá sea el teatro de Valle-Inclán, al menos desde las *Comedias Bárbaras*, y también sus novelas.

GRUPO. Constituyente de frase formado por uno o varios sintagmas. Por ejemplo, *El hombre de la esquina rosada es un cuento de Borges*, es una frase formada por un grupo nominal (GN): *el hombre de la esquina rosada*, y por un grupo verbal (GV): *es un cuento de Borges*. Ambos grupos están constituidos por varios sintagmas: *el hombre, de la esquina rosada, un cuento, de Borges*.

HABLA. Término con que se traduce habitualmente el de *parole*, especializado por Saussure. El habla es el aspecto individual y material del lenguaje, opuesta a la lengua que es esencialmente social e independiente del individuo. «El habla es un acto individual de voluntad e inteligencia.» Por el contrario la lengua es un producto social de la pertinencia del lenguaje, de naturaleza no material, a disposición de la colectividad, pero exterior al individuo que por sí mismo no puede crearla ni modificarla.

El habla es un fenómeno físico y concreto que se actualiza fonéticamente: por medio de los órganos de fonación el individuo produce una cadena de sonidos, transmitidos gracias a las ondas sonoras, que es recibida por el oído, percibida como cadena de sonidos que se interpretan en la mente por sus valores distintivos —es decir, como elementos ya de la lengua—: los fonemas de una lengua determinada. Para Chomsky, la gramática debe dar cuenta de la capacidad del individuo para producir y comprender frases que no ha oído nunca antes (competencia). La lengua, que para Saussure es un sistema de signos, se convierte en la teoría de Chomsky en un sistema de reglas que alían los signos con su interpretación semántica. La creatividad concierne tanto a la competencia, en cuanto es la posibilidad de un individuo para construir frases, como la actuación *(performance)*, utilización concreta de las reglas o, en ciertos casos, desvío intencionado con respecto a éstas.

HAIKÚ. Llamado también *haikai*, el haikú es un poema japonés con un esquema métrico de diecisiete sílabas distribuidas en tres versos. En él se trata de aproximar, en un salto de ingenio, dos realidades distintas, bien a través de la lírica, bien a través del humor. Introducido el nombre y el género en la literatura en español por Tablada, su influjo se hace notar —combinándose con la copla popular— en el Machado de *Nuevas Canciones,* en Juan Ramón y en los poetas de la generación del 27 o sus correspondientes americanos (citemos, como caso más directo, el de Jorge Carrera Andrade), que mantendrán la estructura tripartita, aunque no el número de sílabas, y el elemento de sorpresa. Son evidentes también las relaciones con la greguería de Ramón Gómez de la Serna.

HAMARTIA. Ignorancia de algo o error de juicio que, en la tragedia, provoca una acción del héroe dirigiendo la acción hacia la catástrofe.

HAPAX (o HAPAX LEGOMENON). Se trata de cualquier palabra o expresión que se documenta una sola vez en el sistema lingüístico o en un corpus determinado (obra literaria, lengua de un autor, etc.): *a sueras frías* (Arcipreste de Hita), *Cuca silvana* (García Lorca).

HEMISTIQUIO. Cada uno de los miembros en que un verso es dividido por la cesura (V.). Aunque normalmente un verso de más de nueve sílabas tiene dos hemistiquios —obedeciendo a la etimología— el término se ha extendido para denominar a cada una de las partes separadas por la cesura, aunque sean de mayor número: *Ritmos que encierren / dulzor de pañales, / susurro de abejas* (González Prada).

HEMISTIQUIO. Un verso está dividido por la cesura (V.) en dos partes, llamadas hemistiquios. Éstos pueden ser de medida fija (por ejemplo, el alejandrino) o variable según planteamientos rítmicos del poeta, como sucede en el endecasílabo. Por extensión se da también el nombre de hemistiquio a cada una de las partes que determinan las cesuras aunque sean más de dos.

HEPTASÍLABO. Verso de siete sílabas métricas. Se utiliza autónomamente en la poesía de los siglos XIII y XIV (por ejemplo, en la *Disputa del alma y el cuerpo* o en los *Proverbios* de Don Sem Tob), pero cae muy pronto en desuso hasta que se reencuentra, procedente de Italia, en la corriente renacentista, ahora combinándose con el endecasílabo en estructuras como la canción, en el madrigal, en las formas que imitan a la oda clásica (sobre todo en la lira) y en la silva. Sin combinar, lo encontramos en formas de romance (V. ENDECHA): *Pobre barquilla mía, / entre peñascos rota* (Lope de Vega), de donde lo hereda el neoclasicismo que hace amplio uso de él. La generación del 27 y sus contemporáneos hispanoamericanos hacen de él un instrumento muy preciso y ágil. El heptasílabo aparece frecuentemente junto al endecasílabo, del que es el pie quebrado natural, al alejandrino (cfr. García Lorca, *Elegía a doña Juana la Loca*) y, en la seguidilla, al pentasílabo.

HERMENÉUTICA. V. INTERPRETACIÓN.

HÉROE. El héroe es el personaje principal o protagonista de unos acontecimientos, el actor de una representación muy variada (V. NARRATIVA) detrás de la cual se pueden entrever o adivinar esquemas generales o funciones codificadas; de igual manera, en una teoría actancial, se piensa que la variedad de los personajes puede reconducirse a un modelo bastante simplificado (V. ACTANTE y cfr. Segre, *Principios de análisis del texto literario*). Desde este punto de vista no existe una tipología plausible del héroe, que es simplemente un personaje (V.).

Frye (*Anatomy of criticism*, I, i), ampliando una alusión de Aristóteles en el segundo parágrafo de la *Poética*, recuerda que las obras de imaginación pueden clasificarse «según las capacidades de acción del héroe, que pueden ser mayores, iguales o menores que las nuestras». De esto deriva el siguiente paradigma:

1. El héroe es superior como tipo a los hombres: es un ser divino y su historia es un mito.

2. El héroe es superior a los otros hombres y a su ambiente: es el protagonista del relato fantástico *(romance)*, de las leyendas y de los cuentos populares en los que encontramos como funciones típicas los prodigios, lo maravilloso, los encantamientos, las hadas y hechiceros, los animales que hablan, los talismanes, etc.

3. El héroe es superior a los otros hombres, pero no a su ambiente natural: es el jefe, el personaje principal de la épica y de la tragedia, es decir de las obras de alta mímesis, según Aristóteles.

4. El héroe no es superior ni a los otros hombres ni a su ambiente: es uno como nosotros (en resumen, no es un «héroe»); es el personaje típico de la comedia, de las novelas o de los cuentos realistas o de baja mímesis.

5. En las tramas de «impedimento, frustración o absurdo», el héroe pertenece al mundo irónico (es inferior a nosotros en fuerza e inteligencia).

Frye nota que la literatura mítica ha dominado hasta la llegada del cristianismo; en la Edad Media la leyenda caballeresca o hagiográfica *(romance)* nos presenta como héroes a caballeros andantes o a santos; en el Renacimiento y en el ambiente aristocrático cortesano surge el modo de la alta mímesis; por el contrario, la cultura burguesa introduce, en nuestros tiempos, el modo bajo mimético. Aunque sea inaceptable la sucesión temporal de los diversos tipos esquematizados (¿dónde colocamos la figura de don Quijote? ¿y en qué época?), las indicaciones de Frye, aun discutibles, pueden resultar pertinentes para un principio de taxonomía de las tramas.

Un creador, Valle-Inclán, distribuye las calidades de los héroes de las obras en que están insertos, por la posición que ocupa el autor y hace ocupar al destinatario con respecto a ellos: «Creo que hay tres modos de ver el mundo artística o estéticamente: de rodillas, en pie o levantado en el aire. Cuando se mira de rodillas —y ésta es la posición más antigua en literatura— se da a los personajes, a los héroes, una condición superior a la condición humana, cuando menos a la condición del narrador o del poeta. Así, Homero atribuye a sus héroes condiciones que en modo alguno tienen los hombres. Hay una segunda manera, que es mirar a los protagonistas novelescos como de nuestra propia naturaleza, como si fuesen nuestros hermanos, como si fuesen ellos nosotros mismos, como si fuera el personaje un desdoblamiento de nuestro yo, con nuestras mismas virtudes y nuestros mismos defectos. Ésta es, indudablemente, la manera que más prospera. Esto es Shakespeare, todo Shakespeare... Y hay otra tercer manera, que es mirar el mundo desde un plano superior y considerar a los personajes de la trama como seres inferiores al autor. Los dioses se convierten en personajes de sainete. Ésta es una manera muy española, manera de demiurgo, que no se cree en modo alguno hecho del mismo barro que sus muñecos. Quevedo tiene esa manera, Cervantes también.» La teoría de Valle-Inclán tiene la ventaja de hacer intervenir al emisor y al receptor en el proceso de comunicación y de dejar abierta la vía, practicada por el propio Valle-Inclán, a la mutación del punto de vista en el desarrollo de la trama.

HEROICOCÓMICO. El llamado poema heroicocómico es una parodia de la epopeya culta, de la que conserva algunos *topoi* característicos (el héroe, la aventura, el valor caballeresco, etc.), degradados según modalidades bajomiméticas (V. HÉROE), por medio de situaciones paradójicas o grotescas que —siguiendo la terminología de Bajtin— podríamos denominar carnavalescas (V.), por medio de un uso contradictorio del lenguaje, revolviendo el estilo de los géneros «sublimes» para expresar situaciones cómicas o realistas. En nuestra literatura se podrían considerar como prototipos del poema heroicocómico *La mosquea* de Villaviciosa y *La Gatomaquia* de Lope, tan diferentes entre sí, sin embargo. Los antecedentes del género son muy antiguos, si se considera como poema heroicocómico la *Batracomiomaquia* pseudohomérica, que remonta al siglo VI-IV a. de C. En nuestra literatura podríamos aducir la batalla de Don Carnal y Doña Cuaresma en el *Libro* del Arcipreste. En prosa el primer ejemplo sería el del *Lazarillo de Tormes,* y más si, como quería González Palencia, el arranque del antihéroe está concebido siguiendo los pasos del *Amadís* y volviéndolo al revés: bien es verdad que esto no explica toda la novela, pero puede ser uno de los elementos que la configuran.

HEURÍSTICO. Modelo o hipótesis cuya validez no se establece *a priori,* sino que se supone y se utiliza por el crítico como instrumento «para comprobar lo que pasa». Su interés no se justifica teóricamente, sino en función de los resultados obtenidos.

HEXÁMETRO. Verso grecolatino que consta de cinco dáctilos más un troqueo/espondeo; todos los dáctilos pueden ser sustituidos por espondeos. Es el verso virgiliano por excelencia. En el Renacimiento español se delegó su función en la poesía latina en el endecasílabo, bien libre o agrupado en tercetos encadenados o en octavas.

HEXASÍLABO. Verso de seis sílabas métricas. Tradicionalmente se ha considerado como el verso más breve que puede utilizarse en la métrica castellana sin combinar con otros de mayor extensión. Santillana lo emplea en algunas de sus serranillas (la de la Finojosa, por ejemplo), y es el verso del romancillo. El modernismo lo utiliza para otras estrofas, es verso fundamental para Juan Ramón, Guillén, Lorca, Salinas o el Neruda de las *Odas Elementales* o del *Memorial de la Isla Negra*.

HIATO. El hiato es el encuentro de dos vocales que no constituyen diptongo y que forman parte de dos sílabas distintas. En métrica (V.) se produce hiato en las figuras de la dialefa y de la diéresis (V.).

HIMNO. El himno, composición pensada para ser cantada coralmente en honor de un dios, del que se recuerdan advocaciones, favores o prodigios, es una de las más antiguas formas poéticas. Estaban dedicados, en principio, para ser cantados en solemnidades religiosas, frecuentemente con fines propiciatorios. No era extraño que himnos mitológicos se incluyesen en estructuras poéticas de otro tipo: esta tendencia se conservó incluso en la evolución de la poesía coral griega (desde Alceo a Píndaro y Baquílides) y en la más refinada himnografía helenística, cuando se convierte en algo puramente literario, no litúrgico.

En Roma, el género se difundió mucho menos —salvo los cantos rituales muy primitivos—, pero recordemos, sin embargo, el *Carmen saeculare* de Horacio. Fue el cristianismo el que dio nuevo impulso al himno, a partir de los de San Ambrosio, los primeros en cantarse en la Iglesia de Occidente, según San Agustín. Desde entonces se hicieron frecuentes en la Edad Media, constituyéndose una extensa himnología sacra, recogida posteriormente en los varios breviarios. Junto a ella se desarrolla un tipo de canciones corales en la poesía de los clerici vagantes que, acaso, se puedan considerar como himnos no litúrgicos. En el Renacimiento español el himno se confunde en formas con la oda y con la canción, sin que se puedan establecer diferencias claras. Se resucitará el nombre en el XIX, pero ya sin su carácter religioso, que se sustituye por la dirección de la voz del poeta hacia un ser que se considera superior (*Himno a la luna* de Jovellanos, *Himno al sol* de Espronceda) o por querer unir las voces en torno a sentimientos patrióticos, civiles, políticos o, incluso, deportivos.

HIPÁLAGE. Figura sintáctica y semántica que consiste en atribuir a un objeto el acto o la idea que conviene a un objeto cercano. Borges mismo cita como ejemplo de hipálage un texto suyo (en *Borges, el memorioso*): *Para que su horror sea perfecto, César, acosado al pie de una estatua por los impacientes puñales de sus amigos*. El adjetivo *impacientes* se ha desplazado desde *amigos*, al que se refiere idealmente (semánticamente) a *puñales*, al que se une semánticamente. En la retórica antigua se confunde con enálage (V.).

HIPÉRBATON. Figura sintáctica que consiste en la inversión de algunos elementos respecto al orden que normalmente presentan en la frase (por ejemplo, *del salón en el ángulo oscuro,* Bécquer, que reproduce la construcción del genitivo latino). Generalizando, el hipérbaton consiste en separar los elementos que constituyen un sintagma, intercalando otros que determinan una estructura irregular de la frase (irregular, bien entendido, en relación a un orden que se considera usual): *Estas que me dictó rimas sonoras* (Góngora). En este verso los términos *estas* y *rimas,* que estructuralmente constituyen un sintagma, aparecen separados; además la oración de relativo aparece anticipada con respecto a su antecedente. El hipérbaton en Góngora, acaso su más sabio utilizador, ha sido estudiado —y señalados sus antecedentes en la poesía española e italiana— por Dámaso Alonso.

HIPÉRBOLE. Figura lógica que consiste en emplear palabras exageradas para expresar una idea que está más allá de los límites de la verosimilitud. Es bastante corriente en el habla cotidiana (ejem.: *hace un siglo que no te veía, me di de narices con él*). La exageración puede ser por exceso (la *aúxesis* de los antiguos: *Érase un naricísimo infinito,* Quevedo) o por defecto (*tapeínosis: Ícaro de bayeta, si de pino / Cíclope no, tamaño como el rollo,* Góngora). En general, se puede decir que la hipérbole tiene un significado enfático, y de aquí el uso —y aun abuso— que de ella se hizo en el Barroco. Véase la descripción que del Cíclope hace Góngora en el *Polifemo* y tantos otros textos de este poeta o de Quevedo. Frecuentemente la hipérbole adquiere un sentido cómico, que patentiza la desproporción entre las palabras y la realidad (las aventuras fantasiosas de personajes jactanciosos, como el *Miles gloriosus* de Plauto, o su descendencia en las literaturas europeas) o la distanciación irónica con que el autor describe algunos hechos. Piénsese en el tratamiento que Lope da a las batallas en la *Gatomaquia: Yo soy, villanos, / el asombro del orbe, / que come vidas y amenazas sorbe; / aquel de cuyos garfios inhumanos, / león en el valor, tigre en las manos, / hoy tiemblan justamente / las repúblicas todas / que desde el Norte al Sur, por varios mares, / mira de Febo la dorada frente.* La *Salutación Angélica* de César Vallejo se abre con una serie de hipérboles que resaltan el valor del hombre sea cual sea su nacionalidad, y la hermandad de todos ellos: *Eslavo con respecto a la palmera, / alemán de perfil al sol, inglés sin fin, / francés en cita con los caracoles, / italiano exprofeso, escandinavo de aire, / español de pura bestia, tal el cielo / ensartado en la tierra por los vientos, / tal el beso del límite en los hombros.*

HIPEROJE. Figura de pensamiento que expresa una alabanza exagerada. Es una forma de hipérbole (V.), y muchas veces puede constituir la base para un tratamiento burlesco: *Sol os llamó mi lengua pecadora / y desmintióme a boca llena el cielo* (Quevedo).

HIPERONIMIA. Relación de inclusión dirigida desde lo más general hacia lo más específico. Así, *sentimiento* es hiperónimo en relación a sus hipónimos *amor, celos, pena,* etc.

HIPONIMIA. Relación de inclusión dirigida desde lo más específico a lo más general. Por ejemplo, *perro* está incluido en la clase *animal,* es decir, es hipónimo en relación al más general e incluyente *animal* (llamado también término sobreordenado). El nombre hipónimo está marcado respecto al hiperónimo: *rosa* tiene componentes sémicos que le faltan a *flor.*

HIPÓSTASIS. Uso de una palabra en una función sintáctica distinta a la que le es habitual. Por ejemplo, el sustantivo *cerbatana* empleado como adjetivo por Quevedo en la descripción del Dómine Cabra: *era un clérigo cervatana.* Recibe también el nombre de metábasis.

HIPOTAXIS. Se llama hipotaxis a la relación de subordinación explicitada por medio de un signo funcional. La hipotaxis se opone a la parataxis (V.), o sea, a la coordinación. Estilísticamente, la parataxis señala un discurso meditado y racional, incluso cierto nivel cultural en el que lo emplea, frente a la parataxis, propia de la expresión de emociones y, sobre todo si es copulativa, de un lenguaje popular.

Dámaso Alonso ha especializado el término de hipotaxis para designar la relación que une los elementos de un sintagma progresivo.

Spitzer, siguiendo a Thérive, denomina hiperhipotaxis a la inclusión de subordinadas en número excesivo, y opina que un período de esa naturaleza está pensado más para ser leído que para ser pronunciado, con valor estilístico literario, al hacer detener al lector para reconstruir el pensamiento del autor o del personaje. El crítico alemán distingue tres tipos de construcción en los períodos hiperhipotácticos: en explosión, en superposición y en arco.

HIPOTIPOSIS. Descripción vívida de un hecho, persona o cosa, con una peculiar fuerza de representatividad, riqueza de matices y plasticidad de imágenes; normalmente sirve para expresar caracteres de naturaleza abstracta con rasgos perceptibles por los sentidos, e incluso algunas veces, como señala Dupriez, alucinatorios. Ejem.: *Como perro olvidado que no tiene / huella ni olfato y yerra / por los caminos, sin camino, como / el niño que en la noche de una fiesta / se pierde entre el gentío / y el aire polvoriento y las candelas / chispeantes, atónito, y asombra / su corazón de música y de pena, / así voy yo* (Antonio Machado).

HISTORIA. En la teoría del relato la historia es, desde los formalistas rusos, la *fabula* (V.), es decir, el conjunto de los acontecimientos relatados. En Segre *(Principios de análisis del texto literario)* se precisa que la *fabula* es una paráfrasis del contenido narrativo hecha observando el orden causal temporal que, con frecuencia, se altera en el texto, mientras que la narración presenta los mismos elementos pero dislocados de varias formas, según las miras del escritor. Recuérdese, además, la oposición postulada por Benveniste entre historia y discurso (V.), o sea, entre la exposición objetiva de los acontecimientos y las distintas formas de enunciación (presencia del locutor o del destinatario).

HOMEOTELEUTON. El homeoteleuton (también llamado homoteleuton y homeyoteleuton) consiste en la equivalencia fónica de la terminación de dos o más palabras situadas al fin de frases, miembros de frases o palabras en enumeración; representa un papel importante en el isocolon (V.) y en las enumeraciones. En el caso extremo (igualdad absoluta de terminaciones) tenemos el caso de la prosa rimada (Morier), pero casi siempre, ligado al homeoptoton (igualdad de forma gramatical) y a la equivalencia acústica, juega en un complejo sistema de parecidos y contrastes, muy rico melódica y estilísticamente. Véase, por ejemplo, *En dar poder a natura que de tan perfecta hermosura te dotasse, y fazer a mi, inmérito, tanta merced que verte alcançasse, y en tan conveniente lugar que mi secreto dolor manifestar te pudiesse* (Celestina). El entrecruzamiento de asonancias, semisonancias, equivalencias y contrastes es mayor —y muy sabio— en la siguiente enumeración de Cabrera Infante: *En el discurrir del tiempo construye un volumen con trozos de pueblos, de reinos, de montes, de puertos, de buques, de islotes, de peces, de cubiles, de instrumentos, de soles, de equinos y de gentes.*

HOMOFONÍA. La homofonía es la identidad fónica entre dos o más palabras que tienen función distinta en la frase (*vino*, sustantivo y verbo) o que representan lexemas distintos: *hojear* y *ojear*, *hecho* y *echo*.

HOMONIMIA. La homonimia es un fenómeno de anisomorfismo entre el significante y el significado, que hace que a un único significante puedan corresponder significados distintos. Por ejemplo, *presa* puede significar una mujer que está en la cárcel, una construcción que detiene el curso de las aguas, lo que se coge con una mano. Los límites de la homonimia con la polisemia (V.) y con algunos usos metafóricos fosilizados no están claros. En sentido amplio la homonimia se agrupa con la homofonía, bajo este último nombre, sobre todo cuando se da igualdad gráfica.

HORIZONTE DE EXPECTATIVA. En una hipótesis de sociología de la literatura es necesario considerar que la obra de arte se inscribe en un sistema complejo de necesidades, expectativas, gustos, lecturas, modelos de comportamiento, etc., que constituyen, en su conjunto, lo que Jauss —véase *La Historia de la Literatura como provocación de la ciencia literaria*, en *La literatura como provocación*— llama el horizonte de expectativa del público, es decir, del fruidor. Además, por una serie de precondicionamientos bastante diversos (el «género» en que encasillar un texto determinado, las presiones de la industria editorial, para citar dos suficientemente alejados entre sí) el fruidor se «forma una idea» del libro, lo decodifica de acuerdo con algunos estereotipos, exige acaso hasta la solución de algunos problemas personales suyos. Así se explica la «satisfacción» de los lectores más ingenuos cuando se encuentran con productos de estética Kitsch (V.), cursis, o de amplio consumo.

Para Weinrich sería preciso escribir una historia de la literatura desde la perspectiva del lector. Él alega precisamente la atención que muestra Aristóteles por las reacciones del público (por ejemplo de cara al antinatural enfrentamiento entre padre e hijo, entre amigos o hermanos); también la retórica clásica está centrada sobre el público y los medios que se han de emplear para persuadirlo o conmocionarlo. Señala Weinrich: «Una elaboración ulterior de este bosquejo para un panorama más amplio de la literatura, en sus numerosas manifestaciones históricas, podrá producirse en el futuro por la interpretación de los textos. Sin embargo, no por las interpretaciones "inmanentes" que no tengan en cuenta lo que existe más allá del texto, sino por las interpretaciones que analicen también todas sus presuposiciones en cuanto constitutivas del horizonte de las expectativas del lector. El concepto de horizonte de expectativas, expresado por Karl Mannheim, ha sido incluido en la ciencia de la literatura por Hans Robert Hauss, que se sirve de él sobre todo en un sentido general. Desde el instante en que una obra literaria se presenta como formando parte de una categoría literaria determinada, ya se proyecta en un horizonte de expectativa que para el lector —para el lector experto, naturalmente— es el resultado de su familiaridad con esta categoría.» V. también PÚBLICO.

HYBRIS. Arrogancia de palabra o pensamiento que en la tragedia griega y en el teatro derivado de ella constituye una falta trágica que conduce al héroe a su perdición. Para una explicación más extensa y su ubicación dentro de la ideología griega, véase E. R. Dodds, *Los griegos y lo irracional*.

HÝSTERON-PRÓTERON. Con este nombre, o con el de histeriología, se conoce una figura de pensamiento que consiste en la inversión temporal de los acontecimientos en una sucesión continua, de tal forma que se anticipa el término final, sobre el que se centra la atención del escritor. El ejemplo clásico es el de *Eneida*, II, 353, *Moriamur et in media arma ruamus*, «Muramos y caigamos en medio de las armas». Borges, en el *Poema conjetural,* para contar la muerte de Laprida, comienza: *Zumban las balas en la tarde última.* Carpentier invierte el sentido del tiempo en el cuento *Viaje a la semilla*: todo el relato está construido en un hýsteron-próteron.

ICONO. Para Charles S. Peirce, el icono es uno de los tres tipos fundamentales de signos. Un signo es un icono cuando existe una relación de analogía formal entre el representante y lo representado, por ejemplo, el plano de una casa o, mejor aún, un retrato. En sentido lato, el icono es una imagen, de tal manera que se habla de lenguaje icónico a propósito de sistemas de comunicación como el cine, la historieta, la publicidad, etc., que se sirven de las imágenes para transmitir un mensaje. Véase a este propósito Eco, *Tratado de semiótica general,* 3.5, que contiene una crítica del iconismo.

En la crítica literaria, el icono tiene importancia en la consideración de las obras que presentan por una parte una vertiente textual y diegética —el teatro, el cine— y por otra una cualidad distinta a ésta —las imágenes, otros elementos visuales— que les son precisos para ser realizadas. Así se habla de una semiótica teatral, que concentra su atención sobre la teatralidad (con un término calcado sobre literaturidad), para poner de relieve todo aquello que no es literario, y en gran medida es icónico, en una representación.

ICONOGRAMA. Icono ya codificado, tópico, como por ejemplo los signos convencionales de un mapa económico. Véase también SÍMBOLO.

ICTUS. Es el acento poético (primario y secundario) que marca, en la estructura del verso, la relación entre sílabas tónicas y átonas (V. ACENTO). En el verso español, es obligatorio un ictus en la penúltima sílaba.

IDENTIFICACIÓN. Proceso psicológico mediante el cual el receptor de la obra literaria puede llegar a imaginarse ser uno de los personajes representados por el autor, que puede buscar con diversos procedimientos estilísticos un juego entre esta identificación y el distanciamiento. Pavis plantea la identificación como uno de los criterios básicos de la comunicación artística y de la fruición de la obra. Jauss *(Asthetische Erfahrung und literarische Hermeneutik I)* propone la siguiente clasificación de las modalidades de identificación del lector con el personaje:

Modalidad de la identificación	Relación	Disposición de recepción	Normas de conducta + progresiva − regresiva
asociativa	Actuación/ competición	ponerse en la piel de to- dos los personajes	+ goce de existencia dis- tinta − exceso permitido
admirativa	héroe perfecto	admiración	+ emulación − remedo
compasiva	héroe imperfecto	«pietas»	+ simpatía − sensiblería
catártica	héroe que padece héroe reprimido	emoción trágica, catarsis trágica risa, liberación cómica	+ interés − «voyeurismo», burla
irónica	el pícaro, el anti- héroe	sorpresa, provocación	+ sensibilización de la percepción − indiferencia

La crítica marxista (Althusser, en primer lugar) proponen un con- cepto nuevo de identificación, más allá de la que se refiere a los per- sonajes y su situación. La identificación, a través de la historia y de los personajes, se realizaría con la ideología dominante en la que se inscribe el texto.

IDEOLOGÍA. El término se usa con frecuencia como sinónimo de *Weltanschauung,* es decir de visión del mundo y de la vida. Cada artista tiene una concepción ideal propia, que no se articula necesariamente en un sistema filosófico, sino que están en relación con valores, conviccio- nes, actitudes mentales o espirituales ligadas a las convenciones domi- nantes en una determinada época; por ejemplo sería muy difícil enten- der la sustancia del mensaje de Quevedo, Góngora o Gracián sin hacer referencia a la ideología dominante —que no filosofía— del barroco es- pañol. De hecho, Sartre define la ideología como los sistemas interca- lares que se desarrollan entre los grandes momentos filosóficos de la historia.

En una concepción más restringida, el marxismo considera a la ideo- logía como cualquier forma de racionalización cultural o «falsa concien- cia» que las clases dominantes desarrollan como justificación de su po- der. Althusser la define como «la relación imaginaria de los individuos frente a las relaciones reales bajo las que viven». De esta forma la ideo- logía impregna todas las superestructuras y también la del arte, de tal manera que en ciertas posiciones metodológicas marxistas será la labor fundamental del crítico la de caracterizar la *Weltanschauung* de un es- critor en cuanto ideología o expresión particular (organizada coherentemente) de la ideología de una clase o de un grupo intelectual, portavoz de intereses sociales específicos.

IDILIO. Poema de argumento pastoral, afín a la égloga (V.), de la que se diferencia esencialmente por emplear formas métricas más sencillas, versos más cortos y no ser imprescindible el diálogo; también acostumbra a tener menor extensión. La poesía idílica encuentra su expresión ejemplar en Teócrito (siglo III a. de C.), que fijó sus caracteres y temas, por ejemplo, la oposición entre ciudad y campo, la idealización del paisaje rural, la evasión de la historia en un refugio tranquilo, y, sobre todo, una blanda sensualidad. Aunque podemos encontrar caracteres idílicos en muchos textos, el nombre conviene, sobre todo, a algunos poemas del siglo XVI (citemos, como paradigma, las *Eróticas* de Villegas) y a sus continuaciones neoclásicas (*La paloma de Filis,* de Meléndez) en las que a la presencia de Teócrito habría que sumar la influencia del Anacreonte traducido.

IDIOLECTO. El idiolecto es el empleo de la lengua por una sola persona, su lenguaje o «estilo» individual, prescindiendo del grupo o de la comunidad en la que está inserto; en este sentido muchos estudiosos recusan la licitud y utilidad del término. Más recientemente el término ha sido tomado, en el seno de la crítica literaria, como sinónimo de lenguaje peculiar de un escritor, o directamente de estilo (y tampoco en este caso se ve la necesidad). Se puede emplear también el término para definir a un personaje de una novela o de una obra teatral cuando se caracteriza, frente a los demás, por un uso diferencial de la lengua; ej.: Almudena en *Misericordia* de Galdós.

IDIOTISMO. Forma o giro característico de una determinada lengua o dialecto y que no posee correspondencia sintáctica en otra lengua: así se habla de latinismos, anglicismos, etc.; se puede considerar como una forma específica de las variedades geográfico-sociales de una lengua.

Se usa también el mismo término para designar las construcciones que existen en una lengua y que no se ajustan a su sistema gramatical; ejem.: *a pies juntillas, a más ver.*

ILOCUTORIO. Se llama ilocutorio a todo enunciado que constituye en sí un verdadero acto y que tiene como fin primero e inmediato modificar la situación de los interlocutores. Por ejemplo, se cumple el acto de prometer al decir «yo prometo...», el acto de interrogar al decir «por qué...?», el acto de mandar o de aconsejar mediante formas del tipo: «te ordeno...», «creo que deberías...». Frente al acto ilocutorio el destinatario se encuentra en una situación de alternativa: obedecer o desobedecer, responder o no, etc. Véase también *Hecho de lenguaje.*

Cfr. Ducrot-Todorov, *Dicc.,* s.v. *Lenguaje y acción.*

IMAGEN. La imagen, por estar en el centro de la creación poética, ha sido objeto de múltiples discusiones, sin que se haya llegado a una definición precisa de su naturaleza. Pero la confusión que existe sobre ella no se debe únicamente a la diversidad de los sistemas lógicos desde los que se la asedia: se debe sobre todo al estatuto inaprehensible de un número bastante representativo de textos poéticos, para los que cualquier sentido que se les quiera atribuir sería siempre limitado. La verdadera imagen comunica muchas cosas a la vez y cosas que frecuentemente sería impensable que pudiesen decirse de otra manera. Para Wellek y Warren (*Teoría literaria,* cap. XV) «las imágenes son tema que entra tanto en la psicología como en los estudios literarios. En psicología, la palabra "imagen" significa una reproducción mental, un recuerdo de una vivencia, sensorial o perceptiva, pero no forzosamente visual. [...] Las clasificaciones establecidas por los psicólogos y estéticos son numerosas. No sólo hay imágenes "gustativas" y "olfativas", sino también térmicas y presivas ("cinestésicas", "hápticas", "empáticas"). Se ha hecho la importante distinción entre imágenes estáticas e imágenes cinéticas (o "dinámicas"). La utilización de imágenes cromáticas puede ser o no ser tradicional o privadamente simbólica. La imagen sinestésica (sea resultado de la anormal constitución psicológica del poeta o de la convención literaria) traduce de un sentido a otro (verbigracia: del sonido al color)» (V. SINESTESIA). En la estética de Croce la imagen es la refiguración de un sentimiento por obra de la imaginación; es decir, lo que para I. A. Richards sería un «acontecimiento mental». Un significativo ejemplo de imágenes referidas a un amplio campo sensorial se nos ofrece en estos versos de Juan Ramón Jiménez: *¿Quién pasará mientras duermo / por mi jardín? A mi alma / llegan en rayos de luna / voces henchidas de lágrimas.* Obsérvense las imágenes estáticas y visuales (el sueño, el jardín), las imágenes dinámicas (el que pasa, las voces que llegan), las imágenes cromáticas (el rayo blanco de la luna), las imágenes auditivas del verso final (con la enunciación emotiva *henchidas de lágrimas*).

Lo que se llama imagen literaria es la introducción de un segundo sentido, ya no literal sino analógico, simbólico, «metafórico» en un trozo de texto: el resultado es la sustitución de un término —llamado tema o comparado— por otro —llamado foro o imaginado— que no presenta con el primero más que una relación de analogía que descubre la intuición o la sensibilidad del autor y del lector: en este sentido Bousoño diferencia entre imagen tradicional (cuando la analogía es objetiva), imagen visionaria (si la asociación es emocional), visión (atribución de cualidades o atributos imposibles) y símbolos.

Para Gaston Bachelard, es esencial la oposición irreductible entre imagen y «concepto»: la imagen es producto de la imaginación pura, no de la percepción, y es creadora de lenguaje. En esto se opone también a la metáfora simple, que no aleja al lenguaje de su «papel utilitario, sino que es una "falsa imagen", un sustituto del concepto».

Muy interesantes también son los estudios antropológico-literarios que consideran lo llamado «imaginario», es decir —para explicarlo con sencillez—, el inmenso repertorio de imágenes simbólicas que aparecen en el folklore y en la literatura de todos los tiempos. ¿Es posible estructurar lo imaginario? Es evidente que cualquier tipología debe remitirse a la presuposición de que las imágenes se han de agrupar en grandes arquetipos (de aquí la importancia de Jung en los estudios literarios de N. Frye, por ejemplo). La universalidad de los arquetipos permitiría comprender las complejas simbologías (diurnas, nocturnas; temporales y espaciales, ctónicas y celestes; descensoras o elevadoras, etc.) que están en el origen de imágenes recurrentes. Sobre el tema véase G. Durand, *Les structures anthropologiques de l'immaginaire,* los trabajos de Roger Caillois y, para temas hispánicos, D. Devoto, *Textos y contextos.* Starovinski *(La relation critique)* pone de relieve el papel extrañante de la imagen y de lo imaginario: «Insinuada en la percepción misma, mezclada a las operaciones de la memoria, abriendo ante nosotros el horizonte de lo posible [...] la imaginación es mucho más que una facultad de evocar imágenes que recubran el mundo de nuestras percepciones directas: es un poder de alejamiento gracias al cual nos representamos las cosas como distantes y nos distanciamos de las realidades presentes.»

IMPLICACIÓN. La implicación es una relación lógica entre dos enunciados, de tal modo que el primero supone al segundo como consecuencia necesaria. En lingüística se utiliza la implicación para poner de relieve las relaciones semánticas existentes en la estructura de un enunciado: «De una oración, O_1, se dice que la implica a otra O_2 (simbólicamente $O_1 \Rightarrow O_2$), si los hablantes de la lengua coinciden en la imposibilidad de afirmar explícitamente O_1 y negar explícitamente O_2. Y O_1 niega implícitamente a O_2 (O_1 implica *no* O_2, es decir: $O_1 \Rightarrow \rceil O_2$) si se admite que la afirmación explícita de O_1 hace imposible, sin contradicción, la afirmación explícita de O_2» (Lyons, *Introducción en la lingüística teórica,* 10.1.2.). Ejemplo de implicación (lo tomamos de A. Deaño): *No está el mañana ni el ayer escrito* (A. Machado) $\Rightarrow$ *no está el mañana escrito.*

La relación de equivalencia o de implicación bilateral define la sinonimia: «Si una oración, O_1, implica a otra oración, O_2, y la inversión mantiene la implicación, O_1 y O_2 son equivalentes: es decir, si O_1 O_2 y si O_2 O_1, entonces $O_1 \Leftrightarrow O_2$ (en donde $\Leftrightarrow$ quiere decir "es equivalente a")» (Lyons, *ibid.,* 10.2.5.). Ejemplo: *Juan ama a María* $\Leftrightarrow$ *María es amada por Juan.*

La contradicción se manifiesta cuando un término o frase niega explícita o implícitamente a otro término o frase: por ejemplo, *blanco* y *no blanco* son contradictorios; también, si digo *Luis tiene los ojos negros* niego implícitamente *Luis tiene los ojos azules.*

La relación de contrariedad u oposición se da cuando O_1 y O_2 son antónimos (V.), por ejemplo *grande* ~ *pequeño* (también grande vs. pequeño). Greimas, en *En torno al sentido,* 8.1.1, ha reformulado estas relaciones en un esquema (el cuadrado de Greimas) bastante útil:

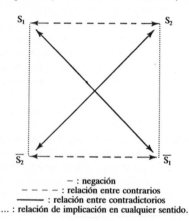

        − : negación
   − − − − : relación entre contrarios
   ───── : relación entre contradictorios
 ...... : relación de implicación en cualquier sentido.

Si, por ejemplo, S_1 = «avaro», S_2 será «pródigo», $\bar{S}_1$ (es decir, − S_1) valdrá «no avaro, liberal» y $\bar{S}_2$ «no pródigo, ahorrativo». $\bar{S}_2 \Rightarrow S_1$, como $\bar{S}_1 \Rightarrow S_2$. Marchese, en *Metodi e prove strutturali,* ha utilizado este esquema para investigaciones literarias.

IMPLÍCITO. En la relación de comunicación no todo se dice o está explícito: muchas informaciones quedan implícitas porque dependen del contexto, de la situación o incluso de las presuposiciones (V.) que el hablante piensa que tiene en común con el receptor. Si leemos en un periódico la frase: *El extremo vio el rojo* hay en ella muchas informaciones implícitas: 1) se habla de un partido de fútbol 2) en el cual un jugador que ocupa una posición determinada 3) ha cometido una falta 4) grave 5) que ha impulsado al árbitro a enseñarle una cartulina 6) para echarlo del juego. Lo implícito con frecuencia se remite a competencia comunicativa peculiar del hablante, de tipo pragmático, llamada «enciclopedia» (= conjunto de informaciones, conocimientos o creencias sobre el mundo, connotaciones ocasionales, referencias culturales, etc.). Así, cuando Manuel Machado escribe: *Blanca mano espectral, de sangre exhausta, / y en la mano un limón que significa...* nos remite, con esos puntos suspensivos, por presunción enciclopédica a toda una serie de apariciones del limón en el folklore y en la tradición literaria, con su peculiar connotación, que puede verse en el artículo *Naranja y limón* de Daniel Devoto recogido en *Textos y contextos*.

IMPRECACIÓN. Figura lógica con la que se patentiza una fuerte emoción y por la cual se expresa desdén, indignación, furor por un acto negativo, y se desea mal a quien es responsable de aquel hecho. Ejem.: *Húndete, pues, con tu torva historia de crímenes, / precipítate contra los vengadores fantasmas, / desvanécete, fantasma entre fantasmas, / gélida sombra entre las sombras, / tú, maldición de Dios, / postrer Caín, / el hombre* (Dámaso Alonso).

IMPRESIVO. Se habla desde Bally, especialmente en fonoestilística, de impresividad o de sentido o caracteres impresivos a propósito de las cualidades acústico-sonoras de determinados fonemas destinados a producir en el receptor un efecto determinado. Así la armonía imitativa y la onomatopeya se fundan en los caracteres impresivos de los sonidos. Ejem.: *Infame turba de nocturnas aves* (Góngora). Aquí, como indica Dámaso Alonso, la repetición de los ictus /tur/ produce una «sensación de horrible oscuridad» que «percibe —también oscuramente— todo lector del poema».

INCIPIT. Término con el que se indica el comienzo de un texto. Por ejemplo, el incipit del *Quijote* es un verso de romance. El término opuesto es el EXPLICIT (V.).

INCISO. Término o enunciado (en este caso se habla de oración incidental o parentética) intercalado en una proposición, sin que tenga con ella ninguna relación de subordinación. Ejem.: *dijo que la Heftpistole no era lo que el doctor se imaginaba (decía «doctor» con el tono necesario para que cualquiera se diese cuenta de que lo decía por jorobar) pero que en vista de su negativa iba a tratar de conseguir solamente los rulemanes* (Julio Cortázar).

INCLUSIÓN. Se produce la inclusión de un subconjunto A' en un conjunto A, cuando todos y cada uno de los elementos de A' pertenecen también a A. Por ejemplo, los nombres propios están incluidos en la clase de los nombres. En la transcripción simbólica se expresará: $A' \subset A$. La inclusión tiene importancia para determinar las relaciones semánticas entre distintas palabras. La hiponimia se puede definir como relación de inclusión: en efecto, *flor* es más amplio que *rosa* o *violeta,* es decir, las incluye (también se puede notar que *rosa* y *violeta* están marcados con respecto a *flor,* y no al revés). Los diagramas de Venn ponen en claro los conceptos de inclusión y pertenencia:

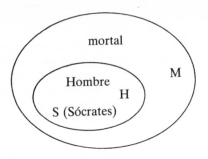

El conjunto M comprende al subconjunto H (este último está incluido en M), mientras que el elemento *Sócrates* (S) pertenece a H. Formalizando:

H ⊂ M = H está incluido en M

S ∈ H = S pertenece a H

$[H \subset M] \Leftrightarrow$ (= equivale a) $[S \in H \Rightarrow$ (= implica) $S \in M]$

Esta última expresión significa que del antecedente (lo que está escrito a la izquierda del signo de coimplicación $\Leftrightarrow$), se deduce la consecuencia (lo que está escrito a la derecha del signo $\Leftrightarrow$).

INDICADORES. En Martinet el indicador de función o monema funcional (V. LINGÜÍSTICA, 2) es el monema que marca las relaciones sintácticas entre los elementos de un enunciado; así, serán indicadores funcionales, las preposiciones, las conjunciones, el relativo, etc.

Para Benveniste los indicadores son los deícticos (V.) de espacio y de tiempo; por ejemplo, *aquí, ahora, esto,* etc. En el análisis lingüístico de un texto literario los indicadores espaciotemporales ponen de manifiesto el acto de enunciación (V.) al aludir a la relación emisor-receptor o delimitar el contexto.

Sobre la función estilística de los deícticos véanse: DISCURSO, ESTILO, CONMUTADORES.

ÍNDICE. Para Peirce, el índice es una clase de signo, junto al icono y al símbolo; con más exactitud, es un hecho que implica o anuncia a otro, como las nubes oscuras o el humo que son índice de la lluvia o del fuego, respectivamente. Luis J. Prieto lo define como un «hecho inmediatamente perceptible que nos da a conocer alguna cosa que conviene a otro que no lo es». Véase SEMIOLOGÍA, SIGNO.

INDICIO. Nos interesa la definición que da Barthes de indicio en su *Introducción al análisis estructural del relato.* Considerando las funciones como las unidades de contenido más pequeñas en el seno de un texto narrativo, Barthes diferencia entre núcleos —o nudos— y catálisis (verdaderas funciones en el proceso de la narración), indicios e informantes (unidades narrativas que actúan en el nivel del discurso y de los personajes). Mientras que los informantes son datos puros (por ejemplo, la edad de un personaje), los indicios «remiten a un carácter, a un sentimiento, a una atmósfera, a una filosofía». Por ejemplo, si se lee: *el teléfono sonó. James Bond levantó uno de los cuatro aparatos*, la palabra «cuatro» indica una idea de alta complejidad burocrática. *Cuatro,* así, será un indicio; los indicios, como también dice Barthes, tienden a constituir configuraciones con alcance ideológico.

INFLUENCIA. Para Bremond *(Logique du récit),* el sujeto del relato (o, con mayor exactitud, el paciente: V. ACTANTE) puede padecer distintos tipos de influencias que constituyen móviles para hacer o no hacer una acción. El autor plantea la siguiente tabla:

influencias \ móviles	incitadoras	inhibidoras
hedonistas	Seducción	Intimidación
éticos	Obligación	Prohibición
pragmáticos	Consejo	Disuasión

Además de las influencias incitadoras (que impelen a esperar y a obrar) e inhibidoras (que impelen a temer un acontecimiento y a impedir que suceda), Bremond estudia también las neutralizadoras (indiferentes) y las ambivalentes (que inducen a esperar y temer). «Una influencia seductora está dirigida a comunicar a un paciente el deseo de un acontecimiento agradable por sí mismo; una influencia intimidadora, a comunicar a un paciente el temor (o la aversión) por un acontecimiento desagradable en sí mismo; una influencia obligativa, a comunicar a un paciente la conciencia de una obligación o un deber; una influencia prohibitiva, a comunicar a un paciente la conciencia de un veto, cuya violación le costaría cometer un error; una influencia aconsejadora, a comunicar a un paciente la conciencia de las ventajas de aprovechar un acontecimiento posible; una influencia disuasoria, a comunicar a un paciente la conciencia de los inconvenientes que resultarían si se realizase u ocurriese un acontecimiento» (Bremond, *ibid.*). Si las influencias dependen de un agente influenciador se producirán los papeles de seductor, intimidador, obligador, prohibidor, consejero, disuador. Encontrar tipos que cumplan uno solo de estos papeles en una obra es difícil, pero cualquiera puede reconocer momentos o situaciones ocupadas por un personaje que actualiza alguna de estas influencias.

INFORMACIÓN. «A pesar de un abanico muy extenso de acepciones, la noción de información, tanto en lingüística como en el estudio de la telecomunicación, puede ser transferida a la de aminoración de la incertidumbre: hay información cada vez que, de una u otra forma, una incertidumbre inicial se encuentra reducida o anulada. Cuando se da la dirección de una casa en una calle donde sólo hay una, el número de este edificio no aporta ninguna información; por el contrario, proveerá de información si la calle tiene más de una casa, y la información será tanto más rica cuanto mayor sea el número de casas» (Mounin, *Diccionario de Lingüística,* s.v.).

El concepto de información no se corresponde, por lo tanto, con el de contenido ni con el de contenido del mensaje, sea cual sea la importancia de éste: la información concierne a la transmisión del mensaje y a la mengua de la incertidumbre en la decodificación.

En el ámbito de lo literario se ha definido el estilo (V.) como una elección y una combinación original de elementos lingüísticos que sean capaces de elevar el contenido de información del mensaje. Es evidente que la información inherente a una unidad lingüística es inversamente proporcional a la probabilidad de ocurrencia de aquella unidad en el habla. La imprevisibilidad aumentará la información: mientras que si digo *mar azul* no aporto ni imprevisibilidad ni información (al menos en un sentido estadístico), la desviación modernista *mar cerúleo* es más informativa, y más aún lo será la elección de Juan Ramón Jiménez *mar casi humano para odiarme.*

INFORMANTE. Para Barthes *(Introducción al análisis estructural del relato)* el informante es una función narrativa no progresiva, que consiste en proveer de algunos datos inmediatamente informativos, como la edad de un personaje, su descripción física, etc. V. SECUENCIA, NARRATIVA.

INICIO. El inicio de un relato puede consistir, según Greimas *(En torno al sentido),* en una relación contractual entre un destinador y un destinatario, seguido de la disyunción y de la misión del héroe-sujeto. Otras formas de arranque del relato (especialmente del mítico) pueden ser la toma de conciencia de la falta, la rotura del idilio en el *locus amoenus* por causa de elementos perturbadores, la intervención del otorgante.

IN MEDIAS RES. Forma peculiar de narración que rompe el *ordo naturalis* de la *fabula* (V.), para iniciar el relato en una aventura ya avanzada en su desarrollo. Menéndez Pidal subraya este tipo de principio como característico de los romances viejos. Muchas veces el comienzo *in medias res* se corresponde con un *flash-back* o analepsis.

INSTITUCIONES LITERARIAS. La escritura literaria manifesta, al individualizarse en textos, es decir, en su estructurarse como obras distintas, la intersección más o menos latente de códigos diversos que conforman el cañamazo sobre el cual trabaja el artista para construir su discurso estilístico específico. Estos códigos generales son claras y verdaderas instituciones en cuyo ámbito se expresa el escritor, ya amoldándose a los modelos y pautas propuestos, ya rechazándolos para inventarse otros, ya modificándolos desde dentro de ellos con los procedimientos más varios, por ejemplo combinando elementos de códigos diferentes. Las instituciones más importantes son los géneros literarios (V.), porque nos permiten establecer una solidaridad entre las obras, una interconexión recíproca, una intertextualidad (V.) significativa para reparar no tanto en el influjo o la hegemonía de un escritor en un género determinado, como en el grado de literariedad (V.) o de conocimiento formal connatural a cada obra.

También la lengua literaria puede considerarse una institución del sistema. Lógicamente se trata de una lengua «secundaria» (Lotman), no coincidente con la natural, sino construida sobre ella y desde ella de tal forma que los signos literarios sean totalmente expresivos, connotados por pertenecer a códigos culturales determinados. Entre el estilo individual y la lengua estándar o comunicativa están colocados varios filtros formales, la lengua literaria y las escrituras (V.) con estilemas típicos y marcas retóricas, moldes convencionales, incluso fórmulas fijas.

Una lectura crítica, que reconstruye la intertextualidad entre una obra y las que le son afines por constituir el mismo género, subrayará la desviación expresiva entre la realización formal de la obra y las instancias virtuales implícitas en la escritura y en el género de referencia. Para dar un ejemplo, las *Soledades* de Góngora se inscriben en una tradición simbólico-expresiva de clara ascendencia arcádico-petrarquista. Pero intentar ver en don Luis un revivificador del sentimiento de Petrarca o un recreador de los países de Sannazaro es absolutamente una idea absurda, porque el arte del poeta —digamos simplemente su síntesis estilística— violenta los códigos culturales de referencia, el género idílico-pastoril de Sannazaro y los estilemas de Petrarca (o de Bembo), introduciendo nuevas formas del contenido, una nueva sensibilidad, que actúan haciendo estallar los estereotipos del sistema. De ello deriva que la adhesión de Góngora a modelos y formas procedentes de una —o varia— tradición, puesta de relieve por sus comentaristas más cercanos y recalcada, en cuanto a los usos lingüísticos, por Dámaso Alonso, se resuelva no en una simple constricción, sino en la modulación creativa de una gama semántico-estilística aparentemente restringida, pero que produce —ampliando la metáfora— una música totalmente original. Las formas de expresión traicionan, más allá de aquellos lejanos connotadores que proceden de los sistemas de Petrarca o de la Arcadia, una tensión espiritual lírica que procede de la *Weltanschauung* del escritor.

Además de los géneros y de la lengua literaria es preciso tener en cuenta los factores institucionales proporcionados por la métrica. Cesare Segre (*Principios de análisis del texto literario*, 2.20) señala con justeza: «Entre andadura métrica y discurso se desarrolla una colaboración particular: la andadura métrica proporciona un esquema de actuación al discurso verbal, y por lo tanto lo condiciona de entrada; por otra parte, el poeta extrae de este condicionamiento incentivos para hacer más eficaz el discurso verbal. En cierto sentido, la métrica es para el poeta como un repertorio de normas para la *mise en relief* diferentes de las usuales. En la práctica la métrica se enfrenta a la sintaxis y a las eventuales normas de entonación; quien la utiliza puede, con infinitas variantes, tratar de revalorizar sintaxis y entonación con los ritmos de la métrica o, viceversa, hacer realidad, gracias a la alternancia de su contraste y de su coincidencia, una serie inagotable de posibilidades expresivas.» El verso sirve para organizar los acentos tónicos o ictus (revalorizando a veces algunos de ellos: «infame túrba de noctúrnas aves»), las sílabas, la rima, la secuencia verbal, distribuyendo rítmicamente los diversos elementos en una unidad estructural. Además, al tener una autonomía significante propia, los rasgos fonoprosódicos animados por el verso se refieren a los valores semánticos, al acentuarse las connotaciones. Así el metro instituye una relación con la sintaxis, poniendo en evidencia el desfase, muy corriente, entre la linearidad del discurso lógico-sintagmático y el poético. El encabalgamiento (V.) y las cesuras (V.) son dos facetas muy frecuentes en que se muestra aquella quiebra expresiva entre metro y sintaxis.

La retórica (V.) también constituye una de las instituciones más típicas y estables de la literatura, por cuanto es depositaria —según una tradición secular— de las normas peculiares de la escritura. Nos interesa aquí recordar la nueva óptica con que hoy se contempla la retórica, y en particular la *elocutio* (V.), como sistema de la comunicación traslaticia o figurada, propia del discurso literario (V. FIGURA). También los estilos y las escrituras nos remiten, en diferentes estratos, a la codificación retórica, que tendrá que ser analizada históricamente en relación a las poéticas elaboradas por los movimientos o grupos literarios o por cada uno de los escritores.

Géneros, lengua literaria, escrituras, estilos y convenciones retóricas, métrica y prosodia se presentan como instituciones sistemáticas, de las cuales es posible deducir las normas de autorregulación y de transformación interna. La diacronía de estos cimientos del sistema literario se analiza como evolución de estructuras globales. ¿Cuáles son los factores que determinan el cambio? Se trata ante todo de factores internos, como el agotamiento de un género determinado o su incidencia con otro distinto, la innovación lingüística como ampliación de la lengua literaria por contacto con la lengua común, la contrafactura paródica, cómica o arcaizante de ciertos estilemas, la mezcolanza de formas métricas, la experimentación de nuevas soluciones (por ejemplo, la inclusión de los metros italianos en nuestra literatura por Boscán y Garcilaso; el poema en prosa, etc.). Pero puede haber también factores externos, conexos a las otras series que se relacionan dialécticamente con la literatura: la serie cultural, la histórico-social, etc. Citemos la desaparición del romancero morisco en relación con la expulsión de éstos; o la desaparición de referencias mitológicas clásicas a partir del Romanticismo, por variación de los determinantes culturales.

Las instituciones, por tanto, son normas implícito-explícitas inmanentes al trabajo literario concreto entendido como procedimiento; en cuanto tales, como dice Anceschi, ofrecen «uno de los caminos, una de las mediaciones a través de las que se puede aprehender la vida de la historicidad oculta en la vida del arte».

INTENCIONALIDAD. La intencionalidad artística, entendida no en el sentido que le dio la crítica idealista de «mundo intencional» (los propósitos supuestos no realizados en el poema concreto), sino en el concepto moderno de poética (V.), pertenece a la esfera de la literaturidad estudiada por los críticos formalistas y estructualistas. La obra de arte, además de proponerse comunicar un determinado mensaje, actualiza también algunos criterios internos de desciframiento, señalando en el texto su voluntad de significar por medio de ciertos códigos o de ciertas formas ideológicas (por ejemplo, refiriéndose a alguna tradición, o violándola): a este fenómeno lo llamamos intencionalidad inmanente del texto. Para la intencionalidad de los signos —concepto que define Greimas en *En torno al sentido,* tomándolo de la fenomenología de Husserl— remitimos a las voces LINGÜÍSTICA, SIGNO, SEMIOLOGÍA.

INTERDISCURSIVIDAD. V. INTERTEXTUALIDAD.

INTERFERENCIA. En la teoría de la comunicación (V.), la interferencia es la sobreposición del código del destinatario al código o a los códigos de referencia del emisor, de tal suerte que el mensaje resulta deformado por aquél. En sentido lingüístico hay interferencia en los casos en que el encuentro entre dos lenguas (bilingüismo) o entre la lengua y el dialecto provoca desviaciones del código léxico o morfosintáctico. Un gallego podrá decir: *ya te lo dijera yo,* un andaluz *¿Cómo estáis ustedes?*

INTERLOCUTOR. Es la persona a la que se dirige el emisor o locutor en la situación comunicativa (V.).

INTERPRETACIÓN. El arte de la interpretación o hermenéutica se remonta a la filosofía griega, en su significado particular técnico de exégesis de un texto. En el helenismo, se discutió ampliamente, en torno a los poemas homéricos, si era más pertinente una interpretación literal del mensaje o una alegórica; la discusión se volvió a entablar también a propósito de la Biblia en la primera tradición patrística (San Agustín, Orígenes); el doble procedimiento de interpretación —al que se une una amplificación moral— se continúa en la Edad Media, en Villena *(Los doce trabajos de Hércules)* o en Alfonso X, a lo que hay que añadir una interpretación evemerista.

En términos modernos, se podría decir que la interpretación literal concierne al aspecto filológico y denotativo de los signos, mientras que la interpretación alegórica exalta (algunas veces hasta la exasperación) la polisemia, la pluralidad de significados implícita en las palabras.

La interpretación de un texto literario, vista desde la perspectiva —que potenciamos— de la crítica semiológica (V. SEMIOLOGÍA) se cimenta en los criterios básicos de la comunicación (V.): el texto es un mensaje que un emisor (el escritor) envía a un destinatario (lector, público). La actuación de un mensaje implica la referencia a un sistema —la literatura con sus instituciones (V.) específicas— y a códigos culturales peculiares, retóricos, estilísticos, etc. La interpretación es una exploración compleja del texto, que parte del nivel denotativo del mensaje para reconstruir las distintas isotopías en niveles cada vez más complejos, hasta llegar a la connotación total del texto. La descifración del texto no se agota (sobre todo en los textos poéticos) en la autopsia de las estructuras de los significados, sino en la comprensión plena de los signos y, por ende, en la interacción entre significantes y significados, teniendo en cuenta el *feed-back* —la retroacción— semántico que depende de los valores fonoprosódicos, métricos y rítmicos de los signos poéticos. Si bien es verdad que no se puede ofrecer una interpretación de un texto sin que se produzca el envío (o la proyección) del mensaje a uno o varios códigos de referencia, la semiología evita la crítica de las metodologías historicistas en cuanto que tiene en cuenta la diacronía de la obra, en relación a los códigos, obviamente permeados por su tiempo.

La ampliación del problema de la interpretación supera la complejidad de las voces de entrada de este diccionario y del tratamiento que se les da. Enviamos, para conocer las distintas metodologías a Enrique Anderson Imbert: *Métodos de crítica literaria*, Guillermo de Torre: *Nuevas direcciones de la crítica literaria*, Alicia Yllera: *Estilística, poética y semiótica literaria*.

INTERROGACIÓN. El enunciado interrogativo es una modalidad peculiar del discurso, que aparece subrayada por la entonación y, ocasionalmente, por la implicación de uno o varios interlocutores. En la frase: *¿Ha venido Pedro?* se presupone un enunciado implícito del tipo: «te pregunto», «planteo la pregunta». En la frase interrogativa indirecta la principal implícita se hace patente: *te pregunto si ha venido Pedro, se informó de si había venido Pedro.* Según la gramática generativo-transformacional, la frase interrogativa es la transformación de una estructura profunda de tipo enunciativo.

Se llaman interrogaciones retóricas las frases que no presuponen una falta real de información, sino que implican enfáticamente al interlocutor en un asenso o una negativa ya implícita en la pregunta: *¿No es verdad, ángel de amor, / que en esta apartada orilla / más clara la luna brilla / y se respira mejor?* (El destinatario se ve obligado a la respuesta afirmativa). *¿Y esto es un noble, Arnesto? ¿Aquí se cifran / los timbres y blasones? ¿De qué sirve / la clase ilustre, una alta descendencia / sin la virtud?* (Jovellanos). (La negativa se debe a un común complejo de valores.) En otras ocasiones la respuesta es imposible: *Tu dulce habla, ¿en cuya oreja suena? / Tus claros ojos, ¿a quién los volvistes?* (Garcilaso).

Para la teoría de los actos de lengua (V.) la frase: *¿Me alcanza aquel libro, por favor?* no es interrogativa, sino directiva, puesto que su significado profundo es una orden y no una pregunta (*¡Déme ese libro!*).

INTERTEXTUALIDAD. La intertextualidad es «el conjunto de las relaciones que se ponen de manifiesto en el interior de un texto determinado» (M. Arrivé, *Problèmes de Sémiotique*); estas relaciones acercan un texto tanto a otros textos del mismo autor como a los modelos literarios explícitos o implícitos a los que se puede hacer referencia. El término procede de la teoría de Bajtin, que plantea la novela —especialmente la de Dostoievsky— como una «heteroglosia», cruce de varios lenguajes; lo pone en circulación Julia Kristeva, que escribe: «Todo texto se construye como un mosaico de citas, todo texto es absorción y transformación de otro texto. En lugar de la noción de intersubjetividad se coloca la de *intertextualidad,* y el lenguaje poético se lee, por lo menos, como *doble.*» Es decir, que el escritor entabla un diálogo, a veces tácito, a veces haciendo un guiño al lector, con otros textos anteriores (cfr. L. Perrone-Moïsés, «L'intertextualité critique», en *Poétique,* n.º 27). Barthes, al desarrollar estas ideas, separa el concepto de *intertexto* de la antigua noción de fuente o influencias: «Todo texto es un intertexto; otros textos están presentes en él, en estratos variables, bajo formas más o menos reconocibles; los textos de la cultura anterior y los de la cultura que lo rodean; todo texto es un tejido nuevo de citas anteriores. Se presentan en el texto, redistribuidas, trozos de códigos, fórmulas, modelos rítmicos, segmentos de lenguas sociales, etc., pues siempre existe el lenguaje antes del texto y a su alrededor. La intertextualidad, condición de todo texto, sea éste cual sea, no se reduce como es evidente a un problema de fuentes o de influencias; el intertexto es un campo general de fórmulas anónimas, cuyo origen es difícilmente localizable, de citas inconscientes o automáticas, ofrecidas sin comillas.» La definición, como señala Claudio Guillén *(Entre lo uno y lo diverso),* peca por su absolutismo teórico. Podríamos añadir que por mezclar dos conceptos distintos: el de texto y el de código. En este sentido se orientan Riffaterre *(La production du texte),* Culler *(The pursuit of signs)* y, más explícitamente, Segre, que diferencia en la intertextualidad dos campos bien delimitados: «Es preciso distinguir perfectamente, tanto por motivos metodológicos como operativos, entre las interrelaciones comprobables entre los textos y los movimientos lingüísticos o temáticos y los arquetipos (provengan de enunciados de empleo o de enunciados textuales, orales o escritos) de cuya combinación surgen los textos por obra de los autores. Puesto que la palabra *intertextualidad* contiene *texto,* opino que ésta debe ser empleada con mayor precisión para designar las relaciones entre texto y texto (escrito, y particularmente literario). Por el contrario para las relaciones que cualquier texto, oral o escrito, mantiene con todos los enunciados (o discursos) registrados en la correspondiente cultura y ordenados ideológicamente... propondría hablar de *interdiscursividad» (La parola ritrovata).* Para ejemplificar algunos problemas de intertextualidad recordaremos algunos de los casos más frecuentes: 1. Un texto puede tener por contenido otro texto, real o fingido, con los problemas de metalenguaje que derivan de este hecho: piénsese en la relación múltiple entre Cervantes, Cide Hamete Benengelí y Avellaneda en *Don Quijote,* en la mezcla de textos (es una verdadera «heteroglosia» en *Yo, el Supremo* de Roa Bastos, en las páginas de otros autores que Valle-Inclán introduce en sus novelas. 2. Un texto puede incluir o transformar elementos de contenido o de forma de otros textos: nos encontramos entonces con el fenómeno estético de la transcodificación (V.), por el cual la especificidad de una obra sólo puede ser reconocida por medio de la confrontación, el conocimiento o la reminiscencia del texto al que se refiere. Claudio Guillén nos recuerda cómo el verso *Donde habite el olvido* del primer poema del libro de ese título de Luis Cernuda es preciso leerlo a la luz de la rima LXVII de Bécquer, para ver hasta qué punto el poeta del 27 se acerca y se distancia de aquel poema que le sirve de intertexto fundacional.

Se habrá de distinguir también entre una intertextualidad general o externa (relaciones intertextuales entre textos de diferentes autores) e intertextualidad restringida o interna (relaciones intertextuales entre textos del mismo autor).

INTRATEXTUALIDAD. Si el texto es un sistema de estructuras que están en correlación entre sí en distintos niveles, cualquier elemento que pertenezca al texto (o intratextual) adquiere su valor de la relación que establece con los otros (contextuales), formando con algunos isotopías o estratos de sentido, que atraviesan el texto de un modo más o menos complejo. El análisis interno de una obra patentiza «cómo está hecha», el funcionamiento y el significado de sus elementos, la intratextualidad global de éstos (V. ISOTOPÍA).

El análisis intratextual, por otra parte, está siempre sostenido o completado tanto por la intertextualidad (V.) y la interdiscursividad, como por la referencia de los elementos textuales a los códigos histórico-literarios apropiados, de tal forma que únicamente un complejo estudio y reconocimiento del texto es capaz de descifrarlo, de hacer surgir de él su sentido totalitario.

INTRIGA. La intriga se produce por el encadenamiento de las secuencias para constituir un texto: cada una de ellas produce una mutación en las circunstancias o en los personajes con respecto a la anterior y propicia otra mutación que se producirá en la siguiente. En un sentido más bien genérico la intriga es el núcleo esencial del relato; en abstracto, se puede pensar que es posible proyectar una serie de intrigas sobre algunas situaciones tópicas o sobre algunos caracteres de los personajes. Por ejemplo, se habla de intriga de revelación si el eje de la acción se sitúa sobre la anagnórisis o el reconocimiento; la intriga de maduración implica un cambio positivo en el carácter del héroe, producido por la experiencia dura de la vida; por contra, la intriga de degeneración supone una sucesión de fracasos y desengaños hasta la renuncia de sus ideales por parte del protagonista; la intriga de acción se organiza en torno a la solución de un problema, por ejemplo, el descubrimiento de un asesinato; la intriga de castigo concluye con la caída de un héroe negativo, mientras que en la intriga cínica éste triunfa; la intriga sentimental ve el éxito del protagonista tras una serie de desdichas, mientras que en la melodramática todo acaba mal para él (con gran dolor del lector...); la intriga trágica implica la catástrofe, el vuelco radical de la situación de comienzo.

INVENTIO. Como se sabe, el *invenire quid dicas,* el hallar qué decir, es la primera de las cinco partes de la retórica (las otras son: la *dispositio* (V.), la *elocutio* (V.), la *actio* o dicción y recitación, la *memoria*). La *inventio* concierne a la búsqueda de las *res* que deben ser expuestas en *verba* por medio de la *elocutio*: *res,* como dice Barthes siguiendo a Quintiliano, no son «las cosas», sino los contenidos, los materiales que es necesario descubrir o hallar, porque, como observa con justeza el mismo crítico en *La antigua retórica,* B. 1.1., para la mirada de la retórica «todo existe ya, sólo hace falta encontrarlo»; de donde surge la necesidad de una tópica, de un repertorio canónico de argumentos comunes y de un método preciso adecuado a los fines que se quieren alcanzar. Por ejemplo, es preciso optar por la convicción (mediante un razonamiento apoyado en pruebas: *probatio*) o por la emoción (por medio de los sentimientos y la actividad psicológica sobre el destinatario).

La convicción se obtiene elaborando pruebas *(pisteis)* de dos clases: objetivas o «extrínsecas» (como jurisprudencia, testimonio público, confesiones, hechos y documentos, juramentos, testimonios) y subjetivas o «intrínsecas», debidas a la fuerza lógica del orador, que transforma el material en elementos de persuasión. Las pruebas intrínsecas son de dos tipos: el *exemplum* (inductivo) y el *entimema* (deductivo). El *exemplum* arranca de lo particular para llegar a lo general: puede ser una comparación, una anécdota, un hecho real o ficticio; si es ficticio se distingue entre parábola y fábula. Barthes, *loc. cit.* B. 1.8., recuerda que a principios del siglo I a. de C., aparece una nueva forma de *exemplum*: la *imago*, encarnación de una cualidad en una persona; señalemos entre las colecciones más usadas de *imagines* la recopilada por Valerio Máximo, *Factorum ac dictorum memorabilium,* pues también los dichos de estos personajes se insertan muchas veces en los discursos. Es conocida la fortuna de los *exempla* en la Edad Media, pero también hoy en día algunos personajes arquetípicos (Marilyn, Che Guevara) son «imago», ejemplos que tienen una precisa función persuasoria.

Entre los argumentos o razonamientos destaca el entimema que en sus orígenes es definido como un silogismo retórico, un razonamiento hecho en público y para el público, a partir de algo probable y no abstracto. Desde la Edad Media se llama también entimema a un silogismo incompleto porque no se expresa una de las premisas: así «Los búlgaros beben kéfir; los búlgaros gozan de buena salud». El encadenamiento de silogismos truncos o cuando se produce porque una conclusión se convierte en premisa del siguiente se llama *sorites; epiquerema* es un silogismo que se apoya en pruebas. La máxima *(gnomé, sententia)* puede considerarse como un fragmento de entimema, pero muy frecuentemente se convierte en un elemento de la *elocutio,* un adorno estilístico.

El entimema se cimenta en premisas no absolutas, pero sí humanas, en una «certidumbre» que depende de indicios seguros (en griego *tekmerion*: una mujer ha dado a luz; es indicio seguro de que ha tenido relaciones con un hombre), pero también de costumbres, de convenciones, del sentido común (es lo verosímil de Aristóteles, el *eikos*), de los signos *(semeia),* o sea, de indicios menos seguros establecidos por un empirismo posible (rastros de sangre pueden ser signos de un crimen, pero también de una hemorragia nasal).

Se ha dicho que el orador puede servirse también de la emoción para persuadir a su auditorio; Aristóteles clasifica lo verosímil pasional en dos grupos: los atributos que el orador debe exhibir ante el público para causar buena impresión (en griego *ethe*), así el buen sentido, la lealtad, la simpatía; y las pasiones que es preciso suponer en el público *(pathe)*, como la cólera o la serenidad, el amor o el odio, la confianza o el temor, etc. El orador no puede prescindir de estas grandes categorías psicológicas, si quiere suscitar una conmoción en los sentimientos.

INVERSIÓN.   Como fenómeno lingüístico, la inversión consiste en una estructura sintáctica contraria a la que se considera normal; mediante ella se anteponen o posponen determinados elementos con un evidente subrayado enfático o connotativo. Véase el uso de las inversiones que hace Bécquer en: *Del salón en el ángulo oscuro,* / *de su dueño tal vez olvidada,* / *silenciosa y cubierta de polvo,* / *veíase el arpa.*

IRONÍA.   La ironía consiste en decir algo de tal manera que se entienda o se continúe de forma distinta a la que las palabras primeras parecen indicar: el lector, por tanto, debe efectuar una manipulación semántica que le permita descifrar correctamente el mensaje, ayudado bien por el contexto, bien por una peculiar entonación del discurso. Obsérvese, por ejemplo, el juego irónico de varias facetas *(por su ventura)* y direcciones (hacia el lector, hacia la monja) que desarrolla Berceo en estos versos: *Pero la abbadesa cadió una vegada,* / *Fizo una locura que es mucho vedada:* / *Pisó por su ventura yerva fuert enconada;* / *Quando bien se catido, fallóse embargada.* O la muy sutil y amarga, apoyada sobre una litote y la elusión de la palabra principal, del último terceto del soneto I de Garcilaso: *Que pues mi voluntad puede matarme,* / *la suya, que no es tanto de mi parte,* / *pudiendo, ¿qué hará sino hacello?*

La ironía presupone siempre en el destinatario la capacidad de comprender la desviación entre el nivel superficial y el nivel profundo de un enunciado. Particularmente importante es el uso de la ironía en el relato, cuando la superioridad del conocimiento del autor y del lector con relación a los personajes y a los acontecimientos en los que se ven mezclados permite disfrutar los subrayados irónicos escondidos entre los pliegues del discurso, los dobles sentidos, los equívocos o malentendidos. Una obra maestra de narración irónica es la carta del tío de Pablos a su sobrino, contándole cómo ha ahorcado a su padre: el lector conoce perfectamente la condición de los personajes —verdugo, ladrón, bruja— que se articulan en el texto, así como el concepto de honra defendido y expresado por el autor de la epístola.

IRRADIACIÓN.   Este término ha sido empleado por el grupo D.I.R.E. para denominar el fenómeno que describió Valéry y al que le dio el nombre, menos preciso, de resonancia: «La noción simple de sentido de las palabras no basta para la poesía: yo he hablado de resonancia, hace un momento, por metáfora. Quería aludir a los efectos psíquicos que producen las agrupaciones de palabras y la fisonomía de las palabras, independientemente de los lazos sintácticos, exclusivamente por los influjos recíprocos (es decir, no sintácticos) de su cercanía» *(Variété: L'invention esthétique)*. Esto quiere decir que en el texto se desarrolla una isotopía basada en los valores connotativos de las palabras, al margen o en detrimento de las denotaciones. Véase el análisis de Bousoño *(Teoría de la expresión poética)* sobre el poema de Machado *Las ascuas de un crepúsculo morado* (XXXII).

ISOCOLON.   Es una figura sintáctica que consiste en la correspondencia entre dos o más miembros de un conjunto (frases o grupos de versos). El isocolon es una forma de paralelismo (V.). Ejem.: *Con palabras se pide el pan, un beso, / y en silencio se besa y se recuerda / el primer beso* (Blas de Otero). El isocolon consta al menos de dos miembros *(dicolon,* frecuentemente de valor antitético): *A batallas de amor campos de pluma* (Góngora), y también de tres (tricolon) o de cuatro miembros (tetracolon); en algunos casos de más miembros. Ejemplo de dicolon y tricolon simples: *Sucede en todo al castellano Febo / (que ahora es gloria mucha y tierra poca) / en patria, en profesión, en instrumentos* (Góngora). Tetracolon complejo: *Que ya las cobras silbarán por los últimos pisos. / Que ya las ortigas estremecerán patios y terrazas. / Que ya la Bolsa será una pirámide de musgo. / Que ya vendrán lianas después de los fusiles / y muy pronto, muy pronto, muy pronto. / ¡Ay Wall Street!* (García Lorca): nótese como Lorca cierra el tetracolon con un tricolon simple, en el que el mismo elemento se repite tres veces. Como ejemplo de uso complejísimo y lleno de sabiduría poética de diferentes formas de isocolon remitimos al lector, entre otros posibles, a una lectura del *Vals en las ramas* de Lorca.

ISOLEXISMO.   Dupriez propone este nombre para agrupar a todas las figuras que nacen de la repetición de un mismo lexema en una misma frase, modificado por derivación, por cambio de función sintáctica, por reiteración o por modificación de matiz significativo: abarcaría la figura etimológica, la derivación, el políptoton, algunos casos de juegos de palabras, etc.

ISOMORFISMO.   Se dice que dos estructuras son isomorfas cuando presentan el mismo tipo de relaciones combinatorias. Por ejemplo, Hjelmslev (V. LINGÜÍSTICA) ve en la lengua un isomorfismo entre el plano del contenido y el plano de la expresión. Más amplio y discutido es el concepto de la existencia de un isomorfismo entre sociedad, cultura y lengua, si por ejemplo la lengua condiciona y organiza la visión de la vida en un pueblo determinado (es la tesis de Sapir y Worf).

En el área de lo literario, algunos críticos postulan un isomorfismo (u homología) entre las estructuras sociales y las ideológicas, racionalizadas por grupos intelectuales y expresadas coherentemente por la obra de un artista. Ese es el punto de partida de la crítica de Goldmann, discutido por Buazis, que prefiere emplear el término isotetía para designar la relación dialéctica que se instaura entre el texto literario y la totalidad social: la obra y el devenir social se encuentran en una relación de implicación recíproca, pero también de contradicción relativa.

ISOSILABISMO. Principio métrico según el cual los versos están basados en la igualdad del número de sílabas o en su combinación con un quebrado equivalente (el octosílabo con el tetrasílabo, el endecasílabo con el heptasílabo). Desde el Renacimiento (y antes, acaso en el Mester de Clerecía) la poesía culta española es isosilábica; la popular admite juegos anisosilábicos.

ISOTETÍA. V. ISOMORFISMO.

ISOTOPÍA. Término propuesto por Greimas y central en su consideración de la semántica: «Por isotopía se entiende un haz de categorías semánticas redundantes, que subyacen al discurso que se considera» *(En torno al sentido)*, idea que después recreará así: «Conjunto redundante de categorías semánticas que hace posible una lectura uniforme [...] tal como resulta de las lecturas parciales de los enunciados, después de la resolución de sus ambigüedades, resolución guiada en sí misma por la búsqueda de una lectura única.» La isotopía no es un procedimiento, sino un concepto básico para la definición de procedimientos: las diferentes isotopías, relacionadas entre sí, que existen en un discurso constituyen su universo.

F. Rastier amplía la definición de isotopía, extendiéndola a otros planos del lenguaje distintos del semántico. Así, por ejemplo, en fonoestilística, la aliteración, la rima, la paranomasia forman isotopías. En el plano semántico, una palabra o una frase puede ser base de más de una isotopía, de las cuales una se realizará en el discurso —aunque, a veces, se juegue estilísticamente con la ambigüedad—: por ejemplo, en la frase *el negro es hermoso* me puedo referir a un color (en un cuadro), a un objeto (el vestido negro) o, incluso, a un universo antirracista o provocativo (cfr. el eslogan americano *black is beautiful*).

Desde el plano del significado, un texto literario es plurisotópico, porque está sometido a distintos niveles de codificación que, al entrecruzarse, determinan lexemas polisémicos y «distorsiones textuales» (Greimas). Está claro que los fenómenos de connotación dependen de la plurisotopía del discurso literario, que se sirve de un sistema denotativo como isotopía básica sobre la que se elabora el sistema de connotaciones, distinto de aquél. Una lectura correcta deberá, por lo tanto, construir los modelos de las varias isotopías que caracterizan a un texto ya sea sobre el plano del contenido (isotopías semánticas), ya sea sobre el plano de la expresión (isotopías fonoprosódicas). Lotman habla, a propósito de este hecho, de una «semántica de muchos escalones» cuando en un texto «los mismos signos sirven, en distintos niveles estructurales y de sentido, a la expresión de un contenido distinto».

En el soneto de Góngora *La dulce boca que a gustar convida* los connotadores (o lexemas temáticos) se estructuran en dos series: A) *dulce boca, licor sagrado, amantes, flor, rosas, manzanas, amor*; B) *veneno, armado, sierpe, tántalo, no rosas, huir, veneno*. Las dos series instituyen una doble isotopía (modelo sémico profundo: A/ amor y sensualidad; B/ peligro y muerte) gracias a las cuales el mensaje adquiere su específica articulación dialéctica, reforzada por la doble validez de algunos términos: *humor distilado, no toquéis, si queréis vida, rosas/no rosas*.

Angenot propone que se use también el término de isotopía para el análisis semiótico de la narrativa: «los actantes y las funciones (ellos mismos isótopos en el enunciado narrativo) se reagrupan normalmente en dos conjuntos opuestos con redundancia parcial en los presupuestos subyacentes a la lógica narrativa: isotopías del mundo y del antimundo (del agresor) en el cuento folklórico; isotopías de la "sociedad degradada" y de los "valores auténticos" en la novela (según Lukács y Goldmann). Se produce entonces una polarización del "universo" de la narrativa que es también una polarización del campo ideológico».

ITERACIÓN. V. REPETICIÓN.

ITERACIÓN SINTÁCTICA. Traducimos así el término francés *reprise,* empleado por Dupriez para designar la «repetición, no del lexema, sino de su entorno gramatical: forma y función (y por lo tanto los artículos, terminaciones, preposiciones, conjunciones de subordinación, etc.)»: *¡Qué fuerzas destruidas por la comida innoble, / qué cantos derribados por la vivienda rota, / qué poderes del hombre deshechos por el hombre!* (Neruda); *Camborio de dura crin, / moreno de verde luna, / voz de clavel varonil* (García Lorca).

IUNCTURA. En el uso retórico antiguo la *iunctura* es una ligazón que se establece entre dos o más palabras. Se habla, por ejemplo, de *callida iunctura* para subrayar la relación hábil, sutil, que se establece entre dos términos (un nombre y un adjetivo, un nombre y un verbo, etc.). En poesía, con frecuencia la *iunctura* une dos palabras por medio del encabalgamiento (V.) o el hipérbaton.

JÁCARA. Composición en verso —el término se aplica sobre todo a romances y entremeses— en que los personajes son jaques o rufianes que emplean como lengua la germanía, en todo el texto o en parte de él. Recordemos, como ejemplo, las jácaras de Quevedo.

JARCHA. Las jarchas son los últimos versos de la última estrofa de la moaxaja; escritas antes que ésta, constituyen la base formal del poema entero. Junto a otras en árabe vulgar o en hebreo, algunas jarchas están dichas en lengua mozárabe y son el primer testimonio de una lírica popular europea en lengua vulgar. Con frecuencia el asunto de las jarchas es amoroso y se colocan en boca de una muchacha, muy cercano, como se sabe, al de algunas cantigas de amigo gallegoportuguesas. Emilio García Gómez ha subrayado el paralelo temático y formal con otras composiciones populares españolas de época más tardía *(Las jarchas romances de la serie árabe en su marco).*

JERARQUÍA. En una teoría extensa de la comunicación (V.), la jerarquía de los participantes constituye una variable importante de la situación en que se actualiza la relación lingüística. De la jerarquía social depende la relación comunicativa entre los participantes y el llamado «respeto» (Goffman): la edad (joven-viejo), el sexo, la debilidad física, la posición social, el prestigio, etc. Se llama asimétrica la relación marcada por la jerarquía superior de uno de los dos interlocutores.

En la teoría del relato (V.), la jerarquía no coincide ni con los personajes-actores (V.), ni con las unidades semánticas profundas o actantes (V.): puede ser definida como «una entidad figurativa animada, pero anónima y social» (Greimas) o como «un personaje tipo» (Lévi-Strauss); por ejemplo, el campesino, el criado, pero también el perseguidor, el dañador, el influenciador, etc. Con el término *jerarquía* traducimos el quizá más extendido, pero más ambiguo, *rol.*

JITANJÁFORA. Nombre que da Alfonso Reyes a un texto lírico cuyo sentido reposa en el significante, constituido desde valores puramente sonoros (ritmo, aliteraciones, etc.). En la jitanjáfora alguna vez pueden reconocerse palabras conocidas *(Viernes vírgula virgen / enano verde / verdularia cantárida / erre con erre,* Mariano Brull); en otras es sólo el sonido el que cuenta *(Filiflama alabe cundre / ala olalúnea alífera / alveola jitanjáfora / liris salumba salífera)*. Más rara es la jitanjáfora en textos narrativos: *Amén. Atman. Muda de mantra, y de voz. Maya ya, mayéutico, peripatrético* (Julián Ríos).

KITSCH. El término alemán es sinónimo de «mal gusto», «pacotilla» y designa una obra groseramente mimética (que reproduce aspectos artísticos convencionales y trivializados), alienada, para conseguir gustar a la masa de gentes semicultivadas. Adorno plantea que el arte está siempre amenazado por el «pillaje sentimental» del Kitsch; la industria cultural produce simulacros o sustitutos en que el arte se define paradójicamente por la pérdida de su carácter artístico. Sin embargo, la presencia del arte Kitsch plantea el problema de la felicidad en la alienación y de la relatividad del «buen gusto». Serían ejemplo de arte Kitsch las reproducciones de las *Cenas* de Leonardo en relieve o sirviendo de ilustración a una tapa de una caja de matarratas (véase *La última cena* de Francisco Ayala), o la transformación de estilemas de García Lorca en tonadillas de Concha Piquer. El Kitsch, sin embargo, puede ser reutilizado y vuelto a convertir en arte por procedimientos de extrañamiento: Duchamp le puso bigotes a un cromo de la Gioconda, Puig escribió *Boquitas pintadas* y Vargas Llosa *La tía Julia y el escribidor*.

LECTOR. Para una tipología del lector de un texto, V. NARRADOR.

LECTURA. Cuando el lector se acerca a un texto literario, se encuentra entre dos polos: el primero es eminentemente subjetivo; el lector puede emplear la obra como trampolín para dejar que vuele su imaginación o puede identificarse con ella, si es un poema lírico, o con un personaje o con varios sucesivamente en una obra narrativa o dramática. El segundo polo considera la obra en sí misma, como una obra cerrada que ha de ser descifrada en su sentido «propio» y —si se quiere— único. Son polos, porque no puede haber lectura que arrincone la libertad de imaginación (a veces fecunda en propuestas, a veces propiciada por el propio texto), ni lectura que no se vea frenada por el tenor del texto: el lector no es nunca totalmente ese «productor del texto» (Barthes) que efectúa una verdadera «reescritura» personal y diferente para cada uno —y aun en cada ocurrencia de lectura— completando el proceso creador.

El lector que intenta comprender, el «lector modelo» o «ideal» es el que coadyuva a que funcione el texto (Eco, *Lector in fabula*), es decir, a actualizar correctamente todas sus potencialidades semánticas: se diferenciaría del crítico por la conciencia metodológica de este último (Segre, *Principios de análisis del texto literario*). Como cualquier otro discurso, y acaso más que ninguno, el discurso literario no es completamente explícito, requiere un esfuerzo por parte del destinatario para rellenar los «agujeros» de lo no dicho y de lo presupuesto (V. IMPLICACIÓN, PRESUPOSICIÓN); además los signos funcionan por connotación (V.) y la ambigüedad (V.) es propia de su esencia; la interpretación o la hermenéutica se hacen necesarias; si es aberrante en algún caso, se debe a que con frecuencia la competencia del lector es diferente a la del autor y distintas sus coordenadas culturales. De hecho, el lector considerado como «lector empírico» o «real» puede utilizar un texto —otra cosa es si debe— para interpretar sistemas culturales distintos al literario: puede perfectamente emplear una obra literaria como si fuese un documento histórico, o sociológico, o ético; puede proyectar en él su propia ideología para justificarla, etc. Pero si acepta asumir el papel (estético) de «lector ideal» tendrá «el deber de recuperar con la menor desviación posible los códigos del emisor» (Eco, *Lector in fabula*), mediante la aplicación de los «recursos filológicos» idóneos: los métodos semióticos intentan integrar con plenitud los métodos histórico-culturales y filológicos que ha empleado la crítica. Entre la «irresponsabilidad» del texto y una lectura que pretende ser «científica» y «unívoca» se sitúa el trabajo (históricamente condicionado) del crítico-intérprete, cuyas apreciaciones se inscriben necesariamente en el sistema cultural al que él pertenece, a los «modelos de época» y a los «esquemas del mundo» que proponen las diferentes culturas. El archilector (V.) demuestra que el campo semántico del texto es una virtualidad inagotable: las «significaciones» (Hirsch) son las interpretaciones históricas del significado (o mejor, del sentido) de un texto estructuralmente cerrado. Son iluminadoras las palabras de Cesare Segre sobre las dificultades de lectura de una obra «clásica» (alejada de nosotros). «Hay dos soluciones, y las dos son ilusorias. La primera dimana de la confianza del filólogo en poder dominar completamente el código de una época tan lejana. La segunda corresponde a una sustitución *sic et simpliciter* de aquellos códigos que han servido para construir aquel mensaje por los nuestros: la obra se deshistoriza, se la considera como si fuese contemporánea de nosotros... Lo que de veras importa es mantener siempre el mensaje en la tensión que se establece entre el código del emisor y el del receptor. La aportación del código del receptor no se puede descuidar de ningún modo. El tiempo puede conferir a las estructuras del mensaje incrementos de significación: amplía sin pausa los límites de la realidad, y por ende también los de la realidad literaria. Las estructuras semióticas encierran en sí una potencialidad infinita. No es que éstas, dentro de una obra, se transformen; es el fruidor, que percibe nuevas relaciones, nuevas perspectivas, entre una serie de puntos de vista que se puede considerar inagotable.» Precursora de estas afirmaciones es la historia de Pierre Menard que nos cuenta Jorge Luis Borges, o la «Lectura» que Unamuno hace del *Don Quijote*.

Estas sensatas conclusiones rubrican una separación metodológica muy precisa con los axiomas de la «nueva crítica» (Barthes, Kristeva...): La preeminencia del lenguaje como verdadero sujeto de la obra, la superación de la distinción entre obra y crítica, la irresponsabilidad del texto como escritura «plural» y «galaxia de significantes», la transformación del lector en «productor del texto», etc.

LEGIBILIDAD. Se denominan condiciones o caracteres de legibilidad todas las informaciones que posee el lector para interpretar el texto de la manera más completa posible. La primera condición de legibilidad es, como es lógico, el conocimiento del código lingüístico, pero también es necesaria la posesión de los códigos secundarios (modalizantes) en los que se inscribe el texto que ha de ser leído: el código artístico, las instituciones literarias, etc. En muchos casos, sin llegar al texto inmanente, el propio texto provee de señales, caminos, redes, que ayuden a la legibilidad del mismo.

LEITMOTIV. Motivo recurrente, frecuentemente fundamental, de una obra.

LENGUA. La lengua es un sistema de signos vocales doblemente articulados, propios de una comunidad humana determinada y que, combinados mediante unas reglas definidas, sirve como instrumento de comunicación. Se opone a habla (V.), que es el uso individual de la lengua, mientras que ésta es social.

Dentro de una misma lengua coexisten diversos subcódigos léxicos de uso peculiar y diferenciado, como el técnico-científico, el deportivo, el político, el marginal, etc. Además, la lengua presenta «modalidades de uso» en el momento de convertirse en habla; registros que dependen de la situación comunicativa de los interlocutores: así el registro familiar podrá servirse de una frase del tipo: *me ha hecho cabrear y lo he mandado al diablo* (el lector puede buscar registros todavía más libres...); mientras que un registro más formal exigiría una expresión como: *me ha puesto nervioso y me le he quejado,* u otras análogas.

Es preciso diferenciar la lengua, como sistema o código de signos, de la norma, es decir de la realización estadísticamente dominante o considerada socialmente más prestigiosa del mismo sistema.

LENGUA LITERARIA. Se habla con frecuencia de lengua poética o literaria tanto en sentido general como referida a un autor determinado («La lengua de Antonio Machado») o incluso de un grupo («La lengua de la generación Guillén-Lorca»). Pero, ¿existe una lengua literaria distinta de la común y, si esto sucede, cuáles son las características de aquélla? Los formalistas rusos (V. FORMALISMO) fueron los primeros que se ocuparon de esta cuestión de un modo sistemático: particularmente Shklovski subraya que la lengua poética se separa de la común por la perceptibilidad de su construcción, favorecida por los procedimientos obrados sobre el lenguaje. El efecto de «extrañamiento», es decir, el desvío semántico que el escritor obtiene con los procedimientos expresivos, repristina la imagen, liberándola del automatismo de la lengua cotidiana. Según Tinianov el factor fundamental (constructivo de la lengua poética) es el ritmo: como indica Greimas, el nivel prosódico —el que abarca los distintos factores del significante verbal— se presenta en la poesía bajo formas características: metro, ritmo, estructuras versuales, figuras, efectos fónico-melódicos, etc. El aspecto semántico, que había sido olvidado por los primeros formalistas, asume una connotación literaria especial en la interacción de sentido que se establece entre significantes y significados, de tal forma que se puede decir, como lo hace

Lotman, que cada uno de los elementos del texto «se semantiza». La tradición formalista reaparece, en parte, en las «Tesis del 29» del Círculo lingüístico de Praga, por mediación de Jakobson: la lengua poética se diferencia de la común por «el elemento de conflicto y de deformación» que le imprime el marchamo diferencial; así se pone de relieve el valor autónomo del signo, su carácter autorreflexivo, la intencionalidad asestada sobre la expresión verbal. Posteriormente Jakobson precisará que ésta es la tarea de la función poética (V. LENGUAJE, 1) que «proyecta el principio de equivalencia desde el eje de la selección al eje de la combinación»: La equivalencia es, sobre todo, fónico-rítmica (rima, aliteración, distribución acentual, paronomasia, etc.), pero es posible también extenderla al ámbito semántico de las figuras de la lengua poética. Las posiciones de los estudiosos son, con todo, muy diferenciadas. Fernando Lázaro (*Lengua literaria frente a lengua común*, en *Estudios de lingüística*; y v. antes, en el mismo libro, *La literatura como fenómeno comunicativo*) resume así el estadio actual del problema:

«a) El estado presente de las investigaciones sobre la lengua literaria impide seguir hablando de ésta como un conjunto de desvíos más o menos sistemáticos respecto del estándar. La confusión arranca de la creencia, legada a la posteridad por los filólogos griegos, de que la lengua oral y la escrita no eran sino variedades recíprocas, con lo cual se consagraba su esencial unidad. Desde la perspectiva de los gramáticos, la escrita constituía un modelo para la hablada; desde el punto de vista de los rétores era el resultado de un apartamiento culto. Este punto de vista, afianzado aún más, si cabe, por el idealismo lingüístico, que no establecía entre lengua artística y lengua de uso más que diferencias de grado, ha sido sustituido por una distinción, que afecta no sólo al método, sino al objeto considerado, por la cual se reconoce en la literatura un tipo de comunicación *sui generis*.

»b) Con todo, la noción de desvío se ha sentido como perfectamente compatible con aquel reconocimiento, enmascarándolo con ideas como la de "extrañamiento"; explicándola como una modalidad de "dialecto social"; reconociendo una nueva función del lenguaje, la "función poética", que la justifique; ensanchando los lindes de lo gramatical para que dentro de ellas quepan las "semioraciones" e incluso las sartas de imposible aceptabilidad... Por último, con la *Text Grammar* al modo de Van Dijk, proyectando una gramática G que implique tanto la Gn como la Gl y que prediga todas las variedades, artísticas o no, de la comunicación mediante signos lingüísticos.»

Y el profesor Lázaro Carreter concluye así:

«Entiendo, como modesta propuesta personal, que un planteamiento correcto de la cuestión implica la renuncia a hablar de lengua literaria o artística como de algo que puede ser definido unitariamente. Archibald A. Hill escribió hace años: "La poesía es lenguaje, incluso más que lenguaje, pero diferente de él." Nos parece una aserción suscribible si, en vez de referirnos con ella a la poesía o literatura en general, aludimos a los autores, a las obras en sus concretas realizaciones históricas. Sólo mediante el estudio de poéticas particulares —que pueden referirse incluso a un solo poema— resultará posible alcanzar convicciones científicamente valiosas acerca de las diferencias entre el idioma de los escritores y el estándar.»

LENGUAJE. El lenguaje es la capacidad, característica del hombre, de comunicarse por medio de sistemas de signos —las lenguas— utilizados por grupos o comunidades sociales. Entre los problemas planteados por el lenguaje, Dubois (*Dicc.* s.v. Langage) recuerda: «La relación entre sujeto y lenguaje, que es el dominio de la psicolingüística; entre el lenguaje y la sociedad, que pertenece al dominio de la sociolingüística; entre la función simbólica y el sistema que constituye la lengua; entre la lengua como un todo y las partes que la constituyen; entre la lengua como sistema universal y las lenguas que son las formas particulares de aquél; entre cada una de las lenguas particulares como forma común a un grupo social y las distintas realizaciones de esta lengua por los hablantes. Todo esto es el dominio de la lingüística.»

La definición del lenguaje como sistema de signos no es suficiente. Señala Martinet (*La lingüística.* 27: Lenguaje): «Si el lenguaje es un sistema de signos, todo sistema de signos utilizado por los seres vivos para comunicarse debe llamarse lenguaje: se puede, entonces, hablar de lenguaje animal. Pero, en este caso, no sabemos cómo justificar ese sentimiento general según el cual las lenguas humanas se distinguen de todos los demás sistemas de comunicación, humana o no, y son sistemas de signos tan profundamente diferentes de los demás —sin que se diga nunca científicamente por qué— que incluso sirven para fundamentar la propia especificidad del hombre en la cadena biológica.» Es preciso, por tanto, considerar como metafóricas las expresiones del tipo: «el lenguaje de las abejas», «el lenguaje de los ritos», etc. El problema atañe a la distinción entre lenguaje y sistema de signos estudiados por la semiología (V.), más que a la definición de signo (V.).

1. Las funciones del lenguaje. Para Jakobson, en su conferencia *Lingüística poética*, el lenguaje es un haz de funciones que se refieren a los distintos factores constitutivos de la comunicación. «El *emisor* envía un *mensaje* al *receptor*. Para ser operativo, el mensaje requiere en primer lugar, un *contexto* al que reenvía (es lo que se denomina también, en una terminología acaso un poco más ambigua, el "referente"), contexto que pueda ser aprehendido por el receptor y que puede ser verbal o susceptible de verbalización; además el mensaje requiere un *código*, común, en todo o al menos parcialmente, al emisor y al receptor (o, en otras palabras, al codificador y al decodificador del mensaje); por último, el mensaje requiere un *contacto,* un canal físico y una conexión psicológica entre el emisor y el receptor, y que les permita establecer y mantener la comunicación.» El esquema de la comunicación lingüística, para Jakobson, es el siguiente:

CONTEXTO
EMISOR.................................MENSAJE ....RECEPTOR
CONTACTO
CÓDIGO

A estos factores corresponden distintas funciones del lenguaje, que Jakobson resume en este segundo esquema:

	REFERENCIAL	
EMOTIVA	POÉTICA	CONATIVA
	FÁTICA	
	METALINGÜÍSTICA	

La estructura de un mensaje depende de la función predominante, que, como es natural, se combina con las restantes, que son en este caso accesorias y subsidiarias. La orientación hacia el contexto, es decir, la función referencial (denotativa o cognitiva) es la primordial en los mensajes corrientes; la función emotiva se concentra sobre el emisor, subrayando la actitud del hablante con respecto a aquello de que se habla; la orientación hacia el receptor, la función conativa, encuentra su expresión gramatical más pura en el vocativo y en el imperativo; la verificación del contacto —o la señal de su principio o final— da lugar a la función fática («¿Me oye?», «entendido»); la referencia de un mensaje al código constituye la función metalingüística («¿En qué se diferencian *amé* y *he amado?*»). Por último, la orientación del mensaje sobre sí mismo, en su organización interna, constituye la función poética del lenguaje.

LEONINO. V. RIMA.

LETRILLA.   Heredera formal del villancico (V.), la letrilla consiste en un estribillo desarrollado en un número variable de estrofas de versos octosílabos o hexasílabos que se cierran con los versos iniciales. La letrilla adopta algunas veces la forma de romance con el estribillo aducido cada cierto número de versos. En contraste con el villancico, la letrilla rara vez acude para formarse a una cancioncilla popular; lo más común es que el estribillo proceda de un refrán, de una canción de moda, o sea escrito por el mismo autor, dándole un cierto aire popularizante (ejem.:

Poderoso caballero / es don Dinero; Cuando pitos, flautas; / cuando flautas, pitos).

LEXEMA. Unidad de la primera articulación del sistema lingüístico (monema léxico para Martinet, morfema para los lingüistas americanos). En el análisis componencial, un lexema es un «haz de semas», es decir, de unidades semánticas mínimas o rasgos (V. SEMÁNTICA).

LEXIA. En lingüística significa unidad funcional y significativa del discurso. De aquí dimana el empleo del término para definir, en el análisis interno de un texto y, por lo tanto, en el nivel de la escritura, a la unidad mínima significante sobre la que se apoya la organización del propio texto. Roland Barthes *(S/Z)* propone esta denominación, al analizar el texto en su literaturidad discursiva, para delimitar la unidad de lectura, que puede abarcar un segmento variable, desde unas pocas palabras a algunas frases.

LÉXICO. Conjunto de las unidades lingüísticas (llamadas LEXEMAS, V.) que constituyen la *lengua* (V.) de una comunidad determinada; en este sentido el léxico se diferencia del vocabulario, formado por las palabras o unidades del discurso. Cualquier texto, literario o común, nos provee de una muestra del léxico de un locutor-escritor o de la lengua históricamente determinada. En el análisis estilístico se plantean diversos y complejos problemas relativos a la relación entre el vocabulario de un escritor y el léxico de la lengua usual de su época, y también entre el estilo individual y la tradición literaria, etc. Véanse: LENGUAJE, ESTILO.

LINGÜÍSTICA. La lingüística es la ciencia que estudia el lenguaje como instrumento de comunicación individualizado en las distintas lenguas, es decir, en códigos que organizan sistemas de signos. El estudio científico del lenguaje, en este sentido, es decir, la moderna lingüística estructural, tiene como punto de referencia el *Curso* de Ferdinand de Saussure, publicado póstumamente en 1916. Sin embargo, el análisis lingüístico es antiquísimo, bien porque la lengua es central para el pensamiento filosófico (piénsese en Platón), bien porque algunas facetas del funcionamiento lingüístico empezaron a ser definidas y sistematizadas en esquemas y tipologías normativas. De la antigüedad grecolatina proceden los conceptos y definiciones de frase, partes de la oración, sujeto, complementos, etc., todavía hoy esenciales en la investigación lingüística, a pesar de la radical revisión de la perspectiva gramatical clásica que han operado las diversas corrientes postsaussurianas. Además, el siglo XIX, tan rico de intereses para lo que se refiere al lenguaje, acaso dominado por el deslumbramiento que supuso el descubrimiento del sánscrito, se volcó casi exclusivamente a la investigación comparativa de las lenguas indoeuropeas. Del comparativismo deriva la lingüística histórica, que se propone describir la evolución de las formas de una o de varias lenguas emparentadas entre sí. El método histórico (la diacronía del sistema lingüístico) se trastorna de arriba abajo en la revolución coperniquiana de Saussure y de otros estudiosos (Baudouin de Courtenay, Boas, Sapir, etc.), para los cuales la lengua es, ante todo, un sistema de comunicación social cuyo funcionamiento debe analizarse sincrónicamente. Desde una actitud empírica, inclinada a observar todos los hechos y comportamientos de la lengua hablada, se desarrollan rigurosas construcciones de modelos teóricos, o, si se prefiere, verdaderas escuelas (el funcionalismo de Praga y el de Martinet, la glosemática, el distribucionalismo, el generativismo, etc.): la lingüística teórica contemporánea recoge y elabora estas contribuciones en una perspectiva obligatoriamente interdisciplinar, en encuentro con la psicología y la sociología, mientras que las investigaciones aplicadas tienden a caracterizar modelos lingüísticos cada vez más adecuados para describir y comprender la competencia de los hablantes.

1. Brotes de la lingüística estructural: Saussure. Como hemos dicho, el *Curso de lingüística general* de F. Saussure es el punto de partida del moderno estructuralismo (aunque la palabra «estructura» no aparezca en él). Para el estudioso ginebrino la lengua es un sistema de símbolos que se incluye en una ciencia de los signos más compleja, la semiología. La teoría de Saussure se basa en la bien conocida dicotomía entre *lengua* y *habla*: la primera es el lenguaje como institución social, un conjunto de convenciones necesarias para la comunicación entre los miembros de una determinada sociedad o comunidad lingüística. La lengua es una realidad abstracta, el repertorio o código al que el hablante se remonta y utiliza en el momento de la ejecución individual o *habla*. La *lengua* es la condición necesaria para la existencia del *habla,* y sin embargo no existiría la lengua sin una manifestación concreta en los actos individuales, mediante los cuales el locutor exterioriza sus propios mensajes combinando los signos elegidos de antemano en el sistema paradigmático. Por más que Saussure reconozca que el *habla* puede renovar el código, enriqueciéndolo y desarrollándolo en el tiempo, su interés científico se dirige a la *lengua,* al sistema. La lingüística estructural es, desde su comienzo, lingüística de la *lengua,* no del *habla*.

Otro mérito del estudioso ginebrino es la genial definición del signo lingüístico como asociación de un significante y un significado, de una «imagen acústica» y de un «concepto». Aunque esta definición sea susceptible de algunas críticas, permanece todavía como fundamento de la lingüística estructural. En efecto, en el signo lingüístico se explicita la sustancia de la comunicación por medio de la forma sonora. La distinción analítica no excluye la interdependencia de los dos aspectos, porque significante y significado son como las dos caras de una misma hoja.

Tradicionalmente las palabras se habían considerado como marbetes colocados sobre la realidad concreta de los objetos. Saussure aclara definitivamente la arbitrariedad de los signos, del lenguaje: entre las palabras y las cosas la relación es absolutamente convencional, arbitraria.
El referente (= la realidad objetiva) queda fuera de la consideración
lingüística. En el famosísimo triángulo, que está en el centro de numerosas discusiones,

lo que le interesa al estudioso de la lengua es el lado izquierdo. La lengua es, por consiguiente, forma y no sustancia: cada signo asume un
significado en el sistema por su posición en relación a los demás signos;
su valor, por lo tanto, se define en términos de oposición y de diferenciación, nunca en términos sustanciales o extralingüísticos. El principio
de oposición distintiva, de importancia fundamental en la metodología
lingüística, servirá, por ejemplo, para caracterizar la estructura fonemática de la lengua. Si generalizamos, podemos decir que, desde Saussure, la lengua puede ser definida como un sistema de signos estructurado en relaciones y diferencias.

Las relaciones son de dos clases: dada la linearidad del lenguaje,
cada elemento está en contacto con los demás en la cadena hablada y,
con mayor exactitud, en el sintagma, en el cual cada signo adquiere su
valor por contraste con los términos que le preceden y que lo siguen.
Este es el plano (o relación, o eje) sintagmático. El otro plano, llamado
por Saussure asociativo y por los lingüistas posteriores paradigmático,
establece las relaciones entre los signos y el código de la *lengua* (V. EJES
DEL LENGUAJE: *paradigmático* y *sintagmático*). Se trata de relaciones *in
absentia,* instituidas en la memoria del hablante en virtud de la asociación de un elemento con otros extraños al sintagma (del tipo: enseñanza
/ enseñar, educación / aprendizaje).

Otro punto fundamental de la teoría saussuriana es la distinción entre sincronía y diacronía (V.). Mientras que la lingüística del siglo pasado, como se ha señalado, había sido fundamentalmente histórico-com-
parativa (es decir, diacrónica), para Saussure el estudio científico debe
ser rigurosamente sincrónico, referido a la estructura sistemática de la
lengua en un momento determinado de su desarrollo. Sólo así es posible

aprehender la autonomía del sistema, en el cual todos los elementos «se sostienen» coherentemente en el eje de la simultaneidad. Esta dicotomía ha sido corregida hoy, en parte, por la lingüística diacrónica, pero es preciso subrayar el carácter decididamente innovador de la cimentación sincrónico-sistemática del gran lingüista ginebrino, que es el fundamento de los desarrollos más fecundos de la lingüística moderna.

2. Los funcionalistas.   En 1926 se fundó el Círculo lingüístico de Praga, cuyos principales animadores fueron J. Mukarovsky, S. Karcevski, R. Jakobson, N. S. Trubetzkoy, A. Martinet. Tres años después aparecieron, como obra colectiva programática del Círculo, las famosas «Nueve tesis» que constituyen las premisas metodológicas de una investigación que se prolongó más de un decenio. Revisten particular interés para los propósitos de este libro las tres primeras tesis, en las que se encuentran las siguientes afirmaciones:

a. La lengua ha de ser concebida como un «sistema funcional» de medios que tienen como fin la comunicación y la expresión. El análisis sincrónico debe acompañarse de consideraciones diacrónicas («la descripción sincrónica no puede excluir absolutamente la noción de evolución, porque incluso en un sector considerado sincrónicamente está presente la conciencia del estadio que está en trance de desaparición, del estadio presente y del que se está formando»). Una concepción funcionalista coherente de la lengua fue elaborada después por Martinet, que estuvo más tarde entre los promotores del Círculo lingüístico de Nueva York.

b. La fonología se diferencia de la fonética porque no considera a los sonidos desde el punto de vista material y acústico (plano del *habla*), sino desde el sistemático de la *lengua*. El sonido se define por sus relaciones de oposición a los otros sonidos de la *lengua* y por sus «rasgos distintivos» y «pertinentes». Se desarrolla la teoría del fonema, en la que profundizarán, sobre todo, Trubetzkoy y Jakobson (V. LENGUAJE, 1).

c. La lengua posee diferentes funciones, que corresponden a las exigencias del hablante. Las principales funciones son la comunicativa y la poética. En la primera el lenguaje se dirige hacia el significado; en la segunda, por el contrario, se dirige hacia el signo. El lenguaje poético, como acto creador individual, se refiere tanto a la lengua de comunicación como a la literatura. Estas ideas las desarrollará Jakobson (V. LENGUAJE, 1).

A Martinet se le debe la distinción entre una primera articulación del lenguaje en unidades significativas o monemas, y una segunda articulación en unidades distintivas o fonemas: el monema es un signo (en el sentido saussuriano) que no se puede segmentar en signos menores sino únicamente en unidades fonemáticas. La concepción funcionalista de la lengua abarca tanto la fonología como la sintaxis: en la estructura lingüística cada elemento entra en relación con todos los demás según la función que ejerce. Así, por ejemplo, en torno al sintagma predicativo (p. e.: *El alumno ha estudiado*), que es el elemento fundamental de la frase, se pueden articular monemas y sintagmas autónomos, monemas dependientes y determinantes, y gracias a los monemas funcionales, las más diversas expansiones. P. e.: *El alumno aplicado*: el adjetivo tiene aquí la función de monema determinante; *El alumno aplicado ha estudiado la lección*: el complemento es una expansión mediante un sintagma dependiente, que puede sufrir una expansión ulterior: *la lección de historia* («de» es un monema funcional); *El alumno ha estudiado la lección para conseguir una buena nota*: el monema funcional «para» introduce una expansión dependiente constituida por una nueva frase.

3. La glosemática.   Luis Hjelmslev es el exponente más importante de la «Escuela de Copenhague» (que cuenta entre sus miembros a estudiosos como Bröndal, Uldall y otros) y es el fundador de una teoría formal del lenguaje, a la que ha querido dar el nombre, también original, de glosemática. Según Hjelmslev, una teoría lingüística conveniente tendría que servir para describir cualquier texto posible compuesto en cualquier lengua. El análisis dimana del texto, es decir de un acto lingüístico hablado o escrito, considerado como una clase; el texto se divide en segmentos, cada uno de los cuales vuelve a constituir una clase; cada segmento se descompone en otros, hasta el agotamiento de la operación. Punto de apoyo del análisis, según el lingüista danés, es la descripción de las dependencias recíprocas o funciones que se establecen entre las diferentes partes del texto. Las dos funciones más importantes son la función ET (conjunción, coexistencia) y la función AUT (disyunción, alternancia). La primera está en la base del proceso, la segunda del sistema. Los dos términos de una función se denominan funtivos; cada funtivo se integra bien en un proceso, bien en un sistema. Hjelmslev llama correlación o equivalencia a la función AUT, relación o conexión a la función ET. Dadas, por ejemplo, las palabras *misa* y *rudo,* si cambiamos (conmutación) los fonemas (o mejor: las figuras) *m*

«En todo proceso sígnico», explica Umberto Eco (*Signo,* 3.5), «te-et *o* producen conjunción, coexistencia, mientras que entre *m* aut *r* hay disyunción, alternancia.

Con un rigor metodológico extremo, Hjelmslev construye un esquema binario que presentamos, simplificado, aquí:

Proceso —	texto	— sintagmática	— relación	— func. et	— cadena
Sistema —	lengua	— paradigmática	— correlación	— func. aut.	— paradigma

Un punto importante de la teoría hjelmsleviana atañe a la definición del concepto de signo, cuya naturaleza y organización interna se puede expresar en estos términos:

$$\text{contenido} \quad \frac{\text{sustancia}}{\text{forma}}$$

$$\text{expresión} \quad \frac{\text{forma}}{\text{sustancia}}$$

«En todo proceso sígnico», explica Umberto Eco (*Signo*, 3.5), «tenemos un elemento de *expresión* (llamémosle sencillamente significante) que comporta un elemento de *contenido* (el significado). Cuando hablamos, disponemos de una gran cantidad de emisiones vocales. Pero el sistema sintáctico ha hecho pertinentes sólo algunas de estas emisiones (sólo tienen valor algunos rasgos distintivos, y cada lengua no emplea como elementos pertinentes más allá de una cuarentena —y con frecuencia aún menos— de fonemas). En italiano [también en castellano] puedo pronunciar la /i/ de /pino/ tanto de forma breve y acortada como de forma larga, y todos entienden lo que quiero decir. O sea, que puedo pronunciarla empleando indiferentemente el fonema /i/ o el fonema /i:/. En cambio, en inglés esta opción establece la diferencia entre /ʃip/ y /ʃi:p/ (es decir, entre las palabras inglesas que se escriben *ship* "barco" y *sheep* "oveja"). Por lo tanto, en italiano [o en castellano] la oposición entre /i/ e /i:/ no forma parte de la *forma* de la expresión, pero es indudablemente un aspecto de la *sustancia sonora*».

Hjelmslev representa gráficamente el proceso de producción de signos o semiosis (significación) con la fórmula:

$$\text{ERC}$$

Es decir, que existe una relación (R) entre el plano de la expresión (E) y el plano del contenido (C). Cuando un primer sistema ERC se hace plano de expresión o significante de un segundo sistema, se dice que el primer sistema constituye el plano de denotación y el segundo el plano de connotación. Si digo «conejo», el código me indicará el significado denotado por el significante. Pero la palabra «conejo», inserta en un contexto determinado, puede significar algo más, puede indicar un significado adjunto, que es precisamente la connotación: por ejemplo, puede significar «cobarde», «miedoso».

El segundo sistema (o sistema connotado) se representa así:

$$\text{(ERC)RC}$$

donde, evidentemente, se sitúa entre paréntesis la pareja significante-significado denotativo («conejo») y fuera del paréntesis la relación de connotación («miedoso»). Los significantes de connotación —que Barthes llama connotadores (V.)— son, evidentemente, signo (significantes

+ significados) del sistema denotado. Es importante subrayar que la connotación es fundamental en la expresión artística. También los símbolos (V.) poéticos pertenecen al sistema de connotaciones: el problemático Galgo de la *Divina Comedia* (Inf. I, 101 y ss.) —que encontraremos en el «galgo de ayer» machadiano— es un connotador, un significante de connotación de un sistema semántico más complejo que el denotado por el código; se nos envía a un subcódigo cultural que subyace bajo las ideas político-religiosas de Dante, y a una determinada forma del contenido estructurada en emblemas connotativos (V. ALEGORÍA).

4. La lingüística americana. Hasta la década de los sesenta, la lingüística americana había estado dominada por la influencia de Leonard Bloomfield, cuyo manual clásico *Language* se remonta al año 1933. Su concepción ha sido definida como «de comportamientos» (o «behaviorista») porque el lenguaje —en la óptica del positivismo mecanicista de B. Watson y P. Weiss— también pertenece a la actividad fisiológica del individuo, y, con mayor exactitud, de su sistema nervioso, que reacciona a las distintas solicitaciones exteriores. La concepción de Bloomfield «se resume en términos de estímulo y respuesta, en el conocido esquema: E-r-e-R. Aquí se indica que un estímulo externo (E) induce a alguno a hablar (r), y esta respuesta lingüística del hablante constituye para el oyente un estímulo lingüístico (e) que provoca una respuesta práctica (R). E y R son, pues, acontecimientos prácticos que pertenecen al universo extralingüístico; por el contrario, r y e constituyen el acto lingüístico» (Lepschy, *La lingüística estructural,* V, 3). El rígido antimentalismo de Bloomfield acentuó en la lingüística americana la tendencia a considerar la lengua en términos puramente formales, según el método de análisis en constituyentes inmediatos. El enunciado se divide en dos partes, cada una de las cuales se subdivide a su vez en otras dos, y así se prosigue hasta llegar a los elementos mínimos indivisibles. La frase: *El hermano mayor de Carlos estudia la lección de historia,* es analizable por cortes sucesivos:

El hermano mayor de Carlos / estudia la lección de historia.
El hermano mayor / de Carlos / estudia / la lección de historia.
El / hermano mayor / de / Carlos / estudia / la / lección de historia.
El / hermano / mayor / de / Carlos / estudia / la / lección / de historia.
El / hermano / mayor / de / Carlos / estudia / la / lección / de / historia.

Se puede evidenciar el proceso de análisis con un stemma:

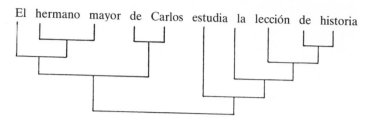

La lingüística bloomfieldiana es taxonómica o distribucionalista, porque, a la segmentación del enunciado en constituyentes inmediatos, le sigue el reagrupamiento, según su «distribución» en clases estrictamente formales, que excluyen el recurso al significado de la frase.

5. La gramática generativo-transformacional. Frente a esta concepción reacciona el «innatismo» de Noam Avram Chomsky, que en algunos aspectos retoma el mentalismo de Edward Sapir, por ejemplo en el subrayar el carácter creativo del lenguaje y en la recuperación de sus distintas dimensiones, desde la fonológica a la sintáctica y a la semántica. No es posible que nos detengamos ahora en los aspectos específicos de la teoría chomskiana, en la diferencia, por ejemplo, entre el primero y el segundo modelo de su gramática (por otra parte, todavía *in fieri*). Esquematizando, diremos que Chomsky identifica la lengua con la competencia de los hablantes, la cual permite explicitar en infinitas actuaciones o actos productivos la complejidad de los mensajes. Esto significa, según el estudioso americano, que el hablante está en posesión de una gramática o sistema de reglas referidas a tres componentes (sintáctico, semántico, fonológico), capaz de generar (mediante unas apropiadas «reglas sintagmáticas» o de «estructura de frase» o de «reescritura», del tipo X → Y) una estructura profunda que, mediante otros mecanismos (o reglas) transformacionales, se explicitará en una estructura superficial.

La novedad del método chomskiano, en sus elementos esenciales y generales consiste en la integración de una gramática de tipo sintagmático, formalizable en árboles rotulados del tipo siguiente:

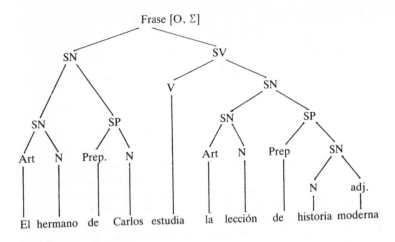

con un modelo capaz de justificar a un nivel profundo las diferencias semántico-sintácticas anuladas o no perceptibles en el nivel superficial. La intuición no es nueva, puesto que ya la gramática tradicional había advertido la ambigüedad de frases como:

(1) el amor de Dios
(2) el odio de los enemigos

resolviéndola con la distinción entre genitivo subjetivo y objetivo. Para Chomsky, la ambigüedad deriva de una distinta estructura profunda, subyacente a las dos frases:

(1a) Dios ama [a los hombres]
(1b) [los hombres] aman a Dios.

El análisis en constituyentes inmediatos no está en disposición de diversificar la estructura de las dos frases siguientes:

La chaqueta está gastada por los codos
La chaqueta está gastada por Carlos.

Esta última frase (al menos en la primera versión de la gramática generativo-transformacional) es el producto de una transformación pasiva, como —por otra parte— advierte el hablante intuitivamente. El proceso transformacional se puede utilizar así:

$SN_1 + Aux + V + SN_2 \rightarrow SN_2 + Aux + estar + part. V. + por + SN_1$
en donde los símbolos se retranscriben así:

$SN_1 \rightarrow$ Carlos $V \rightarrow$ gastar $SN_2 \rightarrow$ chaqueta

La influencia de Chomsky sobre la lingüística americana ha sido enorme. Ésta ha profundizado sobre todo en los aspectos semánticos del modelo generativo-transformacional, llegando a propuestas teóricas diferentes; en particular, los llamados «semantistas» (Mc Cawley, Bach, Ross, Lakoff) critican el concepto de estructura profunda, prefiriendo postular una correspondencia entre forma lógica y forma gramatical de la lengua (Lakoff). En la gramática de los casos de Charles J. Fillmore los dos enunciados

La pelota bota
El niño bota la pelota

tienen la misma estructura, y en ambos «la pelota» es objeto, mientras que para el análisis transformacional es sujeto en la primera y objeto en la segunda. Fillmore considera el enunciado como una secuencia formada por un verbo y por una serie de casos, es decir, de relaciones semánticas que unen al verbo con los sintagmas nominales. Así tendremos un Agente, un Experimentador, un Objeto, un Instrumento. Si tenemos las frases siguientes:

Francisco abre la puerta con la llave
Francisco abre la puerta
La llave abre la puerta
La puerta se abre

su estructura semántico-sintáctica será, respectivamente:

— A + V + O + I (Agente + Verbo + Objeto + Instrumento)
— A + V + O
— I + V + O
— O + V.

6. La lingüística textual. En estos últimos años la investigación lingüística se ha dirigido hacia una vertiente que trasciende el límite de la frase, al partir del presupuesto de que la comunicación (V.) procede no por enunciados, sino por unidades discretas más amplias, los textos (V.). La competencia lingüística se inserta en una competencia comunicativa (o semiótica) más vasta y articulada, cuyo objeto es el texto, esto es un «retículo de diversos mensajes que dependen de distintos códigos y subcódigos» (Eco). Un texto puede ser verbal o no verbal, oral o escrito o incluso mixto (por ejemplo, icónico y verbal) en relación a los códigos que lo constituyen. La estructura transfrástica del texto debe caracterizarse por algunos factores constructivos como son la plenitud y la congruencia semántica. No es suficiente que todas las frases se refieran a la misma realidad (CORREFERENCIA, V.) para tener un texto, o sea, una unidad discursiva congruente y completa: es preciso que las distintas frases se articulen entre ellas en una estructura jerárquica superior por medio de la integración de un cierto número de temas, según determinadas isotopías (V.) o líneas de sentido, que incumbirá al lector individual en el trabajo de decodificación (V. REMA, LECTURA).

Consideremos las frases siguientes: *Esteban se entrega a la boga. Carlos, en las rocas, pesca unas hermosísimas lubinas. Ángel disfruta con la fresca. Es una maravilla el encontrarse juntos en El Grove.* En ellas no hay correferencia, y sin embargo el texto, semánticamente, es congruente y pleno porque actualiza dos procesos semánticos típicos: a) la combinalidad de las secuencias aisladas en una estructura superior gracias a ciertas relaciones de equivalencia (o isotopías semánticas) determinadas desde los elementos del conjunto. En nuestro caso, las isotopías alían «boga», «fresca», «pescar lubinas», «El Grove» en torno al tema unitario profundo /vacaciones en el mar/; b) la amalgama de sentido operada por los presupuestos semánticos (V.) y enciclopédicos (V. ENCICLOPEDIA). En nuestro ejemplo, éstos cumplen con un papel muy importante tanto por la individuación de El Grove (lugar de veraneo en la costa) como por la determinación de «lubina» (que no es un pez de agua dulce); y así, pues, aunque la boga podría practicarse también en un río o en un lago, es sin embargo perfectamente compatible con los otros elementos presupuestos.

Entre los factores de la textualización —es decir, de la generación de un texto— la investigación lingüística ha destacado: la repetición del mismo tema con palabras distintas (sinonimia); anáfora (V.) o deixis, es decir, la iteración de un elemento ya enunciado por medio de otro término que se refiere a él (*He visto a Luis y le he dicho que lo buscaba su madre*: los términos «le», «lo», «su» son anáforas o deixis de «Luis»); las conexiones de diferentes tipos (causal, final, temporal, por contraste, etc.). Para un análisis más completo véase Siegfried J. Schmidt, *Teoría del texto*.

LIRA. Estrofa de cinco versos, endecasílabos y heptasílabos, con rima consonante, organizados según el esquema aBabB; la lira es una de las posibilidades de combinación de versos de las dos medidas usadas en el Renacimiento para servir de vehículo a la oda (V.) de tipo horaciano.

LÍRICA. Desde la antigüedad, la lírica es la forma poética en la que se expresa el sentimiento personal del autor, que se sitúa en el centro del discurso psicológico, introspectivo, rememorativo, evocativo o fantástico con que se determina la experiencia del yo. De la lírica griega, acompañada de la música (el nombre deriva de la «lira», el instrumento de que se servía el cantor para subrayar rítmica y melódicamente sus palabras) proceden tanto las tipologías de las distintas composiciones líricas, subdivididas según el tema y el tono (himnos, epinicios, epitalamios, encomios, peanes, ditirambos, etc.), como las estructuras métricas y estilísticas, adaptadas por la poesía latina hacia el final del siglo II a. de C. No podemos aquí ni siquiera bosquejar la evolución extremadamente compleja del género; nos habremos de conformar con subrayar algunos aspectos del significado moderno de la lírica, que se remontan al Romanticismo; por ejemplo, Hegel piensa que la lírica es propia de las épocas evolucionadas, en las cuales el hombre reflexiona sobre sí mismo «y se completa en su interior en una totalidad autónoma de sentimientos y representaciones». Y Leopardi reconoce en la lírica el único instrumento de autenticidad poética, por cuanto que es la «expresión libre y genuina de cualquier efecto vivo y bien sentido por el hombre». De aquí que las estéticas del novecentismo, sobre todo las idealistas, con Croce y Vossler de adelantados, identifiquen directamente la expresión lírica con la poesía, con la síntesis de sentimiento y forma, en contraposición con algunas escuelas modernas que ven en el poema un «artefacto», sin que interese el autor. En la gran lírica de los siglos XIX y XX el tema profundo es la relación entre el yo y el mundo, lo problemático de la existencia (piénsese en el *Canto notturno* de Leopardi, en la *Negra sombra* de Rosalía de Castro), la dilación notada y sufrida por el poeta en el abismo entre sus aspiraciones y la realidad negativa del mundo (*La realidad y el deseo,* la *Desolación de la quimera* de Cernuda). La tendencia a la evasión de la realidad histórico-social y su rechazo se acompaña, de Baudelaire en adelante, con la búsqueda de un mundo *distinto,* de una alteridad extrañada frente al horror de las ciudades y de las muchedumbres anónimas («Paisaje de la multitud que vomita», en *Poeta en Nueva York*). A la alienación del hombre en la sociedad moderna el poeta opone un universo separado, intelectual o sentimentalmente, algunas veces onírico o inconsciente; otras por una búsqueda de características místicas o por medio de una revolución ontológica o epistemológica (citemos, como ejemplos, a Juan Ramón, a Guillén y a Lorca). La disgregación de la personalidad romántica, la desconfianza en la «realidad de lo real», el rechazo de una poesía optimista a la que se le delegue la función de magnificar la buena conciencia burguesa (incluso en el caso de poetas burgueses: Maragall): todos estos aspectos de la condición poética del autor que se encabalga sobre los dos siglos, explican la rotura con el lenguaje tradicional (objetivo, ilustrativo, académico, etc.) y el estallido de un discurso nuevo antirrealista, cargado de intenciones alusivas metafóricas y simbólicas, a veces herméticas; un lenguaje en el que los valores musicales de los significantes verbales ostentan la mayor importancia. Las indicaciones de Anceschi, referidas a la literatura italiana, pero fácilmente generalizables, que se refieren a una doble poética de nuestro siglo, la orientada sobre la analogía (piénsese en Rubén) y la otra sobre el objeto simbólico (de Machado a Lorca y Neruda), nos parecen positivas para caracterizar los procesos esenciales del lenguaje lírico postsimbolista.

Sobre este tema se puede consultar, entre otros, Friedrich, *Estructura de la lírica moderna.*

LITERARIEDAD. Para los formalistas rusos (V.), la literatura no debe confundirse con el cúmulo de materiales que la crítica tradicional acepta en sus análisis extrínsecos. Jakobson precisó con justeza que «el objeto de la ciencia de la literatura no es la literatura, sino la literariedad (calco del ruso *literaturnost*), es decir, lo que hace de una obra determinada una obra literaria. En lugar de esto, hasta ahora, los historiadores de la literatura lo que han hecho sobre todo ha sido remedar a la policía que, cuando debe detener a una persona, por si acaso apresa a cualquiera que esté allí, requisa cualquier cosa que esté en el lugar de autos y además a ese señor que pasaba por casualidad por la calle de al lado. Lo mismo sucedía con los historiadores de la literatura, todo les servía para hacer su ensalada: costumbres, psicología, política, filosofía. En vez de ciencia de la literatura nos encontrábamos con un conglomerado de disciplinas en rudimento. Era como si se hubiese olvidado que cada una de estas categorías tiene su lugar en su correspondiente ciencia, historia de la filosofía, historia de la cultura, psicología, etc., y que estas ciencias, como es lógico, pueden utilizar también los monumentos literarios como documentos imperfectos, de segunda mano». La cita muestra cómo lo primordial de cualquier análisis, para los formalistas rusos, es el sistema literario en su especificidad intrínseca, en sus elementos constitutivos, en su funcionamiento.

LITERATURA. Es difícil —si no imposible— dar una definición omnicomprensiva y plausible de qué sea literatura. Escarpit (en *Le littéraire et le social*) ha estudiado la historia del término y los distintos significados que ha ido recubriendo en la historia. La palabra procede del latín *litteratura* (Quintiliano), cuya raíz es *littera*, la letra del alfabeto: sería un calco del griego *grammatiké*. En sus orígenes, pues, parece que la idea de literatura está ligada a la escritura, a la capacidad de la manipulación de la palabra en los códigos culturales sometidos al *ars* de la escritura: la gramática, la retórica y la estilística, la competencia que dimana de la posesión de las reglas tradicionales de la escritura. La antigüedad tiene el culto de la literalidad como técnica específica de la elaboración formal, de tal manera que sería inconcebible una idea de la literatura ajena, por ejemplo, a la retórica y a la codificación de los géneros. Sin embargo, a pesar del nombre de *literatura*, recuérdese que tanto la retórica como la prosodia se refieren al lenguaje hablado y que la recepción de la obra literaria hasta casi nuestros días es, fundamentalmente, oral.

Entre los muy distintos significados de la literatura Escarpit recuerda: la ciencia y la cultura en general, el mundo de las letras y de los escritores, el arte de la expresión intelectual, el arte específico del escribir, el conjunto de las obras literarias y de los escritos de una época o de un territorio, las obras no escritas y otras muchísimas acepciones y matizaciones. Se habla también, en sentido sociológico y antropológico, de una literatura oral, ligada en muchos casos a las tradiciones populares —Menéndez Pidal prefiere hablar de literatura tradicional, separando lo «tradicional» de lo «popular». Creemos que debe mantenerse la distinción—. Aunque las fronteras entre una y otra manifestación son muy lábiles, Lázaro Carreter (en *Estudios de lingüística. Literatura y folklore: los refranes*) señala la existencia de diferencias «que son principal, aunque no exclusivamente, diferencias de función» y más adelante afirma —y lo aplicó en sus estudios sobre el *Lazarillo,* por ejemplo—, que el paso del Folklore oral a la Literatura (y a la inversa, añadiríamos nosotros, recordando a Lope o a Lorca) es sumamente fácil: la literatura, que procede de remotas fuentes folklóricas, se separó de ellas, al constituirse como tal, buscando una libertad que en el folklore o en la transmisión puramente oral no existía; entre folklore y literatura hay, pues, una diferencia cualitativa. Se plantea, por tanto y en sustancia, el problema de lo específico de la literatura, no tanto en un estrato de contenidos (aunque el desarrollo de disciplinas autónomas, como la filosofía, la historia, la ciencia, etc., haya puesto en crisis la antigua concepción de la literatura), sino también y antes en las modalidades formales, en la cualidad de su estatuto de comunicación. Si la literatura es *Wortkunst,* arte del lenguaje, será preciso definir qué usos lingüísticos caracterizan al lenguaje literario, qué diferencias existen entre lenguaje literario y lengua —en el sentido saussuriano de esta palabra—, cómo funciona ese peculiar sistema secundario que es el discurso de la literatura, y una multitud más de etcéteras (V. LENGUAJE, COMUNICACIÓN, TEXTO y otras voces afines).

Desde una perspectiva moderna el perímetro de la literatura coincide con el del lenguaje usado y dirigido específicamente hacia el valor estético, de modo tal que el estilo, la forma, que constituyen la connotación primordial de la obra literaria, habrán de ser considerados primeramente como escritura (V.). La especificidad de la literatura está apresada en la peculiar síntesis estético-lingüística de profundas experiencias existenciales, culturales, históricas, de las que el escritor se hace intérprete por naturaleza, sin que su obra se reduzca por eso a un simple documento de una situación extrínseca, social, histórica, política o, ni siquiera, moral, intelectual, psicológica, etc. El valor, en suma, o mejor, la informatividad estética de un texto no reside meramente en su contenido abstractamente ideológico, en su tipicidad, en la mayor o menor adecuación a una realidad histórica determinada, en la verdad o moralidad de las tesis de que es portador: cada elemento, realista o irreal, de la obra literaria transmuta su valor en la operación estético-expresiva en virtud del lenguaje connotativo, de la invención fantástica que reside en la escritura. En este estrato se hace real el sentido de la literatura: una experiencia profunda del mundo (entiéndase bien: de ninguna manera emotiva o irracional) totalmente expresa en signos, «formada».

Aunque la literatura tenga una especificidad axiológica y expresiva, esto no significa que sea totalmente autónoma con respecto a la realidad más profundamente considerada, tanto histórico-social como ideológica, económica, política, cultural, etc., que empapa cualquier tipo de comunicación y, como es natural, también la estético-literaria. Aun cuando no se puede admitir de ningún modo la simple y pura reducción del hecho estético o literario al estrato de lo social (menos de lo económico), como pretende la sociología de la literatura o ciertas escuelas críticas, es obvio, sin embargo, que la creación artística no se produce en una campana de vacío neumático, en la región poética de los nefelíbatas, sino en un aquí y un ahora precisos y concretos. La serie (V.) literaria —con sus códigos y subcódigos, su lengua y sus escrituras, los géneros y las poéticas— es correlata de las series histórico-culturales, que ubican el conjunto de sus problemas, aun cuando el valor de la obra se sitúe más allá de la factibilidad referencial de los «datos» cognitivos sociales o culturales, de los que ella misma forma parte.

La literatura hace suyos los modelos ideológicos e históricos —también los epistemas— de una época determinada (Dante, por ejemplo, interpreta la realidad según los criterios de exégesis de figuras [V. ALEGORÍA] propios de la Edad Media, se remite a los valores cristianos en una connotación pauperista, propone una *renovatio temporis* especialmente «reaccionaria» con respecto a las estructuras políticas de la comunidad; algo parecido se podría decir de nuestro Lope), pero la *Weltanschauung* de una obra no es nunca reductible a ideología política, tiene un halo «profético» que brota de la riqueza compleja e inagotable del sentido (V.) y de los signos.

Si se contempla la literatura desde la semiología, y se la considera como un sistema de instituciones que regulan y permiten la comunicación de los textos y, por ende, como punto de cruce de una sutil interacción entre los textos mismos, será preciso estudiar las modalidades de emisión, transmisión y recepción de los mensajes literarios que constituyen el sistema; los fenómenos de semiótica artística, como la transcodificación (V.), la intertextualidad (V.) o la polisemia del discurso poético; las características internas del lenguaje traslaticio (V. FIGURA), la función expresiva de las marcas retóricas, el valor codificado de las instituciones tradicionales de la literatura (los géneros, la métrica, el lenguaje). Estos y otros problemas, tan frecuentemente evocados en los artículos de nuestro diccionario, encuentran hoy unos nuevos planteamientos (aunque no una solución definitiva, imposible aunque sólo sea porque las investigaciones en esta área están todavía *in fieri*) en el marco de una teoría de la literatura que ha hecho suyas las adquisiciones de la lingüística postsaussuriana y se desplaza por caminos en parte explorados ya por la semiología general.

Para profundizar en estos problemas remitimos al libro de Segre, *Principios de análisis del texto literario* y a la bibliografía que allí se aduce. Véase también, para problemas conexos, Lázaro Carreter, *Estudios de lingüística* y *Estudios de poética*.

LITOTES. La litotes es una figura de pensamiento que consiste en una atenuación del pensamiento para hacer entender más de lo que se dice: *Sobre la muerte, señores, hemos de hablar poco... Sin embargo, no estará de más que comencéis a reparar en ella como fenómeno frecuente y, al parecer, natural* (Antonio Machado). La litotes puede tomar todas las formas de la atenuación, pero la más frecuente es la de la negación del contrario: *Ni un seductor Mañara ni un Bradomín he sido* (A. Machado). Esta forma ha tomado un valor de resalte del concepto: *Un papel no menos importante...* La litotes se marca muchas veces por la entonación o por el contexto.

LOA. Género teatral breve, que prolonga y modifica las funciones del prólogo (V.) antiguo. La loa podía ser un monólogo o una pequeña representación; su fin era establecer un primer contacto entre el público y la comedia o entre el público y la compañía, abriendo un resquicio de comunicación en el espectáculo total que era la representación teatral en los siglos XVI y XVII, con su público heterogéneo. Si en la comedia el papel de la loa es importante, aún lo es más —es un verdadero preludio— en el auto sacramental de corte calderoniano. Para más precisiones, véase J.-L. Fleckniakoska, *La loa*.

LOCUS AMOENUS. Es un antiguo topos (V.) de la mitología y de la literatura: representa el lugar feliz, el edén, la edad de oro, la situación sin problemas del hombre alejado de los contrastes de la historia y reconciliado con la naturaleza. En la literatura medieval suceden allí los acontecimientos agradables: está caracterizado frecuentemente por la presencia de un prado con flores, uno o varios árboles, una fuente o un arroyo, un viento suave que sopla, un pájaro o varios que cantan. Véase el uso que de este topos hace Berceo en la introducción a los *Milagros*, o cómo se describe en la *Razón feita de amor*. El topos ha sido estudiado por Curtius en *Literatura europea y Edad Media latina*.

LOCUTOR.   El locutor es el sujeto (emisor) que habla y produce enunciados. V. COMUNICACIÓN, CÓDIGO, LENGUAJE.

LUGAR COMÚN.   V. TOPOS.

LLANTO. V. PLANTO.

MACARRÓNICO. El latín macarrónico, como parodia burlesca del latín humanista, se elaboró en el ambiente académico paduano del humanismo tardío (Tifi Odassi, *Maccharonea,* 1490), aunque sus presupuestos se puedan retrasar hasta unirlos con la tradición goliardesca medieval y con los *Carmina Burana.* Respetando relativamente la gramática latina, pero aplicándola a un léxico vulgar «latinizado», el escritor macarrónico (y, entre todos, Teófilo Folengo y su *Baldus*) puede conseguir sugestivos efectos de deformación lingüística cómica, de extrañamiento expresionista con inmediatos efectos —por oposición tanto a la lengua vulgar como al latín clásico— estilísticos. En nuestra literatura aparece en escritores que usan el latín hasta el siglo xviii, pero también en algunos personajes del teatro: recuérdese la presentación de Polilla a Diana en *El desdén con el desdén,* y el uso del latín en otros graciosos de Moreto. Por extensión, se puede hablar de otros idiomas macarrónicos, cuando se les somete a transformaciones semejantes a las que se hacen con el latín.

MACROTEXTO. Para Corti, el macrotexto es un gran texto unitario, como, por ejemplo, una colección de textos poéticos o en prosa de un autor (la *Obra* buscada por Juan Ramón, los cuentos de Cortázar). Condición necesaria para la existencia de un macrotexto es la unidad estructural de la obra en su organización profunda. En sentido semiótico amplio, la cultura de un período, que abarca textos de distintas clases, puede considerarse como un macrotexto.

MADRIGAL. Composición poética de origen italiano —en nuestra literatura—, siempre muy ligada a la música y al canto; en principio, el tema es amoroso, con expresión de sentimientos delicados. Está formado por endecasílabos y heptasílabos que riman libremente; sin embargo, en la mayor parte de los clásicos —Cetina, Barahona— puede reconocerse una cabeza o fronte, formada por tres o cuatro versos de presentación, desarrollados después en una breve coda de rima independiente. En el siglo xvii perdió terreno al unirse al epigrama y en el xviii fue sustituido por la anacreóntica. La forma de madrigal —por tratamiento y estructura— resucita en el siglo xx, aunque ya no ligada obligatoriamente a temas amorosos: recuérdese el *Madrigal al billete de tranvía* de Rafael Alberti.

MARAVILLOSO. Género narrativo en el que aparecen unas leyes que sustituyen y funcionan en algunas ocasiones al margen de las leyes de la realidad empírica.

MARCA. Rasgo (V.) pertinente y distintivo, cuya existencia opone un término lingüístico a otro. La oposición marcado/no marcado se realiza en el seno de lo fonológico y de lo gramatical; el elemento marcado tiene todas las características del no marcado más una: así, para el número, una palabra singular está no marcada, mientras que en plural está marcada.

En literatura, Barthes piensa que la lengua literaria está marcada con respecto a la lengua neutra (el grado cero de la escritura), y la escritura poética marcada respecto a la lengua de la prosa.

MARCA. Rasgo (V.) distintivo y pertinente cuya existencia opone en el plano paradigmático un elemento lingüístico a otro. La oposición no marcado *vs.* marcado se realiza tanto para lo fonológico, como para lo léxico y lo morfosintáctico; el elemento marcado tiene todas las características del no marcado más una: así, en lo que se refiere al número, una palabra en singular es no marcada, mientras que en plural está marcada. V. Dubois, *Dict.*, s.v.

MÄRCHEN. V. CUENTO POPULAR.

MARCO. En el análisis del relato, es aquella parte del texto narrativo (casi siempre inicial) que encierra, como un engaste, una narración de segundo grado. Por ejemplo, en el *Decamerón* el marco es la descripción de la peste y la presentación de los diez jóvenes cuyos cuentos constituyen un relato en el relato. En el *Libro de Buen amor* el marco es la fingida autobiografía del Arcipreste; en *El conde Lucanor,* la presencia del autor al principio del libro, en el doble prólogo, y al final de cada uno de los cuentos, al mandar que se incluyan en la obra y componer para ellos los versos gnómicos. V. voz.

MÉLICA. Antigua forma de la poesía griega, en la que verso, música y canto se unían estrechamente. Se acompañaba con la lira o la cítara, y se diferenciaba en lírica monódica y coral; esta última tomaba formas diversas según fuesen los temas tratados: himno, epitalamio, epinicio, etcétera.

MELODÍA. La musicalidad del verso no debe entenderse como equivalencia tonal y armónica de los timbres y ritmos verbales, como si se pudiese establecer una transposición de identidad entre la música y la poesía. Sin embargo, no se puede dudar que existe un valor melódico o musical en el poema, que resulta de la estructuración métrica y rítmica de los sonidos (significantes) que conllevan la connotación de los significados y, conjuntamente con éstos, crean el sentido del mensaje (y dejemos ahora los «mensajes formales», las jitanjáforas, en que el mensaje se forma únicamente por los significantes poéticos). Recordemos también los casos en que la melodía del metro y la sintáctica no son coincidentes.

Históricamente, el punto de encuentro entre poesía y música está en el canto, en el que la palabra, rítmicamente colocada en secuencias reiteradas, adquiere de inmediato una tonalidad musical (cantilenas, retahílas infantiles, etc.). En un nivel artístico, la mélica griega nace de la concordancia entre la poesía cantada y el acompañamiento musical producido por la cítara o la lira (V. LÍRICA), tanto en forma monódica como coral. En la iglesia primitiva también el canto —por ejemplo, el himno ambrosiano— se construye en función del mensaje, es decir, de la plegaria. Al desvincularse de la hegemonía religiosa, la poesía profana de los siglos XI y XII —la lírica provenzal y la galaicoportuguesa— se enriquece con interpretaciones musicales gracias al arpa, al laúd y otros instrumentos. Desde ella se difunden en toda Europa algunas formas típicas que constituirán los modelos de referencia de la poesía lírica (la canción, el cosaute, el planto, la pastorella, etc.).

En un sentido lingüístico extenso, de tal forma que la noción de melodía se pueda aplicar también a la prosa y se pueda conjugar —en el caso del verso— el doble juego de secuencias que hemos señalado más arriba, G. L. Beccaria, dando andadura estricta a la teoría idealista de Amado Alonso, define la melodía o, mejor, la «unidad melódica» como «cada uno de los grupos fónico-sintácticos que componen cualquier trozo de prosa, los cuales son *también* grupos de entonación, pero que es preciso considerar y medir en su extensión silábica y no sólo en la curva de la altura musical. La unidad melódica es, pues, [...] aquella porción del discurso con sentido propio y con forma musical determinada, comprendida entre dos pausas suspensivas, marcadas casi siempre por signos de puntuación que delimitan una única "expulsión" sonora, sin solución de continuidad fónica». Estas unidades melódicas se pueden estructurar de formas muy variadas, constituyendo en su combinación la melodía del fragmento que se considere.

Para un mayor detalle remitimos a Navarro Tomás, *El grupo fónico como unidad melódica* (RFE, 1939), A. Alonso, *Materia y forma en poesía* (esp. *El ritmo de la prosa* y *La musicalidad de la prosa en Valle-Inclán*), G. L. Beccaria, *Ritmo e melodia nella prosa italiana*, Alarcos Llorach, *Secuencia sintáctica y secuencia rítmica*.

MELODRAMA. Composición dramática cantada y con música. Nació en el seno de la Camerata de Bardi hacia 1580 como desarrollo del drama pastoril. Entre los teóricos del nuevo género Caccini sostuvo la primacía del texto poético y del canto monódico; Ottavio Rinuccini escribió los primeros melodramas de altura estética, *Dafne, Eurídice* y *Arianna,* que tuvieron cierta influencia en algunas obras musicadas del barroco español, por ejemplo en Calderón. En el desarrollo del género en los siglos XVII y XVIII se subrayaron los efectos escénicos grandiosos y el virtuosismo de los cantantes, en detrimento del texto, que se convirtió en un puro libreto convencional, literariamente mediocre. Metastasio, reconduciendo los temas hacia el espíritu sentimental e idílico, casi arcádico, y Gluck, que dio consistencia a los textos, extendieron el género por Europa y propiciaron su evolución e imitaciones. Para Rousseau el melodrama era «un tipo de drama en el cual las palabras y la música, en vez de caminar juntos, se presentan sucesivamente, y donde la frase hablada es de alguna manera anunciada y preparada por la frase musical». Así, el mismo Rousseau escribe una obra como *Pigmalión* en la que no se canta, sino que se recita sobre un fondo musical. Hacia fines del siglo XVIII se produce la última transformación del melodrama: por una parte, en Italia sobre todo, vuelve a convertirse en mero soporte de la música, sobre unos libretos literarios muy pobres, y da origen a la ópera italiana. En el resto de los países de Europa se pierde la música y se convierte en un género teatral —que después se propagará en sus características a otras formas de discurso— que muestra estereotipos de buenos y malos, llevados a extremos caricaturescos, y que se dirige a emocionar al público sin dejarlo razonar, apoyándose más en efectos escenográficos o teatrales —en el peor sentido de la palabra—, convirtiéndose, sin quererlo, en una parodia de la tragedia, reescrita para el uso y el abuso de la ideología (V.) burguesa, reduciendo a la nada las contradicciones históricas o sociales, al intentar producir una catarsis «social» que evite cualquier contestación o reflexión. Los recursos del melodrama han sido heredados por la paraliteratura —folletín, novela rosa—, por el cine o por los seriales televisivos.

MENIPEA. V. SÁTIRA.

MENSAJE. El mensaje es una secuencia de signos o señales construida según unas reglas combinatorias precisas, que un emisor envía a un destinatario a través de un canal. La forma del mensaje resulta de la naturaleza de los medios empleados para la comunicación y del código utilizado: vibraciones sonoras, luces, gestos, movimientos, impulsos mecánicos o eléctricos, etc. Se puede transmitir un mensaje con la palabra, con la escritura, con las banderas navales, etc. La forma es codificada por el emisor y decodificada por el receptor. La transmisión de un mensaje es un hecho de significación, porque comporta la utilización de un código; este hecho establece también una relación social entre el emisor y el destinatario.

La lingüística ha rescatado los elementos esenciales de la teoría de la comunicación (V.), sobre los que se apoya también la semiología de la literatura (V. COMUNICACIÓN, 2). Para otras informaciones, véase: CÓDIGO, LENGUAJE, INFORMACIÓN.

METÁBASIS. V. HIPÓSTASIS.

METÁFORA. La metáfora ha sido considerada tradicionalmente como una comparación abreviada, *similitudo brevior* (Quint. VIII, 6, 8). Por ejemplo, *Aquiles es un león* se deriva de *Aquiles combate como un león*; *Tizio es un zorro* es la condensación de *Tizio es astuto como un zorro*. La metáfora designa un objeto mediante otro que tiene con el primero una relación de semejanza. Cuando decimos «cabellos *de oro*» queremos expresar «cabellos *rubios como* el oro». Los estudios modernos de retórica han abandonado la definición de la metáfora como comparación abreviada y se han propuesto incidir en la génesis lingüística de la traslación.

En *cabellos de oro* la metáfora *de oro* no indica, como es obvio, un referente, sino un significado traslaticio, es decir, distinto del literal. La metáfora, como la metonimia y la sinécdoque, realiza un desplazamiento de significado.

En la metáfora, el mecanismo de desplazamiento semántico puede producirse a través de un término intermedio que tiene propiedades inherentes que son comunes a los dos términos que hacen de punto de partida y punto de llegada de la metáfora (X e Y). Por ejemplo, la metáfora *la boca de la cueva* reposa sobre la traslación «entrada» → «boca» (respectivamente X e Y) que se hace posible por el término intermedio «abertura, ingreso», que es común tanto al llamado «vehículo» de la metáfora (X) como al «tenor» (Y). Esquematizando:

1. Metáfora y metonimia según Jakobson. Jakobson afirma que «el desarrollo de un discurso puede tener lugar según dos directrices semánticas diferentes: un tema conduce hasta otro bien por semejanza, bien por contigüidad. La denominación más apropiada para el primer caso sería *directriz metafórica,* para el segundo *directriz metonímica,* porque cada uno de ellos encuentra su expresión más sintética en la metáfora y en la metonimia, respectivamente».

Téngase presente que para Jakobson la metonimia comprende también a la sinécdoque; en la metáfora se carean dos términos que tienen entre sí una relación paradigmática, de semejanza: la expresión *cabellos rubios* puede ser asociada a la idea del *oro*, con lo cual se produce la metáfora *cabellos de oro* (los dos elementos son externos, cada uno con respecto al otro); en la metonimia la relación entre los dos términos es sintagmática, de contigüidad (intrínseca): entre *vela* y *nave* (en *he visto hacerse a la mar una vela*), entre *sudor* y *trabajo* (en *se gana la vida con el sudor de la frente*), entre *corona* y *rey* (en *el discurso de la corona*) hay una relación interna, porque la primera palabra (metonimia-sinécdoque) es una parte de la otra, causa de ella, etc.

Aristóteles (*Poética*, 1457b, *Retórica*, 1407a) dice que entre la vejez y la vida existe la misma relación que entre la tarde y el día: «el poeta dirá, pues, de la tarde, como hace Empédocles, que es la *vejez del día,* de la vejez que es *la tarde de la vida* o *el crepúsculo de la vida*».

Aquí bajo la opción paradigmática *vejez-tarde* subyace una relación analógica estructurable en un esquema que explica el «mecanismo sublingüístico» (Henry) que actúa a nivel profundo:

$$\frac{\text{vejez}}{\text{vida}} = \frac{\text{tarde}}{\text{día}}$$

De los enunciados
1. la vejez es el fin de la vida
2. la tarde es el fin del día
deriva la analogía desarrollada
3. la vejez es el fin de la vida como la tarde es el fin del día
y la metáfora
4. la vejez es la tarde de la vida.

La equiparación *vida-día* comporta la equiparación *vejez-tarde* y la posibilidad de la transferencia semántica con la eliminación del término común a los dos enunciados profundos.

2. Morfología de la metáfora según Henry. «En la metáfora —sostiene Henry— el intelecto solapa los campos semánticos de dos términos que pertenecen a campos asociativos distintos (e incluso en muchas ocasiones bastante alejados el uno del otro), finge ignorar que hay un solo rasgo común (rara vez hay más), y efectúa la sustitución de los términos.»

Así en *cabellos de oro* tenemos dos campos sémicos —los relativos a *cabellos* y a *oro*— con rasgos, componentes o semas bastante distintos,

excepto uno —el color—, que puede permitir el desplazamiento semántico:

oro: color «amarillo» (y no «blanco»)
cabellos: color «rubio» (y no «negro», «castaño», etc.).

El rasgo común *amarillo-rubio* permite la formación de la metáfora:

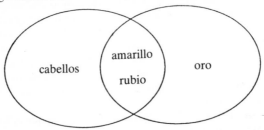

La metáfora puede estar expresa en varias formas gramaticales (fundamentalmente en nombres, verbos, adjetivos). La metáfora nominal
tiene distintas estructuras:

a) la sustitución del nombre: *su luna de pergamino* (= pandero) /
Preciosa tocando viene (García Lorca);

b) la cópula: *Tu vientre es una lucha de raíces* (Lorca);

c) la aposición: *Sí, tu niñez: ya fábula de fuentes* (Guillén y Lorca);

d) la construcción con el genitivo: *canto al jardín azul de tus pul-
mones* (Fernández Moreno);

e) la cadena de dos o más nombres: *relámpagos de risas carmesíes.*

La metáfora verbal puede concernir sólo al verbo (*La voz del muchacho naufragaba en la gangosa respuesta de los negros* (Mujica Lainez)
o al nexo sustantivo-verbo (*y decora las aguas de tu río / con hojas de
mi otoño enajenado,* Lorca). Los adjetivos metafóricos son abundantí-
simos incluso en el lenguaje común: *barba florida, mirada angelical, ata-
que fulminante.*

Según Henry es preciso clasificar las metáforas no por su forma gramatical, sino por el número de términos expresos, que pueden ser cuatro, tres, dos o uno. La metáfora de cuatro términos se constituye por

la relación de equivalencia $\dfrac{a}{b} = \dfrac{a'}{b'}$ (recuérdese el ejemplo de Aristóte-

les). Una metáfora de tres términos son los versos de Lorca: *El diamante
de una estrella / Ha rayado el hondo cielo,* en los que se produce la
analogía

$$\frac{estrella}{diamante} = \frac{hondo\ cielo}{cristal}$$

con los términos expresos *a, b, a'* (*b'* es contextual).

Muy común es la metáfora de dos términos (*a, a'*, o bien *a, b'*). Por ejemplo, el sintagma *el fuego del amor* tiene como esquema sublingüístico la equivalencia

$$\frac{fuego}{ardor} = \frac{amor}{pasión}$$

Así *las nieves de la cabeza* se analiza en el esquema

$$\frac{nieve}{montaña} = \frac{cabellos\ blancos}{cabeza}$$

(con términos expresos *a* y *b'*).

La metáfora de un solo término requiere el auxilio explicativo del contexto, como cuando decimos *Viene un bollito* para referirnos a una chica joven y guapa. Para entender el valor de la palabra *limón = desamor* en el verso *Me tiraste un limón, y tan amargo* de Miguel Hernández, es preciso recurrir al contexto entero del poema (y a toda una tradición: V. *Naranja y limón*, en Daniel Devoto: *Textos y contextos*). Y aun así, a veces, el valor queda oscuro.

3. Otras interpretaciones de la metáfora.   Los autores de la *Rhétorique générale* piensan que la metáfora resulta de dos operaciones básicas: adición y supresión de semas (V.) y, como tal, es la resultante de dos sinécdoques (una particularizadora según el módulo π y otra generalizadora según el módulo Σ; V. SINÉCDOQUE). Por ejemplo, la metáfora *El abedul es la doncella del bosque* se realizaría según el esquema X-P-Y, que ya hemos visto, reformulado con las siglas P-I-L (término de partida, término intermedio, término de llegada)

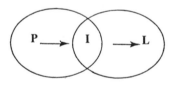

en el que P sería *doncella*, A *abedul* e I «flexible»: el recorrido P —— I es una sinécdoque generalizadora Σ y el recorrido I —— A es una sinécdoque particularizadora π (el primer módulo se ejemplifica por *mortal* en vez de *hombre*, el segundo por *vela* en vez de *nave*).

También Eco, cuando escribe en 1971 *Las formas del contenido*, piensa que la metáfora es una cadena de metonimias. Así, en la metáfora barroca de Lope *Surca del mar de Amor las rubias ondas* la conexión entre mar y cabellos se establecería metonímicamente, porque el sema «rizado» (explícito en el ambivalente «ondas») unifica los dos sememas.

Sin embargo, en el *Tratado de semiótica general,* Eco parece haber rectificado. Aceptando el planteamiento de Jakobson, para el que la metáfora es una sustitución por semejanza y la metonimia una sustitución por contigüidad, afirma que la «semejanza no concierne a una relación entre significante y cosa significada, sino que se presenta como identidad sémica (el ejemplo que se da es *Dominicanes* = dominicanos, «perros del Señor»). La metonimia (en la que se engloba también la sinécdoque) representa un caso de interdependencia sémica (y no de identidad), que puede ser de dos tipos: a) una marca (es decir, un sema) sustituye al sema al que pertenece (*vela* por *nave*); b) un semema sustituye a una de sus marcas (*asiento* por *silla*); Eco cita el ejemplo: *Juan es un pez* por «nada muy bien» (pero aquí *pez* es una metáfora). En conclusión, «la conexión entre dos semas iguales que existen en el interior de dos sememas distintos (o de dos semas del mismo semema) permite la sustitución de un semema por otro (metáfora), mientras que el trueque del sema por el semema y del semema por el sema constituyen la metonimia».

Bertinetto critica la idea de que la metáfora sea el producto de dos sinécdoques (o de dos metonimias). Piensa que esa noción es incapaz de explicar una locución metafórica del tipo *Aunque haya epidemia, ése no enfermará: ése es una roca,* bajo la que subyace una doble predicación: *ése es fuerte, la roca es dura.* El esquema sublingüístico de Henry muestra, por el contrario, que la metáfora se hace posible por la analogía entre los dos términos «fuerte» y «dura».

La metáfora es, en sustancia, un caso de anomalía semántica que, según la gramática generativa, procede de la violación de determinadas reglas de selección, y más exactamente de las restricciones de selección que organizan la combinación de lexemas. En la frase *Ríe el sol* la metáfora nace de la violación del sema /+ humano/ que es una de las restricciones de selección del verbo «reír». Mejor todavía se podrá afirmar que el extrañamiento metafórico se produce por la violación de los presupuestos referenciales. Por ejemplo, en *La estatua rió* (para indicar a una mujer fría, silenciosa) el presupuesto normal de «estatua» = /figura tallada en piedra o madera/ es violado por la referencia a un rasgo /+ humano viviente/. A esto Weinrich lo llama «contradeterminación». Si el significado de una palabra consiste esencialmente en una expectativa de determinación (por ejemplo, *capitel*), la metáfora, al transferir el sentido del referente a otro distinto *(Mariposa: capitel del aire),* evita la expectativa y crea una sorpresa; el sentido aparece provocado por el contexto. «Llamaremos a este procedimiento contradeterminación porque la determinación efectiva del contexto sucede en dirección contraria a la expectativa de determinación de la palabra. Con esta idea, podemos definir la metáfora como una palabra en un contexto "contradeterminante".»

METALENGUAJE. Para Hjelmslev (V. LINGÜÍSTICA, 3), el metalenguaje o metalengua es una lengua cuyo plano del contenido es ya una lengua. En este sentido, todo discurso sobre una lengua es un metalenguaje: las definiciones de los diccionarios, las gramáticas, la crítica literaria. Para Jakobson, la función metalingüística es la que utiliza al código como objeto del mensaje. Ejem.: *«catear» significa «suspender»*. Pero, como indican Ducrot-Todorov, casi todos los enunciados comportan, implícita o explícitamente, una referencia a su propio código o subcódigo: *Los ricos dicen alegrarse a lo que los pobres llamamos emborracharse*.

METALEPSIS. Es un tipo de metonimia (V.) en el que la transposición de un término a otro se realiza por medio de un elemento sobreentendido. Ejem.: *Un niño trajo la blanca sábana* (García Lorca), en que se adivina la muerte a través de «blanca sábana» = «sudario».

METALOGISMO. La escuela de Lieja da este nombre a las figuras (V.) de carácter lógico.

METANÁLISIS. Jespersen designa con este término una falla en la comunicación, la que se produce cuando el enunciado se segmenta, analiza e interpreta de diferente forma por el emisor y por el receptor. Ejem.: El pescadero ofrece: *¡Sardina viva! —¡Viva!; —No crea. Yo ya no estoy para muchos trotes... —¿Para cuántos trotes está usted?* (Tono).

El metanálisis está en el origen de un gran número de figuras, en la mayor parte de los casos humorísticas (calambur, equívocos, juegos de palabras, etc.). Pero puede emplearse, extendiendo el valor del término, para designar aquellos casos en los que el autor crea una ambigüedad de lectura o una dificultad que obligan a que el lector tenga que reanalizar su primer acercamiento: así, en el verso de Espronceda *Brota en el cielo del amor la fuente* se nos propone una posible doble lectura, según potenciemos la cesura (*cielo / del amor*: funciona la inversión) o potenciemos la relación sust. + complemento (*cielo del amor*). Al metanálisis se debe también el valor expresivo de muchos encabalgamientos (V.) (*Vamos, es un decir / florido*, B. de Otero) o la remotivación (V.): *Aquí / no se salva ni dios. Lo asesinaron* (B. de Otero).

METAPLASMO. Modificación de una palabra o de un elemento de orden inferior a ella desde el punto de vista de la expresión (como la aféresis, la paragoge, la apéntesis). Corresponde, aproximadamente, a lo que la retórica tradicional llamaba figuras (V.) de dicción.

METASEMEMA. Modificación de una palabra en el plano del contenido, tropo. V. FIGURA.

METAXIS. Modificación sintáctica de la estructura de una frase, figura (V.) de construcción, como la elipsis, el zeugma, el quiasmo, etc.

METONIMIA. La metonimia es una figura de transferencia semántica (V. METÁFORA) basada en la relación de contigüidad lógica y/o material entre el término «literal» y el término sustituido. Siguiendo a Jakobson, podemos decir que la metonimia es la sustitución de un término por otro que presenta con el primero una relación de contigüidad; por ejemplo, si decimos: *Se gana el pan con el sudor de su frente,* en realidad lo que queremos expresar es «con el trabajo que causa sudor» (trueque del efecto por la causa). También *el discurso de la corona* sustituye a *el discurso del rey* (cambio de la persona por el objeto). Mientras que en la metáfora la relación entre los dos términos emparejados es paradigmática, externa (es decir, que los dos términos pertenecen a campos semánticos distintos, como sucede con *cabellos* y *oro*), en la metonimia la relación es sintagmática, intrínseca. Con mayor exactitud, el tipo de contigüidad expresa:

a) el efecto por la causa: *mi dulce tormento* (Arniches) por mi mujer;

b) la causa por el efecto: *Cuando las estrellas clavan / rejones al agua gris* (Lorca). Lo que se clava es el rayo de luz que procede de cada estrella;

c) la materia por la cosa: *fió, y su vida a un leño* (Góngora). *Leño* está por *barco*;

d) el continente por el contenido: *¿Qué dice la camarilla?* (Valle-Inclán), es decir, las personas que se reúnen en la camarilla;

e) lo abstracto por lo concreto: *La Santidad de Pío IX* (Valle-Inclán) por el Papa;

f) lo concreto por lo abstracto: *Tener buena estrella.* La determinación física expresa atributos morales: *tiene una buena cabeza* (= es sensato, es inteligente);

g) el instrumento por la persona que lo utiliza: *el segundo violín, el espadón de Loja* (= el general Narváez);

h) el autor en lugar de la obra: *En el Museo hay dos Goyas, Traed vuestro César* (el *De bello Gallico*);

i) el lugar de procedencia por el objeto: *prefiero el rioja al rueda* (por vino de Rioja y de Rueda);

j) el epónimo por la cosa: *Por ser la Virgen de la Paloma* (el día de la Virgen).

1. Los mecanismos lingüísticos de la metonimia. Si el inventario de las realizaciones metonímicas no crea problemas, muy distinta es la situación cuando se trata de buscar los mecanismos lingüísticos de la figura. Está bastante claro que la metonimia realiza una interdependencia sémica entre el término trasladado (término *in praesentia*) y el profundo *(in absentia)*. Por ejemplo:

Traed vuestro César — político romano
                    — dictador
                    — portador de episodios emblemáticos (Rubicón, Idus de marzo, etc.)
                    — adversario de Pompeyo
                    — conquistador de la Galia
                    — autor del *De bello Gallico*
                    — ....

Se observará que distintas selecciones sémicas, subyacentes en el archilexema *César,* realizan figuras sustancialmente metonímicas. Por ejemplo:

Quieres ser un César en tu casa por «quieres ser un dictador»: tenemos aquí una antonomasia (V.), que para los autores de la *Rhétorique générale* es simplemente una sinécdoque generalizadora (V.), que representa lo más extenso por lo menos: incluso más, la antonomasia es una metonimia connotativa, porque implica algunas rescisiones sémicas (por ejemplo, no quiere decir *quieres ser un general, un conquistador, un escritor,* menos aún *un asesinado,* etc.) e implica el subrayado emblemático de un aspecto de la personalidad de César.

También para ti llegarán tus Idus de marzo por «llegará tu fin» en una sobreentendida comparación con X (= persona aludida): *César*; en este caso tenemos una sustitución alusiva (V. ALUSIÓN).

Lo que los militares creían que iba a ser un pronunciamiento encontró frente a sí un Pompeyo por «un adversario», aunque con la tradicional connotación de «defensor de la república y de la libertad», esto es, con peculiares transcodificaciones de la relación César: Pompeyo.

Como se puede ver, la relación de contigüidad entre los términos es siempre interior al campo semántico de César, pero las sustituciones no son, por decirlo de alguna manera, inmediatas o meramente lingüísticas: implican selecciones de orden cultural, la referencia a subcódigos peculiares o expresan connotaciones más o menos sobreentendidas.

Para explicar con mayor congruencia el mecanismo de la metonimia, es preciso tener en cuenta un modelo semántico de la función sígnica como el propuesto por Eco en su *Tratado de semiótica*: un semema es representable como un complejo organizado de marcas denotativas y connotativas y de selecciones contextuales y circunstanciales (que registran los sememas asociados a lo representado). Por ejemplo, analícese el signo *calavera*

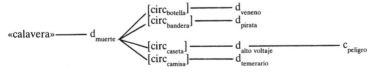

Es, pues, la estructura componencial de un término (V. SEMEMA, SEMA) la que se somete a discusión cuando se intenta explicar la operación inherente a la metonimia. En el caso de César, el conjunto de marcas denotativas y connotativas que componen el semema ha de ser completado con las marcas contextuales y circunstanciales que se seleccionan para formar la metonimia (*César-De bello Gallico, César-Idus, César-Pompeyo*, etc.). La interpretación de la metonimia que dan los autores de la *Rhétorique générale* no parece satisfactoria. Denominando P (punto de partida) a *César*, L (punto de llegada) a *De bello Gallico* e I (punto intermedio) a la totalidad de la vida de César (sus amores, las guerras, las obras, etc.), en la metonimia el término intermedio englobará a los otros dos:

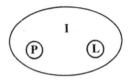

En efecto, queda excesivamente genérico el término intermedio y vaga la definición de los semas connotativos que actúan en el proceso metonímico.

En el libro antes citado de Umberto Eco hay un intento de explicación de la metonimia que parece más convincente, a partir de la expresión virgiliana *vulnera dirigere* (Aen. X, 140), literalmente «lanzar heridas» en vez de «lanzar dardos» (efecto por causa). *Vulnera ictus* sustituye a *dirigere tela* o *ictus,* acaso por *vulnerare. Telum* (dardo) tiene la siguiente representación semémica:

$$\text{«dardo», } d_{\text{instrumento, }} d_{\text{arma}} \begin{cases} (\text{cont}_A: + \text{hombre}) \begin{cases} (\text{cont}_0: + \text{hombre}) \, d_R: \text{ herida, golpe} \\ (\text{cont}_0: - \text{hombre})... \end{cases} \\ (\text{cont}_A: - \text{hombre}) \, d_{A \, = \, I} \end{cases}$$

en el que *d* es la marca denotativa, *cont* contextual, A agente, I instrumento, O objeto, R resultado. De aquí que la metonimia «dirigir heridas» procede de la sustitución de la causa instrumental por el efecto: «herida» es el resultado de «dardo», cuando se producen las restricciones contextuales de un agente y de un objeto humanos.

2. Metáfora, metonimia y otras figuras poéticas.   Diversos autores piensan que la metáfora y la metonimia (que comprende también a la sinécdoque) son las figuras fundamentales del discurso poético, ya que su funcionamiento podría explicar el de otros tropos, es decir, el de las figuras de sustitución semántica.

Ya hemos hablado de la antonomasia y de la alusión, ubicables en el eje metonímico connotativo. También los emblemas (V.), algunas alegorías y algunos símbolos codificados (cenizas: muerte, ruina; cadenas: tiranía; corona: realeza; olivo, paz, etc.) pueden tener una raíz metonímica: las cenizas son la parte de una totalidad destruida, el olivo se refiere a la rama que la paloma llevó a Noé, etc. La perífrasis, sostiene Eco, *ibid.*, «es la sustitución de un lexema por la totalidad (o la mayor parte) de las marcas del semema correspondiente». Por ejemplo, el lexema *Dios* se sustituye en la perífrasis por una serie de marcas que representan al semema «Dios»: *El que todo lo sabe, el todopoderoso, el creador de cielos y tierra,* etc. A veces el énfasis, cuando es alusivo (*¡Eso es un hombre!,* donde *hombre* puede indicar diversas atribuciones morales: valor, honradez, lealtad, etc.), tiene una estructura metonímica; por el contrario la litotes y la ironía, aludidas por Eco, son más bien figuras de pensamiento. La hipálage, para Henry, sería «una transferencia metonímica del epíteto»: *el trino amarillo / del canario.* La hipérbole, por último, tiene frecuentemente una estructura metafórica: *Aquel rayo de la guerra, / alférez mayor del reino.*

MÉTRICA. Por tradición, la métrica es el estudio de los fenómenos que conciernen a la versificación: las medidas de los versos, las llamadas figuras métricas, la cesura, los acentos, la rima, las estrofas y las distintas formas de composición poética. Sin embargo no están todavía bien determinados los conceptos fundamentales de la métrica: la definición de verso, la distinción entre verso, metro y ritmo, el significado del acento o ictus (V.).

Se puede sostener, siguiendo a Cremante, que «el término metro, en su significado más amplio y general, sirve para designar, cualquiera que sea, la *"ratio",* la regla, esto es, la unidad o sistema de medida, en relación al cual el verso aislado asume su propia fisonomía rítmica convencional. El metro representa, por consiguiente, la forma y norma del ritmo poético». La explicación no parece, sin embargo, cubrir todos los campos; ni siquiera ser incontrovertible. Para Pazzaglia *(Teoria e analisi metrica)* «el metro, convención e institución histórico-literaria, es la figura rítmica específica de la poesía». Se propende de esta forma a identificar metro y ritmo poético, que «mide en cantidades sentidas como homogéneas las duraciones y tiempos intermedios de una secuencia verbal cerrada, junto con los caracteres suprasegmentales de tono, altura, acento, disponiéndolas en esquemas iterativos o proclives a la iteración». Tras establecer la distinción entre acento tónico e ictus prosódico-métrico, Pazzaglia afirma que «la estructura versual impone una demora, una intensión rítmico-tonal sobre algunos puntos privilegiados. [...] Dentro de su [= del verso] construcción (y constricción) los acentos tónicos son o no ictus, las sílabas alargan o acortan su duración, la rima deja de ser un mero homeoteleuton, la secuencia verbal adquiere un perfil eufónico con elevaciones y morosidades, con arranques y descansos: se organiza en un proyecto modular unitario».

Estas consideraciones nos dejan también, en muchos aspectos, perplejos. Quizá resulte más provechoso remitirnos, al menos en una primera fase del razonamiento, a la definición tradicional de Elwert, que, aunque se refiera al verso italiano (como, por otra parte, las anteriores) es perfectamente aceptable para el modelo español: «el verso italiano [o español] se caracteriza tanto por el número de sílabas como por el ritmo. La sílaba, como en el resto de las literaturas románicas, constituye la unidad métrica». El ritmo se caracteriza por el acento, por la colocación de las sílabas tónicas y átonas, de tal forma que «versos de igual número de sílabas pueden ofrecer variedades rítmicas distintas». Aquí la distinción entre metro, como medida silábica, y ritmo, como sucesión de ictus, aparece algo más clara; el verso nace del encuentro entre un esquema métrico y una secuencia rítmica variable. Sin embargo no caben en esta definición los versos de medida irregular, tanto en la poesía antigua (cantares de gesta) como en la literatura popular o tradicional (los estudiados por Henríquez Ureña) ni la métrica del arte mayor, esencialmente acentual, sin hablar de la métrica acuñada sobre estructuras inacentuales, como puede ser la grecolatina o la germánica.

También Di Girolamo tiende a diferenciar entre modelo métrico y modelo rítmico: «con el primero se quiere designar el número de posiciones, invariante, de cada verso; el modelo rítmico regula, por el contrario, la distribución de los ictus en el interior de la estructura métrica. El autor precisa que únicamente por abstracción se pueden separar los dos modelos; sin embargo, la distinción es útil para versos con modelo rítmico fijo (el verso de arte mayor, por ejemplo) o variable dentro de un esquema (el endecasílabo) o completamente libre (el octosílabo).

Para ir un poco más lejos en este tema, es preciso referirse a lo específico del lenguaje poético, que se diferencia de la lengua estándar también y sobre todo porque en el nivel prosódico presenta manifestaciones características: «Los módulos convencionales parecen deformaciones intencionales de las articulaciones suprasegmentales del significante: el metro, el ritmo, la institución de los versos y de las estructuras estróficas (reforzadas por la rima) constituyen una organización autónoma del nivel prosódico, que "iconiza" con insistencia, por medio de un sabio juego de paralelismos y simetrías alternadas, el plan paradigmático del discurso poético» (Greimas, *Essais de sémiotique poétique*). La lengua poética, gracias a la estructura métrica, se connota, evidentemente, con respecto a la lengua estándar: la separación, el desvío (patente en lo que se refiere al acento y a la escansión) o, sin más, la «violencia organizada» *(Teoria e prassi della versificazione)* que el metro actualiza constituyen, sin lugar a dudas, fenómenos específicos de la lengua poética, aunque no la agotan.

Recogiendo algunas sugestiones de Jakobson, Di Girolamo ubica el verso en situación intermedia entre dos esferas de atracción opuestas: el discurso verbal plano, que sigue las normas prosódicas de la lengua estándar, y el metrema o modelo métrico abstracto. El verso surge de la tensión entre estas dos esferas:

$$\text{discurso verbal plano} \leftarrow \text{verso} \rightarrow \text{metrema}$$

De aquí deduce Di Girolamo su definición de poesía, que expone en estos términos:

«Llamaremos poesía a todo texto que se componga de unidades (versos) claramente caracterizadas:

»a) por un artificio fónico (rima, aliteración) o rítmico; y/o

»b) por el modelo rítmico (recurrencia de un determinado número de ictus, en intervalos fijos o variables); y/o

»c) por el modelo métrico (número de las posiciones, o, en los sistemas cuantitativos, de los pies); y/o

»d) por la disposición gráfica.»

Es obvio que se trata de una definición meramente formal, que no implica ningún juicio de valor. De hecho, responde a esos criterios incluso una «poesía» del tipo: *Treinta días tiene noviembre / con abril, junio y septiembre. / De veintiocho sólo hay uno; / los demás de treinta y uno.* El dicharacho tiene rima, metro, ritmo y se recita o se imprime marcando las pausas versuales; tiene, por tanto, los caracteres paradigmáticos del discurso poético (está investido, diría Jakobson, de la función poética del lenguaje; pero cfr. Lázaro Carreter: *¿Es poética la función poética?*); sin embargo nadie puede admitir que sea ni siquiera un verdadero mensaje poético. Se confunden, además, metro y verso, y no se tiene en cuenta el problema de los poemas de un solo verso, los versos aislados que reconocemos como tales ni los que se incluyen, sin advertirlo, en un discurso en prosa, y que el lector advierte (véase D. Devoto, *Leves o aleves consideraciones sobre lo que es el verso*).

Todas estas dificultades llevan a los generativistas Halle y Keyser a intentar esbozar un método que sirva para determinar si, en una lengua determinada, una precisa sucesión de palabras constituye o no una reacción válida (es decir, un verso) de un esquema métrico (es decir, un metro). Parten estos lingüistas de la existencia de un esquema abstracto simple, o metro, bien tradicional, que pertenece a la competencia de emisor y receptores, bien creado por el autor, con la esperanza de que sea percibido como tal por los lectores en el momento de su reactualización: son los que denominan elementos métricos. Hay que unir también un sistema de reglas prosódicas, necesarias o contingentes, que sirven para determinar qué elementos de la secuencia de palabras se utilizan en la realización del esquema métrico: son los llamados elementos prosódicos. Por fin, un dispositivo de comparación o método válido para determinar formalmente la correspondencia entre los elementos prosódicos y los del esquema métrico. Estos tres componentes y sus respectivas funciones se pueden representar en el siguiente esquema:

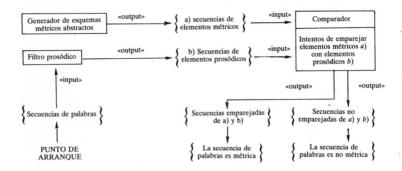

En este esquema, el generador, el comparador y el filtro prosódico constituyen, al funcionar los tres conjuntamente, una teoría del metro. Cada metro se caracterizará por el contenido de cada uno de estos tres componentes, que se pueden definir en forma de reglas. Así, el filtro prosódico consiste en un conjunto de reglas que sirven para analizar (escandir) secuencias de palabras de una forma específica; por ejemplo, aplicando o no las llamadas figuras métricas (sinalefa, dialefa, diéresis, sinéresis, etc.), modificando —como en el verso de arte mayor— la posición de los acentos para hacerlos coincidir con los ictus, etc. El comparador contiene las reglas de correspondencia que determinan si una determinada secuencia de palabras, después de pasar por el filtro prosódico, representa una concreción en un metro determinado. El contenido del generador de esquemas métricos se especifica también en una serie de reglas que generan esquemas métricos abstractos. La naturaleza de la relación entre metro y verso (concebido éste como su realización fonética) es, pues, totalmente indirecta: como dice Daniel Devoto en el artículo que hemos citado antes, «verso es lo que está en verso», es decir lo que se siente y se hace sentir como verso porque autor y lector tienen presente al realizarlo (aplican su competencia) la posibilidad de un «output» métrico de actualización de las palabras que componen la secuencia que lo forma, por envolver en ellas los elementos de aquellos tres componentes de que se hablaba. El contenido de los componentes, es decir, las reglas, difieren de una lengua a otra, de una tradición métrica a otra e, incluso, de una cultura (V.) a otra dentro de una misma lengua: por eso, en un momento determinado, puede sentirse como prosa el endecasílabo escrito en castellano o ser rechazados los experimentos métricos del modernismo o del verso libre.

MIMO. Composición clásica de tipo dramático y de gusto realista. Se recuerda como autores de mimos a los griegos Sofrón y Teócrito y, entre los latinos, Décimo Laberio y Publilio Siro. Un tipo peculiar de mimo en versos yámbicos es el miniambo, creado por el poeta helenístico Herodes, notable por el realismo del lenguaje y por la vivacidad de las escenas.

En el teatro moderno se entiende por mimo el espectáculo teatral que cuenta con la única apoyatura del gesto y se realiza sin el concurso de la palabra.

MISE EN ABÎME. Tomando el término de la heráldica, donde la expresión designa una pieza situada en el centro del escudo que reproduce en escala reducida los contornos del propio escudo, André Gide lo utilizó para indicar una peculiar forma de visión en profundidad, como sucede en las cajas chinas, en las muñecas rusas o en las etiquetas que reproducen en su interior el producto con la misma etiqueta. En semiótica literaria es un procedimiento de reduplicación especular, por el cual se reproduce en forma reducida, en un punto estratégico de la obra y por homología, el conjunto —o lo esencial— de las estructuras de la obra en que se inserta. Ejemplo paradigmático es la escena del *Hamlet* en que se representa el asesinato del rey (teatro en el teatro). El «abismo» puede ser considerado como una secuencia modelo que reproduce en escala reducida el argumento entero, a veces con alteraciones que sirvan de contrapunto: recuérdese el romance que el Zapatero disfrazado recita en *La zapatera prodigiosa*; o la versión de la película *Un día en Nueva York*, en una secuencia-ballet.

MITO. El mito, definido por Platón simplemente como un relato «que concierne a los dioses y a los héroes», es una de las formas más antiguas de narración. Hoy la palabra tiene un contenido muy amplio: técnicamente, se denomina mito la narración de un suceso acaecido en un mundo anterior o distinto al orden presente; en cuanto a su contenido se caracteriza por su significación religiosa o filosófica. Conexo al símbolo (V.) y a los arquetipos (V.), de los que con frecuencia es un desarrollo, el mito mantiene lazos muy profundos con el ritualismo religioso y con las manifestaciones orales unidas a éste (poesía, representación dramática, cuento popular, etc.). De aquí el interés cada vez mayor que muchos estudiosos manifiestan por las raíces míticas de la literatura y, en particular, por las estructuras antropológicas, psicológicas y mitológicas recurrentes (o arquetípicas) en el amplio y variado universo de la literaturidad o, mejor, de lo imaginario.

Entre los críticos que más a fondo han estudiado las relaciones entre mito y literatura corresponde un puesto preeminente y reconocido a Northop Frye (cfr. sobre todo *The Educated Imagination, Fables of*

Identity y *Anatomy of Criticism*; en castellano, algunos capítulos de *La escritura profana* y de *La estructura inflexible de la obra literaria*). Este crítico afirma que en la base de los modos y de los géneros literarios existe un grupo de fórmulas «relativamente limitado y simple», es decir, los mitos-arquetipos ligados a los ritos antiguos y a los relatos de los oráculos. Raimondi resume así la teoría de Frye: «En el ciclo solar del día, en el de las estaciones del año y en el orgánico de la vida se ofrece un único modelo de significado; partiendo de él, el mito construye un relato central en torno a una figura que es ya el sol, ya la fertilidad vegetal, ya un dios o un héroe. Puesto que este mito solar se distribuye en cuatro fases, se puede construir desde él con facilidad un esquema fundamental cuatripartito. La primera fase corresponde a la aurora, a la primavera y al nacimiento; acoge los mitos del nacimiento del héroe, de la resurrección y de la victoria sobre las fuerzas de las tinieblas, sobre el invierno y sobre la muerte; tiene como personajes secundarios al padre y a la madre, y constituye el arquetipo del *romance* o cuento heroico. La segunda corresponde al momento del cenit, del verano y del matrimonio, con los mitos de la apoteosis, de las bodas sacras y de la entrada en el paraíso; tiene como personajes secundarios al amigo y a la esposa, y define el arquetipo de la comedia, de la pastoral y del idilio. La tercera, arquetipo de la tragedia y de la elegía, se empareja con el atardecer, con el otoño y con la muerte, y comporta los mitos del declinar, de la muerte violenta, del sacrificio y de la soledad, con el traidor y la sirena como personajes secundarios. La cuarta, en fin, contraseña al arquetipo de la sátira como momento de la oscuridad, del invierno y de la disolución, a los que acompañan los mitos del diluvio, del regreso al caos y de la derrota, subrayados por la presencia accesoria del ogro y de la bruja.» Para Frye, el mito primario de la literatura sería el de la *quête,* la búsqueda, tras el cual aparece una visión determinada del mundo, cómica o trágica, correlativa de los cinco estadios de la «gran cadena del ser». «En la visión cómica, el mundo es una comunidad o un héroe que representa la autorrealización del lector, con los arquetipos de las descripciones del banquete, de la comunión, del orden, de la amistad y del amor; en la trágica es la anarquía, la tiranía, o un hombre solo, el héroe abandonado y traicionado. Por lo que se refiere al mundo animal, la visión cómica acoge una comunidad de animales domésticos (corderos o palomas), arquetipos de imágenes pastoriles, en contraposición con la visión trágica, en la que preponderan los animales depredadores: lobos, buitres, serpientes, dragones... El mundo vegetal de la visión cómica es un huerto, un jardín, un despuntar de la vida, una rosa, como arquetipos de construcciones arcaicas; por el contrario, en la trágica es un bosque siniestro, una soledad, una paramera, un árbol mortuorio. Siguiendo adelante, el mundo de lo inanimado está constituido para la visión cómica por una ciudad, un edificio, un templo, una piedra preciosa, arquetipos de imágenes geométricas; en la trágica se presenta, por el contrario, bajo la forma de desierto, ruina, rocas o imágenes geométricas siniestras de la clase de la cruz, por ejemplo. Y, para acabar, llegamos al mundo informe, que en la visión cómica es un vaho, que la trágica transforma en mar, así como el mito narrativo de la disolución se convierte con frecuencia en el mito del diluvio; y la combinación de mar e imágenes feroces produce al leviatán o a los demás monstruos de las profundidades» (Raimondi).

Para Scholes y Kellog *(The Nature of Narrative),* el mito está en el origen de la épica tradicional como historia conservada y recreada por el narrador. De aquí procede el significado de mito *(mythos)* como *fabula* (V.), es decir, como estructura narrativa de una obra literaria mimética (Aristóteles, *Poética).*

Para el conocimiento de los valores antropológicos, culturales y filosóficos del mito, remitimos a Chase, *Quest for myth,* Mircea Eliade, *Aspects du mythe, El mito del eterno retorno* y *Tratado de historia de las religiones,* a los libros de Caillois y Duzémil (estos últimos importantísimos para ver, desde un punto de vista distinto del de Frye, las relaciones entre mito y literatura) y al libro *Mito. Semántica y realidad* de Luis Cencillo.

En la crítica francesa contemporánea se han especializado dos sentidos nuevos de la palabra mito. Para Barthes *(Mythologiques),* el mito es una configuración ideológica específica, expresa en imágenes (formas del mito) que comportan y disimulan una ideología externa que tiene la misma extensión que aquella configuración (significación del mito). Para Etiemble *(Mythe de Rimbaud* y *Génèse du mythe),* el mito designa al conjunto de sobrecargas y plantillas que la ideología, literaria o sociohistórica, impone sobre la biografía de un escritor, sobre su obra o sobre la relación entre ambas: «Un escritor nunca es conocido, su mito sí.» Así, por ejemplo, se podría hablar del mito de Bécquer o de Machado, que imponen a los lectores una determinada lectura ideológica (V.) de su obra.

Un poco a la inversa de lo que acabamos de decir, se habla también del mito o los mitos personales de un escritor para referirse a los temas u objetos simbólicos que, con mayor o menor conciencia por parte de él, afloran recurrentemente en su obra. Charles Mauron *(Des métaphores obsédantes au mythe personnel)* los une a la psicología personal del autor, pero pueden ser referidos también en muchos casos a los deseos o temores de la época sociohistórica en que se sitúa el escritor.

MODALIDAD.   Las modalidades lógicas son las diversas formas en que es posible considerar el predicado como verdadero contingente (o necesario), probable o posible. Cfr. Dubois, *Dictionnaire,* s.v. y J. Ferrater Mora, *Diccionario de Filosofía.* Para la semiótica de la narrativa, según la metodología de Greimas, las categorías modales son: el saber (eje destinador-objeto-destinatario), el querer (eje sujeto-objeto), el poder (eje adyuvante-opositor) y sus contrarios. V. ACTANTE.

MODALIZADORES. «Se llama modalizadores a los medios por los que un locutor manifiesta el modo en que considera su propio enunciado; por ejemplo, los adverbios *quizá, seguramente,* los incisos *por lo que yo sé, según creo,* etc., indican que el enunciado no se ha aceptado totalmente, o que el aserto está limitado a una determinada relación entre el sujeto y su discurso» (Dubois, *Dictionnaire,* s.v.).

MODELO. Definido por Julia Kristeva como «sistema formal cuya estructura es isomorfa a la estructura del sistema estudiado» *(Teoría de conjunto),* el modelo es la representación formal de un proceso o de una serie de fenómenos. Por ejemplo, se puede construir un modelo que explicite las relaciones de parentesco, la estructura del mito o de los cuentos de magia, los enunciados de una determinada lengua. En la hipótesis semiológica, también una obra literaria puede ser formalizada en un modelo, que patentice las complejas (y ocultas) isotopías del texto (V.) y permita comprenderlo y descifrarlo y descifrar el sentido del mensaje en su funcionamiento específicamente literario; no se debe olvidar nunca, sin embargo, que el modelo es sólo una formalización del mensaje y no el mensaje en sí. Véase también ESTRUCTURALISMO.

MONEMA. Para Martinet (V. LINGÜÍSTICA, 2) el monema es la unidad de la primera articulación, es decir, la menor cantidad de discurso dotada de significante y significado. En la palabra *recomencemos* hay cuatro monemas: *re-, comenc-, -e-, mos.* Los monemas pueden ser palabras, radicales, afijos, sufijos, desinencias. Martinet diferencia monemas autónomos, monemas funcionales, monemas dependientes. El morfema (que en la lingüística americana es un sinónimo aproximado de lo que aquí llamamos monema) es para Martinet un monema gramatical (desinencias, afijos, etc.), mientras que el monema semántico (*comenc-* en el ejemplo) sería denominado más exactamente lexema (pero la definición no es unívoca: V. LEXEMA).

MONÓLOGO. El monólogo es una modalidad narrativa y teatral que consiste en dejar la palabra a un personaje para que pronuncie un discurso, en el que puede exponer sus pensamientos o sus razonamientos, sin que haya un interlocutor que pueda responderle. Una forma clásica del monólogo es el soliloquio —los límites entre ambos son muy lábiles—, que, para Humphrey *(Stream of consciousness in the modern novel)* puede definirse como una «técnica de representación del contenido y proceso psíquico de un personaje, directamente del personaje al lector, sin interferencia del autor, pero con la presencia de una hipotética audiencia». La mayor o menor presencia del dialogismo formal separaría, pues, el soliloquio del monólogo. Porque el monólogo, como enseña Benveniste (*Problèmes de linguistique générale,* II, cap. V: «L'appareil formel de l'énontiation»), es un «diálogo interiorizado, formulado en "lenguaje interior", entre un yo locutor y un yo receptor. Con frecuencia el yo locutor es el único que habla, pero el yo receptor permanece presente; su presencia es necesaria y suficiente para volver significativa la enunciación del yo locutor. Algunas veces el yo receptor también interviene por medio de una objeción, una pregunta, una duda, un exabrupto». Por esa presencia latente del diálogo es por lo que, en la novela o en otras formas de prosa, tantas veces el yo receptor se representa por un tú expreso: véase, por ejemplo, el *Ocnos* de Cernuda o la *Reivindicación del conde don Julián de Goytisolo.* Únicamente en el caso del discurso monológico —por ejemplo, el discurso científico positivo— se puede prescindir en absoluto del interlocutor.

Una forma moderna de monólogo —aunque sus antecedentes, según Barthes, pueden encontrarse en San Ignacio de Loyola— es el llamado monólogo interior, que con frecuencia se identifica con el «flujo de conciencia» joyciano. En nuestra opinión el monólogo interior es una forma de autoanálisis del personaje, en cuya vida interior se nos introduce directamente: la aparición del inconsciente, la yuxtaposición de pensamientos íntimos desembrados —según la técnica del *Ulises* de Joyce— representa, por decirlo de alguna forma, la forma extrema del monólogo interior, lo que se llama *stream of consciousness* (V. FLUJO DE CONCIENCIA).

MONORRIMA. Se llama así a la estrofa compuesta de versos que tienen todos la misma rima, como la tirada, la cuaderna vía, el zéjel, etc.

MORFEMA. En la lingüística americana, el morfema tiene casi el mismo sentido que la palabra monema para los funcionalistas (V. LINGÜÍSTICA, 2; MONEMA), es decir, la forma verbal mínima caracterizada en un enunciado (en oposición a fonema). En la palabra *incapaces* tanto *in-* como la desinencia *-es* son morfemas; el conjunto de la palabra es un morfema compuesto. Para Martinet el término «morfema» designa a un monema gramatical, en oposición a lexema (unidad léxica); son morfemas las desinencias, los prefijos, etc.

MORFOLOGÍA. Para la gramática tradicional la morfología era el estudio de las formas o partes del discurso; en la lingüística moderna se ocupa de las reglas combinatorias de los monemas (formación de palabras, flexión y determinación de las categorías gramaticales).

MORFOLOGÍA. Mientras que en la gramática tradicional la morfología es el estudio de las formas o partes del discurso, en la lingüística moderna se entiende por este término la descripción de las reglas combinatorias que conciernen a las palabras (formación, flexión, etc.).

MORFOSINTAXIS. Estudio global del comportamiento de los elementos del lenguaje de la primera articulación en la estructura de la frase, es decir, considerados a la vez en su forma y su función.

MOTIVACIÓN. Como es bien conocido, Saussure mostró que, en el signo lingüístico, la relación que se produce entre el significante y el significado es arbitraria (V. LINGÜÍSTICA, 1 y ARBITRARIEDAD), es decir, que no existe ninguna razón para que a una cadena de fonemas le corresponda un determinado significado: sólo la onomatopeya podría presentar una relación entre sonido y sentido, pero aun así ésta se ajusta al sistema fonológico de la lengua que le da cabida. Para Benveniste sólo es inmotivada la relación entre el signo y el referente (el objeto, la realidad no lingüística). Chomsky expone la necesidad «natural» de unas categorías gramaticales y de unas reglas de formación y de transformación de frases.

Muy distinto es lo que sucede con el signo literario. Ante todo, es preciso considerar que la lengua poética (o, si se prefiere, literaria) es un lenguaje «de segundo grado» o, acaso con más exactitud, una escritura (V.) que se apoya en la lengua natural, pero que la filtra a través del tamiz de una multiplicidad de mediaciones culturales (códigos estilísticos y retóricos, poéticas, géneros, etc.; V. INSTITUCIONES LITERARIAS). En cuanto que es un «sistema secundario de simulación» (Lotman), la literatura utiliza la lengua como material, pero su funcionamiento no es isomorfo con el lingüístico. El signo literario se caracteriza por la correlación entre el plano de la expresión y el plano del contenido, y particularmente entre la forma de la expresión —o connotación— y la forma del contenido; en esta correlación el mensaje adquiere una estructuración precisa. Por lo tanto, el signo literario está siempre motivado; hay una relación icónica que motiva el significado desde el significante, y obliga así a que el discurso se module según una estructura translingüística o, si se prefiere, metalingüística. Es también carácter definitorio del discurso literario su total semantización: todos y cada uno de los elementos fonológicos o morfosintácticos pertenecientes al plano de la expresión, adquieren un valor significativo; o, mejor dicho, el plano de la expresión se interactúa con el plano del contenido, dando vida al sentido específico del texto (V. ARBITRARIEDAD, CORRELACIÓN, IRRADIACIÓN, ESCRITURA, DISCURSO, FORMA).

MOTIVO. Término mal definido, polisémico, Cesare Segre individualiza en él tres valores, no siempre bien discernibles: «1) el motivo como unidad significativa mínima del texto (o, mejor, del tema); 2) el motivo como elemento germinal; 3) el motivo como elemento recurrente *(Principios de análisis del texto literario)*. En narrativa, para Tomachevski el motivo es la unidad funcional de la *fabula* (V.).

MOTIVO. Cada una de las unidades menores que configuran el tema (V.) o dan a éste la formulación precisa en un determinado momento del texto. El motivo puede ser recurrente —es el leitmotiv—, expresarse en el discurso con las mismas palabras, y modificar su función y significación al combinarse con otros motivos.

MOZDOBRE. V. RIMA.

NACHGESCHICHTE. Con esta palabra alemana Tomachevski designa lo que se supone, por estar indicado en la historia, que ha de suceder después del fin del tiempo desarrollado en la obra literaria. Se opone a Vorgeschichte (V.).

NARRACIÓN. En los modernos análisis de la narrativa, el concepto de narración se ha extendido desde el significado genérico de «relato» (V.) o de «historia narrada» hasta asumir una dimensión más específica y técnica. Para Genette *(Figures III)*, la narración es el hecho de narrar en sí mismo, es decir, el acto o enunciación narrativa que produce el relato. En el caso de la *Odisea*, por ejemplo, hay una doble narración: Homero que cuenta la historia de Ulises, y el mismo Ulises que, en los cantos IX a XII, cuenta sus aventuras a los feacios. Creemos que sería más oportuno denominar a este aspecto de la narración «discurso» o «enunciación», puesto que surge precisamente en la «voz» del narrador, en la instancia narrativa. De la misma manera, en el principio de la *Ilíada*: *Cántame, oh diosa, la cólera de Aquiles el Pélida...,* tanto el verbo como la referencia conativa *(Oh diosa)* son dos modalidades que marcan la narración en cuanto discurso/enunciación, la aparición del narrador en posición extradiegética, es decir fuera de la «historia» que está a punto de ser contada.

NARRADOR. Si consideramos el texto narrativo como un mensaje cimentado y organizado desde uno o varios códigos, transmitido a través de un canal, en un contexto determinado, y que va desde un emisor a un destinatario (V. COMUNICACIÓN, 2), será necesario distinguir con precisión dos parejas de «participantes» modelados sobre las funciones emisor-destinatario: a) el Escritor-Autor y el Lector, referidos al Texto-Escritura (nivel de comunicación que denominaremos extratextual); b) el Narrador y el Narratario o destinatario interno, referidos al Texto-Narración (nivel intratextual).

El mecanismo íntegro de la producción-recepción narrativa acaso pueda ser contemplado mejor en su complejidad en el siguiente modelo:

niveles ╲ instancias	emisión	mediación	recepción
Comunicación intratextual	Narrador Autor implícito	narración código	Narratario Destinatario
Comunicación extratextual	Autor ideal Escritor	código texto	Lector ideal Lector empírico

Intentaremos explicar brevemente el modelo, comenzando por la comunicación extratextual, es decir por la que se centra sobre la obra como realización de escritura. Para Prince (en *Poétique*, 4, 1972) se hace necesario distinguir tres grados de lector: el lector real (o empírico) como sujeto históricamente determinado que lee el texto; el lector virtual (o medio típico) supuesto por el escritor según determinadas expectativas, categorías culturales y de gusto, consonancias ideológicas, etc.; y, por fin, el lector ideal o modelo, como hipóstasis de la perfecta comprensión del texto en la total complejidad de su mensaje. De aquí se sigue que un texto literario tiene más de un nivel de desciframiento: el «abierto» y potencialmente ilimitado de las lecturas empíricas, sujetas a variaciones temporales (los fruidores de épocas distintas) y ambientales (culturales, clases sociales, modelos de referencia, factores subjetivos, etc.); el nivel determinado sociológicamente por las presunciones que el escritor tiene sobre «su» público, y, por último, el nivel más alto, aquel en que el autor y el lector ideal son en esencia dos papeles, dos modalidades de competencia, con respecto al sistema (código) de producción y de desciframiento de la obra.

En el momento en que el lector empírico se predispone a leer un texto literario, a connotarlo según diversas categorías de la literariedad (géneros, convenciones lingüístico-formales, ciertos estereotipos, etc.), ya asume un papel peculiar, el de Lector, precisamente, lo que implica de inmediato un salto cualitativo con referencia al mundo de la experiencia, y una tensión dialéctica hacia la hermenéutica totalizadora que es la del lector modelo. La comprensión más profunda de la obra es posible porque ésta se proyecta sobre un código literario determinado históricamente que da razón de los procedimientos de escritura del texto del cual se constituye en garante el autor ideal.

Pero, ¿quién es el Autor Ideal? También éste es un papel, el asumido por el escritor en cuanto se considera sujeto de los actos creativos lingüístico-literarios que van a conformar el texto, en cuanto depositario de las reglas de construcción de la obra como escritura o ejecución de una competencia literaria que es la virtualidad del código inmanente en el texto mismo.

En la parte superior del esquema encontramos otras dos parejas: Narrador-Narratario, Autor implícito-Destinatario. El Narrador (V. también voz) es, fundamentalmente, la instancia narrativa que regula la modalidad de la información. No podría haber relato si no hubiese un narrador, desde el momento en que su voz se oye con frecuencia sin ver su cara —digámoslo así—, por una opción deliberada del autor. Pero, subrayémoslo, el narrador no se identifica ni con el escritor efectivo ni con el autor ideal. Ni siquiera el «narrador-autor» que aparece ostensiblemente en tantas novelas (piénsese, por ejemplo, en las de Baroja) es, como se estaría tentado de creer, el escritor biográficamente caracterizado e individualizado, sino un tipo de narrador especial, una invención —en verdad muy cercana a una especie de *alter ego*— del autor ideal, pero sujeto a determinadas reglas del código, explicitadas en una poética determinada históricamente. Es el narrador, no el autor, el que a veces, desde el relato, dialoga con el lector, quien recurre a enunciados metanarrativos; es el narrador el que expresa sus reflexiones sobre la materia tratada e, incluso, sobre el propio texto: Cervantes puede manifestar sus dudas sobre lo apócrifo del capítulo V de la II parte del *Quijote*; es el narrador el que sugiere relaciones y anticipa acontecimientos.

El relato se dirige siempre a alguien: a esa especie de personaje extraordinario que es el narrador corresponde, como instancia de recepción interna en la narración el llamado Narratario. En muchos casos el narratario está representado, es un verdadero personaje del relato, intradiegético, que escucha directamente el relato y puede, en casos determinados, sustituir al narrador en la provisión de la información: recuérdese, por ejemplo, el cambio de papel que se realiza entre el Conde y Petronio que, según la escritura de lo relatado, se efectúa en *El conde Lucanor,* aunque el relato, en su totalidad, emane de un narrador distinto, extradiegético, que se convierte al fin en destinatario segundo al mandar escribir el cuento en el libro y añadir, como narrador intradiegético ahora, unos versos gnómicos. Con más frecuencia, el narrador se dirige implícitamente a un narratario extradiegético, no representado, remitiendo a presuposiciones (V.) «enciclopédicas» comunes. Imagina, por ejemplo, que está en situación de comprender algunas referencias circunstanciales de distintos tipos —localidades, usos y costumbres de un ambiente preciso, formas idiomáticas, etc.— como si perteneciese al mundo de la narración. De este tipo es, generalmente, la relación comunicativa que se establece en la narración realista: Pereda se abstiene de explicar a sus lectores burgueses las características del mundo montañés o pescador *(Sotileza)* que es el objeto de su relato, presumiendo, por lo tanto, una relación estrecha entre lector ideal y el destinatario.

Un aspecto muy discutido de la teoría del relato concierne al Autor Implícito (o interno), que para Wayne Booth es bien la «imagen del escritor» que el lector se construye, bien un «segundo yo», una «versión superior» del autor; mientras que para Chatman «lo que determina el carácter del autor implícito son las normas, morales o de cualquier otro tipo, de la obra tomada globalmente». Una caracterización más exacta nos ofrece la Okopien-Slawinska, que considera al autor implícito como «sujeto de la obra» y «la más alta instancia que interviene en toda obra literaria». A nuestro parecer, se podría precisar que este sujeto interno de la narración tiene una conciencia superior a la del narrador, porque domina el código o sistema de reglas de construcción del relato y, particularmente, las reglas lingüísticas y metalingüísticas. A pesar de no estar representado, es el autor implícito el que modela al narrador, asumiendo la función de quien ostenta la instancia informativa más profunda del relato, una «competencia» que acaso puede distanciarse indirectamente de la conciencia del narrador y traslucirse de formas bastante más sutiles, verificables en el estrato de las connotaciones lingüísticas. El destinatario se cualifica, a su vez, por la competencia del código constructor de la narración, por los «compromisos descifradores» conexos a su función y que emanan del propio relato (es el caso, como señaló Francisco Rico, del destinatario del *Lazarillo,* interesado por el «caso» y su proceso). Naturalmente, con mucha frecuencia el narrador principal se sobrepone al autor implícito, como sucede cuando el narrador se presenta como autor de la obra; y lo mismo puede suceder con el narratario y con el destinatario. Y es obvio que el destinatario supuesto por el código del texto se puede sublimar en un tipo de «lector» hacia el cual el narrador-autor implícito efectúa una acción perlocutoria.

El narrador es, pues, como señala Segre, «el intermediario entre el emisor y la narración», constituyendo una instancia reguladora de la omnisciencia —con respecto al relato— de aquél. En este caso, y puesto que el conocimiento de la historia se reparte entre el narrador y los personajes, se puede establecer una repartición fundamental: a) el narrador sabe más que el o los personajes; b) el narrador sabe lo mismo que un personaje del que asume el punto de vista; c) el narrador es un testigo que sabe menos que los personajes, de los que describe el comportamiento sin pretender comprenderlo. Estos problemas han sido abordados bajo el concepto del punto de vista (V.). El narrador puede colocarse en la historia, bien como protagonista, bien como personaje secundario testigo de las historias: Lazarillo de Tormes y Gabriel Araceli representarían estos dos tipos; el narrador puede situarse fuera de la historia analizando los hechos desde el interior como autor omnisciente, o desde el exterior, como mero testigo. El desarrollo de estas posibilidades y su combinación produce resultados riquísimos. Remitimos a Genette, *Figures III* y a Cesare Segre, *Principios de análisis del texto literario.*

Véase también Marchese, *Le metamorfosi del racconto con un ris-*

contro verghiano (Humanitas, 1980), Oscar Tacca, *Las voces de la novela*.

NARRATARIO. Destinatario interno de la narración. En el *Lazarillo* el narratario sería ese Vuesa merced al que Lázaro cuenta su caso. V. NARRADOR.

NARRATIVA. Es muy difícil dar una definición unívoca de la narrativa, que ordinariamente está circunscrita sólo a la novela y al cuento. Hoy, sin embargo, las metodologías estructuralistas extienden el concepto a todas las obras en las que se describe un hecho, desde la fábula hasta el mito, el poema épico o la novela corta. De una manera muy elemental se puede decir que un relato (un texto narrativo) debe comprender una o varias secuencias (V.), en cuyo centro haya al menos un personaje caracterizado por determinadas cualidades. Para que el relato exista, es necesario que haya un proceso de transformación (V.) que modifique las cualidades o la situación del personaje tal como se habían presentado en la secuencia inicial.

Desde Propp a Frye, Mircea Eliade o Lévi-Strauss, los lazos entre el arte del relato y las antiguas tradiciones culturales, míticas y legendarias de los pueblos han sido diseccionadas en la búsqueda, utópica acaso, de un gran modelo originario, capaz de explicar, si no todos los relatos, al menos aquellos arquetípicos que encubren aquella sustancial unidad de fondo variando las formas de los contenidos al cambiar los connotados de los actores, las circunstancias de lugar y tiempo. Detrás de la obra narrativa, según dice Frye, se halla «la búsqueda que llega a término con éxito, después de haber pasado normalmente por tres estadios principales: el estadio del viaje lleno de peligros o de las aventuras preliminares; la lucha crucial, generalmente un combate en el que debe morir el héroe, su adversario, o ambos; por último la conmemoración del éxito o de los méritos del héroe. Recurriendo a la terminología griega, podríamos denominar al primer estadio *agon* o conflicto, al segundo *pathos* o lucha a muerte, al último *anagnórisis* o revelación y agnición del héroe, que ha probado claramente su calidad de tal aunque no haya sobrevivido al combate» (Frye, *Anatomía de la crítica*). Naturalmente, se trata de un tipo peculiar de narrativa, la que exalta la aventura, como sucede en los cantares de gesta medievales o en las novelas de caballerías, en que se asiste a una confrontación entre un héroe protagonista y un adversario antagonista. Cuanto más se aproxima este relato al mito, tanto más los personajes revisten caracteres antitéticos divinos o infernales. El mismo Frye define el relato trágico como un paso desde una situación inicial de «desorden» o «desequilibrio» (*harmatía*, V.), dentro de un orden moral o social, a una situación final de orden restablecido (*némesis*) mediante el sacrificio del héroe, que opta por morir (momento de la *hybris*, V.). El relato cómico está construido normalmente sobre el deseo realizado por parte del protagonista mediante la superación de diversos obstáculos, ligados a un ambiente social y a personajes negativos. Para una rápida información sobre los aspectos históricos de la narrativa, véanse las voces PROSA, NOVELA; POEMA, COMEDIA, DRAMA.

Un momento crucial en los estudios modernos sobre la narrativa lo supuso el conocimiento del análisis «morfológico» de Propp. En una serie de cuentos maravillosos centrados sobre el tema de la «persecución de la hijastra», el estudioso ruso subrayaba que el personaje encontraba en el bosque, en varios cuentos, primero a Hielo, luego al genio del bosque, por último al oso. Se trataba, en sustancia, del mismo cuento, porque «Hielo, el genio del bosque y el oso cumplen de forma diversa la misma acción». De aquí nace el descubrimiento del concepto de función, es decir «La acción del personaje desde el punto de vista de su significado para la andadura de la narración». En su análisis de los cuentos de magia Propp podía establecer que las funciones son los elementos estables y constantes, independientemente de la identidad del ejecutor y del modo de ejecución; que los otros elementos son variables (entre ellos, los personajes y el estilo); que las funciones son treinta y una y su secuencia cronológica es siempre la misma. Recordemos como ejemplo entre las funciones: situación inicial, alejamiento, prohibición, infracción, investigación, delación, trampa, perjuicio, partida, logro del instrumento mágico, lucha, marca o prenda, victoria, vuelta, persecución, salvación, llegada disfrazado, trabajo difícil, cumplimiento, el héroe se da a conocer, castigo, bodas (cfr. para una aplicación a la literatura, Marchese, *Metodi e prove strutturali*). En otro libro (*Edipo a la luz del folklore*), Propp analiza la tragedia de Edipo en un amplio contexto etnográfico en cuyo centro hay siempre un regicidio: la muerte del rey viejo, producida por el héroe, propicia el matrimonio de éste con la hija de aquél, conforme a un esquema iniciático típico de los grandes personajes, desde Ciro hasta Moisés o Rómulo.

Naturalmente que ningún folklorista ha pensado nunca en achatar las obras de invención hasta llegar al nivel de lo imaginario colectivo y anónimo que está detrás de ellas desde los albores de la historia. El escritor maniobra más o menos conscientemente con motivos, tramas, *topoi*, papeles y funciones, y arranca de ahí *fabulae* siempre distintas, tramas personales, personajes cargados con un ethos histórico y psicológico inevitablemente inmerso en una sociedad determinada.

Probablemente el relato surge de la necesidad radical de fabulación ínsito en el inconsciente del hombre; cada uno de nosotros debe inventar historias en las que pueda proyectarse como protagonista, y escuchar otras donde reviva su *alter ego,* sublimado y heroicizado. En nuestro tiempo el sueño se prolonga en las películas, la notoriedad en el tebeo, la *mitopoiesis* individual y de masa en la novela. Tal vez no se ha estudiado todavía con profundidad la relación que une al narrador con el lector, ese canal complejo a través del cual discurre el flujo y el reflujo de la imaginación, los fantasmas de una creación bipolar e inacabada. ¿Por qué perseguimos a estas figuras ficticias como si fuesen verdaderas, vivimos su destino como una catarsis, las investimos de tanta responsabilidad y ejemplaridad para el bien y para el mal? Bourneuf y Ouellet *(La novela)* aluden incidentalmente a la necesidad de maravilla y angustia que atrae contradictoriamente al hombre. Quizá el relato es la arena de una sublimación más amplia del Eros y Thanatos freudianos, la tela de encuentro y desencuentro de proyectos existenciales en equilibrio entre la realidad y la utopía, el ideal y lo desechado, el deber y lo prohibido, la bondad y el sadomasoquismo, lo seguro y la evasión. *Madame Bovary* es, en este sentido, el paradigma de la novela, la mitificación y la desmitificación de lo romántico.

1. Elementos de narratología.   La narratología se ocupa del estudio de la narrativa (o narratividad, como prefieren algunos para destacar el aspecto teórico del análisis), en sentido sincrónico y paradigmático, es decir, prescindiendo de un examen diacrónico del origen y evolución de la narrativa. Claude Bremond basa su tipología narrativa en los diferentes medios con que se realiza el proceso de transformación o mediación. «Ante todo se opondrán proceso de mejoramiento y proceso de degradación, según se pase de un estado insatisfactorio a un estado satisfactorio (para el personaje) o a la inversa. Los procesos de mejoramiento, a su vez, se subdividen en: cumplimiento de una tarea por el héroe y recepción de una ayuda por parte de un aliado. Para distinguir, en un tiempo ulterior, entre los diferentes cumplimientos de la tarea, se toman en cuenta los siguientes factores: 1) el momento de la cronología narrativa en que el héroe adquiere los medios que le permiten cumplir su misión; 2) la estructura interna del acto de adquisición; las relaciones entre el héroe y el anterior poseedor de esos medios. Llevando aún más lejos la especificación (que nunca es una enumeración lisa y llana, sino el hallazgo de posibilidades estructurales de la intriga) se llega a caracterizar con mucha precisión la organización de cada relato particular» (Ducrot-Todorov, *Diccionario,* s.v. «Texto»).

El relato implica siempre intereses humanos en un diseño hacia un futuro. Al enfrentarse, los acontecimientos se estructuran en secuencias que imponen opciones binarias:

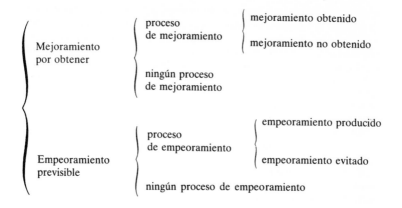

En la base de cualquier relato hay, pues, un proceso de mejoramiento y un proceso de empeoramiento.

Pongámonos en el punto de vista del beneficiario del mejoramiento: su estado inicial de carencia se debe a un obstáculo, que es eliminado en el curso del proceso de mejoramiento, gracias a ciertos medios que intervienen como factores positivos:

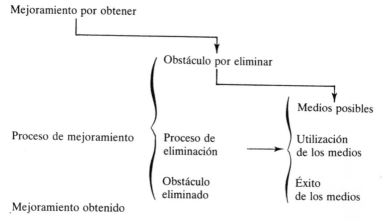

Si el mejoramiento no es casual, sino que se debe a la iniciativa de un agente, tenemos una nueva tarea que efectuar: el agente es ahora el aliado del beneficiario pasivo y el obstáculo puede concretarse en un antagonista. El narrador podrá precisar la naturaleza del obstáculo y la estructura de los medios empleados para eliminarlo. Si al agente le faltan los medios —sea intelectual o materialmente—, su carencia marca una fase de empeoramiento con un problema por resolver. También en este punto la opción será binaria: o las cosas se arreglan por sí mismas o intervendrá un agente para ponerlas en orden, un nuevo aliado. La intervención del aliado puede no estar justificada por el narrador (ayuda involuntaria o casual), o puede estar justificada: la ayuda se inserta entonces en un intercambio de beneficios como contrapartida a una prestación precedente (aliado socio), como reconocimiento de un servicio pretérito (aliado deudor), como aspiración de una recompensa (aliado acreedor). En cada caso se producen distintas estructuras del relato.

El obstáculo para la ejecución de una tarea puede estar encarnado en un adversario que debe ser eliminado. La iniciativa del agente puede asumir dos formas: pacífica, si el agente transforma al adversario en aliado mediante una negociación; hostil, si el agente daña al adversario mediante una agresión. Esta última secuencia comporta, desde la perspectiva del agredido, un peligro y un comportamiento protector subsiguiente:

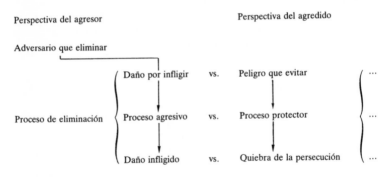

Uno de los aspectos de la agresión es la celada, el engaño: «Tender una celada es obrar de tal modo que el agredido, en lugar de protegerse como podría hacerlo, coopera a su costa con el agresor... La celada se desarrolla en tres tiempos: primero, un engaño; después, si el engaño se logra, un error del engañado; por último, si el proceso fraudulento es conducido hasta su término, la explotación por parte del engañador de la ventaja adquirida que pone a su merced a un adversario desarmado» (Bremond, en *Análisis estructural del relato*). Entre los mecanismos de empeoramiento, Bremond recuerda el error («una tarea cumplida al revés»), el sacrificio («una conducta voluntaria sin obligación ni recompensa»), la agresión sufrida, el castigo, etc. El método de Bremond, dirigido a diseñar un retículo íntegro de las opciones, de las secuencias y de los papeles, nos presenta un paradigma estrictamente lógico, y por ende abstracto, de las situaciones narrativas.

En un libro más reciente (*Logique du récit,* 1973), Bremond considera el relato como una concatenación de papeles (V.), y ya no como una secuencia de acciones. La función narrativa es la relación que se establece entre un personaje-sujeto y un proceso-predicado. Al definir los papeles posibles, Bremond distingue fundamentalmente dos grandes categorías: paciente y agente. El paciente puede sufrir un proceso de mejoramiento o de degradación: ser informado o privado de información, satisfecho o insatisfecho, etc.; protegido o defraudado, y así se podría proseguir. El agente será influenciador, mejorador o degradador, protector o defraudador, con una nutrida serie de especificaciones que llevan al autor a edificar un complejo paradigma en el que se toman en consideración las personas (agente y paciente), la voluntariedad o su falta en la consecución del proceso, las fases de éste, sus tipos, las relaciones entre las diversas fases. Para un análisis más profundo de estos problemas, remitimos a Segre, *Las estructuras y el tiempo* y *Principios de análisis del texto literario.*

De los esquemas funcionales de Propp deriva el modelo actancial (V. ACTANTE) de Greimas, mientras que Genot alea el estatuto de los papeles con un esquema procesual que subraya las acciones producidas en el relato (cfr. Marchese, *Metodi e prove*).

Probablemente se deba a Roland Barthes la exposición más clara de un método dirigido a analizar el texto narrativo en tres niveles: el nivel de las funciones, el de las acciones y el del discurso (o narración en sentido estricto). El relato se considera como una gran frase cuyos elementos sostienen dos tipos de relaciones: distribucionales (en el mismo nivel) e integrativas (de un nivel con otro). Barthes afirma que el análisis no podrá nunca aprehender el sentido del texto desde un nivel único horizontal, sino únicamente gracias a una progresiva integración «vertical» de los distintos significados.

Es menester ante todo definir las funciones como las menores unidades narrativas, unidades de contenido que son también términos de una correlación. Se clasifican éstas cualitativamente según el siguiente esquema:

FUNCIONES
{ Núcleos (o funciones cardinales)
{ Catálisis

INDICIOS
{ Indicios
{ Informantes

Las funciones son unidades distribucionales, los indicios unidades integrativas que encuentran su sentido en el nivel superior de la acción de los personajes. Una serie lógica de núcleos unidos entre sí por una relación de solidaridad constituye la secuencia (V.), siempre denominable (saludo, encuentro, búsqueda, etc.).

Tzvetan Todorov propone un tipo de análisis de relato que podría definirse como sintáctico y transformacional. Estudiando, por ejemplo, el *Decamerón*, considera a los personajes como sujetos u objetos de las acciones (agentes, en sentido amplio); éstos poseen determinadas cualidades o se encuentran en determinadas situaciones (son astutos, mentecatos, crueles, generosos, felices, etc.); también su rango social se incluye entre estos atributos. Las acciones fundamentales del *Decamerón* son tres: modificar la situación, cometer una mala acción, castigar. Cualidades y acciones pueden resultar negadas y opuestas (generosidad/avaricia, por ejemplo). Las acciones, por último, pueden indicar (especialmente mediante el verbo) un hecho, un mandato, una obligación o bien un deseo (cfr. Todorov, *Gramática del Decamerón*). Todorov se sirve de algunos símbolos para representar estos datos:

X, Y...	personajes
A, B, C...	cualidades y estados
	a) modificar la situación
a, b, c...	acciones b) cometer una mala acción
	c) castigar
—A, no A...	negación y oposición de cualidades y estados
+	signo de la consecución (relación de sucesión de las secuencias)
→	signo de implicación causal (consecuencia o resultado de la acción)

Notable en el *Decamerón* es la acción de disfrazarse y despojarse de la máscara, conexa al verbo *a* (el disfraz, la mixtificación son, de hecho, formas de modificación de la realidad), como también la modificación obtenida por un juego de palabras ingenioso, por un trueque, etc. Las acciones *b* y *c* están estrechamente ligadas: generalmente la mala acción es la violación de un estado social (son frecuentes, por ejemplo, los engaños matrimoniales y los pecados contra la castidad), lo que conlleva, generalmente, la tentativa de evitar el castigo. La antítesis «verdadmentira», «esencia-apariencia», es uno de los predicados más comunes del libro. Un modelo elemental de relato es el siguiente:

$$XA + Y - A \to Xa \to YA, \text{ que se puede traducir:}$$

X está enamorado (A), mientras que Y no lo está; entonces X, con alguna estratagema, modifica la situación (a) de tal forma que al final Y se enamore (es un motivo muy frecuente en el *Decamerón*).

2. Semiología del texto narrativo. Una perspectiva distinta de análisis nos ofrecen los estudiosos que renuncian a un esquema abstracto y apriorístico (modelo) como código de referencia omnicomprensivo de cualquier relato, e intentan definir la cualidad de un texto determinado poniendo al descubierto su estructura, su trama narrativa, las relaciones temporales, las modalidades de la representación, etc. Una metodología de este tipo ofrece la ventaja de amarrar el discurso teórico (obligatoriamente definitorio y paradigmático) con la verificación concreta de los textos narrativos. Nos referimos, en particular, a Todorov, *Poétique de la prose,* y sobre todo a Genette, *Figures III* (para una panorámica general véase el libro de Bourneuf-Ouellet, *La novela*).

Elemento constante de la narrativa es el ser relato, discurso narrativo: el narrador, interponiéndose entre el lector y la realidad, cuenta una historia determinada, una sucesión de acontecimientos concatenados (aspecto causal) en el tiempo (aspecto temporal) desde un principio hasta un final. Considérese que la historia puede ser también una sucesión de situaciones psicológicas o problemáticas, de estados de ánimo, de meditaciones, de flujos de conciencia, etc., como sucede en el relato introspectivo. Se entiende aquí por historia (o diégesis) tanto el contenido narrativo en sentido amplio como la estructuración causal-temporal de las acciones, es decir, la *fabula* (V.) de los formalistas rusos. El relato es, pues, la forma específica, es decir, textual, que la historia asume por voluntad del narrador a partir de su enunciación o instancia narrativa. El relato textual puede ser denominado también trama, si se quiere subrayar la desviación de la *fabula,* cosa que se evidencia sobre todo cuando se estudia el tiempo (V.) narrativo.

La narrativa está, por consiguiente, basada en tres elementos constitutivos:

1. La historia, diégesis o *fabula*: es la invención o ficción que finge la imitación de la realidad, el contenido narrativo que, en tanto que «real», tiene una estructura, un orden causal-cronológico preciso, que rara vez se respeta en el relato.

2. La narración, trama, relato o texto: es el enunciado narrativo, el relato textual en la estructuración estilística que le da el narrador, que urde la *fabula* según una determinada óptica.

3. El discurso o enunciación: es la instancia narrativa como voz del narrador, el acto del que produce el relato (que puede ser también un personaje: por ejemplo, Ulises en la isla de los feacios, o el pastor que cuenta la historia de Grisóstomo). Genette, en cambio, llama a este elemento narración, reservando relato para lo que aquí se denomina trama-narración.

El análisis deberá tener en consideración tres clases de determinaciones: a) el tiempo (o tempo), es decir, las relaciones temporales entre narración e historia; b) los modos, o sea la modalidad de la representación narrativa; c) la voz, es decir, la situación o instancia narrativa, la relación entre el sujeto de la enunciación y la historia o el relato. El análisis del tiempo se individualiza a su vez en los problemas del orden, de la duración y de la frecuencia (V. TIEMPO). El choque entre el orden de los acontecimientos en la narración (lo que Todorov llama el tiempo de la escritura, por ser manipulado por el narrador) y el orden de sucesión que tienen los mismos acontecimientos en la historia-*fabula* evidencia las anacronías, es decir, las distorsiones temporales que caracterizan a la obra narrativa. Si en el relato se dice, por ejemplo, *hace tres meses* la escena a que se refiere está colocada «después» en el estrato de la trama-narración, mientras que se supone que ha sucedido «antes» en el estrato de diégesis-*fabula*. Un caso clásico es el relato que se inicia *in medias res* (la *Eneida*), con soporte de *flash back* (V.). Las distorsiones temporales más corrientes son: la prolepsis, es decir, la anticipación de un acontecimiento futuro (el término griego significa «opinión anticipada»), la analepsis, o sea la evocación de un acontecimiento anterior al momento de la historia en el que nos encontramos (el término griego significa «referirse a hechos acabados», y de aquí retrospección), la elipsis, es decir, la omisión, la no mención de una parte de la historia (elusión, para Todorov).

Los problemas de la modalidad del relato envuelven en sí el análisis del punto de vista (V.), focalización o perspectiva. Las alteraciones dan lugar al disimulo de un hecho (paralipsis) o al exceso de información (paralepsis: por ejemplo, información implícita apoyada en indicios). En cuanto a la voz (V.) del narrador, se deberán analizar los problemas que atañen a los niveles narrativos y al estatuto del narrador, las funciones, la relación con el destinatario, etc. El análisis del texto literario no podrá olvidar, como es evidente, el espacio, es decir, la descripción (V.) de la realidad o de los personajes, y, sobre todo, los agentes, los personajes, la modalidad de presentación, la metamorfosis, las relaciones (V. HÉROE, ACTOR, PERSONAJE).

Para una mayor precisión de estos y otros aspectos de la narrativa, remitimos a las voces: ANTAGONISTA, ACTANTE, ACTOR, DIÁLOGO, DIGRESIÓN, DISPOSICIÓN, EPISODIO, FÁBULA, HÉROE, HISTORIA, INDICIO, INTRIGA, LEITMOTIV, MONÓLOGO, NARRACIÓN, NOVELA, PERSONAJE, PROSA, PUNTO DE VISTA, RECONOCIMIENTO, SECUENCIA, TRAMA, TRANSFORMACIÓN, VOZ.

NEOLOGISMO. El neologismo es una palabra de reciente creación, tomada de otra lengua o formada *ex novo* por exigencias técnicas o expresivas. Nos interesa ahora el neologismo en el ámbito literario, en el que opera pro extrañamiento, al romper el horizonte de expectativa (V.) del lector. La aparición de un grupo homogéneo de neologismo puede tener como efecto la apertura de nuevos universos poéticos (piénsese en Mena o en Góngora). A veces el neologismo puede tener efectos irónicos, paródicos o desmitificadores al confrontarse con una tradición más o menos ilustre, de la cual se quiere evadir contestándola por medio de una transgresión lingüística; en este caso muchas veces el neologismo se combina con el arcaísmo o la palabra vulgar o jergal: *Todos somos iguales: mi automorfismo lo declara / ante esta luz solemne que consume las cenizas o heces del festín / y ante la gota de dolor que horada tenuemente / —¡lancinante!— el dedo más sensible de mi pie predilecto. / (A ver: disuelve ya mi antipodágrico.) / Numen del vientre (el colgajo de tu cogullada remeda al caer insigne de mi pestorejo)* (Domenchina). El neologismo, llevado a sus últimos extremos expresivos y de rotura, lo encontramos en *Rayuela* con la creación del glíglico: *Apenas él le amalaba el noema, a ella se le agolpaba el clémiso y caían en hidromurias, en salvajes ambonios, en sustalos exasperantes* (Julio Cortázar).

NIVEL. «En una lengua determinada —escribe Dubois, *Dict.*, s.v.— se comprueba que algunos usos aparecen únicamente en ciertos medios y otros en otros medios distintos o por referencia a ellos. [...] La noción de *niveles de lengua* está ligada a la diferenciación social en clases o en grupos de diferentes tipos. Los hablantes pueden utilizar niveles diferentes según los medios en que se encuentren (es el caso del soldado que emplea en familia la lengua culta y en cuartel la jerga específica de éste). [...] Las diferencias pueden ser sólo de orden léxico (jerga y lengua corriente, lenguaje técnico y lengua corriente), o de orden fonético, morfológico, sintáctico y léxico (lengua culta y lengua popular, lengua usual y dialectos). Y es digno de advertirse que los dialectos próximos a la lengua oficial pueden hacer el papel de lengua popular.»

Normalmente se diferencia un nivel no formal del uso lingüístico en oposición a un nivel formal más estricto. Por ejemplo, la lengua familiar o personal, el lenguaje chistoso, humorístico, confianzudo y, sobre todo, las diversas jergas (lengua de maleantes, de oficios —latín dos canteiros—, de estudiantes, etc.) son usos lingüísticos que corresponden a registros no formalizados; mientras que el discurso convencional, las lenguas especializadas, los llamados tecnolectos (o lenguajes técnicos) son niveles distintos y opuestos frente al discurso familiar, es decir, que usan registros más formalizados.

Los niveles en el análisis lingüístico y literario.   La distinción de varios niveles en el seno del funcionamiento de la lengua plantea un problema completamente distinto. Se pueden diferenciar:

el nivel léxico-semántico (V.): análisis del plano del significado;

el nivel gramatical o morfosintáctico: análisis de la primera articulación del plano del significante;

el nivel fonológico (V.): análisis de la segunda articulación del plano del significante.

El primer nivel concierne al estudio del significado y es competencia de la semántica; el segundo y el tercero conciernen al significante y son competencia de la morfosintaxis y de la fonología, respectivamente. En lo literario, y, con más exactitud, en el ámbito de la descripción y del análisis de un texto, es conveniente diferenciar entre dos niveles del discurso poético: el nivel prosódico, que organiza las articulaciones del significante, y el nivel sintáctico, que dirige al significado.

El nivel prosódico abarca numerosos factores específicos del significante verbal: las distintas «manifestaciones suprasegmentales» del plano de la expresión, desde el acento de la palabra hasta las modulaciones sintagmáticas y las curvas melódicas transfrásticas. En el discurso poético el nivel prosódico se manifiesta tanto en los módulos convencionales (metro, ritmo, versos, estrofas, rimas, etc.) como —en ausencia de estos módulos— en formas libres que ponen de relieve los módulos suprasegmentales.

El nivel sintáctico (o morfosintáctico) interfiere activamente sobre el significado, al asumir una función semántica constructiva específica. La semantización de los elementos gramaticales es un aspecto de la desautomatización del código, que permite inyectar en las categorías formales una particular connotación de sentido, y motiva así icónicamente incluso a aquellos signos poéticos que, en el sistema lingüístico, resultarían «vacíos», como les pasa a los elementos funcionales, las marcas del nombre y del verbo, etc. El nivel sintáctico del texto poético, gracias a la semantización de las categorías formales, asume la tarea de estructurar funcionalmente las relaciones entre los signos estilísticos, y en particular entre los connotadores, elementos semánticamente pertinentes, y de cargarlos de sentido.

NOMINAL.   Se denomina nominal aquella forma estilística en la que los elementos nominales predominan en detrimento de las estructuras verbales. La forma nominal es frecuente, por ejemplo, en las enumeraciones, y también en el estilo indirecto libre que, por elipsis verbal, gravita hacia las formas nominales.

NON-SENSE.   Forma literaria que consiste en la expresión de versos o frases que resultan semántica o lingüísticamente incoherentes. Si se empleó en el Barroco, sobre todo por un metanálisis expreso *(En lo alto de Andalucía y tente luego...),* alcanzó su forma en el XIX en España en algunos poemas que se publicaron en el *Madrid Cómico (Un ángel en el cielo / pidió a San Agustín un caramelo, / y un oso en la Siberia / mordió a un viajero y le rompió una arteria. / Los ángeles y los osos / han resultado siempre fastidiosos);* en Inglaterra fueron, sobre todo, Lewis Carroll y Edward Lear *(Nonsense poems)* sus cultivadores más destacados. Elementos procedentes del non-sense se encuentran en escritores posteriores (Jarry, Queneau, Vian, Joyce, etc.). En la literatura española podrían servir como ejemplos de esta continuidad algunos textos creacionistas (*Amor amor obesidad hermana / soplo de fuelle hasta abombar las horas / y encontrarse al salir una mañana / que Dios es Dios sin colaboradoras / y que es azul la mano del grumete / —amor amor amor— de seis a siete*, Gerardo Diego) o en el postismo (*Estaba una pájara instante / florecida en la espera limón, / con la pasa recoge la meca, / con la meca recoge su amor*, E. Chamorro). Procedimientos del nonsense han sido utilizados también en el teatro del absurdo —Ionesco o Beckett— para explicitar la incoherencia y la alienación del mundo actual, pero —precisamente por la intención del autor, que connota las frases— es difícil hablar en este caso de non-sense al faltar el sentido lúdico que es base de esta forma. En la narrativa actual en castellano sería fácil encontrar ejemplos en Cortázar (el glíglico), Cabrera Infante (*Ejercicios de esti[l]o*), en la *Larva* de Julián Ríos.

NORMA. La norma es un conjunto o código de obligaciones y prohibiciones que se imponen al uso de la lengua desde un cierto ideal estético (el ejemplo de los «buenos escritores»), sociocultural (el «buen gusto», la tradición, etc.) o ideológico (tabú de las «malas palabras» o expresiones). En lingüística, la norma es un estrato intermedio entre lengua y habla, que distingue entre lo que es gramaticalmente correcto e incorrecto (el laísmo pertenece al habla, pero está proscrito por la norma): en ella se basan las llamadas gramáticas normativas. En un sentido sociolingüístico, la norma es la ejecución estándar, es decir, la que es más corriente desde un punto de vista estadístico.

Se ha buscado, en estilística (V. ESTILO), utilizar el concepto de norma para caracterizar el lenguaje literario como desvío con respecto a la lengua de uso, sin apercibirse de que también el desvío forma parte de los procedimientos lingüísticos normales, de que las figuras no son de exclusiva pertinencia literaria.

Existe también una especie de norma que caracteriza a los géneros literarios. En el estudio de los textos conviene distinguir entre las constantes que son propias del género (la catharsis en la tragedia) y las normas que se han añadido posteriormente a través de las instituciones literarias (la regla de las tres unidades, por ejemplo).

NOTACIÓN. Segmento de texto aislado que se presenta sin ninguna función predicativa ni sintáctica, sin que por ello haya elipsis ni braquilogía. En el caso más sencillo, da indicaciones de tiempo y lugar, situando una posible acción o enunciado posterior: *A las seis, en la esquina del bulevard* (Jardiel Poncela). Su uso en poesía puede servir para crear un «clima» de lectura: *Flor de jazmín y toro degollado. / Pavimento infinito. Mapa. Sala. Arpa. Alba* (García Lorca).

NOVEL. V. CUENTO LITERARIO.

NOVELA. No nos podemos detener en trazar una historia minuciosa de este importante género literario: nos limitaremos únicamente a bosquejar algunos aspectos estructurales de ella. No se puede, sin embargo, dejar de recordar la lejana raíz de la novela, sita en la riquísima literatura oriental y en la tardohelenística. «Las principales novelas *(romances)* griegas que han sobrevivido, fechables en su mayoría en el siglo II d. de C., son *Las aventuras de Quéreas y Calírroe* de Daritón de Afrodisia, *Las efesíacas o Antía y Habrócomes* de Jenofonte de Éfeso, *La historia etiópica de Teágenes y Clariclea* de Heliodoro de Emesa, la más larga y mejor construida de todas —y utilizada por Cervantes en su *Persiles* a través de la traducción de Mena—, *Dafnis y Cloe* de Longo (una amalgama de la pastoral de Teócrito y de fórmulas típicas del relato heroico) y *Leucipa y Clitofonte* de Aquiles Tacio. Los elementos que componen la intriga de estas novelas están altamente estilizados. Un joven y una muchacha se enamoran; su amor se ve dificultado por desgracias muy variadas y los dos enamorados se ven amenazados por tremendos peligros que deben afrontar cada uno por su cuenta, lejos el uno del otro; sin embargo logran vencerlos y salen de ellos, castos e incólumes, para casarse finalmente al terminar el relato» (Scholes-Kellog, *The nature of narrative*). En la novela antigua están ya presentes las características esenciales del género: los personajes, la intriga más o menos aventurera (que implica los momentos tópicos de la separación y las peripecias anteriores al feliz reencuentro), el ambiente (no siempre trazado en términos histórico-objetivos). Muy importante es el *Satiricón* de Petronio, por el regusto picaresco de la aventura, del viaje, por el pseudorrealismo de la presentación ambiental, por los distintos registros de su discurso: elementos que se remontan, de alguna forma, a la tradición milesia, a aquellos relatos licenciosos —hoy perdidos— que aprovecharon numerosos escritores y entre ellos Apuleyo. Sus *Metamorfosis* (o *El asno de oro*) esconden, tras la descripción aparentemente realista, una historia alegórica de catarsis moral, puesto que la historia de Lucio es una especie de confesión que concluye con su arrepentimiento. Para la novela grecolatina puede verse *Los orígenes de la novela* de Carlos García Gual.

Scholes y Kellog recuerdan cómo los temas del sexo y de la muerte, tan frecuentes en la narrativa antigua, comportan el subrayado de lo macabro-grotesco en la veta latina y el del terror-suspense en la griega. La estructura del relato se origina con frecuencia mediante el encadenamiento de episodios laterales (fábulas, narraciones interpoladas, anécdotas). Se sabe que la historia de *Lucio o el asno* es una historia que ha sido atribuida a Luciano de Samosata, a quien se debe la invención de la novela utópica con la *Verdadera historia,* que relata las aventuras de unos náufragos que llegan a una isla fantástica y luego son llevados a la luna por un huracán; al fin, tras diversas peripecias, recalan en la isla de los Bienaventurados, donde pueden hablar con héroes, poetas y filósofos.

En la Edad Media aparece, junto a la novela en prosa, la novela en verso. Los temas son los típicos de la cultura cortés-caballeresca, las aventuras y los amores del ciclo bretón, con la intervención de lo maravilloso (por ejemplo el *Amadís* o el *Lancelot,* de Chrétien de Troyes). También surge la novela alegórica (*Blanquerna,* de Llull) o el encadenamiento y enmarcado de cuentos con intención claramente literaria (don Juan Manuel, Boccaccio). La literatura italiana de los siglos XIII y XIV se apropia de este patrimonio, traduciendo o remodelando numerosas obras novelescas cuyo influjo significativo se advierte incluso en la magna síntesis «burguesa» de Boccaccio. Tras esto se asistirá, también con influencias de la narrativa más antigua, a la aparición de la llamada novela sentimental.

El siglo XVI continúa la escritura de los libros de caballerías, pero junto a ellos hace aparecer el escenario arcádico y la ideología platónica manifiestos en las novelas pastoriles, nacidas en la Península y prolongadas en Europa gracias a la *Astrée* de Honoré d'Urfé. También en el Renacimiento se recupera la veta aventurera, satírica y paródica o simplemente utópica, que había tenido su iniciación en Luciano: lo harán Rabelais (*Gargantúa y Pantagruel*) y la novela picaresca, con el autor anónimo del *Lazarillo* o con Mateo Alemán y su *Guzmán* y Quevedo y el *Buscón*; la línea lucianesca será seguida en el setecientos por Swift (*Los viajes de Gulliver*) y Voltaire (*Cándido, Micromegas*). El *Don Quijote* de Cervantes es una síntesis novelesca mucho más compleja, y sin ningún error ha sido considerada por los críticos como la primera novela moderna y la madre de todas las demás: al trasfondo de la intriga de aventuras se presenta el tema de la exploración en zonas inéditas de la realidad que atrae al escritor, unido —como es lógico y evidente— a nuevas formas técnicas: están las zonas de lo desconocido, de la imaginación, del sueño, de la locura, recorridas por la increíble pareja de protagonistas.

Muy variada es la novela en el siglo XVIII —España, la creadora del género, quedará al margen—, en la que es característico como hilo conductor el análisis de la sociedad, de sus problemas, sus costumbres, sus hipocresías, etc. Nace la novela burguesa en Inglaterra y en Francia con una rica articulación de motivos éticos y psicológicos: el *Tristán Shandy* de Sterne, el *Robinsón Crusoe* de Defoe, el *Tom Jones* de Fielding, los ya citados *Viajes de Gulliver,* Goldsmith, etc.; las obras de Prévost, Diderot, Voltaire, Le Sage, Rousseau. Capítulo aparte merecerían las novelas de Sade (*Justina, Julieta*), profundamente revulsivas con respecto a los valores tradicionales, partiendo del comportamiento sexual del individuo y de la inagotable tendencia al placer, siempre frustrada por la sociedad y sus leyes: una lección que calará en profundidad el desarrollo temático de los escritores «no ortodoxos» de los siglos XIX y XX, de Nietzsche a Bataille o Sartre.

Precedido por el exotismo *fin de siècle* (Bernardin de Saint Pierre), por el encendido sentimentalismo dramático (las *Penas del joven Werther* de Goethe, las *Últimas cartas de Jacobo Ortis* de Foscolo), la novela del siglo XIX se despliega en un amplísimo y muy complejo abanico de temas, articulados preponderantemente sobre el análisis histórico-social, conexo al destino del ser individual (de la novela histórica de Walter Scott o Manzoni a la novela social de Stendhal, Balzac, Flaubert, Zola, Dickens, Tolstoi, *Clarín*, Galdós, Eça de Queiroz, con una diversidad ideológica, lingüística y estilística muy acentuada). Desde el autorretrato romántico al sutil sondeo psicológico de H. James, desde el gusto aventurero de Melville al satírico de Eça o de Machado de Assis, de la problemática sociorreligiosa de *Clarín* a la lacerante tensión ética de Dostoievski, la novela del diecinueve anticipa, en muchos aspectos, la del veinte, que tiene en los narradores del modernismo español, en Proust, Joyce, Kafka, Mann, Musil, Svevo, Faulkner sus cotas más altas. La revolución técnica y expresiva de la novela posterior es, sin embargo, notable: la consolidación del monólogo interior, del flujo de conciencia, del vaivén de la memoria; la destrucción de la intriga, en sus formas más obvias, y la complicación del discurso narrativo, con la consiguiente dilatación del espacio de la conciencia y del inconsciente; el variado experimentalismo lingüístico (el glíglico de *Rayuela*), el pastiche o el expresionismo verbal (Gadda, Martín Santos), la mezcla de estilos, registros y niveles, ya anunciada por Valle-Inclán: todo esto comporta una visible ampliación del discurso narrativo, para el cual remitimos a otras voces más específicas (V. NARRATIVA).

1. Interpretación de la novela.   De Hegel a Lukács, la novela se ha presentado como la moderna epopeya de la burguesía. Como en el *epos*, el individuo se sitúa sobre un fondo social amplio, pero la realidad que lo rodea —a causa de la aparición de un mundo mecanizado, prosaico, sometido a lo utilitario— es una totalidad degradada, en la que se ha de aventurar el ser que Lukács define como individuo problemático, es decir, el protagonista moderno, que no está seguro de las metas y de los valores que puede alcanzar, sino que está abandonado a una realidad negativa de la que resurge a través de un doloroso proceso de autoconocimiento, de una toma de conciencia. La relación entre la intimidad del héroe y la aventura del mundo se actualiza en dos tipos ejemplares: el primero es Don Quijote, que nota lo negativo del mundo como un encantamiento cuasi demoníaco, de tal manera que los valores antiguos han de ser reconquistados en lucha contra las potencias hechizadoras; el descalabro hacia el que se dirige el héroe atestigua la radical desaparición del mundo épico-caballeresco y la imposibilidad de encontrar un sentido objetivo, religioso. En la novela de aventuras, según Lukács, se produce una degradación ulterior del héroe, que se adecúa al ideal común del mundo burgués. El segundo tipo ejemplar quiere expresar la superioridad del alma en relación con el mundo y con el destino: está representado por la *Educación sentimental* de Flaubert: aquí el tiempo representa un papel esencial en la distribución de la degradación de lo real, en el mostrar la inanidad de la búsqueda, de donde se sigue que se produzca el ensimismamiento del yo, su confinamiento en el recuerdo de su pasado. En una posición intermedia entre *Don Quijote* y *Una educación sentimental* se encuentra el *Wilhelm Meisters* de Goethe, en el que es posible encontrar una conciliación entre el yo y el mundo en un sentido problemático y «pedagógico» («*Bildungsroman*»), porque, gracias a la experiencia existencial y a la relación con los otros, el protagonista madura, se educa, comprende lo inesencial de la realidad y la fragilidad de su propio mundo interior.

Cuarenta años después del genial ensayo de Lukács (*Teoría de la novela*, 1920), L. Goldmann retoma algunos vislumbres de aquella teoría para colocarlos en una perspectiva sociológica según la cual la estructura de la novela presentaría homología con la de la economía burguesa. La realidad degradada del mundo moderno se debe a que los valores dominantes son los del trueque: los valores auténticos no se pueden recuperar más que a través de los que están mercantilizados. En la novela, el individuo problemático aspira a los valores verdaderos, pero choca con el concepto burgués de mediación, o sea de cambio; el individualismo de la edad heroica de capitalismo ha sido anonadado en las sucesivas fases monopolístico-imperialistas: esto explicaría la destrucción del héroe en cuanto personaje en las novelas de Kafka y el objetivismo absoluto del *nouveau roman*.

Muy importante también es el libro de Lukács *La novela histórica* (1938), en la que se bosqueja la primera interpretación marxista del género novelesco. Para el crítico húngaro, únicamente a partir de Walter Scott se pone de relieve el conocimiento de la relación entre personaje y realidad histórico-social, y, sobre todo, el de las grandes transformaciones que han sucedido por obra del pueblo; de aquí dimana el estrato social medio de los personajes que sustituyen a los grandes héroes, según una perspectiva auténticamente burguesa que ve siempre el dinamismo implícito en la realidad. Con Balzac se pasa de la novela histórica a la realista, que representa al mundo burgués en su lógica interna, actualizando en sus páginas de modo ejemplar el conjunto de problemas del realismo.

Falta absolutamente en Lukács la comprensión de las formas novelísticas del siglo XX, por ejemplo de las vanguardistas, que en su opinión carecen de la capacidad de análisis del presente que, sin embargo, estaba presente en los clásicos del ochocientos, ya admirados por Marx.

Nuevas perspectivas sobre la evolución del género narrativo y sobre el modo de estudiarlo se han abierto desde las teorías del crítico ruso Bajtin, al que se debe el mérito —entre otros— de haber subrayado la importancia del origen carnavalesco de muchas formas artísticas, que se plantean la representación de la realidad desde un punto de vista satírico, cómico, anticonvencional, como la sátira menipea, la novela «mestiza» de Apuleyo o de Petronio, la grotesca-utópica de Rabelais y Swift, etc. Estas experiencias, y sus correspondientes traducciones formales plurilingüísticas, cómico-realistas, antiacadémicas, se remiten al folklore carnavalesco que se desarrolla entre la Edad Media y el Renacimiento y que vitaliza las fiestas populares, las representaciones paródicas y desacralizadas de la autoridad, según la perspectiva del «mundo al revés» rastreable en los misterios bufos, en las fiestas de locos, en la *commedia dell'arte* (V. COMEDIA) o en sus equivalentes en las diferentes comunidades. A Bajtin le interesa subrayar la libertad de temas y soluciones lingüísticas de la novela de peripecia, retomada de alguna forma —por la extrema disponibilidad del héroe para afrontar cualquier situación— en la novela dialéctica de Dostoievski, la novela problemática por antonomasia. A Bajtin se debe también la introducción del fecundísimo concepto de heteroglosia o plurivocidad en la novela, muy ligado al problema del punto de vista, que responde a una pluridiscursividad social. La novela no es un discurso único, sino que se caracteriza por la pluridiscursividad: «Es verdad que también en la novela la pluridiscursividad está siempre personificada, encarnada en figuras individuales de personas con discordancias y contradicciones individualizadas. Pero en ella estas contradicciones de las voluntades y de las inteligencias individuales están inmersas en la pluridiscursividad social y son reinterpretadas por ella. Las contradicciones de los individuos solamente son, en la novela, las crestas de la ola que surgen del océano de la pluridiscursividad social, océano que se agita e imperiosamente los hace contradictorios, y satura sus palabras y conciencias con su propia discursividad fundamental.» El escritor, entonces, como anota Segre, «no se limita ciertamente a regular las diversas corrientes lingüísticas que confluyen en su texto ni se adhiere pasivamente a las posiciones ideológicas representadas. Su palabra, que está orientada directamente hacia los objetos cuando se expresa en primera persona (es objetual, en palabras de Bajtin), cuando quienes hablan son los personajes, además de orientarse hacia los objetos, es a su vez objeto de la orientación del autor. O sea, que hay una palabra en la que conviven dos intenciones, la del autor y la del personaje, que pueden coincidir o no, quedando idealmente desfasadas; o bien en la que la palabra antagonista, la única expresada, remite a la otra aunque implícitamente». El conjunto de posibilidades de este entrecruce de discursos (del autor, de los narradores y de los personajes) y de la equivalencia u oposición de miras que actualiza la relación entre el autor y los mediadores que éste imagina y hace actuar y hablar en la novela, lo resume Segre *(Principios de análisis del texto literario)* en el siguiente cuadro de posibilidades del discurso:

I. La palabra directa, inmediatamente dirigida hacia su objeto como expresión de la última instancia semántica de quien habla.

II. La palabra objetiva (palabra del personaje representado).

1) Con preponderancia de determinación socialmente típica.

2) Con preponderancia de determinación individualmente caracterológica.

} Diversos grados de objetividad

III. Palabra orientada hacia la palabra ajena (palabra con dos voces).

1) Palabra con dos voces monodireccionales.

a) Estilización.
b) Relato del narrador.
c) Palabra no objetiva del personaje portador (parcialmente) de las intenciones del autor.
d) Icherzählung.

} Al disminuir la objetividad, tienden a la fusión de las voces, esto es, a la palabra del primer tipo.

2) Palabra con dos voces multidireccionales.

a) Parodia, con todos sus matices.
b) Relato periodístico.
c) Icherzählung paródica.
d) Palabra del personaje representado paródicamente.
e) Cualquier transmisión de la palabra ajena con variaciones de acento.

} Al disminuir la objetividad y la activación de la intención ajena se dialogizan interiormente y tienden a la división en dos palabras (dos voces) del primer tipo.

3) Tipo activo (palabra ajena refleja).

a) Polémica interna escondida.	La palabra ajena actúa desde fuera; son posibles formas más diversas de relación recíproca con la palabra ajena y grados diversos en su influencia deformante.
b) Autobiografía y confesión descrita polémicamente.	
c) Cualquier palabra que tenga presente la palabra ajena.	
d) Réplica del diálogo.	
e) Diálogo oculto.	

A las teorías de Bajtin, a los formalistas rusos (V. FORMALISMO) y especialmente a Shklovski, a las intuiciones del Círculo de Frankfurt (de Adorno a Benjamin), a la obra fundamental de Auerbach (y, sobre todo, a *Mímesis*), a lo expuesto por Genette en *Figures III,* a los estudios clásicos de Foster, James, Jolles, Thibaudet, se remiten hoy los intérpretes de la novela en el intento de elaborar, según principios semiológicos, una verdadera ciencia de la narrativa o narratología (V. NARRATIVA).

Para otras informaciones, además de a los autores inmediatamente citados, remitimos a Segre, *Principios de análisis del texto literario*; Bourneuf-Ouellet, *La novela* (con un riquísimo aparato bibliográfico). Es interesante también la lectura del libro de Miriam Allot *Los novelistas y la novela,* en el que se recogen ordenadamente una serie de comentarios de escritores sobre diversos aspectos de su labor.

OBRA ABIERTA. Para Umberto Eco (en *Obra abierta,* y léase la Introducción a la segunda edición) la obra de arte es un mensaje fundamentalmente ambiguo (V. AMBIGÜEDAD) por la polisemia de los signos que la conforman. Si éste es uno de los caracteres generales del arte, en las poéticas contemporáneas —sostiene el crítico— tal ambigüedad es buscada (o deseada) por el autor como «una de las finalidades explícitas de la obra». El concepto de obra abierta presenta para Eco un valor de «modelo hipotético», no axiológico, ligado sobre todo a las experiencias artísticas de nuestro siglo. Pero la tesis central concierne ante todo al lector (o fruidor) en la comunicación estética, por cuanto «cada fruidor comporta una situación existencial concreta, una sensibilidad peculiarmente condicionada, una determinada cultura, unos gustos, propensiones, prejuicios personales, de tal modo que la comprensión de la forma original se produce desde una determinada perspectiva individual». De donde se desprende una conclusión particularmente delicada: «Una obra de arte, forma acabada y *cerrada* en su perfección de organismo perfectamente ajustado, es además *abierta,* presenta la posibilidad de ser interpretada de mil maneras distintas sin que su irreproducible singularidad resulte alterada. Cada fruición es también una *interpretación* y una *ejecución,* puesto que en cada fruición la obra revive en una perspectiva original.» En esta línea de «no acabamiento» de la obra, que ha de ser completada y cargada de significado por el fruidor, la *nouvelle critique* y Barthes en particular llegan a postular sin más una prioridad, una superioridad del lector sobre la escritura, una «irresponsabilidad del texto» (Barthes en *S/Z*) frente a la cual el destinatario no es un consumidor pasivo, sino un productor (con permiso para «maltratar el texto, para quitarle la palabra»). Desde este punto de vista está abierta ya desde el origen y no sólo en la evidente variedad de las interpretaciones, porque no se cree que el mensaje esté históricamente establecido y consignado en la escritura del texto. En nuestro entender, sin embargo, la crítica semiológica debe proyectar, en la medida de lo posible, el mensaje sobre el complejo sistema de códigos del autor (reconstruidos con la ayuda de la filología, de la estilística, de la retórica, de la historia cultural, etc.), de tal manera que sea posible aprehender, si no la totalidad del sentido —o de los sentidos—, por lo menos una significación históricamente plausible. No todas las interpretaciones son aceptables: el progreso de la historia de la crítica consiste también en la superación de las interpretaciones parciales (sin pretender por ello agotar la riqueza del texto, siempre potencial). Ahora puede verse la aplicación de las teorías de Eco —y su planteamiento ideológico antes de su realización— en su novela *El nombre de la rosa* y en las *Apostillas*. Para otras observaciones, V. DESTINATARIO.

OCTAVA. Estrofa de ocho versos endecasílabos organizados según el esquema rímico ABABAB:CC. Fue introducida en la literatura española desde la italiana por Juan Boscán. Su peculiar andadura —los seis versos corridos y la detención en el dístico final— la convirtieron en la estrofa típica de la poesía épica culta, tanto en Italia (Boiardo, Ariosto, Tasso), como en España (Ercilla, Lope) o Portugal (Camões). Sin embargo, se usó también, aunque con más parsimonia, en la poesía descriptiva con matices líricos (las *Stanze* de Poliziano o las *Selve d'amore* de Lorenzo de Médici en Italia; las *Selvas de Aranjuez* o el *Polifemo* en España; los poemas de exposición de Camões en Portugal). Alguna vez aparece un poema de una sola octava —llamada entonces estancia— que puede ir seguida de un estrambote (V.). A la octava que acabamos de describir se le añade alguna vez el complemento de «italiana», «rima» o «real», para diferenciarla de la octava castellana, que no es otra cosa que la copla de arte mayor (V.), cuando éste consta, como es frecuente, de ocho versos. La poesía posterior al romanticismo ha prescindido casi completamente de esta estrofa y de sus posibles variantes. Encontramos ejemplos de octavas autónomas en Jaime Gil de Biedma.

OCTAVILLA. Nombre que se da a la copla de arte real (V.) cuando consta de ocho versos. Desde el siglo XVIII se da este nombre a una estrofa de versos de ocho o menos sílabas que presentan la siguiente estructura: Øaab:Øccb. En alguna ocasión se pueden hacer rimar entre sí los versos primero y quinto, que normalmente son blancos; el cuarto y octavo terminan en palabra aguda: el ejemplo más conocido es, sin duda, la *Canción del pirata* de Espronceda.

OCTONARIO. Verso de dieciséis sílabas. Lo emplea con cierta frecuencia Rosalía de Castro *(Dicen que no hablan las plantas, ni las fuentes, ni los pájaros)* y, tras ella, el modernismo en diferentes formulaciones estróficas. Menéndez Pidal *(Romancero hispánico)* piensa, sin demasiadas pruebas, que es el octonario y no el octosílabo el verso en que se escriben los romances, y que este verso se produce por una regularización silábica y melódica de algunos fragmentos de tiradas (V.) de *Cantares de gesta*.

OCTOSÍLABO. Verso de ocho sílabas con acento fijo en la séptima. Es, junto con el endecasílabo, el verso básico del sistema poético en español tanto culto como popular. Tiene como pie quebrado al tetra-sílabo, sobre todo en la poesía del siglo xv y primeros años del xvi (Jorge Manrique o Castillejo) y en el teatro de los primeros tiempos (Juan del Encina, Gil Vicente). El octosílabo funciona como pie quebrado del verso de dieciséis sílabas.

ODA. En Grecia, la oda era un poema destinado al canto. En la lírica coral la oda estaba constituida por una o más series triádicas, cada una de ellas compuesta de dos estrofas de una misma estructura (estrofa y antistrofa) y una tercera de cierre (epodo), con ritmo y forma diferente: era la oda pindárica. Había también una oda ligada a la lírica monódica, cultivada por Safo, Alceo y Anacreonte; en ésta la materia poética se distribuía en una serie de estrofas iguales, apoyadas en un equilibrio rítmico que surge de los versos que la integran. Fue esta última forma la que pasó a Roma y allí alcanzó su cima en la pluma de Horacio, que reprodujo y amplió las formas griegas, además de los temas.

En el siglo xvi, al intentar la imitación de Horacio, buscando un sustituto formal a la canción petrarquesca, de origen provenzal, que era vehículo inadecuado para este tipo de poesía, en Italia (Bernardo Tasso) y en España (Garcilaso) ensayan una estrofa de estructura libre, compuesta de versos endecasílabos y heptasílabos, de tal forma que cada estrofa presente una concreción lírica que se pueda desarrollar en las siguientes. El número de versos será corto: Faria e Sousa dice que no deben pasar de ocho, «aunque haya ejemplos en contrario». La influencia de Garcilaso hace que en la Literatura española se privilegie como forma estrófica para la oda la lira, pero no es la única: Villegas, Fray Luis, Medrano o Francisco de la Torre usan de combinaciones distintas.

En nuestra literatura clásica se confunden los nombres, no las formas, de oda y canción, si hemos de hacer caso al erudito portugués antes citado, porque Herrera cambió el nombre a la de Garcilaso por parecerle malsonante aquella denominación.

En nuestra época la oda puede optar por mantener la forma clásica (Unamuno, Neruda —*Alberto Rojas viene volando*—, Pellicer), incluso la lira (Bernárdez, Blas de Otero), o bien buscar formas más o menos alejadas de aquélla, pero manteniendo siempre la estructura interna de concreciones líricas expuestas en pocas palabras o pocos versos que se encadenan entre sí al referirse a un mismo tema: el mismo Neruda *(Odas elementales)*, Molinari o García Lorca pueden servir de ejemplo.

ONOMASIOLOGÍA. La onomasiología, partiendo de los conceptos (o, en la terminología de Hjelmslev, de las sustancias del contenido), estudia las denominaciones, los signos lingüísticos (las formas del contenido) que les corresponden. Por ejemplo, si se quiere construir el campo onomasiológico del *amor,* se especificarán todos los términos referentes a aquel concepto: *pasión, capricho, amorío, enamoramiento,* etcétera. En este sentido se prefiere hablar hoy de campos semánticos, es decir, de sectores conceptuales organizados en sistemas lexemáticos. Así el campo semántico de los colores estará formado por los lexemas: *blanco, rojo, verde, amarillo,* etc.

ONOMATOPEYA. Se llama onomatopeya a un signo creado para imitar un ruido o un sonido natural: *tictac* reproduce el reloj, *tilín-tilán* la campana, *quiquiriquí* el gallo. Dubois diferencia entre la imitación no lingüística (por ejemplo, la reproducción de la voz de un animal hecha por un imitador, de la onomatopeya, que es un conjunto de fonemas que forman parte de un sistema fonológico determinado y que ocasionalmente se pueden transcribir en grafemas). La onomatopeya puede llegar a ser un elemento funcional del enunciado; por ejemplo: *En la tristeza del hogar golpea / el tictac del reloj. Todos callamos* (A. Machado), en el que la onomatopeya es una expansión estilística que centra y cierra una de las isotopías del poema. Para otras consideraciones de carácter estilístico, V. ARMONÍA IMITATIVA.

A las palabras que sugieren acústicamente la acción o el objeto que representan se les llama palabras onomatopéyicas: *rasgar, zigzaguear, borbotón.*

OPOSICIÓN. En lingüística, es la relación que existe entre dos términos de un paradigma. En el plano del significado el valor de las palabras viene dado por la oposición que se establece entre ellas. Por ejemplo: *gritar, hablar, susurrar, musitar* adquieren valor por oposición. También el significante lingüístico está constituido en cada una de sus unidades por diferencias notadas como oposiciones (V. FONEMA).

Para el aspecto lógico de la oposición V. IMPLICACIÓN.

En la teoría actancial de Greimas el opositor es el antagonista de héroe (V. ACTANTE).

ORATORIA. La oratoria, entendida como arte de hablar o elocuencia y en particular como técnica verbal o escrita, dirigida a convencer en distintos terrenos a un público, se confunde con la retórica, o es la máxima expresión de ésta. Desde el discurso fúnebre al sermón, desde el elogio a la deliberación política, la oratoria es, desde la antigüedad, un género de enorme importancia y difusión. En el mundo grecorromano fue la oratoria civil la que predominó, diferenciada en tres formas principales: forense, deliberativa y demostrativa o epidíctica. El género forense está ligado a los procesos (de donde la actividad de los logógrafos atenienses, es decir, de las personas que escribían, mediante pago, los discursos que tenían que pronunciar los ciudadanos). El deliberativo es fundamentalmente político, mientras que el género epidíctico atañe a la conmemoración de una persona o, también, a la divulgación de una doctrina o de un pensamiento. Desde los sofistas y los grandes oradores áticos (Lisias, Demóstenes, Isócrates) hasta el tardío desarrollo del llamado estilo asiático (metafórico, barroco, sensual), las distintas tendencias de la oratoria griega tienen terreno abonado para expresarse en un clima ferviente, móvil, estimulante, en el que política, ciencia, filosofía y literatura están relacionadas estrechamente. La dialéctica entre aticismo y estilo asiático continúa viva también en Roma, en la época de César y de Cicerón, cuando las condiciones políticas permiten un desarrollo libre de la elocuencia. En la época imperial la oratoria se transforma en declamación, en manierismo retórico (en el peor sentido de este término) o en ejercicio de panegirismo.

La Edad Media desarrolla casi únicamente la oratoria religiosa, mientras que con el humanismo vuelve a surgir la elocuencia civil, literaria y moral. No conocemos demasiado bien la oratoria medieval española, que ahora empieza a desvelar Pedro M. Cátedra, pero podemos suponer una línea que conduce —incluyendo el *ejemplo*— desde Ramón Llull a Vicente Ferrer, y que actuó sobre la predicación italiana en maneras tan distintas como las que representan San Bernardino de Siena o Savonarola. El gran momento de la predicación peninsular son los siglos XVI y XVII, desde Juan de Ávila a Antonio Vieira, pasando por fray Luis de Granada; junto a ellos los franceses (Bossuet, Massillon), que tanta huella van a dejar en los españoles del XVIII (Santander, Climent, Armañá, Isla). En la época moderna, desde la revolución francesa, supone el renacimiento, con la democracia, de la oratoria política en sus distintas formas: la del mitin, la parlamentaria, la epidíctica de los líderes carismáticos, etc. Los regímenes totalitarios aprovechan la oratoria como propaganda. En los últimos tiempos la oratoria se une —y ahí tendría que estudiarse— a los *mass media,* fundamentalmente radio y televisión. Un aparte merecería el estudio de la publicidad como retórica de nuestro tiempo.

ORDEN. En la retórica antigua la *dispositio* (V.) puede estructurarse de dos formas: según el *ordo naturalis,* por el cual pensamientos y palabras se disponen de manera normal, en sucesión lógico-temporal, o según el *ordo artificialis,* exigido por la transformación artística; por él los acontecimientos sufren distorsiones temporales (V. TRAMA, ARGUMENTO; FÁBULA) o el lenguaje resulta «extrañado» por mediación de las figuras (V.).

OSTENSIÓN. Modalidad de producción de un tipo peculiar de signos visivogestuales, llamados ostensivos. Por ejemplo, mostrar un paquete de cigarrillos para ofrecer tabaco, llevarse el índice y el corazón a los labios, imitando el gesto de quien tiene entre ellos un cigarrillo (signo ostensivo intrínseco), usar un palo como caballo, los dedos para figurar una pistola.

OSTRANENIE. V. EXTRAÑAMIENTO, FORMALISMO RUSO.

OXÍMORON. El oxímoron es una especie de antítesis en la cual se colocan en contacto palabras de sentido opuesto que parecen excluirse mutuamente, pero que en el contexto se convierten en compatibles (ejem.: *oscura claridad, música callada, soledad sonora*). El oxímoron es frecuentísimo en la literatura asceticomística, cuando se describe el éxtasis o la «noche de los sentidos»: *¡Oh desmayo dichoso! / ¡Oh muerte que das vida!, ¡Oh dulce olvido!* (Fray Luis de León); *Dios deseado y deseante* (Juan Ramón Jiménez). El oxímoron se puede crear también por la rima, colocando conceptos opuestos en relación: en el poema *El viajero* de Antonio Machado se hacen rimar *sombría* y *claro día, hermano* y *lejano*; también nace un oxímoron dialéctico por procedimientos de paralelismo: *¿Adónde, nubes del ocaso, / con esa luz breve, adónde? / ¿Adónde, nubes del poniente, / con esa luz eterna, adónde?* (Juan Ramón Jiménez).

PALABRA. La definición tradicional, meramente empírica, de la palabra como elemento lingüístico ha sido cuestionada y no aceptada por los estudiosos de tendencia estructuralista, que distinguen, ordinariamente, entre la palabra como unidad discursiva o textual y el vocablo como unidad de léxico (V.). Más allá de la palabra, como unidad mínima significativa se señalan los morfemas (V.) o los monemas (V.). Las unidades léxicas se denominan lexemas (V.).

PALABRA CLAVE. En sentido estadístico, se llama palabra clave a la que aparece con frecuencia elevada, superior a la media, en un determinado texto o conjunto de textos. En el análisis estilístico de un texto literario es preciso establecer de antemano si una palabra clave es de veras pertinente para la comprensión del texto —es decir, si la palabra es un connotador (V.), o si constituye un tema especial sin ser clave por tratarse de una palabra usada con frecuencia en el lenguaje usual: en este caso se habla de palabra tema. Por eso, en estilística, el criterio de la frecuencia no es válido tomado como valor absoluto, aunque pueda ser útil como preparación para el estudio. Serían palabras clave «laberinto» o «espejo» en Borges, «tarde», «fuente» o «recuerdo» en Antonio Machado.

PALABRA MALETA. Palabra obtenida por la amalgama de dos o más anteriores, de tal forma que se constituye una amalgama de sentido —o un sentido diferente— al unirse los varios significantes. Ejem.: *japonecedades* (Borges), *trabyecto* (Julián Ríos, y los ejemplos abundan en *Larva*). A veces una palabra de uso normal puede ser interpretada como «palabra maleta», por un proceso de metanálisis, explícito o implícito en la escritura del autor: *Ejercicios de esti(l)o* (Cabrera Infante), *(No)velar* (Ríos); *Panacea es la cesta del pan* (Gómez de la Serna).

PALABRA ÓMNIBUS. Palabra cuyo significado es cuasi vacío y que puede actualizarse en un contexto determinado. Ejem.: *cosa, chisme, hacer; Dame aquel caharro que está encima de ese chisme* (Arniches).

PALABRA TEMA. V. PALABRA CLAVE.

PALÍNDROMO. Forma de paralelismo (V.) o de anagrama (V.) que consiste en formar palabras o frases que se leen igual de izquierda a derecha que de derecha a izquierda, como *Dábale arroz a la zorra el abad.* Los antiguos usaban los versos que llamaban anacíclicos, del tipo *In girum imus nocte et consumimur igni* (Virgilio). Como agudeza lo usan algunos autores actuales: *Nada, yo soy Adán* (Cabrera Infante), *¡Añora la roña! / Somos nada, ya ve, o lodo o dolo, Eva y Adán somos* (Julián Ríos).

PALINODIA. Composición en la que el autor declara su retractación o arrepentimiento de lo que ha dicho antes. Ejem.: El poema que sirve de prólogo a *Cantos de Vida y esperanza* de Rubén Darío *(Yo soy aquel que ayer no más decía / el verso azul y la canción profana...)*; el poema *A la inmensa mayoría* de Blas de Otero. Frecuentemente la retractación es irónica.

PANEGÍRICO. Especie de encomio o de discurso escrito en alabanza de un personaje ilustre. El género fue inventado por Isócrates. En nuestra literatura el más importante es el *Panegírico al duque de Lerma,* de Góngora.

PARÁBASIS. V. DIGRESIÓN.

PARÁBOLA. La parábola es una forma narrativa que tiene una doble isotopía semántica: la primera, superficial, es un relato; la segunda, profunda, es la transcodificación alegórica del relato (con significado moral, religioso, filosófico, etc.). Piénsese en las parábolas del Evangelio. Adorno ha señalado que las novelas de Kafka tienen una estructura de parábola a la que le falta la clave que permita interpretarla. La relación entre la parábola y la alegoría (V.) es muy estrecha. Scholes y Kellog *(The nature of Narrative)* muestran que *El asno de oro* de Apuleyo, en cuanto describe la catarsis del personaje, tiene una estructura parabólica tanto en el tema general (Lucio llega a ser devoto de Isis) como en el significado oculto de alguno de los relatos intercalados (el famosísimo de Amor y Psiquis, por ejemplo).

PARADIGMA. En la lingüística moderna el paradigma es el conjunto de unidades que mantienen entre sí una relación virtual de sustituibilidad. Estas relaciones lo son *in absentia,* es decir, potenciales, mientras que las sintagmáticas lo son *in praesentia.* Jakobson ha estudiado las relaciones sobre los dos ejes (V.) del lenguaje en el seno de la poética, señalando los procesos metafóricos (paradigmáticos) y metonímicos (sintagmáticos) unidos a ellos.

PARADOJA. La paradoja es una figura lógica que consiste en afirmar algo en apariencia absurdo por chocar contra las ideas corrientes, adscritas al buen sentido, o a veces opuestas (frecuentemente en forma de oxímoron) al propio enunciado en que se inscriben. Ejem.: *Los países pobres son riquísimos; que muero porque no muero; mi soliloquio es plática con ese buen amigo* (A. Machado). Se ha hablado mucho del gusto de Unamuno por las construcciones paradójicas, hasta considerarlas una de las constantes de su escritura.

PARAGOGE. La paragoge o epítesis es un fenómeno que consiste en añadir un fonema etimológico o no etimológico (normalmente una *e*) al fin de una palabra. La paragoge es frecuente en la épica y en la lírica española y portuguesa hasta bien entrado el siglo XVI, sobre todo en los romances: *Estábase el conde Dirlos, / sobrino de don Beltrane, / asentado en sus tierras / deleitándose en cazare.* Francisco Salinas la liga a la música y el canto: de hecho se sigue empleando en formas de canción semipopular en el Romancero nuevo *(Salid al balcone: / oiredes el canto / del ruiseñore)* o en comedias de Lope y sus discípulos (*Bien vengáis triunfando, / conde lidiadore, / bien vengáis, el conde,* Lope). Torner ha señalado su pervivencia en las canciones populares cantadas en Asturias y Galicia. Celso da Cunha ha mostrado cómo se produce siempre en posición de pausa versual o de cesura.

PARÁGRAFO. Unidad de segmentación de un texto en prosa que comprende un conjunto de frases temáticamente afines. El parágrafo (o párrafo) está delimitado en la escritura por el punto y aparte y el principio sangrado, y ocasionalmente por el espacio en blanco. En algunas ediciones, sobre todo de textos grecolatinos o de libros científicos, los parágrafos aparecen marcados por una numeración. Algunos autores —Gracián en *El Criticón,* por ejemplo— los caracterizan y definen mediante ladillos. El conjunto de orden inmediatamente superior al parágrafo en el eje de la combinación es el capítulo.

PARAGRAMA. Sustitución de una palabra por otra que difiere de la primera únicamente en un grafema. Ejem.: *Su majestad la ruina de Inglaterra.* Alfonso Reyes desveló, por paragramatismo de los copistas, el misterio de *Leonoreta, / sin roseta (sin # fin)* en el *Amadís,* o cómo en un poema suyo, por errata de imprenta, un *más adentro de la frente* se transformó en un mucho más bello *mar adentro de la frente.*

Para Saussure, el paragrama (o hipograma) es una figura retórica oculta, que consiste en la diseminación de los elementos fónicos o gráficos de una palabra en el interior de un enunciado mayor. Por ejemplo, la palabra *spleen* se encontrará diseminada en este verso de Baudelaire: *Sur mon crâne incliné PLantE son drapEau Noir.*

Julia Kristeva, en *Semiótica,* generaliza la hipótesis de Saussure y propone una lectura tabular por presencia de elementos fónicos o gráficos que se repiten en el texto, frente a una lectura lineal.

PARÁFRASIS. La paráfrasis es la retranscripción de un texto en términos más explícitos, de manera que no cambien los contenidos y la información. Usando los sinónimos, simplificando los valores connotativos de algunos términos (especialmente para los textos poéticos) la paráfrasis propone un equivalente denotativo del discurso complejo. Así *Estas que me dictó rimas sonoras, / culta sí, aunque bucólica, Talía / —¡oh excelso conde!— en las purpúreas horas / que es rosas l'alba y rosicler el día,* se podría parafrasear diciendo: «Conde: estos versos me los inspiró al amanecer Talía, culta, aunque campesina»; evidentemente, en el nivel connotativo, los versos son mucho más ricos. Sin embargo, en algunos casos la paráfrasis —utilizada como procedimiento de amplificatio— puede enriquecer al texto original: compárense los *Milagros de Nuestra Señora* de Berceo con los textos latinos que le sirvieron de base.

PARALELISMO. Para Greimas *(Essais de sémiotique poétique),* el signo lingüístico, en el plano de la expresión y en el del contenido, se puede descomponer en elementos que mantienen entre sí relaciones abstractamente isomorfas, en cuanto figuras de articulación —en el sentido que da Hjelmslev a este término—, como se indica en el esquema siguiente:

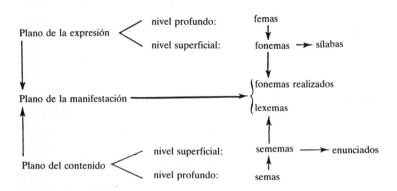

Como es evidente, el isomorfismo falta en el plano de la manifestación concreta y en el nivel de organización sintagmática, en el que la combinación de los fonemas produce las sílabas, mientras que la unión de los sememas conduce a la construcción de enunciados semánticos. En el discurso poético el isomorfismo de los dos planos da lugar a una «co-ocurrencia de dos discursos paralelos, el primero fonémico y el segundo semántico, que se desarrollan simultáneamente, cada uno en su propio plano autónomo, y que producen regularidades formales confrontables y ocasionalmente homologables, regularidades discursivas que obedecerán a una gramática poética doble situada en el estrato de las estructuras profundas». La poesía reivindicará el elevado tipo de redundancia fonémica que caracteriza al discurso normal, para reconvertirlo en información semántica paralela a la que nace del plano de los contenidos. La búsqueda de la motivación poética, entendida como «realización de las estructuras paralelas y confrontables que instituyen correlaciones significativas entre los dos planos del lenguaje», puede considerarse como el planteamiento metodológico más firme de la crítica semiológica actual. Desde esta perspectiva, el texto, en cuanto que es estructura cerrada de signos poéticos, es una potencialidad fenoménica de mensajes realizados en la co-ocurrencia de los planos del contenido y de la expresión. Para poder descifrarla en toda su riqueza, esta pluralidad de mensajes ha de ser devuelta a sus matrices profundas, es decir, a los diversos modelos o códigos que entretejen los signos y los cargan de una informatividad específica. Es evidente que un mensaje fuertemente estructurado puede ser descifrado en distintos niveles (desde el más bajo, como simple contenido denotativo, hasta el más elevado, como hiperconnotación), según sea mayor o menor la activación de los códigos de referencia de que dispone el lector.

Este concepto de paralelismo estaba presente ya en el formalismo ruso (V.) y se vuelve a encontrar en las Tesis del 29 del Círculo de Praga, para ser formulado definitivamente por Jakobson (V. LENGUAJE, 1) como principio de equivalencia, el factor constructivo de la poesía. Las aplicaciones de Levin y de otros críticos lingüísticos acentúan, de forma que nos parece unilateral, las iteraciones o correlaciones fónicas que constituyen la estructura significante del texto, aislándolas peligrosamente de los significados.

Eugenio Asensio, que ha estudiado magistralmente el paralelismo para referirlo al cancionero peninsular de la Edad Media, distingue, más allá de las simples isotopías fónicas, tres tipos de paralelismo: el verbal, que afecta a las palabras; el estructural, cuando se refiere a la estructura sintáctica y rítmica; el semántico, cuando se repite la significación o pensamiento con modificación del significante. En la repetición estructural, que sirve de constituyente básico en la poesía oriental, diferencia entre una disposición de contraste (*Tu querer es como el toro / que donde lo llaman va; / el mío es como la piedra, / donde le ponen, se está*). Y otra de semejanza (*A los árboles altos / los lleva el viento; / a los enamorados / el pensamiento*). Para el paralelismo verbal, forma la más frecuente en las cantigas de amigo y en otras peninsulares, caracteriza tres tipos: a) reiteración del verso y del movimiento rítmico variando sólo el final, en que la palabra rimante es sustituida por un sinónimo; b) redoblamiento del concepto mediante la expresión negativa del pensamiento opuesto; c) reiteración del verso entero con sintaxis, hipérbaton y ritmo mudado *(versus transformati)*. Este paralelismo aparece combinado con el más estricto del uso del estribillo (algunas veces con *ata-fiinda*: el estribillo tiene un *rejet* que encabalga con la estrofa siguiente) y del leixaprén (el último verso de una estrofa sirve de inicial y se expande en otra).

Para un estudio más detallado del paralelismo en la lírica medieval —y de allí lo aprende la poesía española contemporánea— remitimos a Eugenio Asensio, *Poética y realidad en el cancionero peninsular de la Edad Media*; M. Rodrigues Lapa, *Lições de literatura portuguesa, época medieval*. Stephen Reckert y Helder Macedo, *Do Cancioneiro de amigo*, donde se estudia el uso estilístico variado del paralelismo y donde se reproduce el estudio de Jakobson, *A textura poética de Martim Codax*, que puede leerse también en *Questions de poétique*, donde se encuentran los trabajos de este autor sobre el paralelismo. Para este fenómeno en literaturas primitivas véase C. M. Bowra, *Poesía y canto primitivo*.

PARALINGÜÍSTICA. Ciencia de tipo semiótico que analiza los aspectos comunicativos no estructurados en lenguaje, pero que acompañan al mensaje verbal (respiración, risa, llanto, actitudes corporales). En la crítica literaria es importante sobre todo como constituyente semiótico de la teatralidad.

PARALITERATURA. Marc Angenot *(Le roman populaire. Recherches en paralittérature)* propone este término, en lugar de los más frecuentes de *infraliteratura* o *subliteratura*, que presentan un cierto juicio de valor, para designar al «conjunto de la producción escrita u oral no estrictamente informativa que determinadas razones ideológicas o sociológicas mantienen al margen del ámbito de la cultura literaria oficial en una determinada sociedad (novela «popular», canción, historietas, literatura pornográfica, etc.). Se parte de la hipótesis de que en cualquier sociedad aparecen formas u obras literarias hegemónicas y otras que no disfrutan de esta condición, sin que por eso puedan llamarse «revolucionarias». Sucede sin embargo que en el curso de la literatura existen continuamente interacciones, confesadas o no, entre los géneros literarios y los paraliterarios: la obra teatral seria (hegemónica) se parodia (paraliteratura), la parodia se reutiliza en forma renovadora (cfr. Zamora Vicente, *La realidad esperpéntica*); están estudiadas las relaciones entre el folletín y la forma de novelar de Pérez Galdós o Baroja; Vargas Llosa en *La tía Julia y el escribidor* se remite al serial radiofónico. Shklovski *(Sur la théorie de la prose)* señala que en muchos casos los géneros que en una época son considerados populares o plebeyos pueden convertirse en hegemónicos en un momento posterior: es, por ejemplo, el caso de los romances españoles o el de la dignificación de la novela policíaca o negra en nuestros tiempos.

PARANGONACIÓN. V. COMPAGINACIÓN.

PARASTASIS. Acumulación (V.) de frases que responden a un pensamiento análogo; con frecuencia la parastasis se subraya con la anáfora: *Por eso no levanto mi voz, viejo Walt Whitman, / contra el niño que escribe / nombre de niña en su almohada; / ni contra el muchacho que se viste de novia / en la oscuridad de su ropero; / ni contra los solitarios de los casinos / que beben con asco el agua de la prostitución; / ni contra los hombres de mirada verde / que aman al hombre y queman sus labios en silencio* (García Lorca).

PARATAXIS. La parataxis es la relación de coordinación entre dos frases (que están en una situación de subordinación implícita) en el seno de un enunciado o de un discurso: *Viene Juan, yo me voy.* Lo contrario de la parataxis es la hipotaxis, es decir, la subordinación explicitada por signos funcionales: *Como viene Juan, yo me voy.*

Para el uso estilístico de la parataxis y de la hipotaxis véase esta última voz.

PARENESIS. Discurso o tratado concebido como exhortación para un determinado comportamiento o en favor de algún proyecto. Citemos, como ejemplo, la *parenesis* de Juan Maldonado, estudiada por Eugenio Asensio.

PARÉNTESIS. Signo gráfico que encierra un término o una frase incidental. A veces el término se utiliza como sinónimo de INCISO (V.).

PARODIA. Para Bajtin, la parodia implica la creación de un sosia que «destrona» al héroe principal, la afirmación de un «mundo al revés»; como la sátira (V.), parece estar unida en sus orígenes a lo cómico carnavalesco (V. COMEDIA, CARNAVALESCO), en el que cada uno de los valores jerárquicos tradicionales se desacraliza, se escarnece y se derrumba. En un sentido más amplio, se produce la parodia cuando la imitación consciente y voluntaria de un texto, de un personaje, de un motivo se hace de forma irónica, para poner de relieve el alejamiento del modelo y su volteo crítico. En términos lingüísticos, la parodia comporta siempre una transcodificación. Cuando Perich escribe: *Bienaventurados los mansos porque ellos me permitirán vivir como en el cielo,* se cita explícitamente una de las Bienaventuranzas y se opera sobre ella

una evidente parodización de la referencia religiosa y ética, al yuxta-
ponerle un realismo social —Perich titula la frase *Plegaria capitalista*—
que vuelve del revés la enseñanza evangélica. Para una parodia de estilos véase, por ejemplo, la *Antología apócrifa* de Nalé Roxlo.

PARÓNIMO. V. PARONOMASIA.

PARONOMASIA. Paronomasia es una figura morfológica que se produce al colocar próximas en el texto dos palabras fónicamente parecidas
la una a la otra; estas palabras se denominan parónimos. Es célebre el
análisis, hecho por Jakobson, del slogan político *I like Ike,* que resulta
eficaz y pegadizo gracias a los efectos paronomásticos de los sonidos
/ai/ y /aik/. Son frecuentes los juegos paronomásticos en la literatura
barroca: *Tálamo es mudo, túmulo canoro* (Góngora); *aquel poderoso
metal que todo lo riñe y todo lo rinde* (Gracián); *pero si está mi seso y
mi suceso* (Lope); *muy tardón en la misa y abreviador en la mesa* (Quevedo).

PÁRRAFO. V. PARÁGRAFO.

PASO. V. ENTREMÉS.

PASQUÍN. Composición satírica, en verso o en prosa, generalmente
hecha pública sin nombre de autor, escrita con lenguaje desvergonzado
y ofensivo. El nombre procede de la costumbre de colocar escritos de
esta especie, ya a partir del siglo XVI, en el pedestal de una estatua romana llamada Pasquino.

PASTICHE. El pastiche consiste en el emparejamiento de palabras de
distinto nivel o registro, incluso de códigos diferentes, para conseguir
un efecto de extrañamiento que cause una impresión paródica o satírica.
Sírvanos de ejemplo la novela *Tiempo de silencio* de Martín Santos, en
el que un asunto y unos paisajes propios de lo que se dio en llamar
realismo crítico se recubre, a partes, de un lenguaje científico, mítico o
filosófico. Del tratamiento «inadecuado» brota una ironía revulsiva.
Ejemplo: *¡Allí estaban las chabolas! Sobre un pequeño montículo en que
concluía la carretera derruida, Amador se había alzado —como muchos
siglos antes Moisés sobre un monte más alto— y señalaba con ademán
solemne y con el estallido de la sonrisa de sus belfos gloriosos el vallizuelo
escondido entre dos montañas altivas, una de escombrera y cascote, de
ya vieja y expoliada basura ciudadana la otra (de la que la busca de los
indígenas colindantes había extraído toda sustancia aprovechable valiosa
o nutritiva) en el que florecían, pegados los unos a los otros, los soberbios
alcázares de la miseria.*

PASTORELA. Es una composición poética, normalmente en forma de diálogo entre un caballero y una pastora que acepta o rechaza los requerimientos de éste. Su origen es provenzal, pero muy pronto entronca en la corriente galaicoportuguesa y se combina con la serrana de germen hispánico.

Véase R. Lapesa, *La obra literaria del Marqués de Santillana.*

PASTORIL. El género pastoril o bucólico (V.) refiere, en principio, una ingenua historia de amor ambientada en el mundo, remoto y ucrónico, de los pastores de la Arcadia. Representa, con el idilio, uno de los *topoi* más afortunados de la literatura clásica que, desde Teócrito, Bión, Mosco y Virgilio, atraviesa la Edad Media y el Renacimiento hasta el Romanticismo (aquí se transforma en el *topos* del buen salvaje) dando vida a muy variadas formas literarias, que se cargan con sentidos culturales distintos, como la égloga (V.), la pastorela (V.), el teatro pastoril (los modelos fueron la *Aminta* de Tasso y el *Pastor Fido* de Guarini), el teatro campesino o pastoril (Juan del Encina) y, sobre todo, la novela pastoril que, evolucionando desde la *Arcadia* de Sannazaro, desde las dos *Dianas,* la de Montemayor y Gil Polo, se extendió por toda Europa. El enorme éxito de la literatura bucólica y su riqueza de posibilidades se puede atestiguar por su difusión y la calidad de algunos de sus hitos: Garcilaso, Gil Polo y Cervantes en España, Sá Miranda y Camões en Portugal, Ronsard y d'Urfée en Francia, Spencer y Sidney en Inglaterra, Polizziano y Sannazaro en Italia. V. NOVELA.

PATHOS. Cualidad de una obra o de una parte de esta o —en retórica— técnica utilizada para lograr una conmoción emocional en el receptor, produciendo un sentimiento de piedad o de terror que pueda llevar, en último extremo, a la catarsis (V.). La búsqueda del *pathos* es uno de los caracteres primordiales de la tragedia (V.). La exageración de lo patético o su consecución por efectos artificiosos, no surgidos de la situación, sino buscados directamente desde la ideología del autor, conducen al folletín (V.) o al melodrama (V.), es decir, a formas literarias degradadas. El pathos, por otra parte, entendido como factor de creación tanto como de recepción, depende en muchos casos de circunstancias socioculturales: trasladado de época, un pathos artificioso conduce a lo cursi o, incluso, a lo ridículo.

PAUSA. En lingüística, la pausa es el silencio más o menos prolongado que se produce en la cadena oral tras un grupo fónico o una oración; en la escritura se marca mediante una serie de signos diacríticos que connotan la longitud del silencio (coma, punto y coma, punto) o, también, el cambio de línea tonal (guiones, paréntesis, etc.).

En los modernos estudios de métrica, se tienen en consideración tres tipos de pausa: la estrófica, que delimita grandes unidades, la versual —al fin de cada verso— y la cesura (V.). Estas pausas pueden romper la unidad sintáctica e incluso la léxica, produciéndose entonces el encabalgamiento (V.) o la tmesis (V.). Ejemplos de pausa con rompimiento: *Él saludó/ al océano/ con/ un/ im/ per/ cep/ ti/ ble/ mo/ vi/ mien/ to/ y/ si/ guió/ allí/ ele/ va/ do/ en/ su/ mis/ te/ rio* (Neruda); *Retira el pie, que esconde/ sierpe mortal el prado, aunque florido/ los ojos roba* (Fray Luis de León). En el primer caso la pausa divide, y subraya, unas palabras en sus componentes fónicos; en el segundo, la pausa se ve reforzada por la presencia de un posible metanálisis en la lectura.

En el análisis del relato la pausa es un movimiento que determina una suspensión de la historia y una dilatación del relato. Las pausas se deben frecuentemente a descripciones extradiegéticas, a informaciones y comentarios del autor, etc. Véase, como tipo ejemplar de pausa, el capítulo I, ix, de *Don Quijote*.

PEÁN. Antiguo canto griego, en honor de Apolo, dedicado a la celebración de una victoria.

PENTASÍLABO. Verso de cinco sílabas. No es raro en los cancioneros medievales e incluso en la poesía de aire popular *(Llorad las damas, / si Dios os valga, / que muerto queda / Guillén Peraza)*. Lo utilizan también los fabulistas de los siglos XVIII y XIX. Entra en combinación con otros metros: con el heptasílabo en la seguidilla, con el endecasílabo en la estrofa sáfica, pero en este caso debe llevar un ictus en la primera sílaba (*Céfiro blando*, Villegas).

PERCONTATIO. Figura retórica por la cual un autor imagina dialogar con un hipotético interlocutor, aduciendo sus preguntas u objeción y las respectivas respuestas. Es una variante de la sermocitatio (V.).

PERFORMATIVO. Se llama performativo al enunciado que describe una acción del hablante en el mismo acto del habla. Así, una frase que comience por «Te prometo que» es performativa, ya que al emplearla se cumple el acto de prometer. Véanse: ACTOS DE HABLA, ILOCUTORIO.

PERÍCOPA. Trozo, extracto (con referencia particular a los trozos bíblicos leídos en las celebraciones litúrgicas). Puede significar también un fragmento de una obra, sobre todo en crítica textual.

PERÍFRASIS. Es una figura que consiste en indicar una persona o una cosa indirectamente, mediante un rodeo de palabras. Ej.: *Era del año la estación florida* (= la primavera; Góngora); *ese gran sol amarillo de viejos peces aplastados* (= barril de sardinas de cubo; Lorca). A la perífrasis se la llama también circunlocución, aunque algunos autores quieren distinguir entre los dos términos; Morier (*Dictionnaire,* s.v.) piensa que con la circunlocución se evitaría «un punto delicado», eludiendo alguna dificultad; la perífrasis se usaría para evitar una expresión vulgar o como adorno estilístico; la distinción no parece demasiado plausible.

Se podría, por el contrario, considerar como una variante perifrástica, particularmente eficaz, el discurso ambiguo, dudoso, alusivo (V. RETICENCIA), con largos rodeos, con el que se deja entender al interlocutor un hecho, un juicio. Recordemos la habilidad con que Leopoldo Alas nos da a conocer —y a Ana Ozores— el carácter del personaje a través del lenguaje, insinuante y velado, su ambición y sensualidad, en la confesión de la Regenta con don Fermín de Pas.

PERIPECIA. El paso desde una situación a otra en la trama de la narración, debido a algún avatar que le sucede a uno o varios personajes, se denomina tradicionalmente peripecia. Para Aristóteles es el paso de la felicidad a la desgracia o a la inversa, provocado por un acontecimiento verosímil, aunque pueda ser imprevisto. Así, la peste de Tebas o el descubrimiento de su verdadera personalidad son desencadenantes de la peripecia del *Edipo, rey.*

PERLOCUTORIO. Un acto de habla (V.) es locutorio en cuanto que quien lo produce realiza consciente y voluntariamente una acción fónica o gráfica que implica el uso de un código determinado y sirve para comunicar alguna información; se llama perlocutorio cuando se consideran las consecuencias que el acto puede causar en el destinatario (miedo, perturbación, sugestión, aprobación, etc.); e ilocutorio cuando la acción se realiza en el acto de habla mismo (en la aserción, en la pregunta, en la orden, en el deseo, etc.).

PERMISIÓN. V. CONCESIÓN.

PERQUE. Serie de pareados encabezados y terminados por un verso suelto. La frase se reparte entre el segundo verso de cada dístico y el primero del siguiente, produciéndose un desajuste entre la estructura sintáctica y la métrica. La forma —con ese nombre o con el de aquelindo (en Cervantes)— se encuentra en la poesía española desde don Diego Hurtado de Mendoza, el viejo, hasta la poetisa mexicana Guadalupe Amor. Señalemos el posible parentesco de este recurso expresivo con el de los poemas «escalonados» de Octavio Paz (cfr., por ejemplo, el poema «Eje», en *Hacia el comienzo*).

PERSONAJE. El personaje —sea héroe, protagonista o actor— es el elemento motor de la acción narrativa. Confundido ingenuamente con la persona, de la que es solamente una representación inventiva, o reducido a una serie de caracterizaciones psicológicas o de atributos, el personaje no se puede aislar ni del universo que lo rodea ni de los otros personajes con los que entra en relación.

El personaje puede manifestarse de varias maneras. Ante todo con su nombre, que alguna vez anticipa ciertas cualidades evidenciadas en el curso del relato (Benina, protagonista de *Misericordia* de Galdós); después por la caracterización directa o indirecta. La caracterización es directa cuando el narrador nos dice cuáles son las cualidades del personaje (bueno, generoso, codicioso, ingenuo, etc.), ocasionalmente a través del «retrato»; es indirecta cuando es el lector el que debe deducir el carácter del personaje, partiendo de las acciones en las que está implicado, del juicio que dan de él los otros personajes, o de su modo individual de ver la vida y las relaciones humanas. Frecuentemente la caracterización se obtiene por sinécdoque, es decir, a través de un detalle que le concierne (del vestuario, del rostro, del comportamiento, etc.). El emblema (V.) —un objeto del personaje, un gesto suyo, un lugar que le atañe de cerca— recordado en el relato asume un valor significativo y caracterizador (cfr. Ducrot-Todorov. *Diccionario,* s. v. «personaje»).

1. Tipología de los personajes. Se pueden ofrecer distintas tipologías de los personajes, tanto en sentido formal como substancial. Por ejemplo, se diferencian personajes estáticos, que no varían en el transcurso del relato (como los tipos: el avaro, el soldado fanfarrón, etc.) y personajes dinámicos, sujetos a cambio y evolución; o también entre personajes principales (protagonistas, héroes) y secundarios. Foster divide a los personajes en planos y esféricos: estos últimos son complejos e imprevisibles (*round character* y *flat character*: «construidos en torno a una sola idea o cualidad»).

La más antigua tipología substancial parece remontarse a las máscaras, por ejemplo en la *commedia dell'arte,* donde los papeles son fijos, como lo son también los nombres (Arlequín, Pantalón, Polichinela, etc.). Se pueden considerar también papeles estereotipados los de ascendencia latina: el viejo badulaque, el criado astuto, el cornudo, el avaro, etc. En el teatro español del siglo XVII se conforma la comedia de figurón, apoyándose en algún personaje caracterizado por una cualidad muy definida.

En la tipología actancial de Greimas (V. ACTANTE) se hallan papeles que pueden ser recubiertos por más actores o personajes: el sujeto o protagonista, cuya acción está provocada por un deseo, por una necesidad o por un temor; el opositor o antagonista, que determina el conflicto y suscita los obstáculos, la maquinaria de la acción narrativa; el objeto, en cuanto es fuerza de atracción, deseo o temor; el destinador, es decir, el agente que influencia el destino del objeto, una especie de árbitro (a veces invisible) que orienta el sentido del relato, inclina la balanza hacia un determinado personaje; el destinatario o beneficiario de la acción, el que puede conseguir el objeto (este personaje no tiene por qué identificarse necesariamente con el protagonista); el adyuvante, al servicio del sujeto, pero también en algunos casos de otros personajes (por ejemplo, adyuvantes negativos). En los relatos predominantemente psicológicos estas funciones pueden ser cumplidas por situaciones, acontecimientos, sentimientos: la oposición puede proceder del ambiente, de la vida, del destino (que puede ser árbitro de la suerte de un personaje).

2. Funciones de los personajes.   En el ámbito del relato, el personaje puede desempeñar diversas funciones: puede ser un elemento decorativo, un agente de la acción, un portavoz del autor (cfr. Bourneuf-Ouellet, *La novela*, p. 181 y ss.).

El personaje decorativo es prácticamente inútil para la acción, pero sirve al autor para caracterizar un ambiente: es como un síntoma o un indicio a través del cual es posible aprehender el juicio del autor sobre una realidad o situación determinada.

Si es verdad que la acción narrativa consiste en el desarrollo de situaciones conflictivas en las que están involucrados los personajes, se podrá comprender que las cualidades de éstos han de emerger sobre todo de la misma acción. Bremond cataloga los personajes en agentes (promotores de procesos de modificación o de conservación) y pacientes (envueltos en estos procesos). El análisis avanza hasta diseñar una frondosa red funcional: así, los agentes pueden ser influenciadores, modificadores y conservadores; para los modificadores se presentan las parejas perfeccionadores-degradadores; para los conservadores, protectores-frustradores; para los influenciadores, delatores-simuladores, constrictores-interdictores, seductores-intimidadores, asesores-disuasores (V. NARRATIVA, 1).

El personaje puede ser, por fin, portavoz del autor, aun cuando no parece correcto utilizar las figuras narrativas para proponer un psicoanálisis de sentido autobiográfico. También parece discutible una consideración exclusivamente sociológica, según la cual el personaje sería una proyección del autor en sus relaciones histórico-sociales. Para Lukács el significado de la novela consiste en el camino del héroe problemático hacia sí mismo, es decir la progresión de un personaje desde una situación famular en lucha con una realidad ajena, falta de significado, hasta llegar a la autoconsciencia.

3. Modos de presentación.   Según Bourneuf-Ouellet el personaje novelesco puede ser presentado de cuatro formas: 1) por sí mismo; 2) por otro personaje; 3) por un narrador extradiegético; 4) por sí mismo, por otros personajes y por el narrador (presentación mixta).

La autopresentación plantea el problema del autoconocimiento del personaje, típico del relato en primera persona, del diario, de la novela epistolar con una sola voz y, por último, del monólogo interior (V.), el cual, según Dujardin, «es el discurso sin oyente y nunca pronunciado, mediante el cual un personaje expresa sus pensamientos más íntimos, los más cercanos al inconsciente, anteriores a cualquier organización lógica, es decir, en embrión, valiéndose para ello de frases directas, reducidas a lo sintácticamente imprescindible, para dar así la impresión de "materia informe"» (definición que, a nuestro parecer, conviene mejor al «flujo de conciencia», V.).

La presentación del personaje por parte de los otros personajes ofrece al narrador la posibilidad de ocultarse (al menos aparentemente) y de dar a los personajes la responsabilidad del conocimiento recíproco (y en particular, del protagonista) a través del análisis de los comportamientos, el diálogo, las cartas y otras formas de manifestación de la conciencia.

La forma más corriente y antigua de presentación del personaje es la del narrador extradiegético (es decir, exterior a la acción o la *fabula*): la presentación desde fuera permite a escritores como Balzac o Zola dramatizar el conflicto entre héroe y sociedad (cfr. personaje épico), aun cuando el denominado punto de vista omnisciente, típico de casi toda la narrativa hasta el naturalismo, permite que el autor parezca conocer a fondo a su personaje, lo juzgue, dé de él una caracterización tanto psicológica como social (V. ESTILO, 1).

La presentación mixta (*Madame Bovary* puede ser el modelo) examina al personaje desde el exterior y desde su interior, viéndolo unas veces a través de la focalización de los demás personajes, otras directamente (mediante fórmulas del tipo «él pensaba que...»), aunque a veces es difícil asegurar si el relato es autorreflexivo (corresponde al pensamiento de uno de los personajes) o procede del narrador. Pero con la presentación del personaje y el punto de vista del narrador penetramos en el meollo de la narrativa y de los problemas implícitos de la escritura, para los cuales remitimos a las voces: NARRATIVA, ESTILO, ESCRITURA, DISCURSO, ENUNCIACIÓN.

PERSONIFICACIÓN. La personificación consiste en atribuir a un ser inanimado o abstracto cualidades típicas de los seres humanos. Si el ser personificado se convierte en emisor del mensaje se produce la prosopopeya (V.); si en destinatario, el apóstrofe (V.). La personificación puede confundirse con la antonomasia en los casos de mitologismo, es decir, cuando se sustituye el objeto por un dios con el que se considera ligado: ejem.: *y ya siente el bramido / de Marte* (Fray Luis de León).

PERSPECTIVA. V. PUNTO DE VISTA.

PERTINENCIA. La pertinencia es la propiedad que permite a un elemento lingüístico (fonema, monema, palabra, etc.) asegurar una función distintiva, oponiéndose a las otras unidades del mismo nivel.

En el análisis estilístico (V. ESTILO, CONNOTACIÓN, ESCRITURA) un elemento es pertinente cuando sirve para connotar un mensaje, de modo que sea posible comprender la forma específica del texto gracias a aquel factor característico (o a un conjunto de factores correlativos entre sí). No siempre la iteración de un elemento constituye una garantía de su pertinencia. En el soneto III de Fray Luis de León la insistencia sobre la palabra *agora* es señal de su pertinencia en la estructura del texto. También lo es, en el mismo texto, la frecuencia del fonema *r* y de los fonemas dentales, formando correlaciones contrapuestas. Otras veces es pertinente el elemento que rompe el sistema (las palabras *tranvías* y *culo* en el poema *En Málaga* de Lorca).

PIE. El pie era la unidad de medida de los versos grecolatinos. Los pies más importantes eran (señalando con la marca — la sílaba larga y con ˘ la sílaba breve) los siguientes: yambo: ˘ —; troqueo: — ˘; anapesto: ˘˘ —; dáctilo: — ˘˘; espondeo: — —; anfíbraco: ˘ — ˘; tríbaco: ˘˘˘. En la métrica acentual se ha intentado algunas veces —principalmente en el Renacimiento y en el modernismo— imitar estos pies, sustituyendo las sílabas largas por tónicas y las breves por átonas. Este opinable isomorfismo ha servido para crear una nomenclatura en la métrica románica (endecasílabo anapéstico, octosílabo yámbico) que hoy se considera inadecuada (cfr. Halle y Keyser: *Métrica,* en *Enciclopedia Einaudi*).

En los tratados renacentistas (Nebrija, Encina) la palabra pie equivalía a lo que hoy entendemos por verso, acaso con algunos matices; queda de aquí la expresión *pie quebrado* para designar al verso de menor medida que combina rítmicamente con otro mayor: el tetrasílabo es pie quebrado del octosílabo, el heptasílabo del endecasílabo.

PIE QUEBRADO. Verso que se combina en un poema con otros básicos que tienen mayor número de sílabas que él. Así —en la canción italiana, por ejemplo— el heptasílabo funciona como pie quebrado del endecasílabo.

PLANO. El concepto de plano define en lingüística estructural la relación entre el significante o plano de la expresión y el significado o plano del contenido. Para estos conceptos V. LINGÜÍSTICA, 3; EXPRESIÓN, FORMA.

PLANTO. Composición poética que tiene por tema una lamentación, muchas veces por la muerte de una persona, y la intención de invitar a los receptores a participar en el dolor. Esencialmente el planto es lírico (ejem.: *Llorad las damas, / si Dios os vale*), pero en algunos casos puede contener también elementos narrativos o históricos (recordemos el *¡Ay, Iherusalem!*, tan bien analizado por Eugenio Asensio en *Poética y realidad en el Cancionero peninsular*), o construirse como culminación, en la Edad Media, de un texto concebido como *razón* (así se organiza el llanto por Trotaconventos en el *Libro de buen amor*). Todos los elementos, más la mitificación y la trascendencia de la persona se dan juntos en el máximo llanto de nuestra lírica: el de García Lorca a la muerte de Ignacio Sánchez Mejías, paradigma de este tipo de composición.

PLEONASMO. Expresión redundante que, estilísticamente, puede servir para subrayar una expresión o evitar un ruido en la comunicación. Ejem.: *yo lo he visto con estos ojos que se ha de comer la tierra* (Cela), frase en la que todos los elementos, excepto *lo he visto*, son pleonásticos. El pleonasmo funciona en ciertas expresiones fijas de los cantares de gesta: *De los sos ojos tan fuerte mientre llorando, De las sus bocas todos dizian una razón.*

PLOT. Este término inglés se utiliza en oposición a trama y a *fabula* (V.). Frente a la trama (V.), el *plot* presenta una ordenación lógica de los acontecimientos. Frente a la *fabula*, en el *plot* predomina la relación causal de los sucesos frente a la temporal.

PLURAL DE MODESTIA. El *yo* se diluye en un *nosotros* para generalizar una afirmación o para diluir la personalidad frente a un tú o un vosotros a los que se enfatiza así: *Claro que el mundo no es España. (Es / significa en euskera no.) ¿Sabemos / acaso qué es España? Meditemos* (Blas de Otero). La oposición con el plural mayestático puede neutralizarse en ciertos contextos, cuando el hablante se diluye en el plural para dar autoridad a sus palabras: *Roja y verde, eché a tu cuerpo / la capa de mi talento. / Verde y roja, roja y verde. / ¡Aquí somos otra gente!* (García Lorca).

PLURAL MAYESTÁTICO. Uso de la primera persona del plural en lugar del singular, producida por una hipertrofia del yo (enfrentado a un «vosotros»). Es típico de los discursos «de autoridad» (rey, papa, etcétera). Se opone al plural de modestia (V.).

PLURIVOCIDAD. V. NOVELA.

POEMA. Podríamos definir el poema, siguiendo a Mukarovský, como la forma literaria en que se actualiza el discurso de la poesía (V.), de tal forma que, obedeciendo a una serie de reglas internas y externas, el conjunto de las frases contenidas en el texto, al instituir un subcódigo propio, distinto al del discurso del relato y al de la lengua estándar, se constituye él mismo en un único signo —como dice el crítico ruso— o en un macrosigno, como prefieren Petöfi y M. Corti. La extensión del poema puede ser muy variable: desde un sólo verso (por ejemplo, *Hoy es siempre todavía,* de Antonio Machado) hasta la longitud de *La Eneida* o de la *Divina Comedia,* por dar dos de los muchos ejemplos posibles. El poema puede ser uno o estar formado por unidades menores que se articulan en un poema mayor: así, los Cantos de la *Comedia* o los textos diversos, aparentemente independientes, que se estructuran en *La voz a ti debida (Poema),* de Pedro Salinas o el *Poema del cante jondo* de García Lorca. El poema puede también tener varios autores que conjugan su esfuerzo, como sucede con los debates poéticos del siglo xv, la *tenzó* provenzal o el poema *Renga* de Octavio Paz, Jaques Roubaud, Edoardo Sanguinetti y Charles Tomlinson. Hasta el siglo xix, se consideró al verso como el vehículo básico de la composición poética; recordemos las palabras del Abate Desfontaines, en 1734: «Atribuir seriamente el nombre de poesía a la prosa poética es abusar de los términos y renunciar a las ideas claras y precisas», en las que ya se anuncia, sin embargo, la posible aparición del poema en prosa, posible desde el Romanticismo.

En la antigüedad se estableció una primera clasificación de los poemas según la forma en que eran realizados o comunicados (canto: poema lírico; recitado: poema épico), a lo cual se unían, estableciendo subgéneros, el contenido y el tono (idilio, elegía, oda, sátira, etc.). Posteriormente se instituyeron clasificaciones, primarias o secundarias, prestando atención a la longitud de los versos, a la forma de las estrofas, a la disposición de las rimas y a otros detalles formales (V. LÍRICA).

La ampliación del uso del término «poema» es relativamente moderna. Los escritores de la época clásica europea, y los críticos, daban este nombre casi exclusivamente a los textos poéticos de bastante extensión y en los que se producía, en alguna forma, la síntesis machadiana de canto y cuento, es decir, a los poemas en los que se partía de una base épica, narrativa, pero en los que estaba presente, casi inevitablemente la postura de un autor o de un público al que se dirigía el texto (V. ÉPICA). Para los poemas líricos se reservaban otros nombres, sin que hubiese un término común que los acogiese a todos. La distinción (poema-poemetto-lírica) se mantiene hoy en italiano.

POEMA EN PROSA. Género literario que comienza a desarrollarse desde el Romanticismo, en el momento en que la oposición formal entre prosa y poesía deja paso a la que se instituye entre discurso del relato y discurso de la poesía. Su comienzo se puede situar en las traducciones de textos poéticos que se iniciaron en Francia en el siglo xviii, sobre todo de textos bíblicos, y en las pseudotraducciones del xix: por ejemplo, las de las «canciones indias» de *Atala* o las *Chansons madécasses* de Parny; sin embargo, en estos dos casos, el autor opera como si hubiese un texto en verso primitivo. El primer intento independiente es el *Gaspard de la nuit* de Aloysius Bertrand, que todavía no se atreve a darles nombre *(Fantaisies à la manière de Rembrandt et de Callot)*, que servirá de modelo a los *Petits poèmes en prose* de Baudelaire (1869). Recordemos también *Les illuminations* y *Une saison en enfer* de Rimbaud; el ejemplo será continuado por Mallarmé. En España encontramos antecedentes en Bécquer (*El caudillo de las manos rojas*, 1858), presentado como «tradición india». En su concepto moderno será Rubén el que le dé carta de naturaleza ya en *Azul*; en el *Diario de un poeta recién casado* de Juan Ramón Jiménez alternará con textos narrativos y descriptivos y con poemas escritos en verso. Será el mismo Juan Ramón el que cree toda una serie de posibilidades para este tipo de discurso: desde la «caricatura lírica» *(Españoles de tres mundos)* a *Espacio*, quizá el poema en prosa más complejo de nuestra literatura.

Como bibliografía, véase G. Díaz Plaja, *El poema en prosa en España*; S. Bernard, *Le poème en prose de Baudelaire jusqu'à nos jours*; F. Nies, *Poésie in Prosaischer Welt*; Barbara Johnson, en *Poétique*, número 28.

POESÍA.   En un ensayo ya antiguo (*Qu'est–ce que la poésie*, en *Questions de poétique*) Jakobson comenzaba: «¿Qué es poesía? Si queremos definir esta noción, debemos oponerle lo que no es poesía. Pero decir lo que la poesía no es, no es hoy tan sencillo.» Para decir, unas páginas más adelante: «La frontera que separa la obra poética de lo que no es obra poética es más inestable que la frontera de los territorios administrativos de la China. Novalis y Mallarmé tenían el alfabeto por la mayor de las obras poéticas. Los poetas rusos admiraban el carácter poético de una lista de vinos (Viazemski), de un catálogo de los vestidos del zar (Gogol), de una Guía de ferrocarriles (Pasternak), e incluso de una factura de la lavandería (Kruchenni)», para concluir «el contenido de la noción *poesía* es inestable y varía con el tiempo». Cincuenta años después, Todorov, al presentar el número 28 de la revista *Poétique* ha de afirmar: «Curiosamente, ningún estudio (y no sólo entre los reunidos aquí) proporciona una definición pragmática de la poesía o —por decirlo de una forma más sencilla— no la define de acuerdo con el espíritu del autor, que precedió a su aparición, o de acuerdo con el del lector, que lo siguió. El hecho es curioso por ser testimonio de una repugnancia que estaba (y sigue estando) totalmente ausente del espíritu de aquellos que se embriagan de poesía en lugar de hacerla objeto de tesis. Son conocidas, por lo demás, las razones de esta renuncia: bajo su forma común e ingenua, esa respuesta no define verdaderamente a la poesía. No por haber sufrido se escribe automáticamente poesía; además de que sólo a través del poema se tiene acceso al estado de su autor; éste es un efecto del texto, no su causa; la verdadera cuestión sería: ¿qué propiedades del texto nos llevan a esta conclusión? Lo mismo sucede con las emociones del lector: decir que el discurso poético es el que suscita emoción sólo sirve para retrasar la pregunta esencial, que es ésta: ¿cómo se suscita esta emoción? Encontramos un eco ya debilitado de estos problemas en el estudio (también él antiguo) de Tinianov: contra Posenstein, pretende explicar la "emoción estética" por la construcción interna del propio texto.» Lázaro Carreter ha vuelto a introducir al autor —y, por lo tanto, también al lector— en el proceso de la comunicación poética (V. *El poema lírico como signo*), pero a pesar de ello, la pregunta que se hacía Jakobson en su artículo queda abierta. Abierta hasta para los mismos escritores que se han planteado la cuestión: Juan Ramón dedicó una buena parte de su vida y de su obra a intentar resolver simplemente lo que era su propia poesía; y Lorca dice: «ni tú ni yo ni ningún poeta sabemos lo que es poesía. [...] Si es verdad que soy poeta por la gracia de Dios —o del demonio—, también lo es que lo soy por la gracia de la técnica y del esfuerzo, y de darme cuenta en absoluto de lo que es un poema». Por eso mejor que hablar de poesía, será preferible tratar de discurso poético —como hacen Ingarden, Hockett, Jakobson y el mismo Todorov— o de mensaje poético como realización puntual de ese discurso. Así, dentro del discurso literario o artístico, el discurso poético se opondría, o limitaría, con el discurso del relato y con el discurso teatral.

Para Jakobson, el discurso poético surge de una compleja disposición rítmica, de la selección y combinación de las palabras en una secuencia dominada por el principio de equivalencia, es decir, de los lazos estrechos semánticos y fonéticos de los signos: «En poesía, una sílaba está en relación de equivalencia con todas las otras sílabas de la misma secuencia; todo acento de palabra se supone que es igual que cualquier otro acento de palabra, así como toda átona es igual a cualquier otra átona; linde de palabra igual a linde de palabra, ausencia de linde igual a ausencia de linde; pausa sintáctica corresponde a pausa sintáctica; a falta de pausa corresponde ausencia de pausa. Las sílabas se transforman en unidades de medida, y lo mismo sucede con las moras y los acentos» *(Ensayos de lingüística general: Lingüística y poética)*. A este principio de equivalencia, no exclusivo pero dominante en el discurso poético, es lo que denomina el maestro ruso función poética.

La rima es el más visible fenómeno de relación fonética entre las palabras del discurso poético; pero junto a la rima se ubican otros factores importantes, como la asonancia (V.), la paranomasia (V.), la aliteración (V.), la armonía imitativa y la onomatopeya (V.). Sin embargo las equivalencias fonéticas no agotan la especificidad de la poesía (la cual está frecuentemente en la época actual ausente de rima). Son importantes también —y Jakobson lo señala en la misma conferencia— las equivalencias semánticas constituidas por el llamado lenguaje figurado, es decir, por las figuras (V.), como la metáfora (V.), la metonimia (V.), la antítesis (V.), etc.; los autores de la *Réthorique générale* llegan a afirmar que no existe poesía sin figuras, aunque no todas las figuras son poesía, por ser el lenguaje figurado un aspecto del uso lingüístico común. Por otra parte —lo hace Genette, *Figures II,* comentando el libro de Cohen— hay poesía sin figuras, por lo menos en épocas históricas determinadas. También se ha puesto en duda el valor dominante de la función poética en el discurso poético: en determinados textos, construidos según el principio de equivalencia más estricto (el lenguaje publicitario —el *I like Ike* jakobsoniano—, en los dicharachos, en los refranes), está ausente en absoluto cualquier valor poético: remitimos a los estudios de Lázaro Carreter (sobre todo a *¿Es poética la función poética?*) y, desde perspectivas muy diferentes, Rolf Kloepfer, *Poetik und Linguistik.*

Por todo esto quizá no sea ocioso recordar aquí el libro de Empson *Seven Types of Ambiguity,* con la ambigüedad —término poco afortunado: por ello Weelwright prefiere sustituirlo por el de *plurisignificación,* paralelo *avant la lettre* al de plurivocidad que Bajtin propone como básico del discurso narrativo— como factor básico del discurso poético. A esos siete tipos corresponden las siete virtudes cardinales que Philip Wheelwright *(The Burning Fountain)* descubre en el lenguaje de la poesía —y en el del mito—: 1) la motivación, que implica también la intraducibilidad poética y la fusión entre significante y significado; 2) la inconstancia del sentido de las palabras, en los diferentes contextos en que se emplean; 3) la plurisignificación en el seno de un mismo contexto; 4) la expresión de lo inefable, de lo incierto, de lo indefinido; 5) la formación de configuraciones semánticas nuevas; 6) el rechazo de la ley de exclusión de terceros; 7) el rechazo de la ley de no contradicción. Estas normas posibles —y también discutibles— no están en contradicción con las expuestas por Jakobson.

Para caracterizar mejor el discurso poético se habrá de recurrir a lo que hemos dicho en otras entradas de este diccionario: la ambigüedad, la polisemia, la hiperconnotación del signo, la autorreflexividad, el isomorfismo entre el plano del contenido y el plano de la expresión, la correlación, el *coupling,* el paralelismo, la forma, el lenguaje «secundario», la semantización textual, la transcodificación, las isotopías. Para la historia de la noción de discurso poético –aunque deje de lado al estructuralismo y la semiótica— véase el utilísimo libro de William K. Wimsatt, Jr., y Cleanth Brooks, *Literary Criticism: A Short History.*

POÉTICA. «El término "poética", tal como nos ha sido transmitido por la tradición, designa: 1) *toda teoría interna de la literatura*; 2) la elección hecha por un autor entre todas las posibilidades (en el orden de la temática, de la composición, del estilo, etc.) literarias: "la poética de Hugo"; 3) los códigos normativos construidos por una escuela literaria, conjunto de reglas prácticas cuyo empleo se hace obligatorio» (Ducrot-Todorov, *Diccionario*, s.v.).

La poética como teoría de la obra literaria se remonta al libro homónimo de Aristóteles, a la que se pueden unir el tratado (de autor desconocido) *De lo sublime*, el *Ars Poetica* (el nombre se debe a Quintiliano) de Horacio y las numerosas «poetriae» medievales, en las que prepondera la reflexión sobre el cariz retórico del trabajo artístico. En el Renacimiento, el hallazgo de la *Poética* de Aristóteles abre una nueva e importante meditación sobre los problemas de la imitación, de los temas y de los modelos (géneros) de las obras literarias, de las «reglas» de la *elocutio*, etc. La historia de las poéticas, estrechamente ligada a la del gusto, no puede dejar de recordar algunos otros libros: La *Poética* de Vida y el *Art poétique* de Boileau, que formarán un conjunto, editado numerosas veces, con las de Aristóteles y Horacio. En España, como más significativas evoquemos la que se desprende de los *Comentarios* de Herrera, el *Mercurius trimegistus* de Ximénez Patón y el *Arte Nuevo* de Lope. Paulatinamente la investigación «técnica» y preceptiva ha sido marginada y sustituida por la reflexión estética.

En nuestro siglo se ha recuperado el concepto de poética como teoría de la literatura sobre todo gracias a la investigación de los formalistas rusos (V.), de la escuela morfológica alemana (Jolles, Walzel, G. Müller), del *New Criticism* angloamericano (Richards, Empson, Brooks, Wimsatt; cfr. Wimsatt y Brooks: *Literary Criticism. A Short History* y el conocido manual de Welleck y Warren, *Teoría de la Literatura*), y, por último, de los estructuralistas (V.) y semiólogos (V.). Jakobson subraya el aspecto verbal del discurso poético (V. LENGUAJE, 1; POESÍA); Vinogradov piensa que la tarea de la poética es «la búsqueda de las leyes y de las reglas de formación y de construcción de distintos tipos de estructuras literario-artísticas en las diversas épocas, en conexión con la evolución de los géneros y de sus estilos»; para Todorov, una poética estructural debe poner su punto de mira en las propiedades de ese discurso específico que es el discurso literario (la literariedad de los formalistas rusos); podemos recordar, en español, entre las obras precursoras *El deslinde* de Alfonso Reyes.

Una concepción distinta de la noción de poética se puede desprender de los estudios estilísticos de la escuela española y argentina, encabezada por Dámaso Alonso y Amado Alonso, que se remiten a las ideas de Spitzer y de Vossler, modificadas por el conocimiento de Saussure y de la estilística de la lengua Balliniana, sin olvidar ni oponerse a la crítica tradicional, dirigida al desvelamiento de la *Weltanschauung* del autor. Con ellos, la estilística (V.) trata de constituirse en ciencia de la literatura, centrándose en el texto, en la actitud creadora y en la emoción o placer estético que experimenta el lector.

Para la concepción moderna de la noción de poética remitimos a Marchese, *L'analisi letteraria*; Lázaro Carreter, *Estudios de poética* (esp. «Introducción: la poética»); Anderson Imbert, *Métodos de crítica literaria*; G. de Torre, *Nuevas direcciones de la crítica literaria*; y al completísimo libro de E. Prado Coelho, *Os universos da crítica*.

POLIMETRÍA. Se entiende por polimetría la combinación de un poema de versos que responden a metros diferentes, bien sean de distinta medida (véase, por ejemplo, la «Gacela del amor desesperado» en el *Diwán del Tamarit* de García Lorca) o de la misma medida (las composiciones que Navarro Tomás denomina «polirrítmicas»). El mismo término se usa para describir un texto unitario en verso en el que se suceden estrofas diversas: citemos la *Historia Troyana polimétrica*, el teatro de Lope y sus sucesores o los poemas largos (y algunos de los cortos) de Espronceda.

POLIPTOTON. El poliptoton o polipote es una figura sintáctica que consiste en emplear una misma palabra en un enunciado breve en distintas funciones o formas. Es muy cercana a la derivación, la adnominación y la figura etimológica (V.). Ejem.: *Huyendo no huye la muerte el cobarde* (Mena); *¡Oh niñas, niño amor, niños antojos!* (Lope). Un uso específico de construcción en poliptoton es la que se conoce también con el nombre de superlativo hebreo, es decir, un sustantivo al que se le añade un complemento con *de* que introduce el mismo sustantivo en singular o en plural: *Dios de Dios, Luz de luz, El Cantar de los Cantares, Flor de las flores* (Gil Vicente).

POLISEMIA. Se llama polisemia a la propiedad de un signo lingüístico de poseer varios significados. Por ejemplo, *mono* es un animal, un traje de faena, un dibujo, un hombre sin importancia. En este último caso la polisemia está conectada directamente con el proceso de metaforización del lenguaje (V. METÁFORA).

Para Dubois (*Dict.,* s.v.) la unidad polisémica se opone con frecuencia a la unidad monosémica, en la misma relación en que la «palabra» del vocabulario general se opone al «término» de un vocabulario especializado científico o técnico. Así, *hierro* es monosémico si lo consideramos como perteneciente al subcódigo científico químico; pero es polisémico como palabra del léxico general: *siglo de hierro, comer hierro, quitar hierro,* hierro usado en vez de espada *(el torero coge el hierro), tascar el hierro.*

Se ha observado que las palabras de uso más frecuente son polisémicas, mientras que las muy poco frecuentes son monosémicas. G. K.

Zipf ha intentado formular una ley numérica expresando este fenómeno: M = 1/2 F (M es el número de significados y F la frecuencia); el análisis estadístico quizá permita ajustar más esta fórmula.

No debe confundirse la polisemia con la homonimia, entendiendo por este último término como la mera identidad fónica o gráfica de dos palabras de sentido distinto (*vino,* verbo o sustantivo).

POLISÍNDETON.   Uso marcado de las conjunciones entre dos o más términos o entre dos o más frases, con valor expresivo. Véase el uso de un doble polisíndeton (en el primer caso con el último término en asíndeton) que hace fray Luis de León en su soneto IV: *Quien tiene en solo vos atesorado / su gozo y vida alegre y su consuelo, / su bienaventurada y rica suerte, / cuando de vos se viere desterrado, / ¡ay! ¿qué le quedará sino recelo / y noche y amargor y llanto y muerte?* La unión no tiene por qué ser copulativa: *ven, que quiero matar o amar o morir o darte todo* (Aleixandre).

PORTAVOZ.   Se denomina portavoz al personaje que, en una obra narrativa o teatral, representa el punto de vista del autor o manifiesta las opiniones de éste; muchas veces es un simple testigo que contempla la acción sin intervenir directamente en ella. En una obra «didáctica», el portavoz puede ser el representante de una ideología que se manifiesta en sus palabras o en sus actitudes.

POSPOSICIÓN.   Inversión de la posición normal de una palabra respecto a otra a la que debía preceder. En muchos casos la posposición tiene valor estilístico, por ejemplo en la catáfora (V.) o en el epíteto (V.).

PRAGMÁTICA.   Rama de la semiótica y, en general, de la lingüística y de la teoría de la comunicación que trata del uso de los mensajes en relación con los factores comunicativos, con la situación, con las necesidades y miras de los participantes, con los papeles, con las presuposiciones, etc. Se denomina competencia pragmática a la capacidad de producir y/o interpretar los hechos de lengua adecuados en una situación comunicativa específica.

PREGUNTAS Y RESPUESTAS.   V. RECUESTA.

PREMISA.   V. SILOGISMO.

PRESUPOSICIÓN.   O presupuesto, es la información implícita a la que se refiere el emisor de un discurso como a un dato poseído de hecho por el receptor, y capaz de volver coherente el mensaje. Las presuposiciones pueden ser de varios tipos: las semánticas (que para algunos críticos son simples inferencias) conciernen al valor implícito de una palabra en un contexto lingüístico determinado; por ejemplo, si digo *El hijo mayor de María ha vuelto de París,* presupongo varias afirmaciones, como: «María tiene varios hijos», «el mayor se fue a París»; las presuposiciones culturales, enciclopédicas o ideológicas (V. estas voces) son, por el contrario, exteriores al enunciado y conciernen al bagaje de conocimientos acerca del mundo que se consideran comunes a los interlocutores; las presuposiciones pragmáticas son, en sentido amplio, las condiciones de adecuación necesarias para que un hecho de lenguaje pueda ser llevado a cabo. Los actos ilocutorios, por ejemplo, comportan siempre algunas presuposiciones pragmáticas: para dar una orden se presupone una superioridad jerárquica, la posibilidad de ejecutarla por parte del receptor, etc. El concepto de presuposición, cuyos límites y esencia son aún discutidos, presenta un alto interés para una crítica ideológica del texto y para una teoría de la inter e intratextualidad.

PRETERICIÓN.   La preterición es una figura lógica por medio de la que se finge querer omitir lo que en realidad se dice: *No os sobrevengo con la novedad de que se acabó el Infinito; ni la de que este mundo se ha combinado con todos los botones cosidos flojos como traje hecho (con lo cual se cree nuevo y lo crean nuevo); ni la de que el hombre que se ubicó en el vacío para vivir eternamente, se abanicaba. Ni siquiera os recomendaré que acepte cada uno su lote de ridículo, de antipatía* (Macedonio Fernández).

PROCEDIMIENTO.   V. FORMALISMO.

PROEMIO.   Primeras palabras que se dicen o escriben en un texto antes de introducirse en el tema. En muchos casos es sinónimo de prólogo (V.).

PROLEPSIS.   Anticipación de un elemento que procede sintácticamente de otro (epanalepsis) que de ordinario introduce una frase secundaria. El modelo es la construcción latina del tipo: *Hoc unum te oro, ut...* (= esto sólo te pido, que). *Hoc unum* es un sintagma proléptico, *ut* es la epanalepsis que introduce la subordinada. En español pueden darse formas sintácticas análogas cuando se quiere poner en evidencia la relación entre dos enunciados. Ejem.: *Sólo una cosa querría deciros: que seáis prudentes.*

Se llama también prolepsis a una figura lógica que consiste en anticipar las objeciones que se podrían hacer al enunciado que se quiere exponer: Ejem.: *¿Preguntaréis por qué su poesía / no nos habla del sueño, de las hojas, / de los grandes volcanes de su país natal? / Venid a*

ver la sangre por las calles, / *¡venid a ver* / *la sangre* / *por las calles!*
(Neruda).

PRÓLOGO. Texto que precede al cuerpo de una obra, escrito por el
mismo autor o por otra persona, para presentarla y hacerla más comprensible por el posible lector. Borges, autor de prólogos, en su libro
Prólogos con un prólogo de prólogos razona así: «Que yo sepa, nadie
ha formulado hasta ahora una teoría del prólogo. La omisión no debe
afligirnos, ya que todos sabemos de qué se trata. El prólogo, en la triste
mayoría de los casos, linda con la oratoria de sobremesa o con los pa-
negíricos fúnebres y abunda en hipérboles irresponsables, que la lectura
incrédula acepta como convenciones del género. Otros ejemplos hay
—recordemos el memorable estudio que Wordsworth prefijó a la segunda edición de sus *Lyrical Ballads*— que enuncian o razonan una estética. El prefacio conmovido y lacónico de los ensayos de Montaigne
no es la página menos admirable de su libro admirable. El de muchas
obras que el tiempo no ha querido olvidar es parte inseparable del texto.
En *Las mil y una noches* —como quiere Burton, en *El libro de las mil
noches y una noche*— la fábula inicial del rey que hace decapitar a su
reina cada mañana no es menos prodigiosa que las que siguen; el desfile
de los peregrinos que narrarán, en su cabalgata piadosa, los heterogéneos *Cuentos de Canterbury,* ha sido juzgado por muchos el relato más
vívido del volumen. En los tablados isabelinos el prólogo era el actor
que proclamaba el tema del drama. No sé si es lícito mencionar las in-
vocaciones rituales de la epopeya: el *Arma virumque cano,* que Camões
repitió con tanta felicidad: *As armas e os barões assinalados...* El prólogo, cuando son propicios los astros, no es una forma subalterna del
brindis; es una especie lateral de la crítica.» Si no una tipología, creemos
que Borges realiza en estas líneas una completa taxonomía del género
literario que se denomina prólogo. Una verdadera teoría —en el doble
sentido de la palabra— de prólogos se puede encontrar en los incontables que preceden o son parte constitutiva del *Museo de la novela de
la Eterna (Primera novela buena)* de Macedonio Fernández.
   En la representación teatral griega se llamaba prólogo a la parte de
la acción que precedía a la primera actuación del coro: en ella se ex-
ponían hechos esenciales para la comprensión de la obra por parte del
público y, al mismo tiempo, para asegurar la integración y la distancia
del espectador con respecto a lo que se va a representar. El teatro del
siglo XVI español recupera el prólogo, bien como exposición de argumento recitado por un personaje que no intervendrá en la obra (se llama
introito o argumento; así en Horozco o en Torres Naharro) o por un
personaje que actuará después, pero que podrá, en algún momento,
desligarse de la acción y dirigirse al público, en un aparte, comentando
lo que se desarrolla en el escenario: es la técnica de Gil Vicente o de

Sánchez de Badajoz. Cervantes traslada el prólogo al comienzo de una jornada distinta a la primera *(Pedro de Urdemalas)* y se sirve de él para expresar, como había hecho Terencio, algunas opiniones polémicas. La época clásica instaurará un prólogo desligado totalmente de la obra y concebido como una pieza breve recitable o representable: será la loa en la escena española o el impromptu de la francesa; supone una excepción, sino en el nombre, sí en la interrelación entre preliminar y texto, la loa del auto sacramental, especialmente el calderoniano. En el momento en que la escena se plantea como representación realista, el prólogo, en todas sus formas, tiende a desaparecer, pues desrealiza la ficción teatral. Ha sido recuperado por el teatro contemporáneo, con muy diversas intenciones: compárese, por ejemplo, el autor-prólogo de *La zapatera prodigiosa* (remitimos al prólogo de nuestra edición), la conversación entre don Manolito y don Estrafalario en *Los cuernos de don Friolera,* la intervención del personaje en *Our Town* y la proposición de modelo de recepción que plantean los prólogos del teatro épico de Brecht.

PROSA. La crítica idealista —Croce, por ejemplo— establecían la distinción entre poesía y prosa atendiendo a su finalidad, fuese cual fuese la forma que adoptara, el verso o el decurso libre de las palabras: era prosa cualquier manifestación lingüística que no estuviera dirigida a un fin artístico. La diferenciación de estos criterios hoy no es aceptada: es preciso sujetarse a criterios más objetivos; acaso a la no fácil distinción entre prosa y verso.

La prosa, como nos recuerda Lausberg *(Manual* III, en «términos latinos», s.v.), «significa propiamente "discurso vuelto hacia adelante" *(provorsa).* Se contrapone a *versus,* que significa el retorno del mismo decurso métrico regular. [...] En la prosa se trata, pues, de la fluencia del discurso vuelto siempre hacia adelante y al que le es extraño el retorno o la reiteración. La forma más pura de la prosa es, pues, la *oratio perpetua* no ceñida al *numerus,* al paso que el carácter cíclico del período y sujeción al *numerus* representan un acercamiento artístico y ponderado al verso». Sin embargo, no está claro que toda la prosa goce de esa extrema libertad; Alfonso Reyes decía: «No es verdad que monsieur Jourdain [se refiere al conocido fragmento de *Le bourgeois gentilhomme* de Molière] hablara en prosa: hablaba en coloquio, que es distinto. El abuso se ha introducido en los hábitos del portugués, que para decir: "Me agrada conversar con Fulano", suele decir: "Gusto de su prosa." Pero eso no es prosa. Tampoco dijo la verdad Juan de Valdés al afirmar ligeramente: "Escribo como hablo." Nadie habló nunca como él escribe. Al llegar a la operación literaria muda el régimen de conciencia como si nos acercáramos a algún oficio religioso. [...] Lo mismo en el verso que en la prosa. Lo que pasa es que la noción de la prosa como forma literaria distinta del coloquio no es una noción inmediata: supone un descubrimiento. En nuestra cultura occidental lo debemos a Empédocles, a Gorgias, a los primeros retóricos sicilianos» (*apud* D. Devoto, *Consideraciones sobre lo que es el verso*). Y Henríquez Ureña remacha: «Se dice, con la solemnidad del maestro de M. Jourdain, que hablamos en prosa. Distingo. Hay dos acepciones de prosa, una negativa y otra positiva. Si —según el arbitrio popular— decidimos aplicar el nombre de prosa a cualquier uso del lenguaje que no sea el verso, podrá tolerársele su aplicación al retórico de la comedia. Pero si el nombre se aplica a una forma de expresión literaria, obra del esfuerzo consciente y claro propósito, no hablamos en prosa. Hablamos, y nada más.» Habría, por tanto, que delimitar los campos entre la prosa estándar y la que Tomachevski, Jakobson o Shklovski denominan prosa literaria o artística. La distinción la realizaba ya la teoría antigua, que estudiaba, entre otros aspectos, el peculiar *numerus* o construcción rítmica que regula el período, con las correspondientes cláusulas (V.) que caracterizan su andadura formal. La regla es distribuir el período en dos partes: la primera, dirigida a crear una tensión (prótasis); la segunda, a resolverla (apódosis); las dos frases pueden ser coordinadas o subordinadas, superando, de esta forma, la rígida definición sintáctica de la relación prótasis-apódosis en el período condicional. Ambos elementos pueden dividirse en estructuras lingüísticas menores, llamadas *cola* o cólones (y el colon, a su vez, puede constar de una o varias secuencias no autónomas, llamadas *commae*). Se pueden producir períodos bimembres (prótasis-apódosis), formados por dos cólones; períodos trimembres (con dos cólones en función de prótasis y el tercero como apódosis); períodos cuatrimembres (con dos cólones en función de prótasis y los otros dos en función de apódosis).

En las teorías modernas de la prosa, el interés se ha dirigido sobre todo hacia las tipologías del discurso (por ejemplo: narrativo, teatral, etcétera) y las articulaciones estructurales de los elementos del relato (secuencias cardinales, catálisis, indicios, personajes, etc.); para estos problemas remitimos a la VOZ NARRATIVA. Se abre, sin embargo, un camino todavía mal explorado para el análisis técnico de la prosa, que se dirija a patentizar los procedimientos estilísticos, rítmicos, sintácticos, que separan el discurso literario en prosa de lo que Lázaro Carreter («El mensaje literal», en *Estudios de lingüística*) llama «lenguaje no literal» en prosa, sin que se puedan establecer, como muestra el crítico, diferencias esenciales entre ellas.

Si por una parte la prosa literaria linda con la prosa coloquial, por el otro limita con el verso (cfr. Amado Alonso, *El ritmo de la prosa,* en *Materia y forma en poesía,* y G. L. Beccaria, *Ritmo e melodia nella prosa italiana,* con amplio uso de la bibliografía española). Pero existe límite, no oposición: se podría hablar de un deslizamiento que conduce desde la prosa coloquial, no construida, hasta el poema en prosa, a través de una línea continua de posibilidades. Jakobson *(Notes marginales sur la prose du poète Pasternak)* dice: «Las clasificaciones establecidas por los manuales escolares son de una simplicidad asombrosa. Por un lado la prosa, por otro la poesía [= el verso]. Sin embargo la diferencia entre la prosa de un poeta y la de un prosista [...] se nota inmediatamente», y, sin embargo, ambas son prosas, pero una se va ajustando hacia ciertos modelos rítmicos, mientras que la otra se relaciona con otros diferentes. Por eso, acaso, B. Johnson *(Poétique,* n.º 28) dice que «la diferencia entre prosa y verso no es de esencia sino de referencia —de referencia no a una realidad poética o prosaica, ni siquiera a una diferencia lingüística inherente, sino a una anterioridad *textual,* a una diferencia de *códigos—*... ¿no llegaremos precisamente a la concepción falsamente simétrica entre verso y prosa?».

Y Daniel Devoto, art. cit., ha mostrado la existencia de poemas en verso escritos o entendidos como prosa, de versos incluidos dentro de contextos en prosa, de la recurrencia de metros en discursos no métricos, de prosas rítmicas e, incluso, de prosas ritmadas y rimadas. La prosa literaria, por tanto, se mueve, como hemos dicho (y véase la voz metro), entre dos campos de tensión diferentes y opuestos: la prosa coloquial y el metro, siendo atraída, según la historia, el autor, o la intención estilística de éste, entre la ausencia y la presencia de un elemento métrico al que pueda ajustarse.

1. La prosa y los géneros literarios.   Desde la antigüedad se han diferenciado tres géneros básicos de prosa: la prosa narrativa, la histórica y la oratoria. No es nuestro propósito descender a una minuciosa catalogación de las diversas formas expresivas que se acogen a estas tres grandes categorías. Nos limitaremos a recordar que el género narrativo (V.) abarca varios tipos de composiciones como el cuento popular, la novela corta, el apólogo y, sobre todo, la novela. Vastísima es la zona del género histórico, que comprende cualquier tipo de narración que concierna a hechos políticos, económicos, sociales, etc., relativos a un pueblo, a una nación, a un continente, a la humanidad entera; o también acontecimientos circunscritos a un lapso de tiempo preciso o referidos a un episodio determinado (monografías, biografías, ensayos críticos). Entre las formas del relato histórico recordemos solamente las memorias, los diarios, los recuerdos, las relaciones, los avisos, las crónicas, los comentarios, las cartas (pero la epistolografía puede ser también considerada como un género aparte, como —por lo demás— los diarios: aquí interesa el contenido). También las formas didácticas han tomado en los tiempos modernos un inmenso desarrollo, diversificándose según las varias ramas de la ciencia y de la cultura. El tratado filosófico, acaso en forma de diálogo (por ejemplo, los diálogos de Platón), asume siempre una notable dignidad artística: citemos *Los nombres de Cristo* de

Fray Luis, los tratados de Saavedra Fajardo, la prosa de Unamuno, Ortega o María Zambrano. El género oratorio está ligado, sobre todo, a la elocuencia forense y política; tiene, sin embargo, la oratoria sacra, conexa a la predicación. Este género es el más cercano a las exigencias retóricas de la persuasión y a las correspondientes codificaciones técnico-formales (como el exordio, la peroración, la remoción de los sentimientos, etc.).

Con el Romanticismo se diluyen las rígidas distinciones entre los géneros: se asiste sobre todo a una desestructuración de las formas métricas tradicionales y, paralelamente, a una búsqueda rítmica —que no siempre responde a los criterios métricos— en la prosa, que llevará con Baudelaire, Verlaine, Rimbaud, Mallarmé al poema en prosa, a la prosa musical, al fragmento lírico o, en una experimentación no divergente, al verso libre simbolista o postsimbolista. En España estas experimentaciones comenzarán con Bécquer y alcanzarán su mejor expresión en el modernismo, con Montalvo, Rodó, Martí o Valle-Inclán. Véase, para profundizar en estos temas, además de la bibliografía citada en el texto, Anderson Imbert, *¿Qué es la prosa?*, *El arte de la prosa de Juan Montalvo*; AA. VV., *El modernismo*; Amado Alonso, *Materia y forma en poesía*; Zamora Vicente, *Las Sonatas de Valle Inclán*.

PROSÉMICA. Ciencia que estudia el espacio (y las distancias interpersonales) como hechos comunicativos.

PROSODEMA. El prosodema es un rasgo fonológico que no caracteriza a un solo fonema en la cadena hablada, sino a un segmento de ésta, bien menor que el fonema (la mora), bien mayor, como la sílaba, el monema, la palabra, la frase, etc. El prosodema no es perceptible por oposición, sino por contraste, es decir por la diferencia con elementos semejantes a los que recubre en la cadena hablada y que no están afectados por él o lo están de distinta forma. Los prosodemas más importantes son: el acento, con todas sus modalidades, la entonación, el tono, la melodía, la duración, la intensidad y la pausa.

PROSODIA. En la lingüística moderna se diferencia entre elementos fonemáticos y elementos prosódicos; los primeros son llamados también segmentales; los segundos, suprasegmentales. Son fenómenos prosódicos el timbre de los sonidos, la altura, la intensidad, la duración y, sobre todo, la entonación (variación de altura de los sonidos ligada a grupos sintácticos o frases) y el acento. La entonación, ascendente o descendente, tiene un significado pertinente o expresivo cuando sirve, por ejemplo, para oponer frases semánticamente distintas o con diverso matiz: *Vienes conmigo* y *¿Vienes conmigo?* (el signo diacrítico marca la entonación). El acento es una manifestación de intensidad, altura y/o duración que, al incidir sobre una sílaba la destaca sobre sus vecinas (V. ACENTO). Cfr. Ducrot-Todorov. *Diccionario*, s.v. *Prosodia lingüística*.

En su significación tradicional, la prosodia es el estudio de las particularidades de los sonidos que afectaban a la métrica, especialmente los acentos y la cantidad. En las perspectivas actuales de la lingüística y de la semiótica, los fenómenos prosódicos constituyen la base «natural» sobre la que actúan las manipulaciones estilístico-estructurales del metro y del ritmo poético y, en general, las articulaciones melódicas de la escritura literaria.

PROSOPOGRAFÍA. En la retórica clásica es la descripción (V.) de un personaje, basándose para hacerla en sus rasgos físicos o exteriores. Aunque tradicionalmente se opone a la etopeya (V.) es difícil que el retrato externo no deje transparentar algunos rasgos del carácter del retratado. Como ejemplo de prosopografía citaremos el dibujo que hace Cervantes de sí mismo en el prólogo de las *Novelas ejemplares*.

PROSOPOPEYA. La prosopopeya es una figura con la que el escritor hace hablar a personajes ausentes, lejanos, muertos o, incluso, a seres físicos o abstractos personificados, como España, la Comedia o el Cristianismo. En la *Profecía del Tajo* de Fray Luis el poeta hace hablar al río, que es el conductor del texto. En *El rufián dichoso* hablan la Comedia y la Curiosidad. La prosopopeya es el medio básico que sirve para articular los autos sacramentales. La prosopopeya se ubica entre las figuras lógicas, como la alegoría, la personificación, la antonomasia, y se puede emparentar con las fábulas o ejemplos de animales.

PRÓTASIS. La prótasis es la frase subordinada condicional unida a la principal, llamada apódosis (V.). En sintaxis el término se ha extendido a cualquier tipo de oración compuesta cuyo primer miembro queda incompleto semánticamente hasta que no es completado por la segunda oración. Es la teoría clásica del período, la prótasis representa el momento de la tensión y la apódosis el de la distensión. Para algunos, se puede llamar prótasis a la parte ascendente de la curva melódica de una frase, que culmina en el acmé, pero esta definición se arriesga a confundir el plano sintáctico-semántico (en el que de ordinario se ubica la prótasis) con el fonoprosódico.

En la tragedia y en el poema (y por extensión, en el relato) se llama prótasis a la parte introductoria en la que se expone el argumento o se crea la situación.

PRÓTESIS. Se llama prótesis a un metaplasmo consistente en el añadido de un elemento no etimológico al comienzo de una palabra: *espada*.

El empleo actual de la prótesis es indicio de un lenguaje vulgar: *arradio, amoto.*

PRUEBA. En la sintaxis de la narratividad propuesta por Greimas *(En torno al sentido)*, la prueba es, con la conjunción-disyunción y el contrato (V.), uno de los tres elementos fundamentales del relato. Particularmente en el relato mítico (para Propp, el cuento de magia) las pruebas pueden ser de tres tipos: cualificadoras, decisorias y glorificadoras (o sublimantes). Para Greimas una prueba particularmente importante es la de cumplimiento *(performance)*, que consta de tres unidades narrativas: el encuentro de los dos sujetos antagonistas, el dominio o afirmación del uno sobre el otro, la atribución o transferencia de un objeto-valor del uno al otro. Se pueden diferenciar dos variedades de *performances*: la destinada a la adquisición y a la transmisión de valores modales (V. MODALIDAD) y las caracterizadas por la adquisición y por la transferencia de valores objetivos.

PÚBLICO. Ha sido sobre todo la sociología de la literatura la que ha puesto de relieve la importancia del público no sólo en el momento de la recepción del mensaje, sino también en la frase de su proyecto, de su hacerse. ¿Existe un «horizonte de expectativas», como dice Mannheim, que condicione al artista en la producción de su obra? Para Jauss *(La literatura como provocación)* y Weinrich la respuesta es afirmativa, porque la expectativa de los lectores es siempre un vector fundamental del texto artístico: «Desde el momento en que una obra literaria se presenta como formando parte de una categoría literaria determinada, aquélla se proyecta inmediatamente en un horizonte de expectativas que para el lector —el lector experimentado, naturalmente— es el resultado de su familiaridad con esta categoría» (Weinrich). Pero (se podrá objetar) la obra ¿acaso no está condicionada ante todo por su relación (adhesión-evasión, aceptación-renovación-rechazo) con el género literario, o con el código cultural, o con las instituciones lingüísticas y retóricas, como mantiene la crítica semiológica? En este caso, la contribución que debería hacer la sociología tendría que ser la de componer un plano tipológico de la relación obra-sistema que se pueda confrontar con el diagrama de la «serie de las interpretaciones» (Eco), es decir, de las decodificaciones de los lectores, distintas e históricamente determinadas.

La escuela de Burdeos, promovida por Escarpit y a la que se adscriben tan óptimos hispanistas, ve la literatura esencialmente como un acto de comunicación, propiciado por el libro, la representación o la lectura pública, que se inserta en un «mercado» específico para satisfacer una necesidad de consumo. En el seno de esta hipótesis metodológica, «la obra literaria es el resultado de la acción del autor y del lector, es el coronamiento de un esfuerzo, por no decir que de un trabajo común [...]. El contenido de la comunicación cambia el receptor. La obra literaria, el libro, el impreso, son lo que el lector hace de ellos. Leer es construir» (N. Robine, en AA. VV., *Le littéraire et le social*). Seiscientos años antes Juan Ruiz había escrito: *De todos los instrumentos yo, libro, só pariente:* / *bien o mal, qual puntares, tal diré ciertamente;* / *qual tú dezir quisieres, ý faz punto, ý tente*; casi los mismos conceptos.

Esta concepción es bastante común también más allá de las fronteras de la teoría sociológica, y tiene más de un punto en común con la noción de «obra abierta» (Eco) o con la de la «irresponsabilidad del texto» (Barthes), típicas de la *nouvelle critique*. Resume bien este punto de vista el siguiente párrafo de Guglielmi: «La idea de que todas las obras forman parte de la misma temporalidad, aunque ésta sea dinámica, de que son recognoscibles en nuestro horizonte, con sus connotados de objetividad, aparece hoy como una petición de principio, porque existe siempre la presencia y el trayecto del conocimiento de quien se vuelve hacia el pasado para determinar su sentido, para establecer qué debe recordarse y qué debe, por el contrario, quedar oculto. El mecanismo memoria/olvido funciona de diferente manera en cada ocasión: es decir, en un momento determinado se recuerda lo que se quiere recordar; lo demás se olvida. Y el umbral entre el olvido y la memoria cambia de lugar según la situación histórica del intérprete y según una pluralidad de series temporales. Ésta es la consecuencia que se puede extraer de las tesis de Hans Robert Jauss. Aquí, el intérprete es un movedizo punto de fuga que no reproduce tanto el pasado, en su "objetividad", cuanto lo produce y lo provoca. Éste no acumula en sí el sentido de la historia (no la concibe como totalidad), sino que se instala en el interior de la temporalidad y deja abiertas las posibilidades de ésta. El hecho de que las distinciones entre el autor y destinatario (intérprete) son puramente funcionales exigiría, para establecerlo con claridad, un estudio mucho más profundo y fino. Es evidente, por lo demás, que no sólo todos los autores son ante todo unos destinatarios, sino también que cualquier texto nuevo reside en el espacio de la recepción y responde a otros textos, mientras que su duración y validez está, a su vez, en relación con su capacidad, históricamente mudable, de suscitar respuestas» *(Da De Sanctis a Gramsci: il linguaggio della critica)*.

Es indudable que todo escritor apunta a establecer una relación con un destinatario más o menos ideal, más o menos extenso, además de la relación consigo mismo o con un interlocutor privilegiado (el «tú» de tantos poemas, a veces —como en Fray Luis— nombrado específicamente). En determinadas épocas (que podríamos llamar «orgánicas»), como la Edad Media, el autor tiene un conocimiento muy preciso de su público, del mundo de valores a que se refieren los destinatarios, de su horizonte de expectativas, etc. Podríamos decir, con Sartre, que la obra de arte tiene en sí la imagen idealizada del lector. Este conocimiento mutuo comienza a decrecer desde principios del siglo XIX (cfr. Larra, *¿Quién es el público y dónde se encuentra?*): hoy, la fragmentación social e ideológica del público, unida a la difusión masiva de los «productos culturales», comporta una serie de problemas nuevos en la decodificación de los textos, es decir, en el proceso de lectura. El público recibe la obra en distintos niveles, desde el de los contenidos, el más tosco, hasta los aspectos parciales (de carácter histórico, social, documental, psicológico, etc.), y a veces distorsiona el sentido, al sobreponer al texto códigos de interpretación totalmente extraños a las intenciones del autor.

De estas consideraciones se deduce la importancia de conocer objetivamente al público, en sus estratificaciones sociales, en sus gustos, en sus modos de goce, en los mecanismos de aceptación o de rechazo de las obras. El *optimum* de la lectura no es la comunión o identidad entre los valores del escritor y los del lector, sino un correcto proceso de reconstrucción de los códigos y subcódigos que la obra activa: es lo que se podría denominar una participación crítica sobre el sentido del texto y sobre la *Weltanschauung* del autor. Pero este tipo de acercamiento es más un objetivo ideal que una modalidad habitual, por cuanto presupone una preparación cultural compleja en la vertiente del público-lector-receptor (V. LECTURA, TEXTO). El éxito de los artefactos *Kitsch* y el rechazo de obras que se anticipan a su tiempo («proféticas») demuestra que los procedimientos de fruición y de desciframiento, la vida misma de los mensajes estéticos están profundamente condicionados por el público, aun cuando no aparezca aceptable una visión relativista del significado global de las obras coincidente con los tipos, extremadamente diversos, de lectura y recepción.

Sobre estos problemas pueden verse: Escarpit *et al.*, *Le littéraire et le social*; AA. VV., *Comunicazioni di massa*; Reinisch *et al.*, *Sociología de los años veinte*; AA. VV., *Creación y público en la literatura española*; Auerbach, *Lenguaje literario y público en la baja latinidad y en la Edad Media*; W. Benjamin, *La obra de arte en la época de la reproducibilidad técnica*; Corti, *Principi della comunicazione letteraria*; M. Chevalier, *Lectura y lectores en la España del siglo XVI y XVII*; Della Volpe, *Crítica del gusto*; Eco, *Obra abierta*; Escarpit, *Sociología de la literatura*; Hauser, *Historia social de la literatura y el arte*; Starobinski, *La rélation critique*; Lloréns, *Aspectos sociales de la literatura española*.

PUNTO DE VISTA.   Unido estrechamente a la relación autor-lector y narrador-narratario se presenta el tema del punto de vista o foco de la narración (de aquí el uso frecuente del sinónimo «focalización»). El punto de vista es «el ángulo de visión, el foco narrativo, el punto óptico en que se sitúa un narrador para contar su historia» (Bourneuf-Ouellet, *La novela*).

Aplicando una conocida distinción de Jean Pouillon *(Temps et roman)* se puede establecer una triple focalización:

1. La visión «por detrás»: el narrador lo sabe todo acerca del personaje (o de los personajes); se separa de él para ver, desde esta posición, los resortes más íntimos que lo conducen a obrar. Como un demiurgo, ve los hilos que mueven la marioneta, lee en el corazón y en la idea de sus criaturas y nos coloca en disposición de conocer sus secretos más íntimos, incluso sabe, interpreta y nos dice las cosas que los mismos personajes no se atreven a decirse de sí mismos o a decir de los demás. Es la actitud que prevalece en el relato clásico, hasta el siglo XIX. Piénsese, por ejemplo, en el Galdós de *Miau*: su superioridad sobre los personajes se nota en los profundos análisis psicológicos (el de Villaamil, tan rico; el de Luisito), en los soliloquios (recordemos las visiones de Luisito, sus monólogos con Dios, no dichos a nadie), en las distintas ocasiones en que el autor subraya —con ironía, con compasión o comprensión, con crueldad— el comportamiento o las actitudes de los personajes.

2. La visión «con»: el narrador sabe lo mismo que los personajes, y lo sabe con ellos; no conoce con anticipación la explicación de los acontecimientos. El caso más frecuente —desde el Lazarillo (cfr. Francisco Rico, *La novela picaresca y el punto de vista*)— de este tipo de relato es el de la narración en primera persona, en la que el «yo narrador» es un personaje como los demás. Pero también en la narración en tercera persona puede suceder que el narrador conozca los sucesos desde el punto de vista de un personaje (el caso clásico es *El castillo* de Kafka; en español podríamos citar *Las ruinas circulares* de Borges). Esta visión «con» se caracteriza por la elección de un personaje como centro del relato: «es con él con quien vemos a los otros personajes, y con él vivimos los acontecimientos relatados» (Pouillon). Pero en una novela puede variar de un momento a otro el personaje elegido para que veamos con él, o produciéndose lo que Bajtin llama plurivocidad. O pueden relatársenos los mismos acontecimientos contemplados por los distintos personajes que intervienen, como sucede en *Mientras agonizo* de Faulkner, en *Ramo de errores* de Madariaga o, de un modo más sutil, en *Muertes de perro*, de Francisco Ayala, o en *Yo, el Supremo* de Roa Bastos, en los que una acción se completa o se interpreta según el personaje que la considera.

3. La visión «desde fuera». El narrador sabe menos que los personajes, porque se limita únicamente a describir los que ve desde el exterior, a ser testigo ocular de unos hechos. Es la posición del narrador naturalista o behaviorista del siglo XIX, reasumida de un modo aún más riguroso por algunas escuelas narrativas recientes *(l'école du regard)* con la intención de ofrecer una objetividad absoluta, un realismo total.

Esta distinción es mantenida por Todorov en su artículo «Las categorías del relato» *(Communications,* 8), acaso simplificando los concep-

tos que aparecen en el libro de Pouillon. De todas formas, parece claro
que el concepto de punto de vista o de perspectiva se refiere a la cantidad de información atribuida a cada personaje y a la que el narrador
se reserva para él. Por eso Genette *(Figures III)*, al considerar la diferencia entre autor y narrador, prefiere referir el problema de la «perspectiva» o del «punto de vista» al «modo» de la narración, y hablar de
focalización para designar el lugar o la persona desde cuya perspectiva
transcurre la narración. Segre *(Principios de análisis del texto literario,*
1.6.2) esquematiza así las páginas del crítico francés:

$$
\text{narración}
\begin{cases}
\text{de focalización cero} \\
\text{de focalización interna} \\
\text{de focalización externa}
\end{cases}
\begin{cases}
\text{fija} \\
\text{variable} \\
\text{múltiple}
\end{cases}
$$

Tendrá focalización cero la narración en la que nunca se toma el punto
de vista de los personajes (la épica clásica, por ejemplo; *La barraca* de
Blasco Ibáñez). La focalización interna se dará cuando la narración está
dada por los personajes: es fija cuando todo está visto por un solo personaje (el *Lazarillo*), variable cuando, según los episodios, varía el personaje focal (por ejemplo, *La Regenta* de Clarín), múltiple cuando un
mismo acontecimiento es visto a través de los ojos de distintos personajes (las novelas epistolares; *Ramo de errores*); la focalización será externa cuando los personajes actúan ante el narrador, sin que éste mues-
tre conocer sus pensamientos o sentimientos (*El Jarama* de Sánchez Fer-
losio). La focalización puede ser progresiva: el narrador puede empezar
su relato en focalización cero —de modo enigmático— para acercarse
después, lentamente, a su individualidad, a sus pensamientos; o para
cederle la palabra y convertirlo en narrador.

Se producen alteraciones de focalización cuando se produce un cambio esporádico de centro de visión en un texto para volver después al
primero, permaneciendo, por consiguiente, un modo dominante. Genette distingue dos tipos de alteración: *paralipsis,* cuando la alteración
nos priva de información, *paralepsis,* cuando nos provee de más información de lo que, desde el modo dominante, sería esperable. Un caso
clásico de paralepsis sería la ocultación en el discurso del narrador de
algo que no tendría más remedio que conocer: Barthes pone el ejemplo
de *El asesinato de Rogelio Ackroyd,* narrado por el asesino, que omite
de sus pensamientos cualquier reminiscencia del asesinato; podríamos
citar el caso de don Fermín de Pas en *La Regenta,* que nunca confiesa
ni se confiesa sus intenciones íntimas; la paralepsis «puede consistir en
una incursión dentro de la conciencia de un personaje en un relato conducido normalmente en focalización externa», o bien, si la focalización
es interna, en una información sobre algo que el narrador no ha podido ver.

El concepto de modo de narración de Genette está muy ligado al de
voz (V.) de la narración.

QUIASMO. Es una figura de tipo sintáctico que consiste en la disposición en cruz de los elementos que constituyen dos sintagmas o dos proposiciones ligadas entre sí. Ejem.: *Cuando pitos, flautas, / cuando flautas, pitos* (Góngora). Otro ejemplo, algo distinto, es el endecasílabo, también de Góngora, *o púrpura nevada o nieve roja,* en el que el quiasmo puede concernir sólo a parte de los elementos constitutivos: *Los caballos negros son. / Las herraduras son negras* (García Lorca), o desarrollar uno de sus miembros: véase este cuarteto de Antonio Machado: *Tejidos sois de primavera, amantes, / de tierra y agua y viento y sol tejidos. / La sierra en vuestros pechos jadeantes, / en los ojos los campos florecidos*; la equivalencia estilística *primavera* = *universo* se refuerza por la distribución de este último en los cuatro elementos básicos, unidos en polisíndeton. Más complejo es el quiasmo cuando se apoya en oraciones y se combina, en contraste, con estructuras paralelas. Véase la complicada red constructiva que aparece en los siguientes versos de Juan Ramón Jiménez: *No sé si el mar es, hoy / —adornado su azul de innumerables / espumas—, / mi corazón; si mi corazón, hoy / —adornada su grana de incontables / espumas— / es el mar.* V. también ANTIMETÁTESIS, ANTIMETABOLE.

QUINTILLA. Estrofa de cinco versos octosílabos o de menor medida, con rima consonante. La rima puede distribuirse como se quiera, aunque los preceptistas marcan la condición, no siempre cumplida, de que no haya tres versos seguidos con la misma rima y que los dos finales no formen pareado. La quintilla no existe como forma independiente en la Edad Media, aunque puede funcionar como finida (V.) de poemas escritos en coplas reales o como cabeza de glosas. Sólo a partir del siglo XVI se escriben poemas en quintillas o, incluso, podemos encontrar esta estrofa aislada para la expresión de un epigrama (V.). Fue muy utilizada en el teatro clásico español. Los escritores de los siglos XVI y XVII le dan el nombre de redondilla, sin distinguirla de la estrofa de cuatro versos.

RASGO. El rasgo semántico es la unidad semántica mínima no susceptible de realización independiente. Por ejemplo, [+ *humano*] es el rasgo semántico de lexemas como *estudiante, herrero, obispo,* etc. El término es sinónimo de sema (V.) o componente semántico.

Jakobson, cuando intenta limpiar la fonología de Trubetzkoy de los resabios fonéticos, define al fonema como un haz de rasgos pertinentes, distintivos o redundantes.

En la gramática generativa se habla de rasgos distintivos para indicar propiedades sintácticas o semánticas de las palabras. Por ejemplo, animado / no animado con referencia a los nombres [± animado]; numerable / no numerable; común / no común. Los rasgos contextuales indican con qué clase de términos es compatible una palabra en una frase. Por ejemplo, el verbo *razonar* implica el rasgo contextual [+ humano] por lo que el sujeto de razonar es normalmente una persona (si es un objeto, *el libro razona,* lo es por traslado).

Los rasgos prosódicos (V. PROSODIA) o suprasegmentales (V.) son el acento, la entonación, el tono, la duración, la pausa; conciernen no a una unidad aislada, sino a una combinación de fonemas en la cadena hablada.

RECEPCIÓN. Es la operación de recibir un mensaje. V. COMUNICACIÓN.

RECEPTOR. El receptor es el que recibe y decodifica un mensaje. V. COMUNICACIÓN.

RECONOCIMIENTO. Desde la *Poética* de Aristóteles el reconocimiento o anagnórisis ha sido caracterizado como uno de los puntos esenciales de la trama narrativa, en particular en el teatro. El caso clásico es aquel en que un personaje, al fin de una cadena más o menos compleja de vicisitudes, es reconocido por los otros —a veces por medio de una declaración propia— o se autorreconoce en su verdadera identidad. En la comedia latina y en las comedias del Siglo de Oro español la anagnórisis es un topos muy utilizado para solucionar situaciones difíciles o escabrosas: recuérdense las comedias de Tirso (*Don Gil de las calzas verdes,* con reconocimientos múltiples) o de Calderón (de Segismundo a *La dama duende*).

El reconocimiento puede concernir también a las formas y los momentos con los que el lector descubre la verdad, hábilmente velada por el escritor: el procedimiento es típico de las novelas policíacas o de aventuras (cfr. el «golpe de efecto», la «escena clave», etc.); pero también en los relatos psicológicos el escritor puede adoptar un punto de vista que estructuralmente desdibuja o da de lado algunos hechos relativos a un personaje, cuyo conocimiento es retardado expresamente: cfr. el «caso» del *Lazarillo,* notado por Francisco Rico. El caso de Edipo puede ser tomado como paradigma del reconocimiento en el sentido más profundo del término: el héroe toma consciencia de su verdadero ser al final de una inquietante encuesta, que se concluye con la catástrofe.

La identificación del héroe es, por otra parte, una de las funciones del cuento de magia estudiado por Propp, como contraprueba del carácter tópico y bastante generalizado de este procedimiento narrativo.

RECUESTA. Procedente de la *tensó* provenzal o del *contrasto* italiano, en el siglo xv se inicia el género de la recuesta, que puede admitir diversas modalidades. La más simple es el diálogo en verso —a veces en maestría mayor: con rimas forzadas— entre dos poetas acerca de una cuestión planteada por el primero de ellos; otras veces se parecerá más al *partimen* o *joc partit*: el primer poeta inicia una polémica (en ocasiones en forma de adivinanza o de paradoja) y otro u otros poetas le responden: citemos como ejemplo la parte octava del *Cancionero General* de 1511 o, más tardío, el libro de Luis de Escobar *Las cuatrocientas respuestas a otras tantas preguntas del Almirante don Fadrique Enríquez*; y véase también, con otra disposición, el *Pleito del Matrimonio,* en los finales del siglo xix. Otra forma posible es la del diálogo, real o fingido, entre dos interlocutores, a veces entre el enamorado y su amada, como sucede en las dos largas y hermosísimas conversaciones líricas entre el Galán y la Galana en el *Cancionero llamado Flor de Enamorados.* Podemos aún reconocer la disposición y los planteamientos de las recuestas medievales, sin rebasar en exceso los límites, en determinados empleos del canto amebeo que encontramos en determinadas églogas y novelas pastoriles de los siglos de oro.

El canto con respuestas, en casi todas las modalidades que señalábamos anteriormente, se halla también en la literatura popular o popularizante moderna; y muchas veces ligada a la improvisación: son las «coplas de picadillo» aragonesas o navarras, las canciones de regueifa gallegas o las competencias de bertzolaris en el País Vasco. Ejemplos literarios hispanoamericanos encontraremos en la historia recontada de Santos Vega, el payador al que solamente el diablo —según dice Obligado— pudo vencer, o en las «coplas de contrapunto» (así las llama Tiscornia) que intercambian Martín Fierro y el negro en la segunda parte del poema de José Hernández.

REDONDILLA. Estrofa de cuatro versos octosílabos o de menor medida, con rima consonante en disposición abrazada (abba). Señalemos que en boca de los escritores de los siglos XVI y XVII se abarcaba bajo este nombre tanto a la estrofa que describimos como a la cuarteta (V.) y a la quintilla (V.). La historia del uso de esta estrofa es similar a la que hemos bosquejado al tratar de la quintilla. En el teatro del Siglo de Oro, la redondilla es la forma dominante, la que ocupa la mayor parte de los diálogos.

REDUNDANCIA. En la teoría de la comunicación, un mensaje es tanto más redundante (en un primer acercamiento, repetitivo, rico en elementos accesorios u ornamentales) cuanto más escasa es la cantidad de información transmitida en proporción a una hipotética cantidad máxima. Pero si el ruido o las interferencias pueden impedir la correcta transmisión del mensaje, la redundancia puede servir —a pesar de parecer antieconómica— para corregir esos inconvenientes. Generalizando, se podría decir que un mensaje es redundante cuando contiene elementos que no son necesarios para su correcta decodificación, pero que son útiles —si no indispensables— para que la comunicación tenga lugar. (Piénsese en términos como «bien oiréis lo que dijo» en el *Cantar del Cid*, en los «atención» que se dicen en determinadas circunstancias, como las comunicaciones por radio.)

En la retórica tradicional la redundancia es sinónimo de repetición, iteración, reduplicación (V.), o designaba un exceso en los ornamentos de estilo. Según las modernas teorías lingüísticas y semióticas se puede establecer una distinción entre el discurso comunicativo normal, redundante en más de un aspecto (repetición de palabras, modulaciones tonales, pausas, etc.), y el discurso poético, en el cual las estructuras métricas, rítmicas, etc., eliminan la redundancia en favor de la pluriisotopía (V. ISOTOPÍA, AMBIGÜEDAD, ESTILO): la correlación de los diversos elementos del texto (fonoprosódicos, semánticos, sintácticos) y la naturaleza paralelística e iterativa propia del discurso poético crean una nueva y distinta redundancia, que ha de ser entendida como riqueza connotativa del mensaje.

REDUPLICACIÓN. V. EPANALEPSIS.

REFERENCIA. Todo signo lingüístico está constituido por la unión indisoluble entre un concepto y una imagen acústica (definición saussuriana), pero remite igualmente a una realidad extralingüística (V. REFERENTE). Es necesario precisar que la función referencial coloca al signo no en relación directa con el universo de los objetos reales, sino con el mundo establecido —transformado— por el ámbito de las formas culturales e ideológicas de una sociedad determinada, ámbito muchas veces marcado por el sistema de la lengua (cfr. Dubois, *Dict.*, s.v.). En el triángulo de Odgen y Richards *(The Meaning of the Meaning)* la referencia sustituye, en parte, al «concepto» o «pensamiento» saussuriano (cfr. Eco, *Signo*, 1.2).

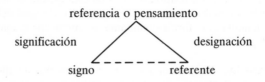

REFERENTE. El referente es una realidad no lingüística evocada por el signo. Una de las consecuencias más trascendentales de la teoría saussuriana fue precisamente la de permitir una radical distinción entre el significado y el referente. Para Jakobson (V. LENGUAJE), el referente es la situación o el contexto al que envía el mensaje.

J. M. Adam ha caracterizado el texto literario diciendo que es el que carece de referente. Es verdadera esta definición si con ella queremos significar que Don Quijote, por ejemplo, no existió nunca. Pero los textos literarios, como dice Prieto, no remiten a un mundo empírico, sino a un «sistema de intercomprensión» en el que caben objetos no existentes que pertenecen a una ideología compartida o compartible. Así, el *hipogrifo* no existe, pero el signo lingüístico tiene un referente que hace que podamos comprender el primer verso de *La vida es sueño*: *Hipogrifo violento / que corriste parejas con el viento.*

REFRÁN. Forma gnómica de expresión popular y anónima en su origen. Normalmente tiene una forma semimétrica y rimada, más bien con carácter mnemónico que poético. Sus relaciones con las formas poéticas tradicionales no están demasiado claras. V. Margit Frenk Alatorre, «Refranes cantados y cantares proverbializados» (en *Estudios sobre la literatura antigua*) y Lázaro Carreter, «Literatura y folklore: los refranes» (en *Estudios de lingüística*).

REGISTRO. Se puede definir, de un modo general, como el empleo que un locutor determinado hace de un nivel determinado de la lengua, más o menos formalizado o codificado, según las clases sociales, la clase de escritura (V.) que se quiera realizar, el argumento que se quiera desarrollar, etc. Por ejemplo, la distribución medieval de los estilos (V.) supone una elección de registro; también los tres modos de trovar provenzales. La lengua culta tiene un código muy elaborado y un registro que se considera elevado; por el contrario, la lengua familiar presenta un código restringido y un registro no totalmente formalizado. La distancia entre los dos registros puede ser, en determinadas épocas históricas, muy grande: recuérdense los esfuerzos de Juan de Mena por desarrollar una lengua literaria, distinta a la hablada.

En una obra literaria se puede observar el entramado de los registros expresivos, hasta el punto de que Zumthor ha definido el registro como «red de relaciones preestablecidas entre elementos propios de diversos niveles de formalización, así como entre los niveles mismos», y Bajtin ha señalado como característica esencial de la novela (V.) su plurivocidad o polifonía. El escritor puede conjugar u oponer los registros de los distintos personajes, buscando un efecto expresivo o estilístico peculiar, llegando a la alternancia de idiomas diferentes, con distintos registros dentro de cada uno de ellos (castellano y portugués en el teatro de Gil Vicente, múltiples lenguas en la *Tinellaria* de Torres Naharro). También se obtienen efectos expresivos por medio de la mezcla de los estilos (Valle-Inclán es maestro), por el desequilibrio entre el contenido y la forma de expresión (remitimos otra vez a Valle-Inclán), por la transposición del lenguaje familiar, desformalizado, en lengua literaria (véase *Diálogo de ruptura,* de Julio Cortázar), etc. El empleo de determinadas formas lingüísticas, características de un género literario o de un modo históricamente tipificado de la escritura (V.) puede ofrecer una «información suplementaria de registro», como subraya Corti. La elección de un determinado registro literario puede ser también, como la escritura para Baudry, un elemento de producción.

REGRESIÓN.   La regresión es una figura sintáctica que consiste en retomar, al final de una frase, algunas palabras temáticas bien explicando su significado, bien enumerándolas en orden inverso (en este caso se utiliza también el término de reversión). Ejem.: *Podrá faltarme el aire, / el agua, / el pan, / sé que me faltarán. / El aire, que no es de nadie. / El agua, que es del sediento. / El pan... Sé que me faltarán* (Blas de Otero).

REJET.   Se usa este término francés para denominar el elemento de una secuencia sintáctica que, al no ajustarse a la unidad versual, pasa al verso siguiente en el encabalgamiento (V.): *¡Mira, por los chopos / de plata, cómo trepan al cielo niños de orò!* (J. R. Jiménez). Aquí, *de plata* es el *rejet.* Cuando el *rejet* ocupa un verso entero, Dámaso Alonso denomina suave al encabalgamiento que se produce.

RELACIÓN.   La relación es la conexión que existe entre dos términos (palabras, frases, y también fonemas, monemas) en el plano sintagmático cuando se suceden en la cadena hablada; o en el plano paradigmático cuando son intercambiables en posición idéntica. El concepto de relación es muy importante para describir la estructura semántica de un texto.

En literatura, se conoce como relación el relato de un hecho real o imaginario introducido en una comedia y expuesto, ordinariamente con estructura de romance, por un personaje que, así, lo da a conocer a los otros o al público. También el mismo tipo de relatos, en prosa o en verso de romance, editados en pliegos sueltos.

RELATO.   El relato, en sentido técnico, se crea por la separación entre el destinatario y la historia. Aquél no puede conocerla más que por medio de un narrador (el autor o el narratorio) y una narración (el acto de narrar), que convierte la *fabula* (V.) en trama (V.). Para obviar la distancia entre historia y destinatario —distancia casi siempre temporal— el relato recurre a la descripción, al diálogo, al monólogo interior. Genette *(Figures III)* señala como marca primordial del relato la presencia de una doble articulación temporal, creada por la ausencia del destinatario en el momento de la acción. Existirá un «presente de la acción» y, en sobreimposición, al menos implícita, un presente de la narración. Estas dos temporalidades pueden ignorarse o unirse, pero nunca confundirse, so pena de desembocar en un verdadero presente que anularía el relato.

REMA.   El rema o comentario «es la parte del enunciado que añade algo nuevo al tema, "dice algo de él", que informa sobre él; se opone al tema (ing. *topic*) que es el sujeto del discurso, el elemento que se da por la situación, por la pregunta del interlocutor, el elemento que es el objeto del discurso, etc. Así, en *Pedro vino ayer,* Pedro es el tema y *vino ayer* es el rema, el comentario, que, en las lenguas indoeuropeas se identifica con el predicado» (Dubois, *Dict.,* s.v. *commentaire*). El tema o *topic* es, pues, el objeto de que se habla: una de las tareas descifradoras del receptor consiste en la individualización del *topic* o *topics* de un texto, es decir, de la isotopía fundamental o de las isotopías ocasionales del discurso. Se puede definir este «trabajo» como una operación pragmática que procede (por ejemplo, en un texto escrito) mediante hipótesis descifratorias que, partiendo del enunciado, se amplían a los párrafos, a los capítulos, al libro entero, con evidentes procesos de complejización de la lectura, debidos al paso desde temas limitados a temas globales que requieren frecuentemente una relectura anafórica o «hacia atrás», ocasionales cambios de *topics,* reinterpretaciones, etc.

REMOTIVACIÓN.   Proceso mediante el que una expresión fija y lexicalizada reencuentra sus virtualidades significativas y expresivas. Ejem.: *Llegaré por mis pies —¿para qué os quiero?— / a la patria del hombre* (Blas de Otero); *«Muere, muere», musita la fría, la gran serpiente larga que se asoma por el ojo divino y encuentra que el mundo está bien hecho* (Aleixandre).

REPETICIÓN. La repetición o iteración es uno de los procedimientos retóricos más antiguos, cumpliéndose con ella el mecanismo de la *adiectio,* de la suma de un término a otro (cfr. Lausberg, *Manual de retórica,* §§ 607-664). Es patente el valor enfático de la figura, afín a la amplificación (V.), a la antanaclasis (V.), a la antimetátesis (V.), a la diáfora (V.), a la epanadiplosis (V.), a la epanalepsis (V.), a la epífora (V.), a la epizeusis (V.), a la regresión (V.), etc. La iteración es, pues, más que una figura, puesto que abarca diferentes modalidades estilísticas y, por lo que se refiere a la poesía, puede emparentarse a la correlación (V.), al *coupling* (V.) y al principio jakobsoniano de la equivalencia.

REPRESENTACIÓN. 1. Procedimiento artístico que está en la base de todas las poéticas realistas, desde los conceptos antiguos de *mimesis* o de la «ut pictura poesis» (el arte que imita a la pintura) hasta el naturalismo ochocentista o el realismo socialista. Por medio de la representación (por ejemplo, la descripción) el artista quiere lograr un efecto de realidad que cause la participación del lector, que ha de creer, por consiguiente, en la «verdad» del mensaje como copia de lo real por medio de la escritura. 2. En las obras dramáticas, el acto de la presentación de un texto teatral ante el público por mediación de los factores no literarios que constituyen la teatralidad (V.).

REPRESENTACIÓN SACRA. Género teatral que se desarrolla en la Edad Media, partiendo de los tropos y antífonas litúrgicas, acaso también con cierta relación con las prosas, para dar origen al teatro paralitúrgico con su triple manifestación francesa (misterios, milagros y moralidades) y a las laudas dialogadas del norte de Italia. De este tipo de teatro sólo se conserva en España el *Auto* (o *representación*) *de los Reyes Magos,* el recuerdo de un posible *Auto de las Sibilas,* amén de los «entremeses» y misterios del este peninsular.

REPRESENTATIVIDAD. En el análisis estilístico del plano del enunciado (V.), se puede entender por representatividad —en lo que concierne al aspecto semántico— el contenido de las frases que describen hechos y acontecimientos, con el máximo de capacidades denotativas, o también las frases que enuncian ideas abstractas (sentencias, reflexiones, verdades, etc.). Si tomamos unos versos de Antonio Machado: *El limonero lánguido suspende / una pálida rama polvorienta / sobre el encanto de la fuente limpia, / y allá en el fondo sueñan / los frutos de oro,* pueden ser considerados de acuerdo con su representatividad. Pero en un análisis más profundo se manifiestan algunos códigos más precisos, folklóricos (el *limón*), mitológicos (los *frutos de oro* del jardín de las Hespérides) y escriturales, que remiten no sólo a la figuratividad del lenguaje poético (el árbol como símbolo, la fuente como alegoría), sino sobre todo a la polisemia, a la hiperconnotación de los textos particularmente «densos».

En la teoría literaria el concepto de representatividad es diferente. Aquí alude al valor de una obra en relación a su capacidad de expresar las tendencias ideales o estéticas de una época, de un ambiente, de un movimiento artístico. La representatividad puede ser un simple aspecto de la costumbre o del gusto en las personalidades de menor relieve, mientras que en los mayores es siempre la insignia de una participación profunda ética e intelectual en los problemas y en los valores de una época o de una civilización, acaso de una ideología. Por ejemplo, Quevedo y Ledesma son muy diversamente representativos del Barroco.

RESUMEN. Ducrot-Todorov *(Diccionario)* dan este nombre al movimiento narrativo (V. TIEMPO) en el que una parte más o menos importante del relato (por ejemplo, algunos años de la vida de un personaje) se condensa en una secuencia breve. En la narrativa clásica el resumen se intercala frecuentemente entre dos escenas (V.). Si se tiene en cuenta la duración, en el resumen el tiempo de la historia es más extenso que el pseudotiempo del relato (TR < TH; por ejemplo, un año en dos líneas).

RETICENCIA. Es una figura lógica que consiste en interrumpir más o menos bruscamente una frase con intención expresiva, dejando al oyente la tarea de completar el sentido. Recuérdese el diálogo sostenido entre Pedro y el policía en *Tiempo de silencio*: *—Así que usted... (suposición capciosa y sorprendente)* / *—No. Yo no... (refutación indignada y sorprendida)* / *—Pero no querrá usted hacerme creer que... (hipótesis inverosímil y hasta absurda)* / *—No, pero yo... (reconocimiento consternado)* / *—Usted sabe perfectamente... (lógica, lógica, lógica)* / *—Yo no he... (simple negativa a todas luces insuficiente).* Y el cuento «Diálogo de ruptura», de Julio Cortázar, en *Un tal Lucas*.

RETÓRICA. La tradición dice que la retórica nació en Siracusa, a mediados del siglo v a. de C., cuando cayó el tirano Trasíbulo, y, con la vuelta de la democracia, se realizaron numerosos procesos para restituir las propiedades privadas que habían ido a parar a las manos del tirano. En estos procesos, que se efectuaban ante jurados populares, era necesario un tipo especial de elocuencia deliberativa en la que fueron maestros Corax y Tisias.

Más tarde la retórica pasa al Ática, donde se desarrolla con Gorgias y el resto de los sofistas en la segunda mitad del siglo v. En el diálogo de Platón que lleva su nombre, Gorgias define el arte retórica como «el arte de la palabra» y, con justeza, Sócrates precisa que tal arte es «creadora de persuasión», pero una persuasión que «produce una creencia, no una persuasión que instruya sobre lo justo y lo injusto». Así se caracteriza la función primordial de la retórica: la capacidad de servirse de la lengua —con su poder de sugestión y de emoción— para convencer a un auditorio (por ejemplo, a los jueces) y obtener su aquiescencia. En estas alturas, la retórica se funde, sobre todo en Aristóteles, con una teoría de la argumentación, apoyada en una forma peculiar de razonamiento, el entimema (V. INVENTIO), esto es, una suerte de silogismo por aproximación, armado para el público a partir de lo probable y con premisas verosímiles *(eikós)* o, a lo menos, plausibles *(éndoxon)*. El adorno, la seducción formal, la *captatio benevolentiae* (V.), el «arte» retórica en una palabra, sirve para sostener la fuerza persuasiva —pero únicamente probable— del entimema y para animar al interlocutor a que asienta: la *inventio,* búsqueda de las argumentaciones, se liga estrechamente a la *elocutio (lexis),* modos expresivos de la persuasión. A medida que la retórica desarrolla este segundo aspecto, introduciendo en la teoría de la *elocutio* también el discurso poético, el discurso figurado (V. FIGURA), la búsqueda de las palabras hermosas y del estilo armonioso, se acentúa lo que Florescu llama «proceso de literaturización», que culmina en la Edad Media, con la eclosión de las *Artes (dictaminis, poeticae, praedicandi),* que sirven de guía tanto a la prosa artística, como al verso o a la palabra dicha.

1. Las partes de la retórica.   La tradición grecolatina reconoce cinco partes en la retórica:

1. *Inventio* o *heuresis:* hallazgo de las ideas.
2. *Dispositio* o *taxis:* ordenación de lo que se ha hallado.
3. *Elocutio* o *lexis:* organización del discurso con elegancia.
4. *Actio* (o *pronuntiatio*) o *hipócrisis:* preparación de los gestos y entonaciones adecuados al discurso.
5. *Memoria* o *mneme:* memorización del discurso.

La *inventio* (V.) tiene como misión básica la búsqueda de las pruebas (pisteis), de las vías de persuasión: como más importantes el *exemplum* o el *entimema* (con sus premisas: el indicio seguro, el verosímil, la traza) en que se cimentará el discurso. Soporte muy importante para la *inventio* es la tópica, es decir, el conjunto de lugares comunes o *topoi* (V. TOPOS).

La *dispositio* considera las cuatro partes principales en que se divide el discurso retórico: el exordio, con la *captatio benevolentiae* (V.), por la cual se intenta atraer al auditorio; la *narratio (diégesis),* o relato de los hechos, que puede seguir el orden en que se han sucedido *(ordo naturalis)* o arrancar no desde el principio, sino *in media res (ordo artificialis)*; la *confirmatio* o valoración de los argumentos; el epílogo o *peroratio,* conclusión y cierre del discurso, que incluye un recurso a los sentimientos y la razón de los jueces y del auditorio.

La *elocutio* (V.) concierne a la expresión, al lenguaje, a la elección de las palabras y figuras con que se ha de adornar el discurso. En el desarrollo de la retórica ha ocupado siempre una posición independiente y privilegiada, en particular en lo que se refiere a los intentos de codificación de los sentidos traslaticios de las palabras o tropos. Constituye así el punto de contacto con la poética y con la literatura.

La *memoria* y la *actio,* menos importantes para nuestros propósitos, corresponden fundamentalmente a la ejecución del discurso, que de algún modo se acerca a lo teatral; por lo tanto también podrían interesar el arte declamatorio, la técnica gestual, la mímica, etc.

2. La retórica, hoy. Entre los que se han dedicado modernamente al estudio de la retórica, corresponde un puesto destacado a Perelman, que ha retomado el concepto aristotélico de la argumentación como complemento necesario de la demostración basada en el razonamiento formal: «El razonamiento *more geometrico* que se propone como modelo único no puede aplicarse al plano de las opiniones más o menos verosímiles. Esto llevaría a reconocer que, más allá de los límites que marcan la inanidad del cálculo, de la experiencia y de la deducción lógica, se extendería una tierra de nadie, abandonada a lo irracional, a los instintos, a la violencia o a la sugestión. Pero reconocemos que, incluso dentro de los límites de su propio campo de acción, la demostración que se funda en el razonamiento formal, adolece de defectos muy graves: es impersonal, atemporal, olvida no sólo las determinaciones psicológicas e históricas del conocimiento, sino también las determinaciones sociológicas.»

A la vez que asistimos a la recuperación de la retórica argumentativa clásica, es preciso recordar también las investigaciones más específicamente lingüísticas y estilísticas de los formalistas (V.) rusos, del *New Criticism* angloamericano, de los semiólogos franceses e italianos. Y no podemos olvidar las originales proposiciones de Jakobson sobre la metáfora y la metonimia que intentan alear retórica y lingüística, o las indicaciones de Lacan acerca del lenguaje onírico (condensación-metáfora, rarefacción-metonimia), que conjugan a Freud con Jakobson.

RETRATO. V. ETOPEYA, PROSOPOGRAFÍA, CARICATURA.

RIMA. Definida tradicionalmente como «igualdad o semejanza de los sonidos en que acaban dos o más versos a partir de la última vocal acentuada» (Lázaro Carreter, *Diccionario de términos filológicos,* s.v.), la rima es un elemento característico de la realización poética en las lenguas modernas europeas, aunque no sea necesario, ni mucho menos suficiente para garantizar el valor estético del enunciado. De hecho, la rima se encuentra también en mensajes estéticamente inanes y no motivados, como las retahílas infantiles, los refranes, las frases sentenciosas, etc. Ejem.: *Treinta días tiene noviembre / con abril, junio y septiem-*

bre; / *de veintiocho sólo hay uno,* / *los demás de treinta y uno.* Aquí y en los casos análogos los versos y la rima están dirigidos exclusivamente a crear una facilidad mnemónica, es decir, práctica.

Además de ser una señal de la función poética, la rima tiene, ante todo, la tarea de unir el sonido al significado, el aspecto melódico al semántico. Particularmente la iteración fónica —es decir, la isotopía creada por la rima en el estrato del sonido— establece inmediatamente una relación de sentido entre las palabras rimadas, «camaradas de rima», como las llama Jakobson. La redundancia (V.) de los factores aliterantes, asonánticos, consonánticos o de verdaderas rimas en el lenguaje común normal aparece neutralizada en el poema por el valor funcional que la rima (como los demás elementos fonoprosódicos) llega a asumir. Para decirlo con palabras de Lotman, la rima subraya la semantización de las palabras de modos muy diversos, por una parte aproximando los términos, mostrando las relaciones de alusión existentes entre ellos, localizando y delimitando campos semánticos específicos; por otra, de forma inversa, dilacerando la unión, creando entre las palabras separación y tensión expresiva. Habrá que añadir, sin embargo, que estas indicaciones no tienen un valor absoluto, porque cada poeta en cada ocasión se puede servir de la rima para operaciones formales específicas: si en Góngora o Quevedo la rima subraya el valor semántico de los términos, en el romance, por ejemplo, funciona para atenuarlo, para crear un *continuum* melódico que no interrumpa el relato.

En algunos planteamientos metodológicos recientes se ha subrayado el valor autónomo (o casi autónomo) del significante poético en relación al significado, como si el significante brotase, si no contra los enunciados, sí por lo menos independientes de él, y capaz de revelar el Otro Discurso, el mensaje inconsciente. A pesar de nuestras reservas sobre tales indicaciones, especialmente si se les da valor absoluto (V. CORRELACIÓN), es indudable que en muchos casos el significante, como vehículo de la rima pero también en función autónoma, alcanza y revela elementos inconscientes. Sea como sea, la rima como puro significante puede constituir un factor de semantización, e incluso creativo: Dámaso Alonso, recordando a Vicente Gaos, dice: «Un poeta amigo mío puso como lema a un libro suyo una frase de Proust que encierra una honda verdad. Dice así: "A los buenos poetas, la tiranía de la rima les fuerza a encontrar sus mejores bellezas." En mi libro de poemas *Hijos de la Ira,* yo he maldecido de la rima y he citado los versos de Verlaine: *Oh, qui dira les torts de la rime?* / *Quel enfant sourd ou quel nègre fou* / *nous a forgé ce bijou d'un sou* / *qui sonne creux et faux sur la lime?* Pero yo no tenía razón (lo dije, cuando lo dije, por motivos muy especiales); y Verlaine tampoco: a la rima debe Verlaine casi todos los hallazgos expresivos de su poesía. Aun en su *Art Poétique.* Es decir, en el mismo momento en que la estaba maldiciendo» (*Poesía Española: ensayo de límites)*. Y lea el lector el soneto, tan donairoso, *Rima imposible* de Alfonso Reyes, donde el poeta y filólogo mexicano, remitiéndonos a la estructura de la literatura, nos dice: *Cuenta Quevedo maliciosamente / que, habiendo en un terceto dicho «lío»,* y lo que sigue.

1. Clases de rima. Tradicionalmente se han distinguido en la literatura española dos especies de rima: la rima consonante, que se produce cuando existe identidad en todos los sonidos finales de un verso a partir de la última vocal acentuada; y la rima asonante, cuando la igualdad (o equivalencia en el caso de la vocal átona: *fácil* rima con *aire, Venus* con *templo*) se refiere únicamente a las vocales, en las palabras esdrújulas la postónica funciona con valor cero y, si el ictus cae sobre un diptongo, se tiene en cuenta, en principio, la vocal y no la semivocal o semiconsonante (*peino* rima con *tieso*). En ambos casos, sin embargo, es preciso tener en cuenta la polivalencia rítmica de ciertas combinaciones que hacen compatibles determinadas formas que, en condiciones estrictamente regulares, parecería que no deberían de rimar entre sí, pero que, siguiendo unas no demasiado bien precisadas leyes fónicas y melódicas, casan en la voz de los más exigentes poetas. Así, por ejemplo, Lorca hace asonar *música* y *antiguas (Y yo me siento hueco / de pasión y de música. / Loco reloj canta / muertas horas antiguas)*. Carlos Pellicer asuena *música* y *fina (El segador, con pausas de música, / segaba la tarde. / Su hoz es tan fina, / que siega las dulces espigas y siega la tarde)*; o Gerardo Diego, poeta, profesor, y no mal ejecutante musical, escribe los siguientes versos, con rima consonante: *A cada paso del transeúnte / la luz cede y el cielo se resiente*. Véase, para este problema y otros afines, D. Devoto, *«Viuda», asonante en í-a,* en el *Homenaje a Mathilde Pomès*.

Quizá fuese conveniente añadir aquí, casi como un caso particular de esas leyes, pero desde luego mucho más extenso, el fenómeno que las *Leys d'Amors* provenzales llamaban *rims consonans,* algunos críticos franceses *rima apofónica* y J. Mazaleyrat (*Cours de métrique,* 1971-2), con nombre que preferimos, *contraasonancia*: consiste en, manteniendo fijo —o casi— el elemento consonántico que pertenece a la rima, modificar bien la vocal átona, bien la tónica o bien, en algunos casos, ambas. Como elemento formal primordial fue usado por algunos poetas provenzales y, acaso, también por Don Sem Tob cuando liga *hombre-costumbre, hombre-siempre* o *poco-flaco* en sus *Proverbios morales*. En literatura contemporánea se encuentran ejemplos —en Francia— en Rimbaud, en Derême, en —¡cómo no!— Aragon. En España podemos rastrearlo en Juan Ramón (*Lo que corre por la tierra es humo, / no agua. / Y su azul se desvanece como / mi ansia. / Lo que vuela por el aire es bruma, / no ala. / Y su pluma se deshace como / mi ansia.* Hay asonancia en los versos pares, contraasonancia en los impares), en Salinas o en Lorca (en la *Casida de la mujer tendida* encontramos, en los ocho primeros versos, en posición final *caballos, talle* y *mejilla*; en los cuatro últimos *contorno* y *turno*). En la época clásica el procedimiento se utilizó para dar coherencia u oponer los versos de un poema; por ejemplo, en el soneto XIV de Garcilaso, la rima de los cuartetos es -iente / -iendo, en los tercetos una de las dos rimas es -iento. Se encuentra también el mismo procedimiento —junto con la asonancia y la aliteración— en algunas bimembraciones: *o si estará ocupado o desparzido* (Garcilaso); *La vasta casona fue lugar de muchas intrigas y conjuras palaciegas* (Valle-Inclán).

En la rima consonante se puede prolongar la similitud fónica hasta hacer que abarque también a la consonante o grupo consonántico que precede a la vocal tónica última: no es precisa la igualdad, basta con que se perciba la equivalencia. Los tratadistas franceses llaman a este fenómeno rima rica *(rime riche)*, mientras que los españoles denominan así a la que se caracteriza por su dificultad o rareza (clámide-pirámide), que sería la *rime enrichie* francesa. Dado que la rima rica, en la acepción francesa, no es extraña en nuestra poesía creemos que es preferible especializar el término en el primer sentido: casi al azar encontramos rimando en un soneto de Góngora (Millé, 318) *estrado-levantado-estado-recordado*; en uno de Lorca *digo-contigo-testigo-trigo* (en los dos casos con consonante de apoyo dental). Son aún más frecuentes los casos en los que se refuerza la isotopía sobre dos o tres palabras.

La rima permite numerosos juegos, que han sido utilizados por los poetas unas veces con propósitos estilísticos, otros como puro divertimento. El más importante de todos ellos es el que sitúa la rima fuera del lugar esperado, con un posible procedimiento de extrañamiento. Dentro de esta construcción se agrupan varios tipos, de los cuales el más antiguo es la rima leonina, cuando la rima enlaza el final de un hemistiquio con el final de su verso: *Siempre el mismo camino, de retorno. Imagino / que marcho sin sostén posible sobre el tiempo, / que sólo yo he cambiado desde el año pasado, / y me miro: y no veo el paso del deseo.* Daniel Devoto (en el verso segundo, la rima es con tmesis «sostén po/ sible»). Derivados del verso leonino son los poemas con rima en eco: *Peligro tiene el más probado vado* (Lope), la rima interna, más utilizada, que ya emplea Garcilaso (Égloga II) o los textos en que hay una rima para los versos y otra que agrupa los hemistiquios, a veces con doble posibilidad de lectura (cfr. el estudio *Ars combinatoria et algèbre conceptuelle dans une lyrique de Camões,* en Stegnano Picchio, *La méthode philologique I, La poésie*), posibilidad que, en verso libre, se prolonga, por ejemplo, en *Blanco*, de Octavio Paz. Con la rima interna están emparentados los versos encadenados por un leixaprén de las sílabas de rima *(El soberano Gaspar / par es de la bella Elvira: / vira de Amor mas derecha, / hecha de sus armas mismas,* Sor Juana Inés de la Cruz) y la guirnaldilla o escaleruela de Barahona de Soto, en que la rima interna va avanzando sílaba a sílaba en cada verso. Para otros juegos véase la práctica de Daniel Devoto en *Canciones de Verano,* apoyada en una meditación sobre el fenómeno, y la exposición, con ejemplos propios, de Louis Aragon en *La rime en 1940* y el prólogo a *Les yeux d'Elsa.*

En el Siglo de Oro se usó también el procedimiento llamado de rima partida o versos de cabo roto, en el que para la rima sólo importa la vocal tónica y se prescinde de todos los elementos que la siguen (*No te metas en dibú / ni en saber vidas ajé, / que en lo que no va ni vié / pasar de largo es cordú,* Cervantes).

Entre las combinaciones de rimas —dejando aparte las que sirven para constituir estrofa— señalemos el procedimiento de mozdobre (utilización en rima de una misma palabra con variantes gramaticales) que presenta como variante la rima machihembra si las palabras varían por la terminación o/a: *Cuitado, maguer que porfío / no me vale mi porfía, / pues que siempre, amor fío / en quien de mí nunca fía* (Villasandino), empleado en la poesía cancioneril. El modernismo usó de la alternancia francesa de rimas masculinas (agudas) y femeninas (llanas).

La retórica tradicional, que permitía las rimas de homónimos, proscribía el que una palabra rimase consigo misma. La poesía contemporánea, sin embargo, ha hecho un uso muy rico de esta autorrima. El lector encontrará ejemplos abundantes en Juan Ramón (cfr., por ejemplo, *El mar lejano*), García Lorca (*Sorpresa,* la *Casida del llanto*) o Ricardo Molinari (*Qué bien te pega la sombra / sobre el cabello. La sombra / oscura. Oh, el verde pino / que mira el cielo. El pino, / señora hermosa, en la orilla / del mar portugués. Orilla / de prado, de flor lejana.* En el *Cancionero de Príncipe de Vergara*).

RIPIO. Palabra o palabras inútiles que sirven para completar un verso, sobre todo cuando se encuentran en rima. Los ripios demasiado evidentes pueden lograr un efecto cómico. Ejem.: *La venganza de don Mendo* de Muñoz Seca.

RITMO. En un sentido amplio, el fenómeno del ritmo concierne a la duración recíproca de los segmentos del discurso, sea cual sea la duración de éstos. Así se podrá hablar igualmente del ritmo binario de una frase o del ritmo de la acción de un relato o de una obra teatral.

En un sentido más restringido, el ritmo se produce en el discurso por la sucesión ordenada de determinados elementos, generalmente de orden prosódico, entre los cuales podemos señalar, como más frecuentes, la entonación, las pausas de cualquier naturaleza y la cantidad de discurso (medible en sílabas) que hay entre dos de ellas, la aliteración y, sobre todo, el acento tónico, que determina con su presencia y ausencia en las sílabas que forman su entorno el grupo o cláusula —en la terminología de Navarro Tomás— rítmica.

ROL. V. JERARQUÍA.

ROMANCE. En el uso hispánico (o, mejor, pan-hispánico, para no segregar lo no hecho en castellano y lo no hecho en la Península) el término romance es polisémico o, a lo menos, extremadamente poco preciso. Aunque dejemos aparte su sentido puramente lingüístico *(romance* vs. *latín, romance* vs. *árabe),* nos quedaría por delimitar el uso de una palabra empleada desde los orígenes del idioma hasta nuestros días para denominar realidades literarias muy diversas: remitimos al estudio clásico de don Ramón Menéndez Pidal *(Romancero Hispánico)* y a D. Devoto («Sobre la métrica de los romances», *CLHM*, n.º 4) para un índice de ocurrencias y su posible interpretación. El asunto no es baladí, puesto que se ha utilizado por diferentes críticos —a los dos citados habría que añadir los nombres de Asensio y de Rico— para tratar de acercarse al probable y discutido origen temático y formal de lo que, desde finales del siglo XV, parece entenderse —si no con una definición objetivamente precisa, sí apelando a nuestra intuición— como romance. Michelle Débax, que se plantea el problema de delimitación de este concepto en el prólogo de su antología, sugiere un doble camino de aproximación que conduce a una realidad —el romance tradicional— en el que no siempre coinciden las dos vías; para la estudiosa francesa la definición se ha de hacer «en relación al significado» y «en relación al referente»: el primer camino nos conduce a la forma externa.

Así, el romance es, formalmente, una composición en verso, en la que los versos pares presentan rima asonante (consonante en determinados casos o épocas) y los impares quedan sueltos; con frecuencia, los versos son octosílabos, aunque en todos los tiempos se ha admitido como normal una cierta fluctuación métrica en algunos versos, que pueden ser heptasílabos, o eneasílabos, o de otras medidas (Eugenio Asensio acude a un *Fontefrida* burgalés en el que se incluye, sin ningún reparo, el endecasílabo: *Las cuitas que de su vil pecho brotan*; el *Romance de la casada infiel* comienza con un eneasílabo: *Y que yo me la llevé al río).* No nos decidiremos aquí —no creemos que sea lugar— sobre la debatida cuestión de si el verso originario del romance fue el octosílabo o el octonario (V.): remitimos al lector al libro de Menéndez Pidal y al artículo de Daniel Devoto que hemos citado más arriba para que se imponga de los términos de la discusión. Sí señalaremos que, en nuestra opinión, los poetas que han escrito romances tienen en su conciencia la oposición isotópica de rima / no rima, y la utilizan: por eso se han podido escribir romances dobles, con asonancia en los impares y en los pares (cfr. Iriarte: *El Cuervo y el Pavo),* romances monorrimos (cfr. Juan Ramón Jiménez: *El niño pobre* o *La cojita)* o romances con la rima en los versos impares (cfr. García Lorca: *La casada infiel).* Esta conciencia hace que, desde muy temprano, se emplee la estructura de romance con versos no octosílabos: los usos más frecuentes son con el hexasílabo (romancillo), con el heptasílabo (endecha), con el endecasílabo (romance heroico), con decasílabos, dodecasílabos, alejandrinos, etc. (pueden encontrarse en Bécquer y Rosalía de Castro) o combinando versos de diferente medida: es el romance en silva, usado por Bécquer y fórmula casi dominante en la poesía de Antonio Machado.

Por otra parte, en pliegos sueltos o en los romanceros de los siglos XVI y XVII aparecen con el mismo nombre de romances formas distintas a la que acabamos de reseñar: letras, letrillas, ensaladas y, sobre todo, series de pareados, a veces paralelísticos. También el pueblo (y Menéndez Pidal) hacen entrar esta última forma en la categoría de romance: la «danza prima» asturiana es un romance.

El otro camino de definición intentado por Michelle Débax se dirige al «referente» y, en este aspecto, la solución consistiría en explicitar la «índole» del determinante: «historia», «geografía», «autor», «transmisor», «función», «asunto», etc., lo que conduciría a una clasificación de los romances, muy difícil, tanto como su definición, al ser un objeto literario tan vario. Por otra parte, este camino sólo sirve para los romances que se pueden llamar tradicionales, no para los que claramente no lo son, o no lo son tanto (algunos transmitidos por pliegos sueltos o colecciones, por ejemplo). El romance tradicional está unido al canto, a la música, y no es nunca de larga extensión: esto hace que podamos considerar como formando parte de otra categoría (aunque sean romances viejos) textos como el romance del Conde Dirlos (1366 versos en la *Silva* de Esteban de Nágera: imposible de recordar y cantar) y tengamos que considerar como romance tradicional el romance de Fontefrida, esencialmente lírico. La definición más comprensiva del romance tradicional quizá sea la que, después de ligarlo a las otras manifestaciones tradicionales de la literatura, da Pinto-Correia: «Será una práctica significante de manifestación lingüístico-discursiva con naturaleza poética (acompañada de música), con una organización semántica narrativo-dramática, altamente variable (versiones y variantes) en cada uno de los componentes textuales (esto es, en la expresión y en el contenido) y que, situada en la literatura oral tradicional, se inserta en el extracontexto de la vida social cotidiana de una comunidad popular (en los momentos de trabajo o de ocio)» *(Romanceiro tradicional português)*. El romance tradicional no se apoya en el texto escrito —aunque éste pueda acompañarlo a lo largo de su vida: Rodríguez Moñino demostró la interacción entre los pliegos sueltos y las versiones orales—, sino en las diferentes ocurrencias singulares que se producen, de tal manera que el «texto» del romance sólo existe como virtualidad, como «competencia», mientras que nosotros únicamente podemos conocer las «actuaciones», que someten al posible texto primitivo a un proceso de censura, en el sentido que a esta palabra le dan Jakobson y Bogatirev en *Le folklore, forme spécifique de création* (en *Questions de Poétique*): supresiones (es el fragmentismo) y adiciones, síntesis y amplificaciones, contaminaciones de otros romances, bien totales, bien de determinados motivos, etc. Esto hace que Diego Catalán vea el romance como una «estructura abierta», sujeto constantemente a transformaciones, aunque éstas se realicen de forma muy lenta; es preciso, pues, diferenciar entre la estructura virtual del texto, que será abierta y dinámica, y la estructura de la versión-actuación, que se identifica con la de cualquier otro texto y que es, en su esencia, cerrada e inmutable: las dos estructuras no son de ninguna manera incompatibles, y sólo comprenderemos cada una de ellas si tenemos en cuenta a la otra.

Junto a este romancero tradicional ocurren desde muy temprano —al menos desde la aparición de la imprenta y del pliego suelto (V.)— unos romances que no son para cantados, sino para leídos: de larga extensión, recubren más de un motivo de fábula y encierran, y a veces traducen al verso, un relato. Utilizan recursos del romancero tradicional —siempre se hará esto— como son las repeticiones *(Fontefrida, Fontefrida, / Fontefrida y con amor)*, los recursos simbólicos *(La mañana de San Juan)*, la parquedad de las descripciones, las secuencias narrativo-dramáticas, etc., pero no se hacen tradicionales en la canción, aunque puedan perpetuarse en el pliego o en Cancioneros de romances casi hasta nuestros días. Piénsese en la larga vida impresa de los romances que tratan de los doce pares; o en el *Romancero* de Lucas Rodríguez, tan importante en la evolución de la poesía del Renacimiento, pero con «romances destinados desde luego a la lectura, romances que no imaginamos siquiera se pudieran cantar» (Montesinos, *Algunos problemas del Romancero Nuevo*).

Hacer una historia del uso de la forma y contenidos del romance desde sus cuasi míticos orígenes («Como nace el romancero no lo podemos saber», dice don Ramón en *Romancero hispánico*), dimanando de los cantares de gesta posibles, como evolución de cantares líriconarrativos (del tipo del cantar de Çorraquín Sancho, estudiado por Francisco Rico), contaminado desde sus principios por la lírica más pura (cfr. Eugenio Asensio: *«Fonte Frida» o el encuentro del romance con la canción de mayo*) o como forma autónoma, hacer la historia desde allí en nuestros días es una labor que no tiene cabida en estas líneas. Señalemos una evolución desde el mismo siglo XVI hacia un romancero vulgar o como vehículo de relaciones (cfr., por ejemplo, los cinco volúmenes de la «Colección de Romances» editados por don Antonio Pérez Gómez). Para épocas posteriores remitimos a los libros de García de Enterría *(Sociedad y poesía de cordel en el barroco)*, Joaquín Marco *(Literatura popular en España en los siglos XVIII y XIX)* y Caro Baroja *(Ensayo sobre la literatura de cordel)*; para Portugal, véase Mario Cesariny, *Horta de literatura de cordel*. Habría que unir el uso del romance en el teatro, con la función del romance-relación que se incluye en el de Lope y sus secuaces.

Señalemos también la aparición de un romancero erudito, con temas sacados directamente de las crónicas (el *Romancero* de Sepúlveda) o de textos religiosos, a veces con rima consonante (los romances de San Juan de la Cruz).

Y subrayemos la recuperación como modelo del romancero tradicional, adecuándolo a las nuevas necesidades de expresión y público, a las nuevas modas musicales también en las manos de los poetas —y los compositores— de la generación de 1580, con la aparición del romancero nuevo, que da entrada al mundo arcádico (petrarquesco y con las razas de la descomposición del idilio) y caballeresco morisco: el enlace entre el viejo y el nuevo está en la Comedia nueva, tan ligada a esta nueva manifestación de la forma tradicional, y en el libro de Ginés Pérez de Hita, en que se combinan unos y otros, sin hablar de la *Flor de Romances* de Pedro de Moncayo en la edición de Huesca de 1589. Y luego su sustitución por el que Montesinos denomina romancero novísimo o tardío, con el cambio del mundo bucólico del anterior por una aldea real en su estilización, contemplado desde lejos, ya no autobiográfico, sino visto con cierta ironía *(La moza gallega)* o con una más cierta ternura en la visión de los personajes *(La niña que allá en la fuente),* con la fábula entrecortada por estribillos líricos, que suponen también un cambio de ritmo musical, a veces muy complicados en su estructura: remitimos al prólogo de Montesinos a la *Primavera y Flor* de Arias Pérez y al de José Manuel Blecua al *Laberinto amoroso* de Juan de Chen, e, inevitablemente, a los hermosísimos textos recogidos en estas dos colecciones ejemplares. Por otra parte, el romance vulgar (y aun vulgarísimo) se convertirá en literatura de la mejor calidad en las jácaras (V.) de Quevedo.

En nuestro tiempo sigue habiendo romance popular: todos conocemos romances de la guerra de Marruecos, de la guerra de Cuba o de la guerra civil: son, de alguna manera, romances noticieros o fronterizos creados en circunstancias difíciles. En México esta labor la realiza el corrido, derivado del romance (cfr. Vicente T. Mendoza, *El corrido mexicano),* aunque se componga de formas estructurales distintas —fundamentalmente la sucesión de coplas (V.).

La poesía contemporánea ha recuperado incluso el romance de ciegos, revivido y literaturizado por Machado en *La tierra de Alvar González.* Juan Ramón Jiménez utilizará esta forma como vehículo puramente lírico. Y los dos modelos darán paso a la enorme flexibilidad y capacidad de expresión de esta forma en los poetas de la generación de 1927 (recordemos el *Romancero gitano* de Lorca, pero no olvidemos tampoco a Salinas, Alberti o Guillén) y de los poetas que los continúan, como, por dar un ejemplo, José Hierro. Para América citemos las tres direcciones, tan diversas, que ofrecen, entre otros poetas posibles Lugones, Baldomero Fernández Moreno o Alfonso Reyes.

ROMANCE.   V. CUENTO POPULAR.

RUIDO.   Según la teoría de la comunicación (V.), el ruido es un elemento perturbador, que obstaculiza el paso de la señal a través del canal, provocando interferencias, atenuaciones o alteraciones del mensaje, etc. Se podría considerar una acción de perturbación, en el proceso de descifración de un mensaje literario, a la sobreposición o interferencia del código del destinatario sobre el código del emisor, que subyace en el texto.

RUPTURA DEL SISTEMA.   V. APROSDOQUETON.

SÁFICA, ESTROFA. O sáfico adónica, es la compuesta por tres endecasílabos y un pentasílabo. Fue empleada por Villegas, en imitación de la estrofa horaciana.

SAGA. Narración en prosa —en verso le corresponden las eddas— que se centra sobre la historia de un pueblo o de una familia (sagas nórdicas medievales). Por extensión se ha dado este nombre a la novela o serie de novelas que se extienden sobre un período muy extenso de tiempo.

SAINETE. V. ENTREMÉS.

SARCASMO. Figura lógica que puede ser considerada como una forma extremada de ironía —puede llegar hasta la crueldad—, dirigida a herir al destinatario. Ejem.: *Aguarda, colombroño, el primer hito / de esta senda falaz en que se mete / ciego, sordo y perlático el maldito, / y al cabo le verás preso de un brete, / porque eso no es Miguel ni Miguelito, / es veleta de torre, es miguelete* (Unamuno).

SÁTIRA. La sátira es un género literario en verso, en prosa o en prosa y verso (sátira menipea) de carácter polémico, crítico-moralizador o irónico, que tiene como objeto la representación de la realidad cotidiana en alguno de sus infinitos aspectos seriocómicos: los defectos de los hombres, las fantasías de los rastacueros, los vicios de los ricos, los sucesos más o menos memorables de la vida, etc. El origen de la palabra *satura* —que probablemente quería decir «plato colmado» de diversos alimentos— hace pensar en una festividad religiosa durante la cual se ofrecía a la divinidad, Deméter-Ceres, un plato de primicias, con acompañamiento de cantos, danzas y escenas no exentas de sabrosas salidas. La sátira tendría, pues, un origen folklórico-cultural, como otras muchas manifestaciones dramáticas o líricas nacidas en el clima alegre de las fiestas. Con razón Mijail Bajtin ve en los rasgos característicos de la sátira el espíritu del «sentimiento carnavalesco del mundo»: la alegre vitalidad de los campesinos en la época de la cosecha, la compostura libre, realista, obscena, desacralizadora del lenguaje, la voluntad y casi la voluptuosidad denigratoria y sarcástica con la que se desenmascara el presente.

Tras pasar de la representación dramática a la forma literaria, la sátira conserva muchos aspectos de sus orígenes antiguos y, sobre todo, la heteroglosia que rompe con las convenciones de los distintos géneros elevados (la épica, la tragedia, etc.) y mezcla con prepotencia palabras escogidas ironizadas y expresiones plebeyas, tonos, estilemas, metros de naturaleza variada. En esta expansión, la sátira no es *tota nostra*, es decir, latina, como pensaba Quintiliano: no se puede olvidar una tradición literaria que tiene muchos lazos que la unen a lo cómico, sobre todo en Grecia: la fabulística esópica, la comedia aristofanesca (V. COMEDIA), la diatriba seriocómica o filosófica en el período helenístico (Menipo de Gádara, Luciano). A Varrón le corresponde el mérito de haber introducido en Roma la llamada sátira menipea, mezcla de prosa y verso, aunque la protesta radical del filósofo cínico quedaba aguada y desvaída en un moralismo excesivamente blando. En el paso desde su origen popular a la transcripción y recompostura literaria, la sátira perdió su carácter «revolucionario» (utópico-alternativo), connatural, aunque fuese implícitamente, en la fiesta cultual, para conservar el elemento crítico-paródico del lenguaje, que permite a los intelectuales no conformistas una cierta libertad de expresión en el seno del sistema. Entre los cultivadores latinos de la sátira recordemos a Ennio y Lucilio, a los que se remiten los autores de *sermones* (la sátira discursiva, hablada) más famosos: Horacio, Persio, Juvenal. A la sátira de tipo menipeo hay que remitir la *Apokolokýntosis* atribuida a Séneca (que describe, de forma grotesca, la apoteosis del emperador «calabazón» Claudio) y el *Satiricón* de Petronio, que para nosotros es más bien una novela de regusto picaresco (V. NOVELA).

En la Edad Media se remiten a la sátira los misterios bufos, los juegos de escarnio, algunas composiciones goliardescas —a veces paródicas—, las composiciones carnavalescas anticlericales y populares que velan frecuentemente la crítica a los poderosos sirviéndose de la alegoría o la construcción en forma de fábulas (las de animales); quizá la forma medieval más típica sea la de las danzas de la muerte. En el Renacimiento se recupera el género latino (por ejemplo, las sátiras de Ariosto, algunos poemas de Cristóbal de Castillejo), pero ocupa también un amplio espacio la sátira de costumbres, que se entrecruza con otros géneros, como el diálogo o la comedia (Gil Vicente, los *Colloquia* erasmianos y algunas de sus sucesiones españolas); y no hay que olvidar las intenciones satíricas de la gran novela de Rabelais. El siglo XVII será la gran época de la sátira española, tanto personal como referida a grandes temas: recordemos a Argensola, Quevedo (la *Epístola Censoria* o *La hora de todos*) y Gracián *(El Criticón)*. En el XVIII la sátira se hace moralizante (Jovellanos) o literaria *(Los eruditos a la violeta, Fray Gerundio)*, mientras que con el romanticismo es fundamentalmente política. En nuestro siglo será primero el teatro (V. COMEDIA) el que exprese las tensiones satíricas, por ejemplo en la recuperación de la mezcla de lenguajes y de géneros de la paraliteratura (el género chico o ínfimo, la parodia) que se produce en los esperpentos de Valle-Inclán, en la combinación de representación escénica y de canción típica de Brecht. También la novela, desde el mismo Valle-Inclán a Goytisolo o Bryce Echenique o Cabrera Infante transparentan la sátira.

SAYAGUÉS. Lenguaje convencional rústico con el que el teatro y la poesía de los siglos xv al xvii hace hablar a los pastores «reales» (por oposición a los de los poemas y novelas del género bucólico). El primer caso de uso de este lenguaje parecen ser las *Coplas de Mingo Revulgo*, aunque el modelo para épocas posteriores serán Juan del Encina, Gil Vicente o Torres Naharro.

SECUENCIA. En lingüística una secuencia es una serie ordenada de elementos que pertenecen a un sistema. En el análisis estructural del relato (cfr. *Communications*, n.º 8), la secuencia es una unidad narrativa funcional evidenciable en el nivel del contenido. Para Barthes, en el plano de la *fabula* —es decir, de la historia— se pueden delimitar dos funciones principales: los *núcleos* (que inician, mantienen o cierran un momento del relato) y las *catálisis* (que tienen un valor funcional atenuado, complementario). En el plano de los personajes y del discurso narrativo, Barthes delimita otras dos funciones: los *indicios,* que «remiten a un carácter, a un sentimiento, a una atmósfera (por ejemplo, de sospecha), a una filosofía», y las *informaciones,* «datos puros, inmediatamente significativos» (por ejemplo, la edad de un personaje) que «sirven para autentificar la realidad del referente, para enraizar la ficción en lo real». Definiéndola ahora con más exactitud, la secuencia es cualquier sucesión regulada de funciones (Bremond), una unidad narrativa compuesta por cierto número de funciones; una secuencia puede estar formada por algunas microsecuencias; un grupo de secuencias forma una macrosecuencia o episodio; dos o más episodios pueden constituir un relato.

Aduzcamos el análisis de una secuencia —una microsecuencia la llama el crítico— de *Goldfinger* realizada por Barthes: «*Tender la mano, estrecharla, soltarla»;* este *Saludo* se vuelve una simple función; por una parte, asume el papel de un indicio (blandura de Du Pont y repugnancia de Bond) y, por otra parte, constituye globalmente el término de una secuencia más amplia, denominada *Encuentro,* cuyos otros términos *(aproximación, detención, interpelación, saludo, instalación)* pueden ser ellos mismos microsecuencias. Toda una red de subrogaciones estructura así el relato, desde las menores matrices a las mayores funciones. [...] Hay, pues, una sintaxis interior a la secuencia y una sintaxis (subrogante) de las secuencias entre sí. El primer episodio de *Goldfinger* adquiere de este modo una forma «stemmatica»:

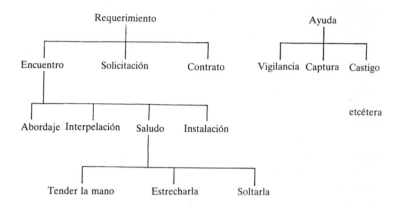

SEGMENTACIÓN. Proceso lingüístico que consiste en dividir un enunciado en una serie de unidades discretas o segmentos hasta llegar a las formas mínimas. El proceso de segmentación es un momento fundamental de cualquier análisis del texto (lingüístico o literario): véase por ejemplo la separación de secuencias (V.) en un relato.

SEGUIDILLA. Junto a la copla (cuarteta octosilábica arromanzada), la seguidilla es el vehículo más extendido de la lírica popular hispánica. En su forma canónica, está constituida por cuatro versos, de siete sílabas el primero y el tercero, de cinco el segundo y el cuarto, con rima asonante en los pares. Sin embargo —y más en la época antigua— la medida podía fluctuar tanto en los versos largos como en los cortos en una o dos sílabas, manteniéndose siempre, sin embargo, la desigualdad entre ellos. También puede aparecer la consonancia o la doble rima; acaso la fluctuación antigua, que perdura hoy, muy reducida, se debiera a que en sus orígenes la forma era considerada como dístico (así aparecen impresas en los *Cancionerillos de Munich*), con una cesura en cada verso que producía hemistiquios asimétricos: ésta es la forma con que Rubén recupera este verso en el modernismo *(Pequeña ánfora lírica de vino llena)*. En su desarrollo popular la seguidilla añade en ocasiones un *bordón*: tres versos de cinco, siete y cinco sílabas, con rima en los breves.

Con el nombre de seguidilla gitana se conoce una forma estrófica de tres o cuatro versos hexasílabos todos, excepto el penúltimo, que es endecasílabo con cesura tras la quinta sílaba. Procedente del folklore, se emplea en la lírica culta desde el modernismo.

SELECCIÓN. Se llama selección a la operación mediante la cual el hablante escoge una unidad lingüística en el eje paradigmático, en el seno de determinados campos semánticos. Los términos escogidos se combinan en sucesión en la cadena hablada, en el eje sintagmático. En la gramática generativa, las reglas de selección imponen la elección de determinados elementos según unas constricciones semánticas determinadas, por las cuales, por ejemplo, se producirá el enunciado *el pollo pía* y no *el pollo rebuzna* (o *discute*). V. LINGÜÍSTICA.

SELVA. V. SILVA.

SEMA. El sema es la unidad mínima de significado; no tiene una realización independiente, pero se actualiza en el área de una configuración semántica o semema. El sema es un trazo, o rasgo, o componente semántico. Cada palabra, o mejor aún, cada unidad de significado o lexema puede ser descompuesta en unidades o rasgos semánticos fundamentales llamados semas; la diferenciación entre lexemas se debe a su distinta composición sémica. El sema principal o nuclear permanece invariable en todos los lexemas en que se realiza; estos lexemas variarán de sentido por la presencia de semas contextuales o clasemas (V.).

SEMÁNTICA. La semántica puede ser definida como «ciencia del significado», el cual, en la lingüística moderna, no está determinado abstractamente como un concepto, sino más bien como la suma de varios elementos que dependen de los factores de la comunicación. El significado de los mensajes no es cuestión de vocabulario: ante todo porque un texto no es la suma de los significados de las frases que lo componen, y aún menos de la definición de cada una de las palabras; además, porque la teoría de los actos lingüísticos (V.), los conceptos de implícito (V.) y de presuposición (V.), la de los fines y de las orientaciones de la comunicación (V. PRAGMÁTICA) nos han mostrado que el sentido de un mensaje se debe tomar en varios niveles, alguna vez no explícitos, muy frecuentemente condicionados por el mutuo trabajo de codificación-decodificación que se establece entre el hablante y el oyente.

Por estos motivos, por lo menos, no es posible separar rígidamente la semántica, la sintaxis y la pragmática, si el texto —considerado como acto lingüístico-comunicativo máximo— nace del tejido y de la interacción de estas tres esferas ya en la estructura profunda del mecanismo de la lengua.

La semántica no es, pues, el estudio de las palabras, incluso si el léxico (V.) constituye, por decirlo de alguna manera, el stock, el depósito, o mejor, el conjunto de las unidades lingüísticas recogidas y definidas por el vocabulario.

El concepto de significado es muy complejo. Si se parte del triángulo de Ogden y Richards (V. LINGÜÍSTICA, 1), o sea la relación entre símbolo y significante, referencia y referente, se podrá decir que la relación entre la palabra y la realidad extralingüística (cosa o entidad abstracta: referente) no es directo, sino mediato desde la referencia, es decir, desde un concepto o idea. Se abarca de tal forma un aspecto importante del significado que puede ser definido conceptual o mentalmente. Sin embargo, muy frecuentemente el mero concepto no basta. Piénsese en una palabra como «rosa»: ¿qué quiere decir? Será el contexto, es decir, el conjunto lingüístico en el que se encuentra la palabra, quien habrá de definirlo. Por ejemplo: *La rosa es la flor más bella, ¿Has visto a Rosa?, Llevaba un vestido rosa, No conoces la rosa de los vientos*. El significado de un término es también contextual además de conceptual. Considérese aún que la gama de usos posibles de una palabra comprende también sus connotaciones (V.), el añadido de sentido que se carga sobre el valor básico en determinados contextos (por ejemplo: *Es fresca como una rosa, Es lector impenitente de novelas rosas,* etc.). En estos casos el significado de la palabra no sólo depende del contexto, sino también del peculiar uso del código, o sea de la interacción de una pluralidad de valores semánticos, como en el caso de la manipulación retórica, que produce figuras (V.) específicas, como la comparación, la metáfora, la metonimia, etc.

En definitiva, el uso que se hace de las palabras es el que determina, en el nivel de la comunicación, su significado; y desde este punto de vista la pragmática está situada plenamente en el discurso semántico. Las situaciones extralingüísticas sirven para eliminar la ambigüedad de elementos o frases que puedan tener significados diversos. Así, la expresión *Ha saltado el cerrojo* quiere decir una cosa si es la amarga constatación de un hincha que ve perder a su equipo tras una encarnizada defensa, y otra distinta si no se sitúa en el estadio, sino en la cárcel, cuando un guardián descubre un intento de fuga.

En este ámbito peculiar del uso lingüístico, los significados dependen no sólo de la referencia al código general (standard), sino también y sobre todo de los subcódigos que caracterizan a las lenguas profesionales o especiales (política, económica, deportiva, burocrática, etc.), a las variedades regionales o sociales, a las jergas.

Los fenómenos de implicación (V.), inferencia y presuposición (V.) son otras constantes de tipo pragmático que inciden profundamente sobre la codificación-decodificación de los mensajes, e incluso sobre su significado (V. IMPLÍCITO, REMA). La semántica estudia el significado de los signos y de los mensajes en la globalidad de sus articulaciones y en los distintos niveles en que se manifiestan (estructuras superficiales y profundas: V. LINGÜÍSTICA, 5), en estrecha relación con el uso social de los códigos. El significado léxico es sólo un aspecto de aquel sentido global, denotativo y connotativo, que se puede inferir contextualmente, situacionalmente y pragmáticamente.

1. Teorías semánticas. En el ámbito de los estudios lingüísticos la semántica está en el centro de varios intereses metodológicos que proponen acercamientos diferenciados al concepto de significado. En la línea saussuriana el valor (o significado) de un término se puede definir únicamente de modo diferencial respecto a los otros elementos del sistema, o de modo relacional por relación con los otros elementos que concurren en la estructura sintagmática. En una hipótesis sociolingüística es el uso, en definitiva, el que nos ofrece la llave contextual o situacional para definir los significados. Para los behavioristas como L. Bloomfield (V. LINGÜÍSTICA, 4) el significado de una palabra es la situación que incita a hablar y la respuesta del receptor. Más difundido actualmente es el denominado análisis componencial, que estudia el significado de los elementos de la lengua sobre la base de campos semánticos (V.) y en particular de los rasgos (V.) o semas (V.) o componentes de cuya combinatoria deriva el sentido de las palabras. Así, por ejemplo, la palabra *silla* poseerá los rasgos semánticos «mueble que sirve para sentarse», «con respaldo», «para una sola persona»; la palabra *butaca* añadirá a los rasgos precedentes el de «con brazos», mientras que *diván* tendrá el rasgo «para dos o más personas» (en lugar de «para una sola persona»), etc. Este tipo de análisis no es siempre fácil y productivo, especialmente cuando los rasgos semánticos pierden su carácter de generalidad y llegan a ser elementos específicos de cada término. Diferente es el caso de los rasgos semánticos distintivos que tienen un valor general, como ± común, ± animado, ± humano, ± concreto, ± numerable, ± definido, ± masculino, ± singular. La definición de un nombre se produce por la suma de rasgos; por ejemplo, *guardia* tendrá los siguientes rasgos: + común, + anim. + hum. + conc. + num. + masc. + def. + sing. Los rasgos de los que acabamos de hablar se llaman inherentes, porque atañen a cada morfema (o lexema) en particular; pero para que las palabras puedan coocurrir en una frase, relacionarse correctamente en una estructura, son necesarios rasgos contextuales que indiquen con qué términos puede combinarse el elemento definido. Por ejemplo, el verbo *pensar* puede unirse a palabras como *Luis, tú, hombre,* etc.: es decir, que implica el rasgo contextual «+ sujeto humano».

Los rasgos distintivos y los contextuales sirven para crear la coherencia semántica en los dos planos en que opera el lenguaje, el paradigmático (V.) y el sintagmático. Las combinaciones en sintagmas sólo son posibles si los rasgos contextuales hacen compatibles las coocurrencias de los elementos: verbos y nombres (*comer el pan,* pero no *comer el vino* ni *comer la bondad*; el verbo prevé el rasgo SN objeto + conc. y + num.), nombres y nombres (*el rugido de la multitud,* pero no *el rugido de los violines*), nombres y adjetivos (*lava ardiente* o incluso *situación ardiente,* pero no *hielo ardiente*).

Otros rasgos son los socioestilísticos o de uso, que se refieren a los diferentes usos de las palabras en las variedades regionales o sociales, a su carácter «dialectal», «vulgar», «familiar», «cómico», «científico», etc., con que los diccionarios etiquetan los significados de muchos términos. Esto explica por qué palabras como *apetito, hambre* o *carpanta* pueden resultar incompatibles con otros términos (se dirá *el hambre en el mundo,* de ninguna forma *el apetito* y menos aún *la carpanta*): la combinatoria deberá obedecer a una norma de uso cuya violación se advierte como polémica, ofensiva, blasfema, irónica, etc.; esto muestra aún más claramente la importancia del componente pragmático en los mecanismos de producción-desciframiento del sentido.

SEMANTEMA. Para Pottier el semantema es uno de los elementos constituyentes del semema, precisamente el que comprende los rasgos específicos que distinguen la unidad de las otras palabras que forman parte de su paradigma.

SEMEMA. Haz de rasgos semánticos (semas) que se realiza en un lexema.

SEMIOLOGÍA. La semiología (o semiótica, término de casi igual extensión, y preferido en las áreas angloamericana y rusa) es, según Saussure, la ciencia de los signos; la lingüística es una rama especial y privilegiada de ella: «La lengua es un sistema de signos que expresan ideas, y por eso comparable a la escritura, al alfabeto de los sordomudos, a los ritos simbólicos, a las formas de cortesía, a las señales militares, etc., etc. Sólo que es el más importante de todos esos sistemas. Se puede, pues, concebir una ciencia que estudie la vida de los signos en el seno de la vida social. Tal ciencia sería parte de la psicología social, y por consiguiente de la psicología general. Nosotros la llamaremos semiología (del griego *sēmeîon,* "signo"). Ella nos enseñará en qué consisten los signos y cuáles son las leyes que los gobiernan. Puesto que todavía no existe, no se puede decir qué es lo que ella será; pero tiene derecho a la existencia, y su lugar está determinado de antemano. La lingüística no es más que una parte de esta ciencia general. Las leyes que la semiología descubra serán aplicables a la lingüística, y así es cómo la lingüística se encontrará ligada a un dominio bien definido en el conjunto de los hechos humanos» (Saussure, *Curso,* pág. 60). Los augurios de Saussure parecen realizados en gran medida: la semiología, en efecto, está en pleno desarrollo en todo el mundo y desde 1969 existe una «International Association for Semiotic Studies». Más que una moda, la semiología se ha consolidado como una de las ciencias humanas más importantes del siglo xx.

Después de Saussure, Hjelmslev reanuda el análisis del signo (V.

LINGÜÍSTICA, 3) e introduce la distinción entre semióticas denotativas y connotativas (V.); otros estudiosos (Buyssens, Barthes, Prieto) profundizan en la investigación saussuriana dentro del ámbito lingüístico hasta llegar a postular una semiología de la comunicación intencional o de la significación, restringida, por lo tanto, a los sistemas codificados. Para Barthes la semiología forma parte de la lingüística y no al revés, de modo que «todo sistema semiológico tiene que tratar con el lenguaje». Muy distinta es la posición lógico-filosófica de Charles S. Peirce, para el que la semiótica es la doctrina que estudia la naturaleza de la semiosis, de la actividad sémica que prescinde de la intencionalidad de quien la efectúa. La actividad sémica es una operación que atañe a un signo, a su objeto y a su «interpretante» (el sentido del signo es contemplado como el efecto producido por la relación sígnica). Charles Morris se apoya en el behaviorismo de Bloomfield (V. LINGÜÍSTICA, 4), y por lo tanto rechaza cualquier tipo intencional o cultural para los signos: el signo sería una clase de estímulo que funciona en ausencia de un estímulo real y adecuado, pero que es capaz de determinar una respuesta. Los signos se clasifican en identificadores, designativos, estimativos, prescriptivos, formadores y clasificadores. Umberto Eco, que tanto ha contribuido a la semiología general, expone que la semiología es una ciencia que «estudia todos los fenómenos culturales como si constituyeran sistemas de signos —partiendo de la hipótesis de que es cierto que todos los fenómenos de cultura son sistemas de signos y por tanto fenómenos de comunicación. Y al hacer esto interpreta una exigencia en las diversas disciplinas científicas contemporáneas que buscan precisamente, en los más distintos niveles, reducir los fenómenos que estudian a hechos de comunicación» (Eco, *La estructura ausente*). En el *Tratado de semiótica general*, 1975, el mismo autor define la comunicación como un proceso de paso de una señal desde una fuente a un destinatario —punto de destino—, mientras que el proceso de significación implica un destinatario humano, una interpretación del mensaje desde un código (V. SIGNO).

1. Elementos de semiología.   Una teoría extensa de la comunicación (V.) estudia el paso de información desde un emisor a un destinatario, entendidos ambos en primera instancia como dos máquinas. El mensaje se elabora en forma de señales transmitidas a través de un canal y reguladas por un código (por ejemplo, a los 20° interrumpir el proceso de caldeo; a una altura determinada del agua abrir una válvula, etc.). En la comunicación lingüística emisor y destinatario son seres humanos que intercambian mensajes formados por signos: se consigue así un proceso de significación, puesto que la respuesta del destinatario no es mecánica, sino que se basa en una interpretación o decodificación de los signos. Adviértase que también una transmisión de información (el encenderse una lucecita roja en el panel de un automóvil) se convierte en mensaje, en hecho de significación, en el momento en que el conductor interpreta el significante «rojo» como «falta de gasolina» (y de aquí «necesidad de detenerse», «compra», etc.). La función sígnica pone en correlación un elemento del plano del contenido con otro del plano de la expresión, según un código determinado convencional. En el caso de la lucecita roja, la señal física se percibe a través de la expresión (rojo se opone a otro color, el azul, por ejemplo) que me comunica el contenido («atención, se acabó la gasolina»). El signo, pues, no es una entidad física, sino la correlación entre dos funtivos (expresión-contenido). Estrechamente ligada a la definición de signo está la distinción entre denotación y connotación (V.), particularmente importante para comprender la semiosis o actividad de significación.

«Cuando llego a un cruce con semáforo, sé que / rojo / significa "no pasar" y / verde / significa "pasar". Pero también sé que la orden de / no pasar / significa "obligación", mientras que el permiso / pasar / significa "libre opción" (puedo también no pasar). Sé además que / obligación / significa "multa", mientras que / libre opción / significa, supongámoslo así, "decidirse rápidamente". Esta mecánica semiótica hace que existan significantes luminosos cuyo plano del significado está constituido por oposiciones de carácter viario. El conjunto del signo (señal luminosa más disposición viaria) se convierte en significante de una disposición jurídica, y el conjunto de los precedentes se convierte en el significante de una incitación emotiva ("te multarán" o "decídete rápido"), de acuerdo con este esquema» (Eco, *Signo*):

castigo	← Significante de		Significante de →		decisión
obliga-ción	← Significante de		Significante de →	libre opción	
	no pasar	rojo	verde	posibilidad de pasar	

El primer estrato de signos constituye una semiótica denotativa, el segundo una semiótica connotativa y el tercero otra semiótica connotativa de segundo grado. El mecanismo es interesante en el ámbito literario, porque actúa en determinados textos complejos con isotopías semánticas «de muchos peldaños» (Lotman), en los que convierten distintos estratos de sentido a partir de denotaciones de base.

Otros aspectos importantes del proceso semiótico, que sólo podemos citar aquí, atañen a la estructura del campo semántico (V. IMPLICACIÓN), a la constitución del significado (V. SEMA, SEMEMA), a la relación entre códigos y subcódigos (V.), a la operación de decodificación-desciframiento, la hipercodificación (cfr. Eco, *Tratado de semiótica general*: se trata, simplificando, de un sentido añadido al que aparece expreso en el texto por aplicación de otros subcódigos, por ejemplo retóricos o estilísticos), la hipocodificación (Eco, *ibid.*: comprensión parcial, genérica, del sentido), la conmutación de códigos o transcodificación (V.), las desviaciones de significado en el lenguaje retórico (V. RETÓRICA, FIGURA), las tipologías culturales.

2. Semiología y literatura. También la literatura, como sistema de textos connotados con finalidad estética (V. LITERATURA, TEXTO, CONNOTACIÓN; LENGUAJE, ESTILO), cabe en la competencia de la semiología. Una teoría semiológica de la literatura tratará ante todo de analizar el discurso poético en su especificidad formal, en su funcionamiento, en su correlación con otros discursos, etc.; y además propondrá un modo de lectura que sea inmanente al texto en sí mismo, proyectado sobre códigos y subcódigos de referencia particularmente adecuados a comprenderlo.

En cuanto al discurso poético literario, añadiremos a lo que se ha dicho en numerosas entradas del diccionario que el signo artístico tiene una especificidad propia con respecto al signo verbal-natural, el cual constituye el elemento primario (denotativo) sobre el que se construye la connotatividad literaria. El plano de la expresión, en el sistema de la literatura, se articula mediante una lengua peculiar que, de acuerdo con Lotman, podremos denominar «secundaria»: «Decir que la literatura posee su lengua, que no coincide con la lengua natural, sino que se superpone a ésta, significa decir que la literatura posee un sistema propio de signos y de reglas de combinación de éstos, sistema que le es inherente, que le sirve para transmitir comunicaciones peculiares no transmisibles con otros medios» (Lotman, *Estructura del texto artístico*). La no convencionalidad del signo artístico, es decir, la motivación icónica que enlaza el significante con el significado, hace que el discurso literario se module según una estructura translingüística y, en cierta medida, metalingüística. Carácter peculiar del funcionamiento del discurso literario es su absoluta semantización: cualquier elemento fonológico o morfosintáctico, propio del plano de la expresión, asume un valor significativo; o mejor aún, interactúa con el plano del contenido, activando el sentido específico del texto.

Además, el discurso literario se articula sobre signos secundarios que pertenecen a códigos culturales peculiares. La dinámica del funcionamiento de la lengua de la literatura no impide, evidentemente, considerar los sistemas codificados y los ocasionales subcódigos en su densidad histórica. El discurso artístico es, por lo tanto, una compleja operación transcodificativa, que se analiza textualmente, o sea teniendo en cuenta las referencias peculiares que se contienen en el genotexto (V.) del esritor.

Una vez establecidas las características del texto literario, un procedimiento crítico semiológico se planteará la investigación de las estructuras y estratos del texto, de su hiperconnotación y polisemia, de sus isotopías, de sus procedimientos de transcodificación, e incluso distinguirá lo específico del texto poético frente al texto narrativo.

Algunos autores quieren establecer una distinción entre semiótica (teoría de la significación en general) y semiología (estudio de los sistemas de comunicación que se basan en la arbitrariedad del signo), pero la distinción es muy lábil. Véase la distinción en Greimas-Courtés, *Semiótica*, s.v.

SEMIOSIS. Se entiende por semiosis la operación productora de signos. Es sinónimo de función semiótica y, para Eco *(Tratado de semiótica general)* constituye el objeto teórico de la semiótica.

SENTIDO. Con frecuencia se consideran en lingüística como sinónimos los términos «sentido», «significado» y «significación», aunque varíen bastante las definiciones de cada uno de ellos. Para Lyons, el sentido, en oposición a la referencia, es el conjunto de relaciones semánticas que existen entre un signo y los otros de la lengua. Para Prieto, la significación es el conjunto de significados abstractos, mientras que el sentido se refiere a un enunciado particular concreto, explicitado por el contexto y por las circunstancias. Por ejemplo, *dámelo* tiene siempre la misma significación, pero cambia de sentido de acuerdo con los diversos enunciados en los que se usa.

En una teoría semiológica de la literatura el sentido es el conjunto de las connotaciones de un mensaje. No olvidemos que el signo literario —y en esto se diferencia del lingüístico— es un signo motivado, icónico, autorreflexivo, connotado. Por lo tanto, el sentido no se puede reducir a la porción semántica del signo, es decir, al significado; también el significante tiene un sentido inherente, a veces autónomo respecto al significado (piénsese en los llamados «mensajes formales» creados a nivel fonoprosódico en la poesía; V. CORRELACIÓN). En la poesía todos los elementos están semantizados: el sentido global del texto nace de la interacción entre la forma del contenido y la de la expresión. Tanto los componentes fonológicos (o más extensamente, prosódicos) como los morfosintácticos asumen en el texto poético un valor semántico que contribuye eficazmente a la connotación general del mensaje.

SEÑAL. V. SIGNO.

SERIE. La obra literaria, en su fisonomía estilística específica, está en el centro de una sucesión de conjuntos estructurados y coimplicados, representable de esta forma:

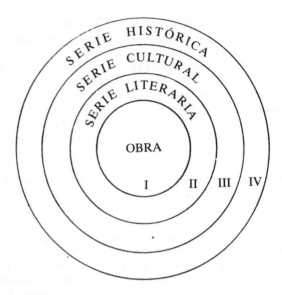

IV. Serie histórica:
     determinantes socioeconómicos.
     Sustancia de los contenidos o materiales.
III. Serie cultural:
     Weltanschauung y forma de los contenidos.
 II. Serie literaria:
     géneros, códigos y escrituras.
  I. Obra:
     texto literario como estructura-sistema.

En el estrato exterior (IV) será preciso considerar la serie histórica, es decir, el mundo histórico en que se cimenta la personalidad del artista y caracteriza a los «materiales» —por llamarlos como los formalistas rusos— del texto literario. La caracterización debe entenderse como impronta distintiva de la obra, en cuanto que el escritor no puede dejar de relacionarse, aunque sea dialécticamente, con su tiempo y, por lo tanto, dejar de expresar sus ansias y contrastes, aunque sea por la mediación indirecta de los mitos y de los símbolos. Piénsese, por ejemplo, en la dimensión histórica del mundo dantesco, por otra parte el más fantástico que ninguna mente de poeta haya podido crear jamás. Sin esta componente estructural, la poesía de Dante perdería su plétora y la singular «personalidad» de los temas y de las formas: el artista y la obra son creados y crean el epistema en que se realizan. En un estrato más adentro (III) se sitúa la serie cultural, en la cual se incluye la *Weltanschauung* del artista, su visión de la vida y la ideología ético-política que llena de sustancia su mundo espiritual y sus ideales. La serie cultural implica la histórica, en tanto en cuanto cualifica la relación entre el autor y el conjunto de problemas de su tiempo. La poesía de Espronceda, la prosa de los artículos de Larra, para poner un ejemplo, serían incomprensibles si las separásemos de la matriz estructural de su mundo cultural, formado de la crisis de la ideología absolutista, de la caída y crisis del despotismo ilustrado y de la Ilustración, *tout court,* con su racionalismo mecanicista.

La serie literaria (II) agrupa los subcódigos peculiares que caracterizan la relación del escritor con la tradición lingüística, estilística, retórica, literaria en sentido extenso. Considérese, por ejemplo, el concepto de poética (V.): la información que cada artista tiene de su propia obra según la función que quiere ejercer en la sociedad y en la cultura; la opción estética con la que un escritor se sitúa de una manera determinada frente a la tradición, con referencia especial a la elaboración técnica de los aspectos expresivos. La serie literaria es, de toda evidencia, muy compleja, porque comprende todo un conjunto de subsistemas estructurados o instituciones (V.) como los géneros literarios, las escrituras, los lenguajes codificados, las poéticas, los movimientos, etc. La «conciencia» literaria de un autor, tal como está caracterizada en una obra, debe ser colocada, por lo tanto, en relación dialéctica con ese contexto. Una investigación estructuralista puede medir la desviación temático-expresiva entre un texto determinado y el sistema literario que le sirve de base como —por ejemplo— género, convención de estilemas o símbolos, gusto, etc. Que las *Soledades* de Góngora retomen módulos garcilasianos o pastoriles y se inserte, en algunos aspectos, en un código arcádico, puede ser el arranque objetivo que permita verificar las innovaciones estilísticas del poema, es decir, la peculiar manipulación de los materiales temáticos, estilísticos y lingüísticos que ha efectuado Góngora de acuerdo con una personal y propia construcción sistemática (forma del contenido-forma de la expresión). Los connotadores (V.) arcádicos han sido violados y deformados en una transposición psicológicamente antiarcádica.

En el núcleo de estas múltiples relaciones literarias se ubica la obra (I), el texto como estructura-sistema: la estructuración formal (estilística) de los «materiales» simbólico-literarios se percibirá por medio del examen interno de la obra, que revelará el modelo; pero en la obra-estructura está inmanente una sistematicidad paradigmática, *in absentia,* que remite a la correlación entre las diversas series que hemos caracterizado. El análisis semiológico, en su último límite, está dirigido a la construcción de un supermodelo o macroestructura capaz de justificar las relaciones formalizadas entre las distintas series, no como determinaciones causales, sino como correlaciones culturales autónomas, recíprocamente coimplicadas.

Para esta voz hemos resumido Marchese, *Metodi e prove strutturali*.

SERMOCINACIÓN. Forma de dialogismo en la que los interlocutores son dos instancias del yo: es el diálogo interior. Ejem.: *Era / mi cuerpo juvenil, el que subía / de tres en tres peldaños la escalera. / ¡Hola, galgo de ayer. (Su luz de acuario / trocaba el hondo espejo / por agria luz sobre un rincón de osario) / —¿Tú conmigo, rapaz? —Contigo, viejo* (Antonio Machado). La sermocinación es frecuente en las meditaciones morales; ejem.: *En tu niñez y en tu juventud, ¿qué supiste tú, si supiste algo, de estas tierras, de su historia, que es una con la tuya? Curiosidad, confiésalo, no tenías. Culpa tuya, sin duda; pero nada en torno podía tampoco encaminarla* (Cernuda).

SERMÓN. Pieza de oratoria sacra organizada sobre un tema moral o sobre una frase bíblica (ejem.: el *Audi, filia* de Juan de Ávila). La oratoria (V.) sacra alcanza su cumbre literaria en la Península en los siglos XVI y XVII, con las figuras eminentes de Fray Luis de Granada y el padre Antonio Vieira. Se da también el nombre de sermones a algunas composiciones poéticas, casi siempre burlescas, que imitan la estructura del sermón religioso: así, por ejemplo, el *Sermón de Amores* de Castillejo.

SERVENTESIO. Estrofa de cuatro versos de arte mayor que riman en consonante el primero con el tercero y el segundo con el cuarto. Algunas veces se encuentran serventesios en que se combinan endecasílabos con heptasílabos y, a partir de Bécquer, se hallan también serventesios asonantados.

SERRANA. Cantar lírico de origen popular cuyo asunto era el encuentro de un caminante con una moza bravía que le ayudaba a encontrar el camino en la fragosidad de la sierra, a veces después de asaltarlo. A este germen primitivo se unió el influjo de la pastorela (V.) provenzal para producir por una parte la serranilla, género del que son prototipo las de Santillana, o la cántica de serrana, de tono paródico, como son las que aparecen en el *Libro de buen amor*. La estructura formal de la serranilla —más complicada que la de la serrana primitiva— es la canción con vuelta y estribillo o el villancico.

SERRANILLA. V. SERRANA, PASTORELA.

SEXTA. V. SEXTETO.

SEXTETO. Estrofa de seis versos, normalmente endecasílabos, aunque pueden conjugarse con heptasílabos, que puede adoptar muy diversas fórmulas rímicas. La más común es la coincidente con la *sestina narrativa* italiana, es decir, un cuarteto o un serventesio coronados por un pareado. Otra forma posible y no infrecuente, por lo menos desde el romanticismo, es especular de la anterior: un pareado sirve de base a un desarrollo de un cuarteto o en un serventesio. Al sexteto se le denomina en ocasiones sexta o sexta rima.

SEXTILLA. Estrofa de seis versos de métrica menor que corresponde, en su estructura, a las formas posibles del sexteto (V.). Presenta, sin embargo, una forma específica que raras veces aparece en la estrofa de versos más largos: es la llamada sextilla italiana, utilizada sobre todo en el neoclasicismo y en el romanticismo; su forma es aab:ceb, es decir, una distribución en dos grupos constituido cada uno de ellos por un pareado que se cierra en un verso agudo, colocado en tercero y sexto lugar, con rima de unión entre ambos.

SEXTINA. La sextina es una forma de poema, muy estricta y difícil, que consta de seis estrofas de seis versos endecasílabos, cada uno de los cuales termina con una palabra distinta que no debe rimar con ninguna de las demás en consonante ni —en los mejores casos— tampoco presentar ninguna asonancia ocasional, aunque no son infrecuentes los fenómenos de contraasonancia (V. RIMA), que crea una ligazón secundaria entre algunas de las seis palabras. El poema se cierra con tres versos endecasílabos, llamados contera o remate.

Al leer la primera estrofa parece, pues, como si nos encontrásemos con un poema escrito en versos sueltos, en plena fluidez de expresión del pensamiento poético; pero en las estrofas siguientes se nos presentan como final de verso las mismas palabras que en aquélla, en un orden distinto, aunque rigurosamente establecido, de tal manera que la reiteración se torna obsesiva y le obliga al autor a conjugar en forma diferente, desde seis (o siete, si contamos la contera) perspectivas esas palabras-tema, colocadas en posición dominante de final de verso, que funcionan, más que como iteraciones, como unos *leitmotiv* (V.) que se entrecruzan de todos los modos posibles, sin dejar escapatoria, y entre los que se produce un fenómeno de irradiación (V.) muy fuerte. Forma dificilísima, es sin embargo, cuando está en manos de un buen poeta, una de las más efectivas estéticamente. El poeta hace luchar su pensamiento con las palabras y los sentidos de éstas, con su disposición fuertemente reglamentada, y la angustia del esfuerzo llega hasta el lector.

Cada estrofa del poema se apoya para disponerse en la inmediatamente anterior, siguiendo siempre con respecto a aquélla el mismo método de destrucción y reconstrucción: las tres palabras finales de los tres últimos versos se colocan en orden inverso y con la última del último verso se termina el primero de la siguiente; entre estas tres palabras se intercalan las de los tres primeros versos en orden directo. El esquema, por lo tanto, sería éste: 1.º 2.º 3.º 4.º 5.º 6.º :: 6.º $_{1.º}$ 5.º $_{2.º}$ 4.º $_{3.º}$. Esta estrofa servirá de base, siguiendo el mismo procedimiento, a la que viene a continuación.

En la contera con que se cierra la sextina se vuelven a presentar las seis palabras clave, dos en cada endecasílabo; una en el primer hemistiquio —frecuentemente ante la cesura, pero no es regla precisa— y la otra ante la pausa versual; en algún caso el poeta reúne las dos palabras para final de verso («Canción, de amor y de *fortuna quexo*», Jorge de Montemayor). El orden de las palabras-motivo en la contera no responde, que sepamos, a ninguna ley fija.

La invención de este tipo de poema se atribuye al trovador provenzal Arnaut Daniel que, como se sabe, *fu il miglor fabbro del parlar materno* (Purg. XVII, 117) para Dante, que lo admiró tanto que se esforzó en colocar unos versos propios escritos en la lengua de oc en la boca de su maestro. Algunas sextinas escribió Dante y otras más Petrarca. En la literatura peninsular acaso el más feliz de sus cultivadores fuera Fernando de Herrera, sin olvidar la única sextina de Camões *Foge-me pouco a pouco a curta vida*. También se intentó la sextina doble, de doce estrofas con una sola contera: existe en Petrarca, en Sannazaro y, en español, en Jorge de Montemayor (*Diana*, Libro V). Poco empleada ya en los siglos XVI y XVII, en la literatura posterior sólo recordamos la magistral de Jaime Gil de Biedma, uno de los más sabios *fabbri* de la poesía moderna, que se llama *Apología y petición*.

SIGNIFICACIÓN.   Es, en el triángulo de Ogden y Richards (V. REFERENCIA), la relación que se establece entre la referencia (= concepto) y el signo. En Saussure, la relación entre significante y significado. Algunos autores piensan que la significación es sólo contextual y que se reduce a la suma de los usos de un signo (cfr. Mounin, *Dicc.*, s.v.).

SIGNIFICADO.   En Saussure, significado designa el concepto como elemento constitutivo del signo.

SIGNIFICANTE.   Como sabemos (V. LINGÜÍSTICA), el significante es para Saussure la imagen acústica que, asociada a un significado, constituye el signo.

SIGNO.   Para que se efectúe un proceso de comunicación (V.) es necesario que entre emisor y destinatario exista un código común, en función del cual el mensaje, sea un signo o un conjunto de signos, asume un significado. La comunicación, en este caso, al existir un código de referencia, es también significación: la falta de código reduce el proceso comunicativo a un proceso de estímulo-respuesta. El estímulo no es un signo, no es una cosa cualquiera que sustituye a otra cosa cualquiera, sino que provoca directamente a otra cosa diferente (la luz deslumbrante me obliga a cerrar los ojos, un ruido inesperado me sobresalta, etc.). Si, por el contrario, la luz o el ruido sirven para indicar, por ejemplo, una orden o un aviso, tendremos un proceso de significación (con su código correspondiente). Hemos resumido en pocas palabras lo que Eco expone con claridad en el primer capítulo de *Signo.*

Saussure, como se sabe (V. LINGÜÍSTICA), define el signo como una entidad de dos caras, constituida por un significante y por un significado.

Precisando el razonamiento sobre comunicación y significación, Eco, en el *Tratado de semiótica general,* define el proceso significativo como el paso de una señal (no tiene por qué ser un signo) desde un emisor a un destinatario (o punto de destino). Por ejemplo, en un proceso entre dos máquinas, se puede dar un paso de información, pero la señal no tiene ningún valor significante, y sólo puede decidir al destinatario *sub specie stimuli.* No existe, en resumen, significación porque el destinatario no es un ser humano, y la señal-estímulo no exige una interpretación. El proceso de significación se produce cuando algo que sustituye a otra cosa se interpreta como signo, apoyándose en un código. La comunicación entre personas presupone un sistema de significación.

La señal puede definirse como una energía transmitida desde un sistema físico a otro en el proceso de información; o como un hecho (estímulo) que provoca una respuesta (reacción), pero no una significación. Creemos que la distinción signo/señal es oportuna, aunque en la semiótica más reciente se adscriben a la categoría del signo todas las señales comunicativas que recibe el hombre tanto del ambiente (y de la materia) como de otros seres. Así, la zoosemiótica estudia el sistema de comunicación animal («sería aventurado», observa Eco en el *Tratado,* «afirmar que a nivel animal se producen simples cambios de señales sin que existan sistemas de comunicación, porque los estudios más recientes tienden a poner en duda esta creencia exageradamente antropocéntrica»); la semiótica médica se ocupa preferentemente de los síntomas, pero también de las relaciones comunicativas entre médico y paciente; la cinésica y la prosémica estudian los movimientos, los gestos, las posiciones del cuerpo, las distancias entre las personas como elementos de sistemas de significación institucionalizados por las distintas sociedades; varias disciplinas estudian los lenguajes formalizados, las lenguas naturales, los sistemas musicales, las comunicaciones visuales, las tipologías de las culturas, etc.: como se puede ver, un campo en verdad extenso y complejo, que abarca tanto los comportamientos comunicativos no humanos y no culturales, como los más diversos sistemas de significación, las culturas y las ideologías.

En *Signo*, cap. 2, Eco traza una tentativa de clasificación de los signos que aprovechamos nosotros para recapitular los términos de las distintas investigaciones en contraste.

Los signos y sus fuentes: ya desde la antigüedad estaba muy clara la distinción entre signos artificiales (producidos conscientemente por el hombre sobre la base de códigos convencionales, como las palabras, los símbolos gráficos, las notas musicales, etc.) y signos naturales, es decir, provenientes de una fuente natural y, por lo tanto, no intencionales, como los síntomas y los indicios (el médico infiere la existencia de una enfermedad de ciertas manchas en la piel; la nube negra indica la proximidad de la lluvia, etc.). La oposición es excesivamente rígida: los signos naturales pueden ser entendidos como signos con tal que alguien los interprete como tales apoyándose en un sistema de convenciones (Morris).

Los signos y la esfericidad sígnica: nos podríamos preguntar ahora, en último término, si toda la realidad no es signo, incluidos los objetos (el paraguas, por ejemplo, está unido a la lluvia; una silla sirve para sentarse, pero puede también ser signo de distinción, de señorío, de lujo, etc.). En este último caso es más correcto hablar de una función segunda de los objetos o, si se prefiere, de un efecto connotativo.

Los signos y la intencionalidad-consciencia del emisor: la distinción entre signos comunicativos (intencionales) y expresivos (no intencionales, pero reveladores de un estado de ánimo) no implica que los últimos no sean codificables; por ejemplo, un actor puede imitar los gestos, el lenguaje de un determinado tipo social como elementos distintivos e incluso comunicativos (el público «interpreta» y reconoce estas señales). Lo que se muestra, se falsea (una emoción...), se deja transparentar, se decodifica como signo de un determinado estado de ánimo (cfr. análogamente los síntomas médicos).

Los signos y los canales: incluso limitándonos a los canales sensoriales, se pueden distinguir distintas señales transformables en mensajes: a) olfato: síntomas e indicios (el olor de la comida), signos artificiales e intencionales (los perfumes); b) tacto: los signos Braille, los signos de los dedos de los sordomudos, etc.; c) gusto: la cocina como medio de comunicación (recuérdense los estudios de Lévi-Strauss), el sabor de un plato como indicio de la nacionalidad, etc.; d) la vista: signos icónicos (imágenes), grafemas, símbolos, diagramas, etc.; e) oído: señales acústicas y signos del lenguaje verbal.

Los signos y su significado: se pueden diferenciar signos con valor semántico de signos sin significado más allá de sí mismos y de su combinación (es decir, con valor sintáctico, como los signos matemáticos y los musicales); los primeros se pueden dividir en unívocos, equívocos (con diversos significados), plurívocos (V. CONNOTACIÓN, AMBIGÜEDAD), imprecisos (V. SÍMBOLO).

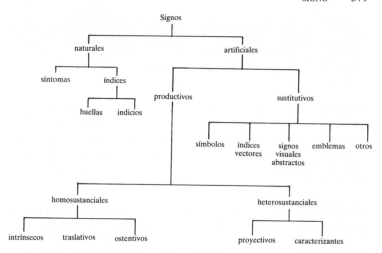

Los signos y el referente: discutiendo minuciosamente la tripartición de Peirce en índices, iconos y símbolos, Eco (*Signo*, 2.8) propone un cuadro-resumen de los signos que reproducimos, sintetizándolo:

Los signos naturales se clasifican en síntomas e índices: a) los síntomas tienen contigüidad y relación causal con el referente, por ejemplo los síntomas de una enfermedad, el humo con el fuego, etc.; b) los índices se subdividen en huellas e indicios: el rastro de un vaso en un velador, las huellas en la arena indican una causalidad del referente (el vaso, los pies) como presupuesta; los indicios (por ejemplo, los criminales: un pañuelo olvidado, un botón, etc.) indican una contigüidad presupuesta con el referente (el asesino ha olvidado su pañuelo).

Los signos artificiales se clasifican en productivos y sustitutivos. En la categoría de los signos productivos Eco incluye los iconos de Peirce, subdivididos según las distintas modalidades de producción (ostensión, uso de parte del objeto, traslación o proyección, etc.). Son intrínsecos aquellos signos (por ejemplo, la mano que imita el gesto de disparar una pistola) en los que una parte del objeto se refiere al objeto entero (el gesto que acabamos de describir con respecto al hecho de disparar); los signos traslativos los que reproducen un color, un aspecto de la materia (por ejemplo, en un *collage*); los ostensivos son los objetos empleados como signos (mostrar un paquete de cigarrillos para pedir cigarrillos, una botella para indicar al camarero, en un restaurante, que quiero más vino). Los signos heterosustanciales se clasifican en proyectivos (dibujo en perspectiva, etc.) y caracterizantes (las rayas por tigre, los ideogramas, etc.). La otra gran categoría de signos artificiales es la de los signos sustitutivos: ésta comprende los signos convencionales por excelencia:

los signos (o símbolos) lingüísticos, los índices vectores (el dedo apuntando), los signos visuales abstractos (señales de circulación, banderas, etcétera), los emblemas o símbolos heráldicos (blasones) y otros signos codificados (el juego de ajedrez, por ejemplo).

Para el signo artístico, V. SEMIOLOGÍA, 2.

SILEPSIS. Figura sintáctica, llamada también construcción *ad sensum,* que consiste en hacer concordar un término de la frase con otro lógicamente (o semánticamente) y no según las reglas gramaticales. Ejem.: *¿Ves aquel paternidad / tan grave, tan reverendo?* (Iglesias); *Finalmente todas las dueñas le sellaron y otra mucha gente de la casa le pellizcaron* (Cervantes).

SILOGISMO. Forma típica del razonamiento, definida primeramente por Aristóteles, que consta de las siguientes partes o elementos: 1) la *propositio* o presentación de la hipótesis que se quiere demostrar («Sócrates es mortal»); 2) las *rationes* (pruebas) o *praemissae* (premisas) que se individualizan en una premisa mayor («Todos los hombres son mortales») y en una premisa menor («Sócrates es hombre»); la *conclusio* (conclusión), que ha de ser idéntica a la *propositio.* Los pasos deductivos son posibles porque el sujeto de la proposición y el sujeto de la premisa menor es menos extenso (es decir, está incluido, V. INCLUSIÓN) que el sujeto de la premisa mayor. Para los aspectos retóricos del silogismo y del entimema V. Lausberg, *Manual de retórica literaria,* §§ 367-372.

SILVA. El término fue usado por Estacio, acaso apoyándose en las *Sylvae* perdidas de Lucano, para denominar a un género de poemas descriptivos con una estructura interna muy flexible en los que el poeta se dejaba guiar libremente por su inspiración (*selva* se opone a *floresta*). Nombre y tipo de composición fueron recuperados por Polizziano y, tras él, por Lorenzo de Médici: el poema se cerraba normalmente por una canción de un pastor. En España se conoció a través de la edición y comentarios que el Brocense hizo de las Sylvae de Polizziano; en este caso el texto poético estaba constituido por versos y estrofas regulares (cfr. nuestra ed. de las *Selvas de Aranjuez* en el *Cartapacio poético del colegio de Cuenca*). Como señala Eugenio Asensio, a este concepto se ajustan buena parte de las silvas de Quevedo.

Rioja y Góngora, con su práctica, modifican el sentido formal, no el conceptual, de la palabra al escribir sus silvas en agrupaciones de extensión variable de versos italianos, con rima no fija y, en algunos casos, dejando versos sueltos: sería la forma que acaso sería preferible llamar, como propone Asensio, silva métrica (española la llamaron los tratadistas franceses e italianos del XVII) para no confundirla con la del tipo estaciano. En época contemporánea, sobre todo a partir de Antonio

Machado, se ha usado la silva asonantada, muchas veces con la estructura rítmica del romance, e incluso con versos que no son ni endecasílabos ni heptasílabos.

Se llamó también silva a un libro que, por asuntos o contenido, presentaba un aspecto misceláneo. Así, la *Silva de varia lección,* la *Silva de romances* o la *Poética silva.*

SÍMBOLO. Es éste un término extremadamente polisémico, tanto si lo consideramos en las diferentes ramas del saber humano en que se emplea (por ejemplo, la lógica simbólica), como si lo referimos únicamente a las que se relacionan directamente con la semiología, la lingüística o la literatura. La noción aparece confusa desde los orígenes de la lingüística moderna. En la clasificación de Peirce, símbolo se opone a indicio (V.) e icono (V.): el símbolo, para el lingüista americano, no mantiene ninguna relación objetiva con el objeto que designa; únicamente se refiere a éste a través de una *ley* (es decir, de una convención social arbitraria); el símbolo de Peirce, por lo tanto, no es demasiado diferente de lo que Saussure denomina signo. Por el contrario, Saussure llama símbolo a una clase de objetos semióticos en los que se da una relación de analogía convencional entre lo simbolizante y lo simbolizado. Si es así, el símbolo estará, con matizaciones, muy cerca de la metáfora (V.) y de la alegoría (V.). Apoyándose en estas consideraciones, Ricouer *(De l'interprétation)* dice que «existe símbolo cuando la lengua produce signos de grado compuesto en los que el sentido, no bastándole designar a un objeto cualquiera, designa otro sentido que no podría ser alcanzado sino en esa y por esa traslación». Queda viva, pues, la naturaleza sígnica del símbolo, pero se le añaden determinaciones complementarias que remiten al carácter plurisotópico del discurso y valor connotativo de sus elementos constituyentes.

Habrá, por lo tanto, una serie de símbolos que alcancen —idealmente al menos— a toda la humanidad (piedra = dureza; círculo = perfección): de ellos se han preocupado la antropología y la psicología jungeana. Otros, los más, estarán ligados a determinadas épocas o formas culturales (olivo = paz, en una cultura mediterránea; pan = redención, eucaristía, en una cultura católica). Otros, por último, pueden ser privativos de un autor o de una obra, y, en ocasiones, incluso contradecir al sentido que tiene el símbolo en general: *verde* en el *Romance sonámbulo* de García Lorca, no significa, evidentemente, ni primavera ni esperanza, que son los sentidos que le atribuye Morier *(Dictionnaire de poétique et de rhétorique).*

Sería preciso distinguir también entre el sentido simbólico de una obra y su interpretación simbólica. Con la ayuda del psicoanálisis, de la sociología, de la antropología, de la religión, etc., se puede dar a la obra un valor o unos valores simbólicos que acaso no estuviesen en la conciencia del autor en el momento de la creación, pero que no por eso dejan de ser reales, aunque pertenezcan al lector y sean posteriores al instante de la escritura.

Por el contrario el sentido simbólico depende del autor del texto y solicita ser notado e interpretado por el lector. Esta presencia de un sentido simbólico puede ser subrayada por la insuficiencia del sentido literal en el contexto: *La mar no tiene naranjas* (García Lorca); es preciso conocer el sentido erótico del término *naranjas,* el sentido simbólico de *mar* como aridez, amargura y desamor *(Miraba la mar / la mal casada; / miraba la mar, / cómo es ancha y larga),* para poder desanudar la tautología que el poeta nos plantea. También por la apariencia enigmática, hermética o absurda del enunciado: *Porque por ti pintan de azul los hospitales* (Neruda). Otras veces, la aparición de un objeto o una palabra que produzca extrañamiento (V.) nos incita a la búsqueda del sentido simbólico: véase la aparición de los jinetes que están muertos en la *Muerte de la Petenera* de García Lorca.

Existen útiles repertorios de símbolos culturales generales. Citemos, entre los más completos a nuestro parecer, el libro de Juan Eduardo Cirlot, *Diccionario de símbolos,* y Jean Chevalier y Alain Gheerbrannt, *Dictionnaire des symboles.* Y no olvidemos los estudios sobre iconología, encabezados por los de Panofsky, que aun orientados fundamentalmente sobre las artes visuales, pueden ayudar a descifrar algunos símbolos o construcciones simbólicas de las obras literarias.

SINAFIA.   En la métrica clásica, unión entre dos miembros sucesivos. En la métrica románica es el fenómeno conocido también como compensación entre versos, por el cual un verso y su quebrado justifican mutuamente su medida. Ejem.: *En error que non quisiera / encontinente* (Santillana), con sinalefa entre los dos versos; *que van a dar a la mar / que es el morir* (Manrique) con la primera sílaba del quebrado justificada por la prolongación del agudo final.

SINALEFA.   La sinalefa es la fusión en una sílaba métrica de la vocal o vocales finales de una palabra y de la vocal o vocales iniciales de la palabra siguiente. Ejem.: *En vano espero tu palabra escrita* (García Lorca); *Muerta la lengua a Eurídice respira* (Jáuregui). El fenómeno contrario es la dialefa (V.).

SINATROÍSMO.   Término usado algunas veces por acumulación (V.).

SÍNCOPA.   La síncopa es la supresión de uno o varios fonemas en el interior de una palabra. Ejem.: *Pastores los que fuerdes / allá por las majadas al otero, / si por ventura vierdes...* (San Juan de la Cruz).

SINCRONÍA. Se llama sincronía a un estado de la lengua que se estudia en su funcionamiento en un momento determinado de la vida del sistema. En Saussure la sincronía se opone —es una de las dicotomías descritas por él— a la diacronía, es decir, a la visión evolutiva de la lengua. Una descripción sincrónica efectúa un corte transversal para examinar las relaciones que existen entre los elementos del sistema en un momento determinado de su desarrollo, sincrónicamente puntual. En la lingüística actual (V.), la oposición saussuriana, que sigue siendo importante desde un punto de vista metodológico, ha sido superada desde una concepción funcional de la lengua, que ve en un estado de lengua aspectos diacrónicos, supervivencias de un estado que está terminando y asomos del nuevo sistema que surgirá acaso.

En la crítica literaria el análisis de un texto o de un *corpus* (conjunto de textos), que tiende a establecer un modelo de las funciones de la poesía o de la narrativa, o verificar las relaciones de las partes en un conjunto sistemático, si bien es necesario (cada texto, cada autor, cada época literaria crea su propio sistema), debe completarse por medio de la comprobación de la evolución del modelo (ampliación, resistematización interna, modificaciones: en una palabra reescritura) con el fin de diseñar un cuadro global, sincrónico y diacrónico, de la obra.

SINÉCDOQUE. La sinécdoque, como la metonimia, es una figura semántica que consiste en la transferencia de significado de una palabra a otra (V. METÁFORA), apoyándose en una relación de contigüidad. Pero mientras que en la metonimia la contigüidad es de tipo espacial, temporal o causal, en la sinécdoque la relación es de inclusión, es decir, que uno de los miembros es de mayor o menor extensión (o forma parte del conjunto implícito) que presenta el otro. La sinécdoque, por lo tanto, representa:

a) La parte por el todo: *vela* por *nave, fuegos* por *casas, cabezas* por *animales*.

b) El todo por la parte: *la ciudad* (= los habitantes) *se amotinó.*

c) La palabra de significado más amplio por la de significado restringido: *trabajador* por *obrero, felino* por *tigre.*

d) El género por la especie: *noble bruto* por *caballo.*

e) La especie por el género: *No sabe ganar el pan* (= comida).

f) El singular por el plural: *el inglés es flemático, el español colérico.*

g) El plural por el singular: *Los oros de las Indias.*

h) La materia por el objeto: *fiel acero toledano* (= espada).

i) Lo abstracto por lo concreto: *la juventud* (= los jóvenes) *es rebelde. Las tropas no respetaron sexo* (mujeres) *ni edad* (= viejos y niños).

Para el Grupo μ, en su *Rhétorique générale,* la sinécdoque se expresa según dos módulos distintos:

El módulo π (o descomposición exocéntrica) que consiste en la distribución de las propiedades de un elemento en sus partes constituyentes o en la distribución de los semas de un conjunto en sus partes. Ejemplo: árbol = ramas *y* hojas *y* tronco *y* raíces...

Hay equivalencia entre la proposición: *x es un árbol* y el producto de proposiciones: *x tiene hojas y x tiene tronco,* etc.

El módulo Σ (o descomposición endocéntrica) consiste en atribuir las mismas propiedades de un elemento a subclases de elementos homogéneos. Ejemplo: árbol = álamo *o* roble *o* encina *o* tilo *o*...

Las subclases se sitúan con respecto a la clase en una relación de especie a género de tipo disyuntivo, puesto que un árbol será un álamo o un roble, etc. «Esta vez, la descomposición no es distributiva, sino atributiva, al referirse cada parte a un árbol, al que se le atribuyen todos los semas del árbol, más determinantes específicos.»

La sinécdoque puede, además, ser particularizadora o generalizadora. Cuando decimos *mortales* por *hombres,* empleamos una sinécdoque generalizadora, en tanto que la supresión parcial de semas (también los animales son mortales) extiende el término. Es generalizadora también la sustitución de *ciudad* en vez de *habitantes* en la frase: *la ciudad se amotinó.* La sinécdoque particularizadora es del tipo *vela* por *barco,* pero también *pan* por *comida.* En la mayor parte de las sinécdoques particularizadoras rige el módulo π, en las generalizadoras el módulo Σ.

Tenemos, por lo tanto, los siguientes paradigmas de las sinécdoques:

Sinécdoque	descomposición según el módulo	
	Σ	π
generalizadora	mortal por «hombre»	ciudad por «habitantes»
particularizadora	pan por «comida»	vela por «barco»

La sinécdoque, dice Eco en su *Tratado de semiótica,* en un caso de «interdependencia sémica» como la metonimia, de la cual sería muy difícil —sino imposible— diferenciarla, en cuanto que para ambas figuras la interdependencia consiste en la selección de un sema (o marca) por el semema al que pertenece (*vela* por *nave*) o a la inversa: de un semema por uno de sus semas (*mortal* por *hombre*).

En la frase:

Tengo siete bocas que alimentar.

El lexema *boca* tiene una constitución semántica del tipo

hombre, persona, cuerpo, cabeza, cara
◄――――――――――――――――――――――
                    boca

                    dientes, lengua, paladar...
                    ――――――――――――――――――►

Es evidente que *boca* es uno de los semas que forman el semema /persona/, que está sobremarcado con respecto a *cuerpo, cabeza, cara, boca,* etc.; si, por el contrario, *boca* sustituye, por ejemplo, a *lengua,* como en la frase *ten la boca quieta,* entonces tendremos un proceso generalizador, porque el término traslaticio es un semema que está en lugar de un sema submarcado. Esta última sinécdoque (generalizadora según el módulo π) es, sin embargo, poco usual, como lo son las sinécdoques particularizadoras según el módulo Σ, del tipo *fue una noche culterana* (que Quevedo emplea por *oscura*).

SINÉRESIS.   La sinéresis es la contracción de dos sílabas en una en el interior de una palabra. En el verso es una figura métrica, contraria a la diéresis, que funde en una dos vocales que, al estar en hiato, habrían de contarse como dos sílabas. Ejem.: *Malhaya sea Perdigón* (F. Villatón). En los siglos XVI y XVII es normal la sinéresis en los imperfectos de la segunda y tercera conjugación.

SINESTESIA.   Es una figura, emparentada con la enálage y con la metáfora, que consiste en la asociación de elementos que provienen de diferentes dominios sensoriales. Las sinestesias son conocidas y se usan desde la antigüedad: Virgilio escribe, con imagen sinestésica, *clamore incendunt coelum*. Se usó en la poesía de nuestro Siglo de Oro *(relámpagos de risas carmesíes)* e incluso se encuentran algunas lexicalizadas: *colores fríos, sonidos agudos* o, con implicaciones ético-psicológicas, *negra honrilla*. Su teoría retórica, sin embargo, procede del soneto «Correspondences» de Baudelaire, del que se deriva «Voyelles» de Rimbaud, y del *Traité du verbe* de René Ghil. Desde aquí se extiende su uso a la poesía parnasiana y simbolista, y de ellas al modernismo y a toda la poesía contemporánea. Una hermosa sinestesia tenemos en el verso rubeniano *¡Salve al celeste sol sonoro!,* donde está clara la asociación vista *(sol)* y oído *(sonoro),* donde *sol* es una metonimia por luz, y todo se arropa en una aliteración que es, por sí misma, sinestésica. Más complicada es la sinestesia de este ejemplo de Lorca: *Corazón interior* *no necesita / la miel helada que la luna vierte,* en la que una sensación moral se metaforiza en luz de luna y la *luz* se caracteriza por un sabor *(miel)* modificado por una sensación táctil *(helada)* y donde *miel helada* es casi, por lo menos psicológicamente, un oxímoron: tres campos sensoriales, más la valoración anímica, se entrecruzan.

SINONIMIA. En lingüística, «el término *sinonimia* puede tener dos acepciones diferentes: o bien dos términos se llaman sinónimos cuando existe la posibilidad de sustituir el uno por el otro en un único enunciado aislado; o bien se llama sinónimos a dos términos (sinonimia absoluta) cuando son intercambiables en todos los contextos, y entonces no hay ya prácticamente verdaderos sinónimos más que entre dos lenguas funcionales» (Dubois, *Dict.,* s.v.). Ejem.: *oír* y *escuchar* (parcial); *anginas* y *amigdalitis* (total, pero son diversas las connotaciones).

En retórica, figura que consiste en colocar una tras otra diversas palabras o expresiones de parecido significado con alguna matización. Ejem.: *padre y hombre, / marido y hombre, ferroviario y hombre, / padre y más hombre, Pedro y sus dos muertes* (César Vallejo).

SINTAGMA. Para Saussure, el sintagma es una combinación de elementos en la cadena hablada, por ejemplo, *releer, contra todos, la vida humana, Dios es bueno, si hace buen tiempo, nosotros saldremos.* El sintagma es, pues, tanto un hecho infraléxico *(re-leer)* como de una frase entera. La definición ha sido mantenida por algunos lingüistas, como Martinet.

La lingüística postsaussuriana define el sintagma como grupo de elementos que forman una unidad en una estructura jerarquizada (sintagma nominal, verbal, preposicional, etc.). El sintagma está formado por dos o más elementos y él mismo es un elemento de una unidad de rango superior. Por ejemplo, *el niño va a casa* se analiza en un sintagma nominal y un sintagma verbal (SN + SV); el sintagma verbal está formado por un verbo y un sintagma preposicional (V + SP). Para los problemas del análisis lingüístico V. LINGÜÍSTICA; para aspectos estilísticos V. EJES DEL LENGUAJE.

SÍNTOMA. Se podrá definir el síntoma como un signo natural producido inconscientemente por un agente; por ejemplo, los síntomas médicos, psicológicos, etc. (V. Eco, *Signo,* 2.3). Por ejemplo, la fiebre es síntoma de enfermedad.

SÍRIMA. La sírima o sirma es la parte final —tras la fronte y el eslabón— de una estancia de canción italiana; puede tener formas muy diversas y generalmente es más larga que la fronte o cabeza. V. CANCIÓN.

SIRVENTÉS. Tipo de composición poética de la literatura provenzal, que sigue en su estructura formal (y parece ser que también en la melodía con que se cantaba) la andadura de la canción, género reservado para la expresión del amor cortés. Difiere de ella en el tema, más objetivo —a veces incluso narrativo—, referido a las opiniones sobre los hombres y la vida social, y por su carácter moral y satírico. De aquí que se distingan tres clases fundamentales de sirventés: el moral o religioso, el político y el personal.

El sirventés provenzal actúa sobre las *cantigas de escarnho e mal dizer* (V. CANTIGA, y la ed. de Rodrigues Lapa) y sobre la poesía del xv, transformándose en Santillana en los poemas llamados decires.

SISTEMA. En lingüística (V.), la lengua se define como un sistema, en sus distintos niveles (fonológico, morfológico, sintáctico, semántico) y campos (paradigmático y sintagmático), relaciones que unen los términos entre sí de tal modo que, si se modifica un término, se modifica el equilibrio complejo de todo el sistema.

También la literatura (V.) puede ser considerada como un sistema en el que, en diacronía y en sincronía, actúan sus instituciones peculiares, como los géneros; en el que cada texto literario asume valores y especificidades por su correlación con los otros textos, especialmente con los que le son afines en el seno de un género determinado o de una poética o de una escritura (V. INTERTEXTUALIDAD); en el que, por último, «la función hipersígnica del texto literario se realiza plenamente en el proceso comunicativo general acordado por la existencia de convenciones y codificaciones literarias (tras las que se esconden las socioideológicas), de técnicas reconocidas, que transmiten, de algún modo, el diálogo entre autor y destinatario» (Corti, *Principi della comunicazione letteraria*).

SÍSTOLE. En la métrica clásica, la conversión de una sílaba larga en breve por razón del verso. En la métrica acentual el traslado del ictus de una palabra a una sílaba anterior de la que le corresponde en la palabra para mantener el ritmo. Ejem.: *del prímer Enríque, que en adolescencia* (Mena). Cfr. Lázaro Carreter: *La poética del arte mayor castellano.*

SITUACIÓN. Es uno de los factores de la comunicación (V.): se define como el conjunto de elementos extralingüísticos (ambiente, espacio, tiempo) que permiten la comunicación y la caracterizan pragmáticamente. La situación puede ser formal o informal: la primera presenta una estructura codificada (por ejemplo, una conferencia, un banquete oficial, un sermón, etc.) que no puede dejar de influir en la comunicación lingüística, mientras que la informal permite variantes más libres.

En el ámbito de la situación se ubican también las relaciones entre los interlocutores, condicionadas por variables como el conocimiento recíproco, la intimidad, el rango social (simétrico o asimétrico), la competencia. Se consideran presupuestos (V.) pragmáticos los relativos a las condiciones de adaptación de la comunicación respecto a una situación en la que ésta se produce: por ejemplo, los hechos de habla (V.), que siempre están anclados en una situación determinada.

En teoría de la narrativa se denomina situación a las relaciones mutuas entre los actantes en un momento determinado del desarrollo de la historia.

SOBRESIGNIFICACIÓN. Una de las características del texto —o mensaje— estético es su polisemia o densidad connotativa; este hecho ha sido señalado por los críticos con expresiones diversas: Dámaso Alonso habla de «valor imaginativo del lenguaje», Eco de «sobrefunción sígnica» en relación con la «hipercodificación estética»; Corti de «hipersigno» como potenciación de los signos que construyen la obra y producen «un altísimo grado de información». En general, el mensaje connotado (gracias, por ejemplo, a un proceso figurativo; V. FIGURA, METÁFORA) es siempre sobresignificante, por cuanto lo recorre una compleja isotopía semántica.

SOLEÁ. Estrofa de tres versos, generalmente octosílabos —alguna vez uno de ellos puede ser quebrado— de los que rima en asonante el primero con el tercero y queda suelto el segundo. Forma primariamente popular, la ha utilizado también, como forma poética autónoma, seriada o combinada con otras estructuras, la poesía contemporánea. Seriada, y con rima consonante, es la estrofa de *O divino sainete* de Curros Enríquez; autónoma aparece en alguno de los *Proverbios* de Antonio Machado y en los *Tréboles* de Jorge Guillén; sirviendo de motivo básico que luego se desarrolla en formas distintas o en otras soleares la tenemos en Lorca: véase el poema *Sorpresa* o la *Gacela del amor desesperado*.

Muy cercana a la soleá es la forma que presentan algunos villancicos (V.) antiguos o motes: consiste en un verso blanco seguido de un pareado: *Vos me mataste, / niña en cabello, / vos me habéis muerto*; esta forma puede desarrollarse en un villancico o en una canción con glosa (V.). En el siglo XVI se emplea para la poesía gnómica (V.); la utiliza Diego Gracián en su traducción de Plutarco para aducir máximas de autores griegos: *...aquel dicho de Menandro: Nada grave has padecido / ni mortal / si tú no lo finges tal.*

SOLILOQUIO. V. MONÓLOGO.

SONETO. El soneto es una forma poética antiquísima en la literatura italiana, creada en ella y desde ella extendida por todas las otras literaturas en lenguas europeas, aunque el nombre —como señala Martín de Riquer— parece provenir del provenzal *sonet* que significa melodía. Si así fuese tendrían razón los teóricos italianos del siglo XVI, cuando ven en esta forma un modo específico de actualización de la esparsa (V.), tal como la trataron los italianos dentro de su tradición cultural.

Surgió el soneto por primera vez en la llamada escuela siciliana: fue acaso el notario Jacopo de Lantini el primero que, de manera repetida, combinó los catorce versos endecasílabos distribuyéndolos en dos grupos desiguales, uno de ocho versos con dos rimas encadenadas (ABABABAB, como el *strambotto* popular del Sur italiano) y otro de seis que podía disponerse con dos o tres rimas (en Lantini, CDE:CDE o CDCDCD, esta última con una distribución unitaria, bipartita o tripartita). Los *stilnovisti*, Dante y, sobre todo, Petrarca dieron con la forma definitiva de los cuartetos (ABBA:ABBA), flexibilizaron la organización de los seis últimos versos y lo hicieron, junto con la canción, el vehículo más usual de su poesía lírica. A ellos se debe la fortuna posterior, casi prodigiosa, de esa forma poética. Desde ellos el soneto se irá cargando de posibilidades expresivas al ser utilizado y hecho propio por casi todos los grandes poetas de todas las literaturas. Dámaso Alonso, tan excelente sonetista, señalará en *Permanencia del soneto (Palabras para presentar a Vicente Gaos en una lectura pública de sus versos),* recogido en los *Ensayos sobre poesía española,* cómo ha pervivido y flexibilizado en contenidos y posibilidades «ese ser creado, tan complicado y tan inocente, tan sabio y tan pueril, nada, en suma, dos cuartetos y dos tercetos», que «seguirá teniendo una eterna voz para el hombre, siempre igual, pero siempre nueva, pero siempre distinta».

Será crítica idealista, si se quiere (el texto es de 1944), deformada aún por ser palabras para no escritas, sino para pronunciadas ante un público, pero las palabras del maestro no dejan de subrayar dos aspectos: su igualdad en todos los casos (y, por lo tanto, su pertenencia al horizonte de expectativa [V.] del lector) y su capacidad para contener todo tipo de pensamiento poético y todo tono de éste; y queda abierta la posibilidad de transgredir sus reglas formales —dentro de ciertos límites— y de automodificarse. Blas de Otero, que hizo del soneto su estrofa favorita, recalca, independientemente, la idea de Dámaso Alonso: «Entre la realidad y la prosa se alza el verso, con todas las ventajas del jugador de ajedrez y ninguno de sus extravagantes cuadros. Ni siquiera el soneto, tan recogido él, tan cruzado de brazos. Pues alguien lo acantiló, lo precipitó por dentro, abombando sus límites para que una historia completa cupiera en una' palabra tan triste como ésta» *(Historias fingidas y verdaderas).* El soneto no es, pues, únicamente una forma poética donde se vierte un pensamiento. Su riqueza temática lo han convertido, de institución, en estructura poética autónoma, en modo de pensar poéticamente —estructura profunda— más que en modo de expresar lo pensado. Será un modelo de competencia poética, en el sentido chomskiano de la palabra, y no sólo de actuación. Él solo es un poema: *Un sonnet sans défaut vaut seul un long poème,* decía Boileau. Es una cualidad que, en nuestra literatura, comparte exclusivamente con el romance. El juego de relaciones y oposiciones manifiesto por el doble sistema de ejes de distribución, disimétrico y con cambio de rima entre los ocho primeros versos y los seis últimos, simétrico y con repetición entre los dos cuartetos y los dos tercetos, la posibilidad de transgredirlos, de romper el límite que señalan o de ajustarlos al ritmo sintáctico o al de pensamiento han hecho del soneto ese instrumento preciso —en el doble sentido del término— y flexible que le ha hecho atravesar todas las culturas y todas las épocas.

En nuestra península el soneto se empleó ya en el siglo xv, en catalán por Pere Torroellas, en castellano por el marqués de Santillana. Pero su aclimatación y principio de continuidad se debe a Boscán y, sobre todo, a Garcilaso, con el grupo de poetas que los rodearon —Hurtado de Mendoza, Cetina, Acuña—; en Portugal, el primero será Francisco Sá de Miranda. A ellos se debe el establecimiento canónico de las rimas abrazadas en los cuartetos —Santillana había preferido en muy alta proporción el encadenamiento de las rimas—, con el consiguiente desarrollo del subeje de oposición y simetría entre ambos, sin romper la relación (véase la utilización de esta estructura en la disposición de lo convertible y lo convertido en el soneto XIII de Garcilaso: *A Dafne ya los brazos le crecían*). Por el contrario, se deja una libertad muy grande en la organización de los tercetos, con variantes formales que implican organizaciones semiológicas y estilísticas diversas; se prefiere para ellos, en un primer momento la triple rima a la doble, pero sin renunciar a ésta. Garcilaso, en sus treinta y ocho sonetos indiscutidos, utiliza nada menos que seis esquemas distintos: CDE:CDE (17), CDE:DCE (12), CDC:DCD (4), CDE:DEC (2), CDE:CED (1), CDE:ECD (1) = la proporción es muy semejante en sus contemporáneos o seguidores directos (cfr. D. C. Clarke, *Tiercet Rimes of the Golden Age Sonnet,* HR, IV, 1936, y Jorge de Sena, *Os sonetos de Camões e o soneto quinhentista peninsular,* así como las páginas finales de *A estrutura de «Os Lusiadas»*). Al correr de los años, cuando nos acerquemos a la generación de 1580 y al barroco, cuando el soneto se vaya convirtiendo en un silogismo poético o en un poema de ritmo ascendente, a veces enumerativo o radial, usando las denominaciones de Martín de Riquer y de Lázaro Carreter (el *Desmayarse, atreverse, estar furioso* de Lope sería un buen ejemplo), que desemboca en la brillantez de los dos últimos o sólo del último verso, desplazándose el subeje de los tercetos, se hará más frecuente la organización de éstos en únicamente dos rimas, invirtiéndose las proporciones. A veces, pero no con mucha frecuencia, las rimas de los cuartetos se prosiguen en los tercetos: es el llamado soneto continuado; y con frecuencia en este tipo se contraponen no dos rimas, sino dos palabras que se potencian por la iteración y por la colocación ante la pausa versual: hay varios casos en que las palabras en rima son vida/muerte.

El cultivo asiduo del soneto hizo que, desde muy temprano, se ensayasen en Italia algunas variedades o modificaciones que no lograron imponerse en nuestra literatura. Una de ellas, de la que se encuentran ejemplos en castellano, es el llamado soneto doble o doblado, que se produce al introducir un heptasílabo tras cada verso impar de los cuartetos y otro tras el segundo de cada uno de los tercetos; a veces hay un heptasílabo también detrás del primer verso de cada terceto. Mejor fortuna tuvo el soneto con estrambote (V.), desde el famosísimo de Cervantes —pero antes los escribió Juan Boscán— hasta *A un olmo viejo* de Antonio Machado.

El Modernismo y la poesía posterior han permitido nuevas flexibilidades al soneto. Se ha ampliado el número de sílabas métricas que puede comportar cada verso, extendiéndolo desde las dos a las veinte sílabas, con preferencia —junto al endecasílabo, que sigue siendo dominante— del verso de siete u ocho sílabas (sonetillo) y del alejandrino; ensaya el soneto polimétrico; hizo posible el empleo de la rima asonante; usó, en vez del cuarteto, el serventesio, o combinó a éste con aquél, una organización en cada una de las partes; deshizo la unión de rima de los cuartetos, independizándolos (así es frecuente en Machado), y haciendo que se leyesen los cuatro primeros versos de los tercetos como un nuevo cuarteto y propiciando una lectura metanalítica (véase *Rosa de fuego,* de Antonio Machado); de aquí es fácil el paso al soneto inglés, que tanto utiliza Borges, compuesto por tres cuartetos o serventesios (o fórmulas mixtas) cerrados por un dístico; se introduce la disposición francesa de los tercetos (CCD:EED), etc. Se jugará con la competencia del lector, dejando abierto el soneto, haciéndolo de trece versos (así se llama uno de Rubén Darío) o incluso de doce, deshaciendo el último verso en dos hemistiquios (*Lo fatal,* del mismo Rubén), o se terminará con una estrofa distinta, a veces de aire popular (*Y dijo de esta manera,* de Blas de Otero). Y se obrará, sobre todo, con los ejes de organización, rompiéndolos o reforzándolos, jugando siempre con la doble competencia de autor y lector. Incluso nos parece adivinar la disposición interna del soneto en poemas que eligen distintos versos y distintas subestrofas formantes: véase, por ejemplo, dentro del *Diwán del Tamarit* de García Lorca, la «Gacela del amor maravilloso».

SPANNUNG. V. TENSIÓN.

STEMMA. En una edición (V.) crítica, se denomina *stemma* al árbol genealógico que agrupa y ordena a los manuscritos e impresos que nos han transmitido un texto.

STREAM OF CONSCIOUSNESS. V. FLUJO DE CONCIENCIA.

SUBCÓDIGO. Eco *(Signo)* entiende por subcódigo un léxico específico que es capaz de descifrar los significados connotativos, mientras que el código de la lengua fija exclusivamente los significados denotativos. Un subcódigo es un código más restringido o especializado, que implica un uso específico de la lengua, un nivel más o menos formalizado, una caracterización de un sector, etc. Por ejemplo, se pueden considerar como subcódigos la jerga de los estudiantes, de los soldados, del marginalismo, la germanía, con relación al empleo normal; y también el lenguaje deportivo, político, técnico-científico tienen codificaciones precisas que se ramifican en subespecificaciones (el lenguaje médico y el de cada una de sus especialidades, el científico y el de la química y el de las matemáticas, etc.).

En el estudio de la literatura se pueden considerar subcódigos los registros, las escrituras o los estilos producidos por los códigos estilísticos de los diversos géneros, en épocas determinadas (V. ESCRITURA).

SUBRAYADO. Procedimiento que se emplea para llamar la atención sobre determinadas partes de un texto. Mueller-Hauser *(La mise en relief d'une idée en français moderne)* ha señalado diversos procedimientos de subrayado: el cambio de tipo de letra (itálicas o negritas), la separación anormal de las letras o las palabras, la repetición de una palabra, bien simplemente o reforzándola con un adjetivo o un adverbio, la variación del orden de las palabras, incisos que sirven para subrayar, la segmentación de la frase, la elipsis, etc. Podremos añadir, en el caso de la poesía, la colocación de la palabra en posición anterior a pausa, el juego de encabalgamientos, el aislamiento de una palabra en un verso, etcétera.

SUJETO. En lingüística el sujeto es una función sintáctica del sintagma nominal en la frase canónica: F → SN + SV (por ejemplo, *el perro roe un hueso*). Partiendo del stemma básico de Tesnières que distingue en la frase tres actantes —el sujeto, el objeto y el beneficiario (por ejemplo, la frase *Pedro compró ayer un tren eléctrico para su hijo* se desarrolla en el siguiente stemma:

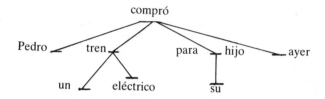

en el que el actante 1 *(Pedro)* es el sujeto, el actante 2 *(tren)* es el objeto, el actante 3 *(su hijo)* es el beneficiario, mientras que *ayer* es un circunstancial)—, Greimas elaboró su modelo actancial del relato, que resume también las funciones halladas por Propp en el cuento de hadas y por Souriau en el teatro (V. ACTANTE). Como categoría literaria el sujeto puede ser el personaje protagonista (V.), el héroe (V.), el yo narrativo o el yo lírico: el pernio, en suma, de una alternativa de invención.

Desde la perspectiva de la construcción lingüística de un texto, es preciso presentar claramente la distinción entre el enunciado y la enunciación (V.): en el proceso de la enunciación el sujeto o hablante aparece como el que está pronunciando un discurso (ocasionalmente a un destinatario), es decir, una serie de enunciados caracterizados por connotadores emotivos, valorativos, modalizantes, etc. (V. ESTILO, 1). El sujeto, por último, se estudia en el área de los problemas de la narración (punto de vista, voz del narrador, etc.): piénsese, por ejemplo, en la distinción entre Lázaro como autor, que cuenta *a posteriori* su experiencia y Lazarillo como *agens* (sujeto o personaje protagonista de una trayectoria vital). En la novela contemporánea, de *Don Segundo Sombra* a *La muerte de Artemio Cruz* abundan los ejemplos de esta dislocación entre narrador y personaje.

SUPERESTRUCTURA. En Marx, la superestructura agrupa todas las expresiones ideológicas de una época determinada que no derivan de la base socioeconómica (= infraestructura). Superestructurales son las instituciones jurídico-políticas y las culturales (moral, arte, etc.). La relación entre infraestructura y superestructura no es determinista, sino dialéctica: ésta no es un simple reflejo de aquélla, sino que resiste, o reacciona, frente a aquélla, por ejemplo en la conciencia individual o en el sistema de creencias tradicionales. Las superestructuras tienden a permanecer cuando ya las condiciones de infraestructura que las han originado han variado o han desaparecido; incluso algunos valores propios de una clase dominante en declive pueden ser asumidos, con oportunas transformaciones, por la nueva clase emergente, bien por un deseo de ennoblecimiento, bien por considerarlas útiles o válidas en la nueva situación. Piénsese en la permanencia de los ideales corteses-caballerescos manteniéndose en el Renacimiento como valores de referencia de la nueva burguesía naciente (al Renacimiento corresponde el auge de lecturas de libros de caballerías), en los nacionalismos actualmente asumidos por la izquierda; en la literatura española este trasvase de ideales de una clase a otra acaso sea más consciente en la novela de Galdós (pienso en *La de Bringas,* en los *Torquemadas,* en *Fortunata,* en *Misericordia,* también en los *Episodios*) que en ningún otro escritor.

La oposición infraestructura/superestructura, poco teorizada por Marx, ha sido utilizada de forma mecánica por los críticos marxistas. Este empleo, ya denunciado por Engels (en carta a Bloch: «no existe un efecto automático de la situación económica») y, con respecto al arte, por Trotski, ha sido criticado desde presupuestos teóricos por Gramsci y por Althuser y su escuela.

SUPRASEGMENTAL. Se llama rasgo suprasegmental o prosódico a la característica fónica que concierne a un segmento más largo que el fonema: el acento, la entonación, la duración son rasgos suprasegmentales (cfr. Dubois, *Dic.,* s.v.). V. PROSODIA.

SUSPENSE. Es un mecanismo de la trama que convierte en dramáticos, creando una fuerte tensión en el lector, elementos que en sí mismos no lo son. El paradigma es el cine de Hitchcock, pero los ejemplos no faltan en la narración y aun en la poesía (cfr. la función del *leitmotiv ¡Alerta! ¡Alerta! ¡Alerta!* en *Ciudad sin sueño* de García Lorca).

SUSPENSIÓN. Figura que se produce cuando se espera hasta el final de la frase o de un período para presentar un rasgo o elemento que da una luz nueva, aclara o completa el sentido del texto. Morier, *Dictionnaire,* s.v., señala diferentes formas de suspensión, aquí damos ejemplos de dos; distensión de la oración por inclusión de miembros entre dos relacionados entre sí: *Caminad, cuando el eje del planeta / se vence hacia el solsticio de verano, / verde el almendro y mustia la violeta, / cerca la sed y el hontanar cercano, / hacia la tarde del amor* (Machado); distensión semántica, que convierte en imágenes lo que se nos presentaba como realidad: *En la redonda / encrucijada / seis doncellas / bailan. / Los sueños de ayer las buscan / pero las tiene abrazadas / un Polifemo de oro / ¡La guitarra!* (García Lorca). Algunos críticos traducen con esta palabra el término inglés —y universal— suspense, pero éste no se refiere al período, sino a la construcción del discurso; preferimos, por tanto, distinguirlos.

SUSTITUCIÓN. En una fórmula esperada (cliché, cita, refrán, etc.) se reemplaza una palabra por otra, lográndose un efecto de extrañamiento, bien por choque («*Hay que joder para vivir y no vivir para joder*». /

Quien así hablaba, con tan sobria moral, era —naturalmente— una prostituta. / Sirva de ejemplo a respetables damas, críticos literarios, policías, Ángel González), bien como imagen, sumando significados (*Escribir en España es hablar por no callar / lo que ocurre en la calle,* Blas de Otero). La sustitución obliga siempre a un metanálisis del enunciado.

TABÚ. Designa la prohibición de proferir determinadas palabras que, por motivos sociales, religiosos, supersticiosos, culturales, ideológicos o de otro tipo, son considerados «inconvenientes». Los antiguos decían que el *aptum* social destierra el uso de determinadas *verba propria*; de aquí la necesidad de la sustitución eufemística (V. EUFEMISMO). Lausberg recuerda el púdico *¿Dónde puedo lavarme las manos?* En los últimos tiempos parece como si la desenfrenada «apología del taco» (incluso en el ámbito de lo «literario») fuese un aspecto importante de la «liberación» del individuo de las estructuras represivas, partiendo desde las lingüísticas (como si dijéramos, la palabrota es revolucionaria: todos recordamos ejemplos, que «emulan» el *merdre* de nuestro padre Ubu).

TAUTOLOGÍA. Figura lógica que consiste en presentar una proposición cuyo predicado no añade nada nuevo con respecto al tema: *Mario, convéncete, el noviazgo es el noviazgo* (Delibes). Considerada como un vicio lógico, la tautología puede algunas veces adquirir un extremado valor expresivo; recordemos la famosa de Gertrud Stein: *Una rosa es una rosa es una rosa.* O puede acompañarse, con frecuencia, de un empleo diafórico (V.) de los términos: *Y por las calles la sangre de los niños / corría simplemente, como sangre de niños* (Neruda). Esta diáfora puede conducir hasta la admisión de la proposición contradictoria con términos iguales: *Pero yo ya no soy yo / ni mi casa es ya mi casa* (García Lorca).

TAXONOMÍA. En sentido general, el término significa clasificación de elementos. En la lingüística de Bloomfield, por ejemplo, los elementos lingüísticos se describen y clasifican en listas que justificarán, por sus reglas de combinación, las construcciones de una lengua. Un procedimiento taxonómico está llamado a descomponer un texto en clases de secuencias y de elementos de tipo sintagmático y paradigmático; cfr. Barthes, *S/Z.*

TEATRO. El teatro nace de la función sacra y ritual celebrada en un espacio delimitado (la forma circular, entre otras cosas, aparece atestiguada por documentos antiquísimos) dedicado al culto. En un primer tiempo, la representación, itinerante, no se desarrolla en un lugar fijo; pero ya en Creta se advierte la institución de un espacio específico para el espectáculo, con la división implícita entre actores y público. En Grecia el teatro es «visión», «espectáculo» y lugar dedicado a las representaciones escénicas, con ocasión de determinadas festividades religiosas (el culto a Dionisos). En Roma tuvo éxito la comedia, que hubo de ser sobre todo una diversión colectiva. Con el hundimiento del mundo antiguo acabó por largo tiempo el empleo de un espacio específico para la representación teatral e, incluso, la concepción del teatro como algo distinto al texto escrito. La representación se reinventó a lo largo de la Edad Media, bajo formas diversas, laicas y religiosas, en latín y en lengua vulgar; para estos espectáculos era suficiente la plaza o una simple plataforma o tarima. Con la llegada del Renacimiento y el cambio de sociedad se diferencian dos tipos de teatro: uno, popular, para ser representado en las plazas, que conducirá al teatro isabelino o al teatro de corral español — a veces con compañías itinerantes—, y otro, más frecuente en Francia e Italia, de tipo cortesano, más espectacular, elitista y con frecuencia culto. Para este último tipo de teatro se va elaborando la sala que acogerá al público (platea, palcos, etc.) y el escenario destinado a los actores, con clara división de los dos espacios: es la forma de los teatros que se generalizan desde el siglo XVIII y que se constituirá en la forma canónica del espacio teatral, a pesar de los esfuerzos últimos de destruir —o utilizar— la separación entre actores y público, la «cuarta pared» de la habitación. Procedimientos parecidos se encuentran en los primeros autores españoles, desde Juan del Encina a Diego Sánchez de Badajoz, con el intermedio genial de Gil Vicente, capaz de conjugar el teatro popular y el cortesano, lo carnavalesco y lo culto.

La representación teatral, desde un punto de vista semiótico, es muy compleja. De hecho, el mensaje se transmite en distintos estratos y siguiendo códigos distintos: como texto, el mensaje remite al sistema de la escritura literaria —con algunas peculiaridades frente a los otros géneros—, pero necesariamente ha de ser actualizada, en un acto no repetible, por medio de instrumentos orales y no orales. La recitación no es únicamente la traducción verbal de los períodos, sino que también, y sobre todo, es la entonación, los ademanes, los gestos, los movimientos. Y al mismo tiempo concurren para el sentido total de la obra todos los demás aspectos de la realización teatral: decorados y distribución del escenario, vestidos, aparato, luces, ruidos, música, etc.: es decir, la teatralidad (V.) por oposición a la literaturiedad. Se puede decir que el teatro es un macrosistema semiótico, en el que la comunicación del mensaje no se confía exclusivamente a la lectura, como sucede en la novela, sino a una serie de códigos distintos del lingüístico y literario, que se entrecruzan y conviven con estos: mimético-gestuales, icónicos, etc. Además, el novelista actúa sobre el doble plano del relato y de la descripción de tal forma que resulte una trama armoniosa y funcional. Según el punto de vista (V.) que prevalezca, el narrador será externo o interno con relación a los personajes o coincidirá con uno de ellos. El teatro, como es obvio, tiene modalidades expresivas muy distintas. El hecho más significativo surge del dominio del discurso directo en la acción teatral: todo «es dicho» por los personajes, la *fabula* misma se construye desde el devenir, de escena en escena, del diálogo entre los personajes. En el teatro, en principio, no existe un punto de vista extradiegético (exterior a la historia), a no ser que se suspenda, de alguna forma, la acción, y se dé paso y voz a una instancia capaz de juzgar la acción misma: por ejemplo, el pastor representante del autor y del público en las obras de Sánchez de Badajoz, los comentarios líricos y cantados en el teatro de Lope (en *Peribáñez,* por ejemplo), en el personaje que se convierte en testigo relator de la obra (*El tiempo y los Conway,* de Priestley; *Nuestra ciudad* de Thornton Wilder), la ubicación visible del autor con respecto a la diégesis (los esperpentos de Valle-Inclán) o ciertas estructuras del teatro épico brechtiano, en las que obra el distanciamiento extrañador (y piénsese que, como en Lope, se introducen canciones), que puede ser también una dislocación de la trama.

Para un análisis semiótico del teatro véase: Pavis, *Problèmes de semiologie théâtrale* (1977); Ubersfeld, *Lire le théâtre;* Veinstein, *La mise en scène théâtrale.* Para la escena española Díez Borque *et al.: Historia del teatro en España* y AA. VV., *Semiología del teatro* (Planeta, 1975). En estas obras se encontrará bibliografía complementaria.

TEMA. Para las metodologías que se preocupaban de los contenidos de la obra literaria, el tema es el centro de organización de aquélla; y era tarea de la crítica llamada temática descubrir y describir tal núcleo genético fundamental. En esta crítica, por lo más idealista, el tema se determinaba de un modo absolutamente impresionista y su descubrimiento dependía en gran manera de las condiciones de lector. Para Croce, para «caracterizar una poesía importa determinar el contenido o motivo fundamental, refiriéndolo a una clase o tipo psicológico, al tipo o a la clase más cercana; y en esta tarea el crítico usa de su agudeza y demuestra su finura y delicadeza, y en este afán queda satisfecho cuando, leyendo y releyendo y pensando bien, logra finalmente, aprehendido aquel rasgo fundamental, definirlo con una fórmula que permite insertar el sentimiento de aquella poesía singular en la clase más cercana que él conoce o que ha elegido para esa ocasión» *(La poesía).* El tema es precisamente el motivo fundamental de una obra, que puede ser definido por una descripción del contenido (del «fondo») o psicológica, y resumido, para Croce, en una fórmula (por ejemplo, «Federico García Lorca, poeta de la intensidad»). En épocas posteriores, la crítica temática se apoyó —o se inspiró— en alguna de las tendencias psicoanalíticas: su peligro fue el diluir la especificidad literaria de la obra.

Sin embargo, no se puede dejar de reconocer la existencia de elementos temáticos en el texto literario, sobre todo porque los escritores lo han reconocido desde siempre. La nueva crítica temática vincula —y no opone— sus investigaciones a las genológicas y morfológicas: el tema será un universal en que se articulan activa y pasivamente la «idea oscura» de que arranca el quehacer literario y el correlato en que se expresa, modulándose mutuamente, condicionándose y constituyendo así la unicidad irreductible de cada una de las obras literarias. El elemento temático es así a la vez intertextual —se encuentra en otros escritores— e intratextual, al variarse en diversas recurrencias en el mismo discurso o en otros escritos del mismo autor. Segre, diferenciando entre tema y motivo, dice: «Llamaremos temas a aquellos elementos estereotipados que sostienen un texto o gran parte de él; los motivos son, por el contrario, elementos menores, y pueden estar presentes en un número incluso elevado. Muchas veces un tema resulta de la insistencia de muchos motivos. Los motivos tienen mayor facilidad para manifestarse en el plano del discurso lingüístico, tanta que, si se repiten, pueden actuar de modo similar a los estribillos. Los temas son generalmente de carácter metadiscursivo. Los motivos constituyen, habitualmente, resonancias discursivas de la metadiscursividad del tema.» Así, se puede hablar de un tema, como el de don Juan, tratado de diferente forma por cada uno de los escritores que se han enfrentado con él, y en cada uno de los casos se articulan motivos iguales junto a otros a veces muy distintos.

Para un mejor conocimiento del problema remitimos a Cesare Segre, *Principios de análisis del texto literario*, 2.8, «Tema / Motivo»; Claudio Guillén, *Entre lo uno y lo diverso*, 14, «Los temas: tematología».

TENSIÓN. El término tensión (con el que traducimos el alemán *Spannung,* introducido por Tomachevski) señala el momento culminante de la situación narrativa, tras el cual el relato se encamina hacia su solución. Por ejemplo, en *La ilustre fregona* la tensión sería el momento en que el Corregidor y don Juan de Avendaño llegan a la posada.

TENSÓ. V. RECUESTA.

TERCETO. En su forma de aplicación más frecuente —la de terceto encadenado o tercia rima— el terceto es, más que una estrofa, un modo de articular un poema de cierta extensión. Cada grupo de tres versos da paso al siguiente por medio de la utilización del elemento portador de rima en el verso que aparentemente queda suelto como rima marco del grupo de tres versos siguientes. Por el efecto isotópico de la rima se produce la coherencia del texto entero, planteado como un desarrollo. El poema se cierra sobre sí mismo al concluir como si el último grupo constase de cuatro versos y la forma estrófica fuese un serventesio (V.).

El esquema, por tanto, es: ABABCBCDCDED... XYXYZYZ. Esta andadura hace del terceto encadenado un instrumento idóneo para la poesía narrativa, discursiva o meditativa, es decir, para el monólogo ético o filosófico, para la epístola (V.) o para el capítulo (V.).

Mucho más raros son los poemas escritos en tercetos no encadenados (A Ø A: B Ø B), que alguna vez utiliza Lope de Vega, o en tercetos monorrimos empleados sobre todo en el modernismo (*Nunca a mi corazón tanto enamora / el rostro virginal de una pastora / como un rostro de regia pecadora*, Julián del Casal).

Se denomina también tercetos, sea cual sea la estructura de rima que adopten, a los seis últimos versos del soneto.

TERNARIO. Para el grupo ternario o *tricolon* V. ISOCOLON.

TESIS. La tesis es la sílaba débil (átona) de un verso, mientras que se llama arsis a la sílaba sobre la que recae el *ictus* (V. ACENTO). Por el contrario, en la métrica grecolatina el término tesis era el tiempo fuerte de un pie.

Se llama también literatura de tesis a aquella que, bajo formas estéticas, tiene como finalidad primera el exponer o defender una determinada ideología, a la que se subordina la estructura de la obra.

TETRAMETRO. En la métrica grecolatina, verso compuesto por cuatro pies, casi siempre de dos sílabas cada uno (yambos o troqueos).

TETRASÍLABO. Verso de cuatro sílabas. Rara vez usado independiente, aparece en combinaciones con otros versos, básicamente como pie quebrado del actosílabo (V.), pero en otros casos como verso fundamental que se expande en el de ocho sílabas (cfr. algunas de las composiciones de la *Historia Troyana polimétrica*). En el modernismo se utiliza solo (*Una noche / tuve un sueño*, Rubén Darío) o bien marcando la pauta métrica y rítmica que debe determinar la lectura de un poema polimétrico (*Una noche, / una noche toda llena de murmullos, de perfumes y de música de alas*, José Asunción Silva).

TEXTO. Tradicionalmente se llama texto a un conjunto de enunciados que pueden ser sometidos a análisis. Hjelmslev amplió este concepto para hacerlo designar cualquier enunciado coherente, sea cual sea su extensión, largo o breve, desde un simple *¡Ya!* hasta el *Don Quijote de la Mancha*.

De aquí procede la llamada lingüística textual, que nace de la convicción de que un mensaje no consiste en la simple yuxtaposición de frases (en el cual se basa la lingüística no textual), porque la significación global, es decir, estructural, de un mensaje-texto es más rica y compleja que la suma de los significados de las frases constituyentes aisladas. De hecho, en un texto las frases asumen su connotación exacta y se deshace su ambigüedad ya que el texto contiene presupuestos distintos de los de las frases que lo constituyen. Por ejemplo, *he dejado de fumar* presupone normalmente que yo tenía ese vicio; pero el presupuesto es diferente si la frase se textualiza: *He dejado de fumar porque molestaba a una señora.*

Según Petöfi un texto tiene la siguiente estructura lingüística:

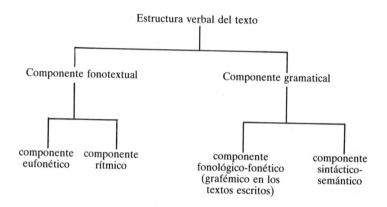

Estructura verbal del texto

Componente fonotextual — Componente gramatical

componente eufonético — componente rítmico

componente fonológico-fonético (grafémico en los textos escritos) — componente sintáctico-semántico

La estructura eufonética y la rítmica se integran en una componente retórica más amplia, típica de los textos literarios, por procesos figurales (V. FIGURA) actualizados.

Este esquema se puede relacionar con el que propone Greimas referido al isomorfismo del texto poético (V. PARALELISMO): el discurso literario realiza la coocurrencia de dos discursos paralelos, uno fonético y otro semántico, que proponen una serie de equivalencias y de regularidades que enriquecen el sentido global del texto. El entrecruzamiento de las distintas isotopías (V.), desde las semánticas y sintácticas a las isotopías fonoprosódicas, conlleva un alto grado de connotatividad, de forma especial en el texto poético, a causa de la cual todos los elementos se semantizan (Lotman).

El texto literario es pluriisótopo en cuanto subyacen en él varios niveles de codificación que, al entretejerse, determinan fenómenos de polisemia o de ambigüedad (V.). El análisis del texto deberá, por tanto, intentar reconstruir los distintos niveles, incluso los profundos (los relativos a una semántica inconsciente) a partir del semántico-sintáctico y del prosódico. En el discurso poético, este último puede presentarse en moldes convencionales (metro, verso, estrofa, rima, etc.). De esto se sigue que el texto debe de ser considerado como un sistema de estructuras coimplicadas en distintos niveles, de forma tal que cada elemento asuma un valor en relación con los demás: ésta es la intratextualidad (V.), la estructuración cerrada de los signos textuales, que se ha de unir a la intertextualidad (V.), es decir, a la especificidad escritural de un texto en el área del sistema de la literatura, en cuanto éste se relaciona con otros textos, por ejemplo a través de las instituciones literarias (V.), los géneros, etc.

Un mecanismo de la semiosis literaria es la transcodificación (V.), que permite una renovación continua de sentido en la iteración y en el uso de temas, motivos, módulos lingüísticos y estilísticos recurrentes en la literatura. La transcodificación permite comprender mejor también los complejos y delicados problemas inherentes a la relación entre el texto y el extratexto (V. EXTRATEXTUALIDAD), por ejemplo, los nexos entre las diferentes series (V.), los códigos de referencia (históricos, culturales, estéticos, etc.). De hecho, el escritor se remonta a una tradición, a ciertas fuentes, topoi o modelos, siempre determinados históricamente; pero, en el mismo momento en que «forma» el texto, realiza una transcodificación global de estos materiales, que constituyen el extratexto histórico-cultural que opera como impulso innovador en la operación literaria.

TEXTO PLURAL.   Barthes emplea este término en *S/Z* para denominar un concepto muy cercano, si no igual, al que recubre la «obra abierta» (V.) de Umberto Eco.

TIEMPO.   El tiempo verbal es la forma más importante —pero no la única— de expresar la temporalidad. Como se sabe, existe una distinción fundamental entre dos grupos de tiempos: por una parte, el presente, el pretérito perfecto y el futuro; por la otra el imperfecto, el indefinido y el condicional. Benveniste llama a los primeros tiempos del discurso (V.), a los demás, tiempos de la historia (V.). Otros estudiosos prefieren hablar de tiempos primarios y de tiempos retrospectivos, o de tiempos discursivos y narrativos (Weinrich). El tiempo característico del relato es el pasado, para subrayar la distancia entre el momento de la narración y el de los hechos relatados. En el seno de un relato se deben distinguir: el tiempo de la historia (es decir, de la *fabula* o ficción) como temporalidad de los hechos evocados; el tiempo de la escritura (es decir, de la narración) como temporalidad del proceso de enunciación; el tiempo de la lectura como temporalidad necesaria para la lectura del texto. Estos tiempos son internos al relato, mientras que se pueden considerar como externos el tiempo del escritor (en cuanto hombre situado en una realidad histórica determinada), el tiempo del lector y el tiempo histórico propiamente dicho (cfr. para estas categorías Ducrot-Todorov,

Diccionario, s.v. «Tiempo del discurso»). Puede ser interesante el careo entre el tiempo de la historia y el tiempo de la narración. Todorov *(op. cit.)* distingue las perspectivas de las direcciones de las temporalidades, de la distancia entre ellas y de su cantidad.

A) Dirección de las temporalidades: los dos tiempos pueden seguir la misma dirección, cuando los acontecimientos se suceden de la misma manera que se suceden las frases; esta analogía es bastante rara y normalmente se rompe de dos formas:

—Por inversiones: «hay acontecimientos relatados antes que otros, que sin embargo son anteriores a aquéllos. Caso clásico: el cadáver con que empiezan las novelas policiales, donde sólo después se sabrán los hechos previos al crimen. Los formalistas rusos se mostraron particularmente interesados en este tipo de "deformación" de la realidad representada y veían en ella la diferencia fundamental entre *sujet* [trama] y *fabula» (loc. cit.).* Citemos, como ejemplo de inversión total, el *Viaje a la semilla* de Alejo Carpentier.

—Por historias encajadas: una historia se interrumpe para comenzar una segunda que, en ocasiones, puede interrumpirse para encajar una tercera... Así, las *Mil y una noches* cuentan que Scherezade cuenta...; normalmente la historia encajada se dirige hacia el pasado, pero puede ser también una proyección hacia el futuro.

Las roturas de paralelismo crean en el lector un efecto de suspensión (V.).

B) La distancia entre los dos tiempos: el punto más lejano presupone la falta de relación entre las dos temporalidades, por moverse en dos mundos de orden distinto (es el caso de los mitos, de las leyendas, etc.); el punto más cercano implica la coincidencia: el relato es el monólogo del héroe en versión taquigráfica. Entre los dos puntos existen innumerables casos intermedios; por ejemplo, cuando el narrador precisa cuánto tiempo ha pasado desde los hechos hasta que él los evoca.

C) La cantidad de tiempo de la historia en una unidad temporal de la narración: se hablará de elusión cuando en el tiempo de la escritura se omite algún período —a veces años— del tiempo de la historia; se hablará de resumen cuando a una unidad de tiempo de la historia corresponde una unidad inferior en el tiempo de la narración: un largo período de lo representado puede ser resumido en unas pocas líneas; cuando a una unidad del tiempo de la historia corresponde una unidad idéntica del tiempo de la narración se podrá hablar de estilo directo: así, los diálogos, una escena teatral, el monólogo; se hablará de análisis cuando el tiempo de la historia es inferior al tiempo de la narración: el narrador se demora en cada acontecimiento, relatando detalles (es el caso de Proust), o un factor externo juega en paralelo con el tiempo de lo relatado marcando tiempos distintos: recordemos el reloj que marca siempre la misma hora en *Así que pasen cinco años*; por fin, se producirá la digresión cuando a una unidad de tiempo de narración no corresponde ninguna unidad de tiempo histórico: la digresión puede ser una descripción (de lugar, de un personaje, etc.) o una reflexión.

Recordemos también que el tiempo de la narración está ligado estrechamente al punto de vista (V.) o focalización, es decir, a la presencia de un narrador.

Las relaciones entre los tiempos externos y los internos han sido estudiadas preferentemente desde una perspectiva cultural y sociológica. Cualquier texto está en dependencia del momento histórico en que se ha escrito; y también el escritor participa de los problemas, de los ideales, de los esquemas, etc. —en una palabra, de la ideología (V.)— de su época. En cuanto al tiempo del lector, podemos referirnos al denominado horizonte de expectativas (V.), los gustos, las exigencias del público, que inevitablemente se reflejan en las interpretaciones y reinterpretaciones que, diacrónicamente, sufre cualquier texto.

Para estos problemas remitimos a Bourneuf-Ouellet, *La novela*, cap. 4; Genette, *Figures III*; Chatman, *Storia e discorso*; Dubois, *Grammaire structurale du français*, tomo II.

TIPO. El tipo es un personaje en el que las características individuales se sacrifican para potenciar algunas características físicas, psicológicas o morales, conocidas de antemano por el público y establecidas por la tradición literaria (el «miles gloriosus», el avaro, el fanfarrón, el bandido generoso, etc.). El tipo se acerca al arquetipo o a una especie de estereotipo, pero puede ser también el emblema (V.) de un grupo restringido de personas, de una determinada sociedad o ambiente. El tipo es fundamental para la constitución del entremés, por lo menos desde Cervantes y, al introducirlo entre personajes no estereotipados, para la organización de la denominada comedia de figurón *(El lindo don Diego o Las paredes oyen)*. En la estética de Lukács el tipo es un personaje caracterizado individual y socialmente de tal manera que pueda representar las contradicciones fundamentales de una sociedad. El arte de la época realista crea tipos en los que se concentra la esencia de los problemas históricos. Véase también CARÁCTER, PERSONAJE.

TIRADA. Serie de versos, en número variable, ligados por la rima; es la unidad de agrupación en los cantares de gesta españoles. Por extensión —alternando con el francés *laisse* o con el italiano *lassa*— se da este nombre tanto a los versos agrupados en la silva (V.) como a las series separadas por blancos en los poemas escritos en verso suelto o libre.

TÍTULO. En la comunicación literaria el título pertenece —al menos en los últimos tiempos— de pleno derecho a la semántica del texto y constituye, por ello mismo, una especie de información catafórica o condensadora del mensaje íntegro que preanuncia y al cual remite. Por ejemplo, *Farsa y licencia de la reina castiza* es un título complejo que por sí mismo ejerce sobre el lector o el espectador una acción orientadora en varias direcciones: la especificación *farsa* comporta una inclusión de la obra en un género y subgénero (en un tratamiento) teatral específico o, por lo menos, implica una taxonomía que corresponde a las expectativas codificadas del receptor ideal, a sus presupuestos culturales, etc.; la *licencia,* más ambiguo, remite tanto a cómo el autor piensa tratar el género como al tema o la descripción de las costumbres «licenciosas» de los personajes; el título más específico «la reina castiza» puede orientar las expectativas del lector hacia el argumento o la trama, situarlo en una época y en un ambiente determinado —Isabel II—, etc. Naturalmente, la auténtica obra de arte se propone trastocar las expectativas más obvias de los receptores, innovando el género o transformándolo, o alejándola de los aspectos tradicionales y, por lo tanto, imponiendo un tipo de lectura más atenta, que se fije en las desviaciones estilísticas que caracterizan a la obra específica frente a lo «ya dado» (V. LECTURA). En algunos textos (sobre todo en los poéticos) el título es fundamental para descifrar correctamente el mensaje: piénsese, por ejemplo, en el poema guilleniano *La estatua más ecuestre,* que remite, intertextual y dialécticamente, a *Estatua ecuestre,* sin la cual la comprensión queda incompleta.

Dado el valor semántico del título de las obras literarias, sería preciso intentar una taxonomía de ellos e, incluso, una historia. Si la mayor parte de los títulos tratan de indicar el contenido de la obra, algunos lo hacen de una forma general *(Poesías completas),* otros intentan una mayor concreción bien remitiendo a uno de los personajes más importantes del relato (fue el procedimiento preferido en el siglo pasado: *La Regenta, Fortunata y Jacinta, Pepita Jiménez*), o aludiendo directamente a su contenido *(El espectador, Poema del cante jondo)* o por una alusión metafórica *(El otoño del patriarca, Juan sin tierra)*; en raras ocasiones el título se separa del contenido para indicarnos el procedimiento de composición *(Rayuela, Prosemas o menos)* o no señalar absolutamente nada *(El perro andaluz).*

Si en la época clásica encontramos títulos largos, ampliamente informativos *(Tragicomedia de Calisto y Melibea nuevamente compuesta y emendada con addición de los argumentos de cada un auto en principio; la cual contiene de más de su agradable y dulce estilo muchas sentencias filosofales y avisos muy necesarios para mancebos, mostrándoles los engaños que están encerrados en sirvientes y alcahuetas),* hoy, cuando el título de la obra «se consume», los títulos se han acortado, para llegar a estar formados por una sola palabra *(Larva)* o incluso por siglas *(S/Z, La saga/fuga de J.B.).* Sin embargo los autores intentan, a pesar de todo, poner en sus títulos el máximo posible a la vez de denotación y connotación, creando títulos muy trabajados desde el punto de vista del ritmo o con efectos evocadores o afectivos: *Cien años de soledad, El llano en llamas, Arde el mar.*

Peter Weiss intentó la amplitud de los títulos de antaño: *La persecución y el asesinato de Jean-Paul Marat presentado por la compañía del Hospicio de Charenton bajo la dirección del señor de Sade,* muy pronto reducido a un simple *Marat-Sade.* En la literatura en español podríamos citar *La increíble y triste historia de la cándida Eréndira y de su abuela desalmada.*

Importante puede ser también la información que proporcionan las especificaciones añadidas tras el título: recuérdense, por ejemplo, las de Lorca: *La Zapatera prodigiosa, Farsa violenta, Así que pasen cinco años, Leyenda del tiempo.*

Una manera de titular distinta, y también importante desde el punto de vista de la crítica literaria, es la de los diferentes capítulos en que se analiza —por parte del autor— la unidad que supone la obra literaria.

Problema aparte es el de los títulos de las diferentes clases de apartados y textos que componen las revistas y los diarios.

TMESIS. El fenómeno de la tmesis, en la retórica clásica, designaba la separación de una palabra compuesta por interposición de algún elemento entre sus miembros. Por ejemplo, en un verso de Virgilio (Georg., 3, 381): *Hyperboreo septem subiecta trioni, septem* está separado *tmesis* de *trioni.* Podemos encontrar construcciones parecidas entre los dos componentes del futuro o del condicional en el castellano medieval; posteriormente sólo por excepción —y burlescamente— se encontrará este tipo de tmesis: *la jeri aprenderá gonza siguiente* (Quevedo); *«no dejes de mene...», y no dijo «arte», / que el aliento y la voz le faltó junto* (anón.). Más frecuente es el caso en que la palabra está dividida en dos partes por la pausa versual, colocando una de aquellas al fin de un verso y la otra al principio del siguiente. Ejem.: *Y mientras miserable- / mente se están los otros abrasando* (Fray Luis de León); *Asno blanco; verde y ama- / rillo de parras de otoño* (Juan Ramón Jiménez).

TONADILLA. Dejando aparte el sentido de poema para el canto que el término mantuvo hasta el siglo XVII por lo menos, nos interesa señalar la aplicación de la palabra para designar a la parte final musicada con la que se concluían gran parte de los entremeses y de los sainetes. A mediados del siglo XVIII este cierre cantado se desprendió del sainete y se constituyó en entidad teatral autónoma, desligándose de la posible historia del entremés o, en definitiva, prescindiendo de él. La tonadilla escénica se salva por sus valores musicales: si acaso, en las que son a más de uno, puede desarrollar un tenue hilo argumental que sirva para ligar los números cantados —arias y dúos—: el lazo, muy breve, podía ser recitado o dialogado. La tonadilla escénica es comparable a los intermedios cómicos que se intercalaban en las óperas italianas o con algunos espectáculos que se representaban en el teatro de la feria francés. Para mayor conocimiento véase la obra monumental de José Subirá, *La tonadilla escénica*. En los finales del siglo XIX y principios del nuestro, la palabra tonadilla sirvió para traducir y adaptar el francés *couplet*.

TOPIC. Término inglés con que se designa el sujeto o tema de que se habla. V. REMA.

TOPOS. El *topos* es un motivo o la configuración estable de varios motivos que son usados con cierta frecuencia por los escritores y, sobre todo, por los oradores que necesitan «materiales» genéricos, de hallazgo fácil. El *topos* es un «lugar común»: «Primero, ¿por qué lugar? Porque, dice Aristóteles, para acordarse de las cosas basta reconocer el lugar en que se hallan (el lugar es, pues, un elemento de asociación de ideas, de un condicionamiento, de un adiestramiento, de una mnemónica); los lugares no son, pues, los argumentos en sí mismos, sino los compartimientos en que éstos están colocados. De allí la imagen que conjuga la idea de un espacio y de una reserva, de una localización y de una extracción. [...] Los lugares, dice Dumarsais, son las células a donde todo el mundo puede ir a buscar, por decirlo así, la materia de un discurso y argumentos sobre cualquier clase de temas» (Barthes, «L'ancienne rhétorique», en *Communications*, n.º 16). La tópica es el código de estas formas estereotipadas, temas consagrados, enunciaciones convencionales. Barthes (siguiendo a Curtius) enumera algunos *topoi*: 1) modestia simulada (*excusatio propter infirmitatem* = excusarse por no estar a la altura del trabajo, porque se siente apabullado por el tema, etc.); este *topos* va ligado frecuentemente con el de la *captatio benevolentiae*; 2) *puer senilis* (oxímoron), el muchacho sabio como un viejo, o el anciano con la gracia de la juventud; 3) *locus amoenus* (V.); 4) los *adunata (imposibilia)*, se presentan como compatibles fenómenos, seres y objetos contrarios entre sí: se extiende desde la descripción del *topos* de la Edad de Oro hasta la visión del «mundo al revés» y los colmos. Se podrían citar otros muchos *topoi*: la serpiente entre la hierba; el del tiempo que se desliza, etc.

Aunque fórmulas vacías, los *topoi* han sido utilizados por todos los grandes escritores, que han sabido revitalizarlos.

Sobre el tema véase: Curtius, *Literatura latina y Edad Media europea*; Lausberg, *Manual de retórica literaria*, §§ 373-379, 1243 y *passim*; Zumthor, *Essai de poétique médiévale*; M. R. Lida, *La tradición clásica en España*; D. Devoto, *Textos y contextos*.

TRAGEDIA.   De entre todos los géneros literarios, la tragedia es el que más estrechamente ligado está al mundo griego. Si nos atenemos a la autoridad de Aristóteles, que ve en la tragedia la presencia de un principio satírico o pánico, conexo a los ritos de la fecundidad, su origen cultural —los misterios de Dionisos— parece indiscutible. La representación teatral funde en una estas distintas facetas y las actualiza en la vicisitud ejemplar de un héroe que procede de la leyenda o del mito. No hay que olvidar tampoco, como característica típica de la tragedia, la instancia coral —representación del pueblo—, acaso la más antigua de las manifestaciones de este tipo de poesía, que entra en relación dialógica con la instancia escénico-narrativa, expresada por los actores.

Otros muchos elementos marcan a la obra trágica, incluso cuando ésta se aleja de sus orígenes griegos o teatrales. Pavis señala, como más importantes (*Diccionario del teatro,* s.v. *trágico)* la *catarsis* o purgación de las pasiones (primero en el héroe, después por transferencia en el público) por causa del terror y la piedad; *la hamartia* o error de juicio e ignorancia de culpabilidad del héroe, que desencadena el proceso que culminará en la catástrofe; la *hybris,* arrogancia irracional del héroe que persevera en su acción, a pesar de las advertencias, y que lo hará enfrentarse con su destino; el *pathos* (V.), sufrimiento del héroe que se comunica al público por medio de la tragedia. Todo ello arropado por la presencia intuida de un destino o fatalidad, ajena a la libertad de acción del héroe, que terminará aplastándole y anulando su actuación: el héroe, en un momento, conoce esa instancia superior, sobrehumana, y acepta arrostrarla, a sabiendas de que ese combate sólo puede conducir a su destrucción. Del choque entre la libertad o la voluntad del protagonista y ese destino —mostrado de formas muy variadas en las diferentes manifestaciones literarias: puede ser la divinidad (*Prometeo)* o la sociedad (Brecht) o lo absurdo (Beckett)— surgirá la esencia de lo trágico que, cuando encarne en forma teatral, producirá la tragedia.

Como obra dramática, la tragedia «presenta una división en dos partes desde el momento en que la trama del nudo dramático *(desis)* se contrapone a la catástrofe como solución del nudo de la historia *(lysis).* La trama dramática puede subdividirse en una fase preparatoria, de información que crea la situación *(prótasis)* y una fase activa *(epítasis)* que potencia la situación. La epítasis puede estar subdividida en una *epítasis* dinámica y en una *catástasis* estática («momento retardatorio»), que representa el resultado de la situación. Si a la *prótasis* le corresponde un acto, dos a la *epítasis,* uno a la catástasis y, por último, otro a la catástrofe, resulta un total de cinco actos» (Lausberg, *Elementos de retórica general).* Cinco son los actos de la tragedia clásica y de sus imitaciones y continuaciones, con la única excepción, hasta tiempos modernos, del teatro español.

La forma definitiva de la tragedia griega se puede encontrar ya en

Esquilo: el monólogo aclaratorio inicial, llamado *prólogo*; el *párodos* o entrada del coro; los episodios separados por cantos corales o *estásimos*; la última escena del drama o *éxodo* (antiguamente, la salida del coro). Del único actor inicial, que dialogaba con el corifeo, se pasa a la presencia de un segundo actor y, con Sófocles, a un tercero. Normalmente la representación se articulaba en tres tragedias, que formaban una trilogía, terminada con el anticlímax cómico de un drama satírico (conocemos únicamente *El Cíclope*). No es demasiado importante la aportación de la literatura latina a la constitución de la tragedia, salvo quizá el interés por el tema histórico —y no mítico— que caracterizaba a las llamadas *praetextae*; pero todo este teatro ha desaparecido, con la única excepción de la obra de Séneca, que se destinaba a la lectura más que a la representación.

Desaparecida en la Edad Media, la tragedia renacerá en los ambientes prehumanísticos, cuando se empiecen a conocer de nuevo los textos griegos. Resurgirá primero en latín, después en lengua vulgar, siguiendo formas extremadamente clasiquizantes, sujetas siempre a las tres «unidades aristotélicas», de lugar, de tiempo y de acción. Desde el 1500 la tragedia tuvo un potente desarrollo, continuando por una parte los temas clásicos o añadiendo otros nuevos: como inventario para España, puede verse el libro de Alfredo Hermenegildo, *La tragedia en el Renacimiento español*. Pero surge a la vez la llamada tragedia mixta (en el romanticismo se la denomina drama [V.] por antonomasia) en la que, conservando una atmósfera trágica y una caracterización (harmatia, hybris) trágicos para los protagonistas, se integran algunos elementos cómicos o tragicómicos: el ejemplo más claro sería la *Celestina*. En el siglo XVII se continúan con todo rigor las normas de la tragedia griega (sobre todo en Francia: Corneille, Racine), o bien —en el gran teatro español o en el no menos grande isabelino inglés— se extiende en formas y temas, obrando con mayor libertad sobre problemas éticos, filosóficos, religiosos o históricos. El romanticismo encontró en la tragedia, en su doble versión y con tratamiento formal libre, su género teatral preferido. En los últimos cien años la tragedia ha sufrido una serie de transformaciones, en algún caso muy profundas, aunque esté siempre marcado por los caracteres originarios (por ejemplo, la hybris o la catástrofe o final destructivo del protagonista); se confunde con el drama (V.) burgués, intimista, psicológico o problemático (Ibsen, Chejov, Pirandello, Strindberg). Se recrea en ambientes populares *(Yerma, Bodas de sangre)* o se hace tragedia colectiva *(El público)*, a veces con implicaciones que atañen fundamentalmente al orden social *(Madre Coraje)* o, como dice Frye, a la ironía, por toma de conciencia de la evitabilidad (*La resistible ascensión de Artuto Ui*, de Brecht) del destino o *hamartia*. O puede plantearse la no identificación o absurdidad de aquel destino que los griegos reconocían: entonces el hombre, el héroe, se siente enfrentado con el absurdo. Este tema, que aparece ya en Büchner, encuentra su desarrollo en *Así que pasen cinco años,* en Ionesco, Beckett o Arrabal, entre otros.

TRAGICOMEDIA.   Obra teatral en que se alean elementos procedentes de la tragedia con otros que vienen de la comedia. El término fue utilizado por primera vez por Plauto en el prólogo del *Anfitrión,* probablemente por imitación del griego *comodotragodia* que emplean varios autores de la «comedia media». Recuperado en el Renacimiento por Frulovisi y Verardi en sus imitaciones plautinas, en la literatura vulgar lo emplea por primera vez Fernando de Rojas en el prólogo de 1502 a la *Celestina*: «Otros han litigado sobre el nombre, diciendo que no se había de llamar comedia, pues acaba en tristeza, sino que se llamase tragedia. El primer autor quiso darle denominación del principio, que fue placer, y llamóla comedia. Yo, viendo estas discordias, entre estos extremos partí agora por medio la porfía, y llaméla tragicomedia.»

Pavis (*Diccionario del teatro,* s.v.) señala tres criterios esenciales que definen lo tragicómico: 1) Los personajes de la obra pertenecen tanto a capas populares como aristocráticas; 2) La acción seria, incluso dramática, no culmina en catástrofe; 3) El estilo experimenta altibajos: lenguaje «elevado», procedente de la tragedia, y lenguaje cotidiano, incluso reversivo, típico de la comedia. Nos parece discutible el segundo punto, pues si bien se ajusta al concepto corneillano (que denomina tragicomedia a *Le Cid* porque es una tragedia con final feliz), dejaría fuera a obras tan características como la propia *Celestina* o *El caballero de Olmedo*. La comedia nueva española, con su polimetría y con la presencia armónica y contrapuntística con respecto al héroe —necesidad de convivencia de héroe y antihéroe— de la figura de donaire, será el modelo típico de la tragicomedia, así como el *Arte Nuevo* de Lope será su manifiesto.

TRAIECTIO.   Interposición de una o varias palabras entre otras dos que se presentan enlazadas ideológica y sintácticamente: *La mar en medio y tierras he dejado* (Garcilaso); *agora el crudo / pecho ciñe con oro y la garganta* (Fray Luis). Más complicado es el doble *traiectio* que encontramos en los siguientes versos de Pedro Salinas: *Dos líneas se me echan / encima a campanillazos / paralelas del tranvía.*

TRAMA.   Para los formalistas rusos (V.) en un relato se pueden diferenciar la *fabula,* o sea, la reconstitución de las secuencias en orden cronológico, y la trama, que es el relato tal como el escritor nos lo presenta (la «distribución en construcción estética de los acontecimientos de la obra», aclara Tomachevski). La trama se separa de la *fabula* sobre todo por las distorsiones temporales con las que el autor dispone los hechos: algunos episodios, por ejemplo, pueden ser anticipados (prolepsis narrativa), otros pospuestos o contados «volviendo para atrás» (analepsis o *flash-back*). La trama deforma artísticamente el mero reflejo del orden natural de los hechos, mezclando, por así decirlo, de manera más o menos atrevida, tanto las secuencias de la historia (acontecimientos, personajes, etc.) como las instancias del narrador (punto de vista, voz, etc.). Véanse las voces FÁBULA, NARRATIVA, RELATO, NOVELA.

TRANCHE DE VIE. La expresión francesa significa, traducida literalmente, «rebanada o corte de vida», y la usaron los teóricos del naturalismo para expresar la necesidad de hacer que el objeto de la representación artística fuese un documento del ambiente, el destino de un personaje, dibujado sin velos ni falseamientos de la realidad y transportado objetivamente a las páginas. La *tranche de vie* caracteriza sobre todo a la novela positivista de Zola y sus epígonos.

TRANSCODIFICACIÓN. El término significa transformación de sentido producida por cambio de código. Por ejemplo, los versos de Gil de Biedma «*... se te ve / con seis amantes por banda / —Isabel, niña Isabel*» se comprenden mejor si los referimos a los códigos primarios romántico (la *Canción del pirata,* con la sustitución de *diez cañones* por *seis amantes*) y paraliterario cursi y cutre (la canción *Niña Isabel; Niña Isabel, ten cuidado, / donde hay amor hay pecado*). La transcodificación, muy usada en el lenguaje publicitario, adquiere particular importancia en el área de lo estético, si se piensa, con Lotman, que la transcodificación es el mecanismo que soporta la producción del sentido. En el texto se realiza un complicado entrecruzamiento de isotopías, un encontrarse y desencontrarse códigos distintos, desde los ideológicos a los literarios y formales. Se denominarán transcodificaciones externas las que se refieren a las relaciones extra o intertextuales; las transcodificaciones internas se refieren a los niveles «verticales» del texto. Piénsese en la semantización íntegra de un texto poético: cada manifestación de redundancia (por ejemplo fonológica) está llamada para formar el sentido connotativo, interactuando con los significados primarios del mensaje: el nivel fonoprosódico se transcodifica en el semántico-sintáctico. Todavía son más varias y complejas las operaciones transcodificativas que subyacen en la estructuración literaria de un texto en sentido diacrónico. Véase el caso de la reasunción, desde un punto de vista distinto, de algunos temas o valores, o bien su ironización paródica: se trata en todo caso de fenómenos de transcodificación externa actualizada por el autor. La *Divina Commedia* es acaso el texto que mejor se presta a un examen significativo de los fenómenos de transcodificación por su constitución teológico-simbólica, que confronta la historia —en la inmensa fenomenología de lo contingente— con su juicio metafísico. Dante subsume todo el pasado, incluso el clásico-pagano, todas las formas de cultura, hasta la islámica, dentro de su código religioso, que le permite juzgar y desmitificar aquellas formas. Considérese el principio del Canto VIII del Paradiso: *Solea creder lo mondo in suo periclo / che la bella Ciprigna il folle amore / raggiasse, volta nel terzo epiciclo; // per che non pur a lei faceano onore / di sacrificio e di votivo grido / la genti antiche nell'antico errore; // ma Dione onoravano e Cupido / questa per madre sua, questo per figlio; / e dicean ch'el sedette in grembo a Dido; // e da costei ond'io principio piglio / pigliavano il vocabol della stella / che'l sol vagheggia or da coppa, or da ciglio* [*Con gran peligro, el mundo imaginaba / que la bella Ciprina el loco amor / desde el tercio epiciclo propagaba; // por lo que no a ella solamente honor, / con sacrificio y cantos, fue rendido / por los antiguos en su antiguo error; // sino que a Dione honraban y a Cupido, / por hijo, y madre ella, y se decía / que a él le sostuvo en su regazo Dido; // y de ésta, de quien parte la voz mía, / tomaban el vocablo de la estrella / que es, tras el sol o ante él, su dulce espía.* Trad. de Ángel Crespo]. El imperfecto introduce una oposición temática entre pasado y presente que se revelará como antítesis entre terror y verdad, entre superstición y verdadera fe. *Mondo* [mundo] tiene una precisa connotación ascética y señala a la humanidad perdida en el pecado y extraviada en la ignorancia: motivo remachado por *folle amore* [loco amor], que nos envía al «loco vuelo» de Ulises, o sea a una medida completamente humana y natural, y por consiguiente temeraria, preñada de peligros. El *onore* de las *genti antiche* a Venus, a Dione y a Cupido no es justo culto y veraz plegaria, sino *sacrificio* y *votivo grido,* explícitamente *antico errore.* La transcodificación ideológica externa —el contraste entre la Venus pagana y la Venus cristianizada— reenvía a una transcodificación interna, al sistema interno de la *Divina Commedia,* al ejemplo de los lujuriosos (véase la cita de *Dido* y la referencia implícita al canto V del *Infierno*), por no hablar del cotejo *in absentia* con Ulises.

Para otros aspectos del «cambio retórico de código» véase Eco, *Tratado de semiótica,* 3.8.4 y 5., que trae a colación el divertido ejemplo de la varia fortuna de los ciclamatos, primero recibidos con los brazos abiertos como sustitutivos del azúcar, en seguida rechazados por cancerígenos. El esquema de la transcodificación es el siguiente:

azúcar	=	gordo	=	+ infarto	=	muerte	=	(−)
vs		*vs*		*vs*		*vs*		*vs*
ciclamatos	=	delgado	=	− infarto	=	vida	=	(+)

azúcar	=	− cáncer	=	vida	=	(−)
vs		*vs*		*vs*		*vs*
ciclamatos	=	+ cáncer	=	muerte	=	(+)

El azúcar sigue engordando (−), pero el ciclamato, aunque marcado como adelgazante (+), es cancerígeno; de aquí el cambio de sentido. Para la transcodificación estética remitimos a Lotman, *Estructura del texto artístico*, cap. 2.° y *passim*.

TRANSFORMACIÓN. En la gramática generativa (V. LINGÜÍSTICA, 5) las transformaciones convierten las estructuras profundas generadas por la base en estructuras superficiales, o también convierten una cadena dotada de una estructura sintagmática en otra cadena nueva dotada de una cadena sintagmática llamada derivada. Entre las transformaciones recordemos las operaciones de inversión, adición o sustitución, que sirven para construir una frase por medio de las operaciones morfosintácticas convenientes. Por ejemplo, dadas las estructuras de base *Yo veo a Luis, yo saludo a Luis* se producirá la frase superficial *Yo veo a Luis y lo saludo,* obtenida por la sustitución de un pronombre y por la adición de un funcional coordinador. Otras transformaciones son las de pasiva, las relativas, las negativas, las completivas, etc.

Todorov, primero en *Poétique de la prose* y posteriormente, junto con Ducrot, en el *Diccionario Enciclopédico de las ciencias del lenguaje,* traslada el término al discurso y habla de dos clases de transformaciones que conciernen al relato: las transformaciones simples (especificaciones del predicado) y complejas (o reacciones) caracterizadas por la aparición de un segundo predicado. Entre las transformaciones simples (o especificaciones) distingue: a) transformaciones de modo: *X debe (o puede, o necesita) cometer un crimen,* derivada de la base *X comete un crimen* («deber», «poder», «necesitar» son modalidades); b) transformaciones de intención: *X proyecta (piensa, intenta, desea, etc.) cometer un crimen*; c) transformaciones de resultado: *X logra (llega a, consigue) cometer un crimen*; d) transformaciones de manera: *X se encarniza en (se apresura, se atreve a) cometer un crimen,* la lengua opera esta transformación sobre todo mediante adverbios; e) transformaciones de aspecto: *X empieza a cometer (está cometiendo, acaba de cometer) un crimen*; f) transformaciones de *status: X no comete un crimen.* Entre las transformaciones complejas señala: a) transformaciones de apariencia: *X (o Y) simula que X comete un crimen*; b) transformaciones de conocimiento: *X (o Y) sabe que X ha cometido un crimen*; c) transformaciones de descripción: *X (o Y) explica que X ha cometido un crimen*; d) transformaciones de suposición: *X (o Y) presiente que X cometerá un crimen*; e) transformaciones de subjetivación: *X (o Y) piensa que X ha cometido un crimen*; f) transformaciones de actitud: *Y se horroriza porque X ha cometido un crimen.*

TRANSFRÁSTICO.   Se denomina transfrástico el nivel lingüístico superior a la frase, cuando el mensaje está compuesto por enunciados que

forman un conjunto semánticamente coherente, es decir, un texto (V.).
La lingüística transfrástica es fundamentalmente la lingüística textual
(V.).

TRENO. Canto fúnebre por alguna calamidad o desgracia colectiva.
Por extensión —los trenos por antonomasia son las lamentaciones de
Jeremías—, poema que contiene alguna amenaza o lamentación por algún mal futuro que se prevé.

TRIÁNGULO. En el relato y el teatro burgués es la relación sentimental entre un personaje femenino y dos masculinos (frecuentemente
el marido y el amante). Más raro es el triángulo con dos personajes
femeninos y uno masculino.

TRIPARTICIÓN. V. ISOCOLON.

TROPO. Figura de carácter semántico (como la metáfora, la metonimia, etc.) mediante la cual se hace tomar a una palabra una significación
que no es la significación propia de esa palabra.

TROQUEO. Pie de la métrica grecolatina formado por una sílaba larga
seguida de una breve: — ˘. En la métrica española se habla de ritmo
trocaico para designar la sucesión de una sílaba tónica y una átona.

UNIDAD. Una unidad lingüística es un elemento identificable en un nivel o rango determinado. Son unidades los fonemas, los morfemas (o monemas, en la terminología de Martinet, V. LINGÜÍSTICA, 2) y las frases; toda unidad se define por el lugar que ocupa en el sistema, es decir, por relación con otras unidades (cfr. Dubois, *Dict.,* s.v.).

En literatura se habla también de unidades, que dependen bien del género (en poesía, el verso, la estrofa, el canto, etc.; en teatro, la escena, el acto; en el relato, el párrafo, el capítulo, etc.), bien de la distribución de los contenidos en la trama (tema, motivo, etc.).

En la dramaturgia clásica se teorizó sobre la regla de las tres unidades (de acción, de lugar y de tiempo), que condicionaron durante casi trescientos años la manera de concebir la estructura y desarrollo de la acción teatral.

UNIVERSALES LINGÜÍSTICOS. Los universales lingüísticos son, para algunos estudiosos, las propiedades comunes a las distintas lenguas, como la arbitrariedad del signo, la doble articulación, el empleo de un número restringido de fonemas, las categorías sintácticas, etc. La existencia de los universales, sostenida por la gramática generativa, está conexa con las estructuras profundas (innatas) del lenguaje y con las capacidades cognitivas propias de la raza humana.

USO. La sociolingüística se interesa por lo normativo del lenguaje, sobre todo como uso del sistema en todas sus variedades geográficas, funcionales y sociales, es decir, en las opciones concretas realizadas por la competencia de los que lo usan. El uso lingüístico estará además caracterizado (ocasionalmente nos podremos valer de métodos estadísticos) en los varios empleos del sistema por parte de grupos, clases, categorías profesionales, movimientos, etc., y prestando atención a los diversos niveles de elaboración del código, del mayor o menor rigor de los registros, de las elecciones (socio)estilísticas, etc. En último grado, el significado de las palabras (V. SEMÁNTICA) está definido por su uso en situaciones comunicativas y pragmáticas bien determinadas.

VALOR. En lingüística, el valor de un elemento viene dado por la posición que ocupa en relación con las otras unidades contiguas, pero diferenciales, del sistema. Saussure se sirve de la alegoría del juego de ajedrez para hacer patente su teoría del valor lingüístico: una pieza, por ejemplo, el caballo, se define por su posición en las reglas del juego —en el tablero—, pero también en relación con las otras piezas (alfil, reina, peones, etc.). Tampoco en la teoría de la literatura se puede discernir el valor de una obra separándola del puesto que ocupa en el sistema, es decir, de la relación que crea sincrónicamente con otras obras literarias, por ejemplo a través de las instituciones literarias o de la lengua.

Otro problema distinto es el del valor intrínseco —la validez— de la obra de arte: distintas estéticas intentan dar respuesta a esta cuestión. En el ínterin, el análisis crítico se impone la obligación de ofrecer un juicio de valor del texto, de dar una indicación de su mayor o menor validez. La dificultad reside en la exigencia de liberar la metodología crítica del imperio de las estéticas y de las ideologías, y al mismo tiempo en la exigencia de no renunciar a un juicio de valor, apoyado en lo que se podría denominar, con los formalistas rusos, la literaturiedad.

VARIANTE. En filología, la reconstrucción de un texto crítico (es decir, el más cercano posible a las intenciones del autor, para las obras antiguas) puede requerir la identificación de las llamadas variantes de autor, es decir de las diversas opciones o soluciones expresivas transmitidas por los códigos cercanos al escritor. Son variantes de autor las correcciones, las vacilaciones, las propuestas alternativas que un escritor nos ha dejado a propósito de su obra (piénsese en las correcciones del *Canzoniere* de Petrarca, en los textos —y en los autógrafos de García Lorca, en la rica serie de variantes que presentan las poesías de Juan Ramón). Igualmente las diversas redacciones de un texto (por ejemplo, las diversas ediciones del *Cántico* de Jorge Guillén) comportan variantes muy significativas desde el punto de vista crítico (recuérdese el tipo de análisis filológico-lingüístico, llamado precisamente *estilística de variantes,* que inicia Contini, propedéutico para una intelección más profunda del texto). A veces —recordemos los casos de Herrera y de algunos poemas de Quevedo— es difícil saber si las variantes son del autor o de alguno de los editores.

VERSÍCULO. V. VERSO LIBRE.

VERSO. El verso nace de la coincidencia de un esquema métrico o metro (V. MÉTRICA) y una sucesión de sonidos que pueden ser ajustados a aquél al realizarse. Fonéticamente se distingue por un acento delimitativo en la penúltima sílaba y una pausa (pausa versual) tras su realización; se pueden añadir en algunos casos otros elementos, como la sujeción a un esquema rítmico (verso de arte mayor castellano), número de pies (métrica clásica), correlación delimitativa de rima con otros versos, etc.

El verso simple más largo es, en nuestra tradición, el endecasílabo, con cesura que no impide la sinalefa. Los versos más largos son compuestos y en ellos la cesura distribuye hemistiquios que cumplen las reglas de fin de verso (acento delimitativo, imposibilidad de sinalefa, etc.).

El siglo XIX (Bécquer y Rosalía) intentó tipos de versos más largos de lo habitual o con medidas y ritmos inusuales hasta ese momento. El siglo veinte introdujo la posibilidad de versos compuestos de número irregular de sílabas y ritmos, llegando a longitudes hasta ese momento inusuales (Alberti: *Se ha comprobado el horror de unos zapatos rígidos contra la última tabla de un cajón destinado a limitar por espacio de poco tiempo la invasión de la tierra*). Para una caracterización del verso, con definiciones anteriores discutidas, véase Devoto: «Leves o aleves consideraciones sobre lo que es el verso» (*CLHM*, núms. 5 y 7, 1980 y 1982).

VERSO BLANCO. V. VERSO SUELTO.

VERSO LIBRE. El verso libre o versículo, como lo denominan Claudel y Amado Alonso, estableció su teoría y fue usado por vez primera por los poetas simbolistas franceses (Rimbaud, Verlaine, Kahn, Laforgue, etc.) como el procedimiento más idóneo para expresar, alejándose de cualquier constricción externa, la tensión rítmica del habla, produciendo un ritmo de creación fluyente que se ajustase bien al ritmo del pensamiento, bien al de la entonación o de la respiración, o al ritmo con que se suceden las intuiciones y su expresión, unas veces en encadenamiento, otras encabalgándose, otras en iteración (de aquí el valor de la anáfora y el paralelismo como constituyentes del poema en versículos), para buscar una poesía «natural».

En la poesía en nuestra lengua los orígenes del verso libre podemos situarlos en la construcción rítmica y no silábica de algunos textos del modernismo (*Marcha triunfal* de Rubén Darío, *Nocturno* de J. A. Silva, la poética de Jaimes Freyre), para alcanzar su perfección estilística —discutida— en el Juan Ramón que surge del *Diario de un poeta recién casado* y en los poetas del 27, sin que ello suponga renunciar a las posibilidades que ofrece la estrofa tradicional (cfr. Gerardo Diego, «La vuelta a la estrofa» en el n.º 1 de *Carmen*). Estos últimos incluso ajustarán algunos poemas escritos en verso libre al esquema de formas clásicas, si no en lo formal, sí en la distribución del discurso: véanse, entre otros posibles ejemplos, la *Oda al rey de Harlem* de García Lorca, o la *Canción a una muchacha muerta* de Aleixandre. Alarcos Llorach ha subrayado también el uso de procedimientos estilísticos en poemas en versículos que, en principio, sólo son propios del poema métrico tradicional («Secuencia sintáctica y secuencia rítmica», en *Ensayos y estudios literarios*).

VERSO SUELTO.   Se llaman versos sueltos a los que, sujetándose a un esquema métrico regular, no están unidos entre sí por la rima. El endecasílabo suelto fue utilizado en España por primera vez por Boscán en su *Historia de Leandro y Hero* y por Garcilaso en la *Epístola a Boscán*. Se empleó en traducciones clásicas (la de Jáuregui de la *Aminta*) o en autores que imitaban los modos latinos, pero también cuando la materia poética no se ajustaba, por sus temas, a las «unidades rítmicas férreamente cerradas» (Menéndez Pelayo) del petrarquismo: sería, pues, también una reacción contra esa escuela en búsqueda de un fluir más libre del pensamiento (cfr. nuestro prólogo al *Cartapacio del Colegio de Cuenca*): así sucede en la *Égloga piscatoria Philis*, de Ginés de Marcilla. El siglo XVIII fue, acaso, el más consciente cultivador del endecasílabo suelto en todo tipo de composiciones, desde la tragedia hasta el poema didáctico o descriptivo. En la poesía moderna, cargándolo de nuevo de valores líricos, fue seguramente Unamuno (por ejemplo, en *El Cristo de Velázquez*) el que mejor supo utilizar sus posibilidades, acaso siguiendo el modelo de los poetas italianos del XIX. Tras él habrá que citar a Lorca, que emplea alejandrinos sueltos en la *Oda a Salvador Dalí* y en la *Oda al Santísimo Sacramento del Altar* y todo un repertorio de metros en el *Llanto por Ignacio Sánchez Mejías*.

Se llama también verso suelto al que algunas veces queda sin rima en la estructura de la silva (V.).

VERSUS.   En la lingüística y en la semiología indica oposición y se representa por los signos / ,~, *vs.*: *blanco / negro, blanco ~ negro*, o también *blanco vs. negro*.

VILLANCICO.   «El núcleo lírico popular en la tradición hispánica es una breve y sencilla estrofa: un villancico. En él está la esencia lírica intensificada: él es la materia preciosa» (Dámaso Alonso, *Cancioncillas «de amigo» mozárabes [Primavera temprana de la lírica europea]*, en *RFE*, XXXIII, 1949). Aunque Dámaso Alonso se refería aquí a las jarchas, él mismo, junto con Menéndez Pidal y García Gómez, han dejado bien establecida la correspondencia métrica, temática y formal de aquellas coplas mozárabes con otras canciones tradicionales recogidas siglos después en otros terrenos literarios peninsulares. El villancico es, pues, en una primera acepción, una cancioncilla de corte popular o —mejor— tradicional, de un número indeterminado de versos (frecuentemente entre dos y cinco), de métrica muy variada y de temas muy diversos: un intento de clasificación y caracterización puede verse en el libro *El villancico* de Sánchez Romeralo. Estas cancioncillas nos han llegado por diversos caminos y en distintas tesituras: algunas se han mantenido, con variaciones, hasta nuestros días; otras se nos han transmitido, aisladas, en los cancioneros antiguos —sobre todo en los musicales— o, transformadas en refranes (si no es que algunos refranes se convirtieron en canciones) en las colecciones paremiológicas, desde la de Correas a las de Rodríguez Marín. Otras más se encajaron en composiciones de otra índole: así en aquel decir narrativo atribuido a Santillana *Por una gentil floresta* (llamado *Villancico* desde las primeras ediciones) se incluyen tres cantares populares, uno de ellos calificado de «antiguo»; villancicos viejos y tradicionales mechan las ensaladas (V.).

Pero los más nos han llegado glosados, según una estructura muy peculiar, en una glosa que también recibe el nombre de villancico. Esta forma poética aparece encabezada por la cancioncilla —el villancico propiamente dicho—, que va seguida de una serie variable de estrofas iguales entre sí. Estas estrofas no tienen número fijo de versos y constan de una mudanza de forma variable, un potestativo verso de enlace, que rima con el último de la mudanza, aunque sintácticamente pertenezca a la última parte, la vuelta, que introduce al villancico entero o a una parte de él (casi siempre el último verso) que funciona entonces como estribillo. Un caso de esquema completo sería:

Cabeza	Si la noche hace escura y tan corto es el camino, ¿cómo no venís, amigo?	*Villancico*
Mudanza	La media noche es pasada y el que me pena no viene: mi desdicha lo detiene, que nací tan desdichada.	
Vuelta	Háceme vivir penada y muéstraseme enemigo. ¿Cómo no venís, amigo?	*Enlace* *Estribillo*

Otra forma posible de desarrollo del villancico es la que Eugenio Asensio llama *rondel castellano* y Margit Frenk Alatorre prefiere denominar *despliegue* o *desarrollo,* según una doble modalidad de organización; en ambos casos el fenómeno que se produce es el de la inclusión del villancico-cabeza entre los versos de la mudanza, intercalándose entre ellos y formando una nueva unidad poética:

> ¿Agora que sé de amor
> me metéis monja?
> ¡Ay Dios, qué grave cosa!

> ¿Agora que sé de amor
> de caballero,
> agora me metéis monja
> en el monasterio?
> ¡Ay Dios, qué grave cosa!

o, de otra forma:

> Dícenme que el amor no hiere,
> mas a mí muerto me tiene.

> Dícenme que el amor no hiere
> ni con hierro ni con palo,
> mas a mí muerto me tiene
> la que traigo de la mano.

Para este tipo de villancicos véase Margit Frank Alatorre, *Estudios sobre lírica antigua* y la bibliografía que en él se refiere.

VISIÓN. Para Bousoño, la expresión de una imagen (V.) visionaria. Véase también PUNTO DE VISTA.

VODEVIL. En principio, comedia que contenía canciones y bailes, representada en el *Théâtre de foire* francés, opuesto al teatro cortesano. Hoy, comedia ligera, sin pretensiones intelectuales, cargada de situaciones imprevistas, intrigas, situaciones picantes, y caracterizada por los equívocos y chistes más o menos ingeniosos.

VOLTA. V. ESLABÓN.

VORGESCHICHTE. Para Tomachevski, el conjunto de los acontecimientos que se presupone que han sucedido antes de iniciarse la narración y que pueden —o no— ser expuestos en el cuerpo de ésta mediante procedimientos de analepsis (V.). Así, en *Cinco horas con Mario* hay una *Vorgeschichte* expuesta en las palabras de Carmen y otra implícita.

VOZ. Genette *(Figures III)* llama voz a la instancia narrativa, es decir, al procedimiento de enunciación (V.) o de narración en el que se sitúa el narrador. El narrador puede estar ausente de la historia contada (Homero o Flaubert) o presente como personaje de la historia (el llamado «yo narrador»); en el primer caso puede intervenir (por ejemplo, mediante fórmulas del tipo: *vemos cómo responde nuestro héroe; dejamos en la primera parte de esta historia al valeroso vizcaíno y al famoso don Quijote*...); en el segundo caso tendremos una narración homodiegética (el yo puede ser protagonista, como Dante en la *Divina comedia,* o testigo). El estatuto del narrador se define por el nivel narrativo (extradiegético: narrador ajeno a la historia; intradiegético: narrador dentro de la historia) y por medio de su relación con la historia (heterodiegético y homodiegético). Genette presenta el siguiente paradigma del narrador:

relación＼nivel	Extradiegético	Intradiegético
Heterodiegético	Homero	Sherazade
Homodiegético	Lázaro	Ulises

Homero, narrador de primer grado, cuenta una historia de la que está ausente; Lázaro, narrador de primer grado, relata su propia historia; Sherazade, narradora de segundo grado, cuenta historias de las cuales, en principio, está ausente; Ulises, en los Cantos IX-XI de la *Odisea* es un narrador de segundo grado que cuenta su propia historia. En analogía con las funciones del lenguaje de Jakobson, Genette postula algunas funciones del narrador: la función narrativa propiamente dicha, centrada sobre la historia; la función de dirección, cuando el narrador se refiere al texto, a su organización interna; la función de comunicación, cuando surge la orientación hacia el lector (el «Don Jaime, señor de Xérica» de la segunda parte del *Conde Lucanor,* el *vuesa merced,* lector primero del *Lazarillo*); la función de testimonio, si el narrador dirige el relato sobre sí mismo, sobre la parte que él ha tenido en la historia; la función ideológica, cuando la intervención del narrador en la historia asume la forma de un comentario acerca de la acción (V. ESTILO, 1; el discurso valorativo). La función ideológica puede ser realizada también por medio de una especie de transferencia, cuando el escritor se sirve de un personaje portavoz para expresar sus convicciones personales.

VUELTA. Parte de la estrofa constitutiva de la canción (V.), el zéjel (V.) y el villancico (V.).

WELTANSCHAUUNG. Término alemán que significa «visión del mundo». Se emplea en la terminología crítica para denotar la concepción del mundo y de la vida que se desprende de un texto, de la obra de un autor o, incluso, de un momento histórico (se habla, por ejemplo, de *Weltanschauung* machadiana o modernista o de la generación del 98). El término se confunde con frecuencia con «ideología» (V.) en el sentido de sistema de ideas, problemática, etc. Pero no se olvide que la ideología, en Marx, es ante todo la ideología política entendida como falsa conciencia, como racionalización de una realidad alienada. Por eso, la crítica marxista (Goldmann) ven a las clases sociales como constituidoras de infraestructuras de las diferentes visiones del mundo: «El máximo de conciencia posible de una clase social constituye siempre una Weltanschauung psicológicamente coherente que se puede expresar en el plano religioso, filosófico, literario o artístico» (Goldmann, *Sciences humaines et philosophie*).

XENION. Clase de poemas breves, de forma epigramática y de ascendencia clásica, que acompañaban normalmente los regalos que se entrecruzaban amigos y familiares con ocasión de alguna fiesta. El modelo antiguo fueron los *Xenia* de Marcial, tan imitado en el siglo XVII: se pueden encontrar ejemplos en Góngora. En nuestra época recordaremos los huevos de pascua o los abanicos de Mallarmé o algunos poemas de Alfonso Reyes.

YAMBO. El yambo es un pie de la métrica grecolatina formado por una sílaba breve y una larga: ⌣ —. En la métrica española se habla de ritmo yámbico para designar la sucesión rítmica de una sílaba átona y una tónica, como por ejemplo *Allí verás cuan póco mál ha hécho* (Garcilaso).

ZÉJEL. El zéjel es una forma estrófica muy parecida al villancico (V.) en la doble acepción de este término. Como aquél, parte de una canioncilla de andadura tradicional —un villancico propiamente dicho— y como aquél también la desarrolla en una serie de estrofas, compuestas de una mudanza —que ahora serán tres versos monorrimos—, le faltará el verso de enlace, y pasará directamente a la vuelta que introduce —como allí— todo o una parte del villancico de cabeza, que funcionará como estribillo de las distintas coplas:

Cabeza	¿Por qué me besó Perico? ¿Por qué me besó el traidor?	*Villancico*
Mudanza *Vuelta*	Dijo que en Francia se usaba y por eso me besaba, y también porque sanaba con el beso su dolor. ¿Por qué me besó Perico? ¿Por qué me besó el traidor?	*Estribillo*

El origen del trístico monorrimo, muy frecuente en la estrófica medieval —aparece, por ejemplo, en la balada provenzal—, ha sido muy discutido, hasta el punto de ser uno de los caballos de batalla para las diferentes teorías que intentan explicar los orígenes de la lírica románica. La invención de la forma zejelesca se atribuye a Mucáddam de Cabra y fue utilizada, entre los poetas arabigoandaluces, fundamentalmente por Ibn Quzmán.

ZEUGMA. El zeugma es una figura sintáctica que consiste en reunir varios miembros de frase por medio de un elemento que tienen en común y que sólo está expreso en uno de ellos. Ejem.: *Extrañó ella que un varón discreto viniese ya no solo, mas sí tanto* (Gracián). Se combina a veces con la polisemia: *Y con esto y con salir la doncella de mi cuarto, yo dejé de serlo* (Cervantes). Con un sentido más restringido algunos denominan zeugma a la coordinación de dos palabras dependientes de un mismo verbo y que, por poseer semas distintos, necesitarían cada una de ellas un verbo específico. Ejem.: *Él la sigue, ambos calzados; / ella, plumas, y él, deseos* (Góngora).

BIBLIOGRAFÍA

ABBAGNANO, N.: *Diccionario de filosofía*, México, F.C.E.
ABEL, L.: *Metatheatre. A new View of Dramatic Form*, Nueva York, Hill and Wang, 1963.
ADAM, J.-M.: *Linguistique et discours littéraire*, París, Larousse, 1976.
ADORNO, T. W.: *Notas de literatura*, Barcelona, Ariel, 1962.
—: *Teoría estética*, Madrid, Taurus, 1971.
AGOSTI, S.: *Il testo poetico*, Milán, 1972.
ALARCOS LLORACH, E.: *Ángel González, poeta*, Oviedo, Universidad, 1969.
—: *Ensayos y estudios literarios*, Madrid, Júcar, 1976.
—: *Estudios de gramática funcional del español*, Madrid, Gredos, 1970.
—: *Fonología española*, Madrid, Gredos, 1981.
—: *La poesía de Blas de Otero*, Salamanca, Anaya, 1973.
ALCINA, J., y BLECUA, J. M.: *Gramática española*, Barcelona, Ariel, 1975.
ALIN, J. M.: *El cancionero español tradicional*, Madrid, Taurus, 1968.
ALONSO, A.: *Materia y forma en poesía*, Madrid, Gredos, 1965.
—: *Poesía y estilo de Pablo Neruda*, Buenos Aires, Sudamericana, 1951.
ALONSO, D.: *Obras completas*, Madrid, Gredos.
—: «Cancioncillas "de amigo" mozárabes (Primavera temprana de la lírica europea)», *RFE*, XXXIII, 1949.
—: *Ensayos sobre poesía española*, Buenos Aires, Revista de Occidente, 1946.
—: *Poesía española. Ensayo de métodos y límites estilísticos*, Madrid, Gredos, 1950.
ALONSO, D., y BOUSOÑO, C.: *Seis calas en la expresión literaria española*, Madrid, Gredos, 1970.
ÁLVAREZ DE MIRANDA, A.: *La metáfora y el mito*, Madrid, Taurus, 1962.
ALLEMANN, B.: *Literatura y reflexión*, Buenos Aires, Alfa, 1975.
ALLOT, M.: *Los novelistas y la novela*, Barcelona, Seix Barral, 1966.
AMBROGIO, I.: *Formalismo e avanguardia in Russia*, Roma, Ed. Reuniti, 1968.
—: *Ideologia e tecniche letterarie*, Roma, Ed. Reuniti, 1971.
ANCESCHI, L.: *Autonomia ed eteronomia dell'arte*, Milán, 1936.
—: *Le instituzioni della poesia*, Milán, 1968.
ANDERSON IMBERT, E.: *El arte de la prosa en Juan Montalvo*, México, El Colegio de México, 1948.
—: *Crítica interna*, Madrid, Taurus, 1961.
—: *Métodos de crítica literaria*, Madrid, Revista de Occidente, 1969.
—: *¿Qué es la prosa?*, Buenos Aires, Columba, 1958.
ANGENOT, M.: *Glossaire de la critique littéraire contemporaine*, Montreal, *HMH*, 1979.

—: *Rhétorique du surréalisme*, Bruselas, Université Livre, 1967.

—: «Le roman populaire: Recherches en paralittérature», Montreal, *HMH*, 1975.

APRESIAN, I. D.: *La lingüística estructural soviética*, Madrid, Akal, 1975.

ARTAUD, A.: *El teatro y su doble*, Buenos Aires, Sudamericana, 1977.

ASENSIO, E.: *Estudios portugueses*, París, Gulbenkian, 1974.

—: *Itinerario del entremés*, Madrid, Gredos, 1971.

—: «Paraenesis ad litteras». *Juan Maldonado y el humanismo español en tiempos de Carlos V*, Madrid, F.U.E., 1980.

—: *Poética y realidad en el cancionero peninsular de la Edad Media*, Madrid, Gredos, 1970.

—: «Un Quevedo incógnito: las "Silvas"», *Edad de Oro*, 2, 1983.

—: edición de Cervantes, *Entremeses*, Madrid, Castalia, 1981.

AUERBACH, E.: *Introduction aux études de philologie romane*, Frankfurt, V. Klostermann, 1972.

—: *Lenguaje literario y público en la baja latinidad y en la Edad Media*, Barcelona, Seix Barral, 1969.

—: *Mímesis. La realidad en la literatura*, México, F.C.E., 1950.

AVALLE, D'A. S.: *Corso di semiologia dei testi letterari*, Turín, Giappichella, 1972.

—: *Formalismo y estructuralismo. La actual crítica literaria italiana*, Madrid, Cátedra, 1974.

—: «Le origine della quartina monorrima di alessandrini», en *Saggi... in memoria di Ettore Li Gotti*, I, Palermo, 1962.

—: *Modelli semiologici nella «Commedia» di Dante*, Milán, 1975.

—: *Principi di critica testuale*, Padua, Antenore, 1972.

AYALA, F.: *Los ensayos I. Teoría y crítica literaria*. Madrid, Aguilar, 1972.

BACHELARD, G.: *La poética del espacio*, México, F.C.E., 1965.

—: *Psicoanálisis del fuego*, Madrid, Alianza, 1966.

BAEHR, R.: *Manual de versificación española*, Madrid, Gredos, 1970.

BAJTIN, M.: *La cultura popular en la Edad Media y en el Renacimiento. El contexto de François Rabelais*, Barcelona, Barral, 1971.

—: *Estética de la creación verbal*, México, Siglo XXI, 1982.

—: *Esthétique et théorie du roman*, París, Gallimard, 1978.

—: *La poétique de Dostoïevski*, París, Seuil, 1970.

BALLY, C.: *Linguistique générale et linguistique française*, Berna, Franke, 1950.

BARBOSA, J. A.: *A metáfora crítica*, São Paulo, Perspectiva, 1974.

BARILLI, R.: *Poetica e retorica*, Milán, 1969.

—: *Retorica*, Milán, 1979.

BARTHES, R.: «L'ancienne rhétorique», *Communications*, 16.

—: *Crítica y verdad*, Buenos Aires, Siglo XXI, 1972.

—: *Elementos de semiología*, Madrid, A. Corazón, 1970.

—: *Ensayos críticos*, Barcelona, Seix Barral, 1967.

—: *El grado cero de la escritura, seguido de Nuevos ensayos críticos*, Buenos Aires, Siglo XXI, 1973.

—: *Mythologies*, París, Seuil, 1957.

—: *Le plaisir du texte*, París, Seuil, 1973.

—: *¿Por dónde empezar?*, Barcelona, Tusquets, 1974.

—: *S/Z*, Madrid, Siglo XXI, 1980.

BATAILLE, G.: *L'érotisme*, París, 10/18, 1975.

BATAILLON, M.: «Défense et illustration du sens littéral», Cambridge, *MHRA*, 1967.

—: *Varia lección de clásicos españoles*, Madrid, Gredos, 1964.

BATTAGLIA, S.: «L'esempio medievale», *Filologia Romanza*, 6, 1959.

BECCARIA, G. L.: *L'autonomia del significante. Figure del ritmo e della sintassi*, Turín, Einaudi, 1975.

—: *Letteratura e dialetto*, Bolonia, 1975.

—: *Ritmo e melodia nella prosa italiana. Studi e ricerche sulla prosa d'arte*, Florencia, Olschki, 1964.

BENJAMIN, W.: *Angelus Novus*, Madrid, Edhasa, 1971.

—: *Discursos interrumpidos*, Madrid, Taurus, 1973.

—: *Iluminaciones*, Madrid, Taurus, 1980.

BENSE, M.: *Introducción a la estética teórico-informacional*, Madrid, A. Corazón, 1972.

BENSE, M., y WALTKER, E.: *La semiótica. Guía alfabética*, Barcelona, Anagrama, 1975.

BENVENISTE, E.: *Problèmes de linguistique générale*, I y II, París, Gallimard, 1966 y 1974.

BERGMAN, H. E.: *Luis Quiñones de Benavente y sus entremeses*, Madrid, Castalia, 1965.

—: edición de *Ramillete de entremeses y bailes*, Madrid, Castalia, 1970.

BERISTAIN, H.: *Diccionario de poética y retórica*, México, Porrúa, 1985.

BERNARD, S.: *Le poème en prose de Baudelaire jusqu'à nos jours*, París, Nizet, 1959.

BINNI, W.: *Poetica, critica e storia letteraria*, Bari, 1963.

BLAIR, H.: *Lecciones sobre la retórica y las bellas letras*, trad. de J. L. Munárriz, Madrid, Imp. Real, 1804.

BLECUA, A.: «La littérature apophtegmatique en Espagne», en *L'Humanisme dans les lettres espagnoles*, París, Vrin, 1976.

—: *Manual de crítica textual*, Madrid, Castalia, 1983.

—: edición de Juan Rufo, *Las seiscientas apotegmas*, Madrid, Espasa Calpe, 1972.

BLECUA, J. M.: *Floresta de lírica española*, Madrid, Gredos, 1979.

—: *Sobre el rigor poético en España y otros ensayos*, Barcelona, Ariel, 1977.

—: edición de Juan de Chen, *Laberinto amoroso*, Valencia, Castalia, 1953.

BLOOMFIELD, L.: *Lenguaje*, Lima, Universidad de San Marcos, 1964.

—: *El llenguatge*, Barcelona, Seix Barral, 1978.

BLOOMFIELD, M. W. (ed.): *Allegory, Myth and Symbol*, Cambridge, Mass., Harvard University Press, 1981.

BOBES NAVES, M. C.: *Gramática de «Cántico». Análisis semiológico*, Barcelona, Planeta, 1975.

—: *La semiótica como teoría lingüística*, Madrid, Gredos, 1973.

BORGES, J. L.: *Borges el memorioso*, México, F.C.E., 1983.

—: *Historia de la eternidad*, Buenos Aires, Emecé, 1968.

—: *Prólogo con un prólogo de prólogos*, Buenos Aires, T. Agüero, 1975.

BOTREL, J. F., y SALAÜN, S. (eds.): *Creación y público en la literatura española*, Madrid, Castalia, 1974.

BOUDON, R.: *¿Para qué sirve la noción de «estructura»?*, Madrid, Aguilar, 1973.

BOURNEUF, R., y OUELLET, R.: *La novela*, Barcelona, Ariel, 1975.

BOUSOÑO, C.: *El irracionalismo poético. El símbolo*, Madrid, Gredos, 1977.

—: *Superrealismo poético y simbolización*, Madrid, Gredos, 1979.

—: *Teoría de la expresión poética*, Madrid, Gredos, 1970.

BOWRA, C. M.: *Poesía y canto primitivo*, Barcelona, Bosch, 1984.

BRADBURY, M., y PALMER, D.: *Crítica contemporánea*, Madrid, Cátedra, 1974.

BRANCA, V., y STAROBINSKI, J.: *La filologia e la critica letteraria*, Milán, Rizzoli, 1977.

BRANDI, C.: *Teoria generale della critica*, Turín, 1971.

BRECHT, B.: *El compromiso en literatura y arte*, Barcelona, Península, 1973.

BREMOND, C.: *Logique du récit*, París, Seuil, 1973.

BRUNOT, F.: *La pensée et la langue*, París, Masson, 1936.

BÜHLER, K.: *Teoría del lenguaje*, Madrid, Revista de Occidente, 1961.

BUYSSENS, E.: *La communication et l'articulation linguistique*, París-Bruselas, P.U.B. y P.U.F., 1967.

—: *Le langage et le discours*, Bruselas, Off. de Publicité, 1943.

CAILLOIS, R.: *Fisiología de Leviatán*, Buenos Aires, Sudamericana, 1946.

—: *Les jeux et les hommes*, París, Gallimard, 1967.

—: *Teoría de los juegos*, Barcelona, Seix Barral, 1958.

CALABRESE, O., y MUCCI, E.: *La semiotica*, Florencia, 1975.

CAMPBELL, J.: *El héroe de las mil caras*, México, F.C.E., 1959.

CAMPS, V.: *Pragmática del lenguaje y filosofía analítica*, Barcelona, Edicions 62, 1976.

CAPMANY, A. DE: *Filosofía de la elocuencia*, Londres, Logman, 1812.

CARDONA, G. R.: *Linguistica generale*, Roma, 1969.

CARO BAROJA, J.: *Ensayo sobre la literatura de cordel*, Madrid, Revista de Occidente, 1969.

CASTAGNINO, R. H.: *El análisis literario. Introducción metodológica a una estilística integral*, Buenos Aires, Nova, 1976.

—: *Experimentos narrativos*, Buenos Aires, J. Goyanarte, 1971.

—: *Teoría del teatro*, Buenos Aires, Plus Ultra, 1967.

CASTRO GUISASOLA, F.: *Observaciones sobre las fuentes literarias de «La Celestina»*, Madrid, Centro de Estudios Históricos, 1924.

CATALANO, G.: *Teoria della critica contemporanea*, Nápoles, 1974.

CÁTEDRA, P. M.: *Dos estudios sobre el sermón en la España medieval*, Barcelona, Universidad Autónoma, 1982.

CENCILLO, L.: *Mito. Semántica y realidad*, Madrid, B.A.C., 1970.

Círculo de Praga: *Tesis de 1929*, Madrid, A. Corazón, 1970.

CIRLOT, J. E.: *Diccionario de símbolos*, Barcelona, Labor, 1978.

—: *Introducción al surrealismo*, Madrid, Revista de Occidente, 1953.

CLARKE, D. C.: *A chronological sketch of castilian versification together with a list of its metric terms*, University of California Press, 1952.

—: *«Tiercet Rimes of the Golden Age Sonnets»*, *HR*, IV, 1936.

COELHO, E. PRADO: *Os universos da crítica. Paradigmas nos estudos literários*, Lisboa, Ed. 70, 1982.

COHEN, J.: *Estructura del lenguaje poético*, Madrid, Gredos, 1974.

—: *Le haut langage. Théorie de la poéticité*, París, Flammarion, 1979.

—: «Poésie et redondance», *Poétique*, n.º 28.

COLL Y VEHÍ, J.: *Elementos de literatura*, Barcelona, 1868.

Communications: n.º 8, «L'analyse structurale du récit».

—: n.º 16, «Recherches rhétoriques».

CONTE, G. (ed.): *Metafora*, Milán, 1981.

CONTINI, G.: *Altri esercizi (1942-1971)*, Turín, Einaudi, 1972.

—: *Esercizi di lettura*, Turín, 1974.

—: *Varianti e altra linguistica. Una racolta di saggi (1938-1968)*, Turín, Einaudi, 1970.

CONTRERAS, H. (ed.): *Los fundamentos de la gramática transformacional*, México, Siglo XXI, 1971.

COROMINAS, J.: edición de Juan Ruiz, *Libro de Buen Amor*, Madrid, Gredos, 1967.

CORSINI, G.: *L'instituzione letteraria*, Nápoles, Liguori, 1974.

CORTI, M.: *Metodi e fantasmi*, Milán, 1963.

—: *Principi della communicazione letteraria*, Milán, Bompiani, 1976.

—: *Il viaggio testuale*, Turín, 1978.

CORTI, M., y SEGRE, C. (ed.): *I metodi attuali della critica in Italia*, Turín, E.R.I., 1970.

COSERIU, E.: *Lecciones de lingüística general*, Madrid, Gredos, 1981.

—: *Teoría del lenguaje y lingüística general*, Madrid, Gredos, 1962.

COURTÈS, J.: *Introduction à une sémiotique narrative et discoursive*, París, Hachette, 1966.

CRESSOT, M.: *Le style et ses techniques*, París, P.U.F., 1971.

CROCE, B.: *Aesthetica in nuce*, Buenos Aires, Interamericana, 1943.

—: *Breviario de estética*, Buenos Aires, Espasa Calpe, 1938.

—: *Estética como ciencia de la expresión y Lingüística general*, Madrid, Beltrán, 1912.

—: *Lettura di poeti*, Bari, Laterza, 1950.

—: *Nuovi saggi di estetica*, Bari, 1920.

—: *La poesía*, Buenos Aires, Emecé, 1954.

CROS, E.: *Ideología y genética textual. El caso del «Buscón»*, Madrid, Planeta, 1980.

CULLER, J.: *On deconstruction*, Ithaca, Cornell University Press, 1982.

—: *La poética estructuralista*, Barcelona, Anagrama, 1979.

CUNHA, C. FERREIRA DA: *Estudos de versificação portuguesa (Séculos XIII a XVI)*, París, Gulbenkian, 1982.

—: *Língua e verso*, Lisboa, Sá da Costa, 1984.

CURTIUS, E.: *Ensayos críticos sobre la literatura europea*, Barcelona, Seix Barral, 1959.

—: *Literatura europea y Edad Media latina*, México, F.C.E., 1955.

CHABROL, C. (ed.): *Sémiotique narrative et textuelle*, París, Larousse, 1973.

CHANGE, Collectif: *Première suite*, París, 10/18, 1974.

—: *Colloque de Cerisy, 1973*, París, 10/18, 1975.

CHARLES, M.: *Rhétorique de la lecture*, París, Seuil, 1977.

CHATMAN, S.: *Storia e discorso*, Parma, 1981.

CHEVALIER, J., y GHEERBRANT, A.: *Dictionnaire des symboles*, París, Seghers, 1973.

CHEVALIER, M.: *L'Arioste en Espagne*, Burdeos, Féret, 1966.

—: *Lectura y lectores en la España de los siglos XVI y XVII*, Madrid, Turner, 1976.

CHOMSKI, N.: *Aspectos de la teoría de la sintaxis*, Madrid, Aguilar, 1971.

—: *Ensayos sobre forma e interpretación*, Madrid, Cátedra, 1982.

—: *Estructuras sintácticas*, México, Siglo XXI, 1974.

—: *El lenguaje y el entendimiento*, Barcelona, Seix Barral, 1977.

—: *Lingüística cartesiana*, Madrid, Gredos, 1972.

CHOMSKI, N., y MILLER, G. A.: *El análisis formal de los lenguajes naturales*, Madrid, A. Corazón, 1972.

DEAÑO, A.: *Introducción a la lógica formal*, Madrid, Alianza, 1975.

DELAS, D., y FILLIOLET, J.: *Linguistique et poétique*, París, Larousse, 1973.

DERRIDA, J.: *De la gramatología*, Buenos Aires, Siglo XXI, 1971.

—: *L'écriture et la différence*, París, Seuil, 1967.

DESCOTES, M.: *Le public de théâtre et son histoire*, París, P.U.F., 1964.

DEVOTO, D.: «De la redondilla y su familia», *BRAE*, LXIII, 1983.

—: *Introducción al estudio de don Juan Manuel*, París, Ed. Hispanoamericanas, 1972.

—: «Leves o aleves consideraciones sobre lo que es el verso», *CLHM*, 5 y 7, 1980 y 1982.

—: «Prosa con faldas», *Edad de Oro*, 3, 1984.

—: «Sobre la métrica de los romances según el "Romancero hispánico"», *CLHM*, 4, 1979.

—: *Textos y contextos*, Madrid, Gredos, 1974.

—: «"Viuda", asonante en í-a», en *Homenaje a Mathilde Pomès*, Madrid, 1977.

DEVOTO, G.: *Nuovi studi di stilistica*, Florencia, Le Monnier, 1961.

—: *Studi di stilistica*, Florencia, 1950.

DÍAZ MINGOYO, G.: *Estructura de la novela. Anatomía de «El Buscón»*, Madrid, Fundamentos, 1978.

DÍAZ PLAJA, G.: *El poema en prosa en España*, Barcelona, G. Gili, 1956.

DÍEZ BORQUE, J. M. (ed.): *Historia del teatro en España*, Madrid, Taurus, 1984.

—: *Métodos de estudio de la obra literaria*, Madrid, Taurus, 1985.

—: *Semiología del teatro*, Barcelona, Planeta, 1975.

DÍEZ RENGIFO, J.: *Arte poética española*, Barcelona, 1759.

DODDS, E. R.: *Los griegos y lo irracional*, Madrid, Alianza, 1980.

DOMÍNGUEZ CAPARRÓS, J.: *Diccionario de métrica española*, Madrid, Paraninfo, 1985.

DOUCY, A. (ed.): *Literatura y sociedad*, Madrid, Martínez Roca, 1969.

DRESSLER, W.: *Einführung in die Textlinguistik*, Tubinga, Niemeyer, 1972.

DUBOIS, J.: *Diccionario de lingüística*, Madrid, Alianza, 1979.

—: *Grammaire structurale du français*, París, Larousse, 1965. V. Grupo μ.

DUCROT, O.: *Decir y no decir*, Barcelona, Anagrama, 1982.

DUCROT, O., y TODOROV, T.: *Diccionario enciclopédico de las ciencias del lenguaje*, Buenos Aires, Siglo XXI, 1974.

DUMÉZIL, G.: *Del mito a la novela*, México, F.C.E., 1973.

—: *Mito y epopeya I*, Barcelona, Seix Barral, 1977.

DUPRIEZ, B.: *Gradus. Les procédés littéraires*, Louisville, Union Générale d'Éditions, 1980.

DURAND, G.: *Les structures anthropologiques de l'imaginaire*, París, P.U.F., 1963.

Duvignaud, J.: *Sociología del arte*, Barcelona, Península.

Eco, U.: *Apostillas a «El nombre de la rosa»*, Barcelona, Lumen, 1984.

—: *La estructura ausente*, Barcelona, Lumen, 1978.

—: *Lector in fabula*, Barcelona, Lumen, 1981.

—: *Le forme del contenuto*, Milán, Bompiani, 1971.

—: *Obra abierta*, Barcelona, Ariel, 1979.

—: *Signo*, Barcelona, Labor, 1976.

—: *Tratado de semiótica general*, Barcelona, Lumen, 1977.

Egido, A.: *La fábrica de un auto sacramental: «Los encantos de la culpa»*, Salamanca, Universidad de Salamanca, 1982.

Eijembaum, B. M.: «Teoría del método formal», en Eijembaum *et al.*, *Formalismo y vanguardia*, Madrid, A. Corazón, 1970.

Eijembaum, B. M. *et al.*: *Formalismo y vanguardia*, Madrid, A. Corazón, 1970.

Eliade, M.: *Aspects du mythe*, París, Gallimard, 1963.

—: *El mito del eterno retorno*, Madrid, Alianza, 1982.

—: *Tratado de historia de las religiones*, Madrid, Cristiandad, 1981.

Eliot, T. S.: *Criticar al crítico y otros escritos*, Madrid, Alianza, 1967.

—: *Función de la poesía y función de la crítica*, Barcelona, Seix Barral, 1955.

—: *The sacred Wood. Essays on Poetry and Criticism*, Londres, 1920.

Elwert, W. T.: *Versificazione italiana delle origini ai nostri giorni*, Florencia, 1973.

Empson, W.: *Seven Types of Ambiguity*, Harmondsworth, Penguin, 1973.

Erlich, V.: *El formalismo ruso*, Barcelona, Seix Barral, 1974.

Ermatinger, E. (ed.): *Filosofía de la ciencia literaria*, México, F.C.E., 1946.

Escarpit, R.: *Sociología de la literatura*, Barcelona, Oikos-Tau.

— (ed.): *Le littéraire et le social. Éléments pour une sociologie de la littérature*, París, Flammarion, 1970.

Esslin, M.: *El teatro del absurdo*, Barcelona, Seix Barral, 1964.

Étiemble, R.: *Génèse du mythe*, París, 1952.

—: *Le mythe de Rimbaud*, París, 1952.

Faral, E.: *Les arts poétiques du XIIᵉ et XIIIᵉ siècle*, París, Champion, 1962.

Fernández Montesinos, J.: *Ensayos y estudios de literatura española*, Madrid, Revista de Occidente, 1970.

—: *Estudios sobre Lope de Vega*, Salamanca, Anaya, 1967.

—: edición de Arias Pérez, *Primavera y flor de los mejores romances*, Valencia, Castalia, 1954.

Ferreras, J. I.: *La novela por entregas*, Madrid, Taurus, 1972.

Ferrater Mora, J.: *Diccionario de filosofía*, Madrid, Alianza, 1981.

—: *Las palabras y los hombres*, Barcelona, Península, 1972.

Flecniakoska, J. L.: *La formation de l'auto religieux en Espagne avant Calderón*, Montpellier, P. Déhan, 1961.

—: *La loa*, Madrid, S.G.E.L., 1975.

Florescu, V.: *La retorica nel suo sviluppo storico*, Bolonia, 1967.

Fokkema, D. W., e Ibsch, E.: *Teorías de la literatura del siglo XX*, Madrid, Cátedra, 1981.

Fontanier, P.: *Les figures du discours* (ed. de G. Genette), París, Flammarion, 1968.

FORRADELLAS, J.: edición de *Cartapacio poético del Colegio de Cuenca*, Salamanca, Diputación, 1986.

—: edición de F. García Lorca, *La zapatera prodigiosa*, Salamanca, Almar, 1978.

FOSTER, E. M.: *Aspectos de la novela*, Xalapa, Universidad Veracruzana, 1961.

FOUCAULT, M.: *La arqueología del saber*, México, Siglo XXI, 1970.

—: *El orden del discurso*, Barcelona, Tusquets, 1975.

—: *Las palabras y las cosas*, Barcelona, Planeta-Agostini, 1984.

FOWLER, R. (ed.): *Style and Structure in Literature*, Oxford, Blackwell, 1975.

FRENK ALATORRE, M.: «Endechas anónimas del siglo XVI», en *Studia... Rafael Lapesa*, Madrid, Gredos, 1972.

—: *Estudios sobre lírica antigua*, Madrid, Castalia, 1978.

—: *Las jarchas mozárabes y los comienzos de la lírica románica*, México, El Colegio de México, 1975.

FREUD, S.: *Obras completas*, Madrid, Biblioteca Nueva, 1973.

FRIEDRICH, H.: *Estructura de la lírica moderna*, Barcelona, Seix Barral, 1974.

FRYE, N.: *Anatomy of Criticism*, Princeton University Press, 1957. (Hay trad. española en Caracas, Monte Ávila, 1977.)

—: *The educated Imagination*, Bloomington, Indiana University Press, 1968.

—: *La escritura profana*, Barcelona, Monte Ávila, 1980.

—: *La estructura inflexible de la obra literaria*, Madrid, Taurus, 1973.

—: *Fables of Identity*, Nueva York, 1963.

FUBINI, M.: *Critica e poesia*, Roma, Bonacci, 1973.

—: *Métrica y poesía*, Barcelona, Planeta, 1970.

GADAMER, H. G.: *Verdad y método*, Salamanca, Sígueme, 1977.

GARAVELLI MORTARA, B.: *Aspetti e problemi della linguistica testuale*, Turín, Giappichelli, 1974.

GARCÍA BERRIO, A.: *Formación de la teoría literaria moderna*, I y II, Barcelona, Planeta, 1975 y 1979.

—: *Introducción a la poética clasicista. Cascales*, Barcelona, Planeta, 1975.

—: *Significado actual del formalismo ruso*, Barcelona, Planeta, 1973.

—: *Teoría poética en el Siglo de Oro*, Murcia, Universidad de Murcia, 1980.

GARCÍA CALVO, A.: *Lalia. Ensayos de estudio lingüístico de la sociedad*, Madrid, Siglo XXI, 1973.

GARCÍA DE ENTERRÍA, M. C.: *Sociedad y poesía de cordel en el Barroco*, Madrid, Taurus, 1973.

GARCÍA GÓMEZ, E.: *Las jarchas romances de la serie árabe en su marco*, Barcelona, Seix Barral, 1975.

GARCÍA GUAL, C.: *Los orígenes de la novela*, Madrid, Istmo, 1972.

GARRIDO GALLARDO, M. A. (ed.): *Teoría semiótica. Lenguajes y textos hispánicos*, Madrid, C.S.I.C., 1984.

GARRONI, E.: *Progetto di semiotica*, Bari, Laterza, 1973.

—: *Ricognizioni della semiotica*, Roma, 1977.

—: *Semiotica ed estetica*, Bari, Laterza, 1968.

GENETTE, G.: *Figures*, I, II y III, París, Seuil, 1966, 1969 y 1972.

—: *Introduction a l'architexte*, París, Seuil, 1981.

—: *Mimológicas*, Barcelona, Porcel, 1980.

—: *Nouveau discours du récit*, París, Seuil, 1983.

GENETTE, G., y TODOROV, T. (ed.): *Littérature et réalité*, París, Seuil, 1982.

GILI GAYA, S.: *El ritmo en la poesía contemporánea*, Barcelona, Universidad de Barcelona, 1956.

GIRARD, R.: *Mentira romántica y verdad novelesca*, Caracas, Universidad Central de Venezuela, 1963.

GIROLAMO, C. DI: *Critica della letterarietà*, Milán, 1978.

—: *Teoria e prassi della versificazione*, Bolonia, 1976.

GIROLAMO, C., y PACCAGNELLA (ed.): *La parola ritrovata*, Palermo, Sellerio, 1982.

GOLDMANN, L.: *Marxismo y ciencias humanas*, Buenos Aires, Amorrortu, 1975.

—: *Para una sociología de la novela*, Madrid, Ciencia Nueva, 1967.

—: *Sciences humaines et philosophie*, París, Gallimard, 1970.

GOLINO, E.: *Letteratura e classi sociali*, Bari, Laterza, 1976.

GÓMEZ HERMOSILLA, J.: *Arte de hablar en prosa y verso*, ed. aumentada y anotada por Vicente Salvá, París, Garnier, 1866.

GONZÁLEZ MUELA, J.: *Gramática de la poesía*, Barcelona, Planeta, 1976.

GRAMMONT, M.: *Traité de phonétique*, París, Delagrave, 1933.

—: *Le vers français*, París, Delagrave, 1954.

GRAMSCI, A.: *Antología*, México, Siglo XXI, 1970.

—: *Cultura y literatura*, Barcelona, Península, 1967.

GRANADA, L. DE, fray: *Los seis libros de la rhetórica eclesiástica*, Barcelona, Jolis, 1778.

GREENBERG, J. H.: *A New Invitation to Linguistics*, Nueva York, 1977.

GREIMAS, A. J.: *En torno al sentido*, Madrid, Fragua, 1974.

—: *Maupassant. La sémiotique du texte: exercices pratiques*, París, Seuil, 1976.

—: *Semántica estructural*, Madrid, Gredos, 1971.

—: *Semiótica y ciencias sociales*, Madrid, Fragua, 1980.

— (ed.): *Ensayos de semiótica poética*, Barcelona, Planeta, 1976.

GREIMAS, A. J., y COURTÈS, J.: *Semiótica. Diccionario razonado de la teoría del lenguaje*, Madrid, Gredos, 1982.

Grupo D.I.R.E.: *En soixante-six symboles. Introduction à la poïétique formalisée. Documents de travail*, Montreal, Presses Universitaires du Québec.

Grupo µ: *Rhétorique de la poésie*, Bruselas, Complexe, 1977.

—: *Rhétorique générale*, París, Larousse, 1970.

GUGLIELMI, G.: *La literatura como sistema y como función*, Barcelona, Redondo, 1972.

GUIDUCCI, A.: *Del realismo al estructuralismo*, Madrid, A. Corazón, 1976.

GUILLÉN, C.: *Entre lo uno y lo diverso. Introducción a la literatura comparada*, Barcelona, Crítica, 1985.

GUILLÉN, J.: *Lenguaje y poesía*, Madrid, Revista de Occidente, 1962.

GUIRAUD, P.: *Essais de stylistique*, París, Klincksieck, 1970.

—: *La semántica*, México, F.C.E., 1965.

—: *La sémiologie*, París, P.U.F., 1971.

—: *La stylistique. Lectures*, París, Klincksieck, 1970.

GULLÓN, R.: *Espacio y novela*, Barcelona, Bosch, 1980.

HADLICH, R. L.: *Gramática transformativa del español*, Madrid, Gredos, 1973.

HALLE, M., y KEYSER, S.: «Métrica», en Enciclopedia Einaudi.

HAMON, P.: *Introduction à l'analyse du descriptif*, París, Hachette, 1981.

—: «Qu'est-ce qu'une description», *Poétique*, n.º 12.

—: *Semiologia, lessico, leggibilità del testo narrativo*, Parma, Lucca, 1977.

HANKAMER, J., y AISSEN, J.: «Ambigüedad», en Enciclopedia Einaudi.

HAUSER, H.: *Historia social de la literatura y el arte*, Madrid, Guadarrama, 1967.

—: *Teorías del arte*, Madrid, Guadarrama, 1982.

HEIDENREICH, H.: *Figuren und Komik den spanischen «Entremeses» des goldenen Zeitalters*, Munich, 1962.

HEIDSIECK, A.: *Das Groteske und das Absurde im modernen Drama*, Stuttgart, Kohlhammer, 1969.

HELBO, A. (ed.): *Semiología de la representación*, Barcelona, G. Gili, 1978.

HENRÍQUEZ UREÑA, P.: *Estudios de versificación española*, Buenos Aires, Universidad de Buenos Aires, 1961.

HENRY, A.: *Métonimie et métaphore*, París, Klincksieck, 1971.

HERMENEGILDO, A.: *La tragedia en el Renacimiento español*, Barcelona, Planeta, 1973.

HERNADI, P.: *Teoría de los géneros literarios*, Barcelona, Bosch, 1978.

HERRERA, F. DE: *Obras de Garcilaso de la Vega con anotaciones*, Madrid, C.S.I.C., 1973.

HINDE, A.: *Non-verbal Communication*, Cambridge University Press, 1974.

HIRSCH, E. D.: *Validity in Interpretation*, New Haven-Londres, 1967.

—: *The Aims of Interpretation*, Chicago University Press, 1976.

HJELMSLEV, L.: *Ensayos lingüísticos*, Madrid, Gredos, 1972.

—: *El lenguaje*, Madrid, Gredos, 1968.

—: *Prolegómenos a una teoría del lenguaje*, Madrid, Gredos, 1971.

HOCKETT, C. F.: *Curso de lingüística moderna*, Buenos Aires, Eudeba, 1971.

—: *El estado actual de la lingüística*, Madrid, Akal, 1974.

HUMPHREY, R.: *La corriente de conciencia en la novela moderna*, Santiago de Chile, Ed. Universitaria, 1969.

IHWE, J.: *Linguistik in der Literaturwissenschaft*, Munich, 1972.

INGARDEN, R.: *Das literarische Kuntswerk*, Tubinga, Max Niemeyer, 1965.

JAKOBSON, R.: *Ensayos de lingüística general*, Barcelona, Seix Barral, 1975.

—: *Lingüística, poética, tiempo*, Barcelona, Crítica, 1981.

—: *Nuevos ensayos de lingüística general*, México, Siglo XXI, 1976.

—: *Questions de poétique*, París, Seuil, 1973.

—: *Six leçons sur le son et le sens*, París, Minuit, 1976.

JAMMES, R.: *Études sur l'oeuvre poétique de Don Luis de Góngora y Argote*, Burdeos, Universidad de Burdeos, 1967.

JANNER, H.: *La glosa en el Siglo de Oro. Una antología*, Madrid, Nueva Época, 1946.

JASPERS, K.: *Esencia y formas de lo trágico*, Buenos Aires, Sur, 1960.

JAURALDE POU, P.: *Manual de investigación literaria*, Madrid, Gredos, 1981.

JAUSS, H. R.: *Aestetische Erfahrung und literarische Hermeneutik*, I, Munich, Fink, 1977.

—: *La literatura como provocación*, Barcelona, Península, 1976.

—: *Pour une esthétique de la réception*, París, Gallimard, 1978.

JESPERSEN, O.: *La filosofía de la gramática*, Barcelona, Anagrama, 1975.

—: *Humanidad, nación, individuo desde el punto de vista lingüístico*, Buenos Aires, Revista de Occidente, 1947.

JOLLES, A.: *Formes simples*, París, Seuil, 1972.

KAYSER, W.: *Das Groteske im Malerei und Dichtung*, Hamburgo, Rowohlt, 1960.

—: *Interpretación y análisis de la obra literaria*, Madrid, Gredos, 1961.

KIBEDI-VARGA, A.: *Rhétorique et littérature. Étude des structures classiques*, París, Didier, 1970.

KLOEPFER, R.: *Poetik und Linguistik*, Munich, W. Fink, 1975.

KONRAD, J.: *Étude sur la métaphore*, París, Vrin, 1958.

KRISTEVA, J.: *La révolution du langage poétique*, París, Seuil, 1974.

—: *Semiótica*, Madrid, Fundamentos, 1978.

—: *El texto de la novela*, Barcelona, Lumen, 1974.

LABROUSSE, E. (ed.): *Las estructuras y los hombres*, Barcelona, Ariel, 1969.

LACAN, J.: *Écrits*, París, Seuil, 1966.

—: *El Seminario*, Madrid, Paidós, 1981 y ss.

LAFONT, R., GARDÈS, y MADRAY, P.: *Introduction à l'analyse textuelle*, París, 1976.

LAMIQUIZ, V.: *Sistema lingüístico y texto literario*, Sevilla, Universidad de Sevilla, 1978.

Langages: n.º 12, «Linguistique et littérature».

LAPA, M. RODRIGUES: *Lições de literatura portuguesa. Época medieval*, Coimbra, Coimbra Ed., 1977.

—: edición de *Cantigas d'escarnho e de mal dizer*, Coimbra, Galaxia, 1965.

LAPESA, R.: *De la Edad Media a nuestros días. Estudios de historia literaria*, Madrid, Gredos, 1967.

—: *Historia de la lengua española*, Madrid, Gredos, 1980.

—: *Introducción a los estudios literarios*, Madrid, Cátedra, 1975.

—: *La obra literaria del Marqués de Santillana*, Madrid, Ínsula, 1957.

—: *Poetas y prosistas de ayer y hoy. Veinte estudios de historia y crítica literaria*, Madrid, Gredos, 1977.

— (ed.): *Comunicación y lenguaje*, Madrid, Karpos, 1977.

LAPLANCHE, J., y PONTALIS, J. B.: *Diccionario de psicoanálisis*, Barcelona, Labor, 1979.

LAUSBERG, H.: *Elementos de retórica literaria*, Madrid, Gredos, 1975.

—: *Manual de retórica literaria*, Madrid, Gredos, 1966.

LÁZARO CARRETER, F.: «El "Arte Nuevo" y el término "entremeses"», *Archivo de Letras*, V, 1965.

—: *Cómo se comenta un texto literario*, Madrid, Cátedra, 1982.

—: *Diccionario de términos filológicos*, Madrid, Gredos, 1962.

—: *Estilo barroco y personalidad creadora*, Madrid, Cátedra, 1977.

—: «La estrofa en el Arte Real», en *Homenaje a J. M. Blecua*, Madrid, Gredos, 1983.

—: *Estudios de lingüística*, Barcelona, Crítica, 1980.

—: *Estudios de poética*, Madrid, Taurus, 1976.

—: «El poema lírico como signo», en Garrido Gallardo (ed.), *Teoría semiótica. Lenguajes y textos hispánicos*, Madrid, C.S.I.C., 1984.

—: *Teatro medieval*, Madrid, Castalia, 1965.

LEDUC, V.: *Estructuralisme et marxisme*, París, 10/18, 1970.

LE GUERN, M.: *La metáfora y la metonimia*, Madrid, Cátedra, 1976.

LE HIR, Y.: *Rhétorique et stylistique de la Pléiade au Parnasse*, París, P.U.F., 1960.

LÉON, P. R., y MARTIN, P.: *Prolégomènes à l'étude des structures intonatives*, Montreal, Didier, 1970.

LEPSCHY, G. C.: *La lingüística estructural*, Barcelona, Anagrama, 1971.

LEROY, M.: *Las grandes corrientes de la lingüística*, México, F.C.E., 1969.

LESKY, A.: *La tragedia griega*, Barcelona, Labor, 1973.

LEVIN, S. R.: *Estructuras lingüísticas en la poesía*, Madrid, Cátedra, 1974.

LÉVI-STRAUSS, C.: *Antropología estructural*, Buenos Aires, Eudeba, 1969.

—: *Antropología estructural II*, México, Siglo XXI, 1976.

LIDA, M. R.: *El cuento popular y otros ensayos*, Buenos Aires, Losada, 1976.

—: *Estudios de literatura española y comparada*, Buenos Aires, Eudeba, 1966.

—: *La originalidad artística de «La Celestina»*, Buenos Aires, Eudeba, 1962.

—: *La tradición clásica en España*, Barcelona, Ariel, 1975.

LITVAK, L. (ed.): *El Modernismo*, Madrid, Taurus, 1975.

LÓPEZ ESTRADA, F.: *Introducción a la literatura medieval española*, Madrid, Gredos, 1983.

—: *Los libros de pastores en la literatura española. La órbita previa*, Madrid, Gredos, 1974.

—: *Métrica española del siglo XX*, Madrid, Gredos, 1969.

LOTMAN, Y. M.: *Estructura del texto artístico*, Madrid, Istmo, 1978.

— (ed.): *Ensaios de semiótica soviética*, Lisboa, Horizontes, 1981.

—: *Semiótica de la cultura*, Madrid, Cátedra, 1979.

LOZANO, J., PEÑA-MARÍN, C., y ABRIL, G.: *Análisis del discurso. Hacia una semiótica de la interacción textual*, Madrid, Cátedra, 1982.

LUKÁCS, G.: *Estética*, Barcelona, Grijalbo, 1966-1967.

—: *La novela histórica*, México, Era, 1966.

—: *Problemas del realismo*, México, F.C.E., 1966.

—: *Prolegómenos a una estética marxista*, México, Grijalbo, 1965.

—: *Sociología de la literatura*, Madrid, Península, 1966.

—: *Teoría de la novela*, Barcelona, Edhasa, 1971.

LYONS, J.: *Introducción en la lingüística teórica*, Barcelona, Teide, 1971.

— (ed.): *Nuevos horizontes de la lingüística*, Madrid, Alianza, 1975.

LLORÉNS, V.: *Aspectos sociales de la literatura española*, Madrid, Castalia, 1974.

MACRÍ, O.: *Ensayo de métrica sintagmática*, Madrid, Gredos, 1969.

MACHEREY, P.: *Pour une théorie de la production littéraire*, París, Maspero, 1966.

MALTESE, C.: *Semiología del mensaje objetual*, Madrid, A. Corazón, 1972.

MAN, P. DE: *Blindness and Insight. Essays in the Rhetoric of Contemporary Criticism*, Nueva York, Oxford University Press, 1971.

MANNHEIM, K.: *Ensayos de sociología de la cultura*, Madrid, Aguilar, 1957.

—: *Ideología y utopía*, Madrid, Aguilar, 1958.

MANNONI, O.: *La otra escena. Claves de lo imaginario*, Buenos Aires, Amorrortu, 1979.

MARCO, J.: *Literatura popular en España en los siglos XVIII y XIX*, Madrid, Taurus, 1977.

MARCUSE, H.: *Eros y civilización*, Barcelona, Seix Barral, 1976.

MARCHESE, A.: *L'analise letteraria*, Turín, 1976.

—: *Introduzione alla semiotica della letteratura*, Turín, 1981.

—: *Metodi e prove strutturali*, Milán, 1979.

—: *Pratiche comunicative*, Milán, 1979.

—: *Visiting angel. Interpretazione semiologica della poesia di Montale*, Turín, 1977.

MARCHESE, A., y SARTORI, A.: *Il segno e il senso*, Milán, 1970.

MARICHAL, J.: *La voluntad de estilo. Teoría e historia del ensayismo hispánico*, Madrid, Revista de Occidente, 1971.

MAROUZEAU, J.: *Lexique de la terminologie linguistique*, París, Geutner, 1943.

MARTINET, A.: *Economía del cambio lingüístico*, Madrid, Gredos, 1974.

—: *Elementos de lingüística general*, Madrid, Gredos, 1965.

—: *Estudios de sintaxis funcional*, Madrid, Gredos, 1978.

—: *El lenguaje desde el punto de vista funcional*, Madrid, Gredos, 1971.

—: *La lingüística. Guía alfabética*, Barcelona, Anagrama, 1972.

—: *La lingüística sincrónica*, Madrid, Gredos, 1968.

MARTINET, J.: *Claves para la semiología*, Madrid, Gredos, 1976.

MARTÍNEZ BONATI, F.: *La estructura de la obra literaria*, Barcelona, Seix Barral, 1972.

MARTÍNEZ TORNER, E.: *Lírica hispánica. Relaciones entre lo popular y lo culto*, Madrid, Castalia, 1966.

MARX, K., y ENGELS, F.: *Sobre arte y literatura*, Madrid, Ciencia Nueva, 1968.

MAURO, T. DE: *Senso e significato*, Bari, Adriatica, 1971.

—: *Storia linguistica dell'Italia unita*, Bari, 1970.

MAURON, C.: *Des métaphores obsédantes au mythe personnel. Introduction à la psychocritique*, París, Corti, 1962.

—: *Psychocritique du genre comique*. París, Corti, 1963.

MAZALEYRAT, J.: *Cours de métrique 1971-72*, París, 1972 (policopiado).

—: *Pour une étude rythmique du vers français moderne*, París, Minard, 1963.

MEDVEDEV, J. N.: *Il metodo formale nella scienza della letteratura*, Bari, Laterza, 1978.

MELANDRI, E.: *La linea e il circolo. Studio logico-filosofico sulla analogia*, Bolonia, 1968.

MENDOZA, V. T.: *El corrido mexicano*, México, F.C.E., 1954.

MENÉNDEZ Y PELAYO, M.: *Historia de las ideas estéticas en España*, Santander, C.S.I.C., 1946-1947.

MENÉNDEZ PIDAL, R.: *Orígenes del español*, Madrid, Espasa Calpe, 1950.

—: *Poesía juglaresca y orígenes de las literaturas románicas*, Madrid, I.E.P., 1957.

—: *Romancero hispánico. (Teoría e historia)*, Madrid, Espasa Calpe, 1953.

MENGALDO, P. V.: *La tradizione del Novecento*, Milán, 1975.

MESCHONNIC, H.: *Critique du rythme*, París, Verdier, 1982.

—: *Pour la poétique*, I, II y III, París, Gallimard, 1970-1973.

—: *Le signe et le poème*, París, Gallimard, 1975.

METELINSKI, E. M.: *La struttura della fiaba*, Palermo, 1977.

MILÁ Y FONTANALS, M.: *Estética*, Madrid, 1916.

—: *Principios de literatura*, Barcelona, 1873.

MOISES, M.: *A criação literária*, São Paulo, Melhoramentos, 1967.

—: *Dicionário de termos literários*, São Paulo, Cultrix, 1974.

MONTE, A. DEL: *Retorica, stilistica e versificazione*, Turín, 1955.

MORAVSKI, I.: *Fundamentos de estética*, Barcelona, Península, 1977.

MORIER, H.: *Dictionnaire de poétique et de rhétorique*, París, P.U.F., 1975.

MORPURGO TAGLIABUE, G.: *Linguistica e stilistica di Aristotele*, Roma, 1968.

MORREALE, M.: edición de E. de Villena, *Los doze trabajos de Hércules*, Madrid, R.A.E., 1958.

MORRIS, C.: *Foundations of the Theory of Signs*, Chicago, University of Chicago Press, 1938.

—: *La significación y lo significativo*, Madrid, A. Corazón, 1974.

MOUNIN, G.: *Claves para la lingüística*, Barcelona, Anagrama, 1969.

—: *Claves para la semántica*, Barcelona, Anagrama, 1974.

—: *Diccionario de lingüística*, Barcelona, Labor, 1982.

—: *Historia de la lingüística. Desde los orígenes al siglo XX*, Madrid, Gredos, 1979.

—: *Introducción a la semiología*, Barcelona, Anagrama, 1972.

—: *Lingüística del siglo XX*, Madrid, Gredos, 1976.

—: *La literatura y sus tecnocracias*, México, F.C.E., 1983.

—: *Problemas teóricos de la traducción*, Barcelona, Anagrama, 1977.

—: *Saussure*, Barcelona, Anagrama, 1971.

MUKAŘOVSKI, J.: *Arte y semiología*, Madrid, A. Corazón, 1971.

—: *Escritos de estética y semiótica del arte*, Barcelona, G. Gili, 1977.

NANNI, L.: *Per una nuova semiologia dell'arte*, Milán, 1980.

NATTIEZ, J. J. (ed.): *Problèmes et méthodes de la sémiologie*, París, Didier-Larousse, 1966.

NAVARRO TOMÁS, T.: *Arte del verso*, México, Málaga, 1975.

—: *Estudios de fonología española*, Nueva York, Las Américas Publ., 1966.

—: *Manual de entonación española*, México, Málaga, 1966.

—: *Manual de pronunciación española*, Madrid, C.S.I.C., 1957.

—: *Métrica española*, Nueva York, Las Américas Publ., 1966.

—: *Los poetas en sus versos: desde Jorge Manrique a García Lorca*, Barcelona, Ariel, 1973.

—: *La voz y la entonación en los personajes literarios*, México, Málaga, 1976.

NIVETTE, J.: *Principios de gramática generativa*, Madrid, Fragua, 1973.

NÚÑEZ LAVEDEZE, L.: *Crítica del discurso literario*, Madrid, Cuadernos para el Diálogo, 1974.

OGDEN, C., y RICHARDS, I. A.: *El significado del significado*, Buenos Aires, Paidós, 1954.

OTERO, C.-P.: *Introducción a la lingüística transformacional*, México, Siglo XXI, 1970.

PAGNINI, M.: *Critica della funzionalità*, Turín, 1970.

—: *Estructura literaria y método crítico*, Madrid, Cátedra, 1975.

—: *Lingua e musica*, Bolonia, 1974.

—: *Pragmatica della letteratura*, Palermo, Sellerio, 1980.

PAJANO, R.: *La nozione di poetica*, Bolonia, Patron, 1980.

PALOMO, M. P.: *La novela cortesana. Forma y estructura*, Barcelona, Planeta, 1976.

PANOFSKY, E.: *Estudios sobre iconología*, Madrid, Alianza, 1972.

—: *Idea*, Madrid, Cátedra, 1977.

—: *El significado en las artes visuales*, Madrid, Alianza, 1979.

PARAÍSO, I.: *Teoría del ritmo de la prosa*, Barcelona, Planeta, 1976.

PASCUAL BUXÓ, J.: *Las figuraciones del sentido. Ensayos de poética semiológica*, México, F.C.E., 1984.

PAUTASSO, S.: *Le frontiere della critica*, Milán, 1972.

PAVIS, P.: *Diccionario del teatro. Dramaturgia, estética, semiología*, Barcelona, Paidós, 1983.

—: *Problèmes de sémiologie théâtral*, Montreal, Presses Universitaires du Québec, 1976.

PAZ, O.: *El arco y la lira*, México, F.C.E., 1956.

—: *Conjunciones y disyunciones*, México, Mortiz, 1969.

—: *Los hijos del limo*, Barcelona, Seix Barral, 1974.

—: *El signo y el garabato*, México, Mortiz, 1973.

PAZZAGLIA, M.: *Teoria e analisi metrica*, Bolonia, 1974.

PEIRCE, C.: *La ciencia de la semiótica*, Buenos Aires, Nueva Visión, 1974.

—: *Écrits sur le signe*, París, Seuil, 1978.

PERELMAN, C., y OLBRECHTS-TYTECA, L.: *Traité de l'argumentation. La nouvelle rhétorique*, París, P.U.F., 1958.

PERRONE-MOISES, L.: «L'intertextualité critique», *Poétique*, n.º 27.

—: *Texto, crítica, escritura*, São Paulo, Atica, 1978.

PETÖFI, J., y GARCÍA BERRIO, A.: *Lingüística del texto y crítica literaria*, Madrid, A. Corazón, 1978.

PETRONIO, G. (ed.): *Strutturalismo. Ideologia e tecnica*, Palermo, 1972.

—: *Teoria e realtà del romanzo*, Bari, Laterza, 1977.

PIAGET, J.: *El estructuralismo*, Barcelona, Oikos-Tau, 1974.

PINTO-CORREIA, J. D.: *Romanceiro tradicional português*, Lisboa, Comunicação, 1984.

PIZARRO, N.: *Análisis estructural de la novela*, Madrid, Siglo XXI, 1970.

Poétique: n.º 24: «Narratologie».

—: n.º 27: «Intertextualités».

—: n.º 28: «Le discours de la poésie».

POUILLON, J.: *Temps et roman*, París, Gallimard, 1946.

POULET, G. (ed.): *Les chemins actuels de la critique*, París, 10/18, 1968.

PREMINGER, A., WARNKE, J., y HARDISON, O. B.: *Encyclopedia of Poetry and Poetics*, Nueva Jersey, Princeton University Press, 1965.

PRESTIPINO, G.: *La controversia estetica nel marxismo*, Palermo, 1974.

PRETE, A.: *Critica e autocritica*, Milán, 1971.

PRETI, G.: *Retorica e logica*, Turín, 1968.

PRIETO, A.: *Ensayo semiológico de sistemas literarios*, Barcelona, Planeta, 1972.

—: *Morfología de la novela*, Barcelona, Planeta, 1975.

PRIETO, L. J.: *Estudios de lingüística y semiología generales*, México, Nueva Imagen, 1977.

—: *Mensajes y señales*, Barcelona, Seix Barral, 1967.

—: *Pertinencia y práctica. Ensayo de semiología*, Barcelona, G. Gili, 1977.

—: *Principes de noologie*, La Haya, Mouton, 1964.

PRINCE, G.: «Introduction à l'étude du narrataire», *Poétique*, n.º 14.

PROPP, V.: *Edipo a la luz del folklore*, Madrid, Fundamentos, 1982.

—: *Morfología del cuento*, Madrid, Fundamentos, 1974.

—: *Las raíces históricas del cuento*, Madrid, Fundamentos, 1974.

QUESADA, J. D.: *La lingüística generativo transformacional: supuestos e implicaciones*, Madrid, Alianza, 1974.

QUILIS, A.: *Métrica española*, Barcelona, Ariel, 1985.

QUINTILIANO: *Instituciones oratorias*, Madrid, 1799.

RAIMONDI, E.: *Metafore e storia*, Turín, Einaudi, 1970.

—: *Tecniche della critica letteraria*, Turín, Einaudi, 1967.

RAIMONDI, E., y BOTTONI, L. (ed.): *Teoria della letteratura*, Bolonia, 1975.

RAYMOND, R.: *De Baudelaire au surréalisme*, París, 1974.

RECKERT, S. y MACEDO, H.: *Do cancioneiro de amigo*, Lisboa, Assírio e Alvim.

REINISCH, L. (ed.): *Sociología de los años veinte*, Madrid, Taurus, 1969.

REIS, C.: *Comentario de textos. Metodología y diccionario de términos literarios*, Salamanca, Almar, 1977.

—: *Estatuto e perspectivas do narrador na ficção de Eça de Queirós*, Coimbra, Almedina, 1981.

—: *Técnicas de análise textual*, Coimbra, Almedina, 1981.

REYES, A.: *El deslinde. Prolegómenos a la teoría literaria*, México, El Colegio de México, 1944.

—: *La experiencia literaria*, Buenos Aires, Losada, 1952.

—: *Tres puntos de exegética literaria*, México, El Colegio de México, 1945.

REYES, G.: *Polifonía textual. La citación en el relato literario*, Madrid, Gredos, 1984.

RICARDOU, J.: *Le nouveau roman*, París, Seuil, 1973.

—: *Pour une théorie du nouveau roman*, París, Seuil, 1971.

—: *Problèmes du nouveau roman*, París, Seuil, 1967.

RICO, F.: «La clerecía del mester», *HR*, 53, 1985.

—: «Corraquín Sancho, Roldán y Oliveros: un cantar paralelístico castellano del siglo XII», en *Homenaje a Rodríguez Moñino*, Madrid, Castalia, 1975.

—: *La novela picaresca y el punto de vista*, Barcelona, Seix Barral, 1970.

—: «El destierro del verso agudo (con una nota sobre rimas y razones en la poesía del Renacimiento)», en *Homenaje a J. M. Blecua*, Madrid, Gredos, 1983.

—: *Literatura e historia de la literatura*, Madrid, Fundación Juan March, 1983.

—: «Nuevos apuntes sobre la carta de Lázaro de Tormes», en *Serta... F. Lázaro Carreter*, Madrid, Cátedra, 1983.

—: *El pequeño mundo del hombre. Varia fortuna de una idea en las letras españolas*, Madrid, Castalia, 1970.

—: *Predicación y literatura en la España medieval*, Cádiz, U.N.E.D., 1977.

—: *Vida u obra del Petrarca I. Lectura del «Secretum»*, Chapel Hill, University of N. Carolina, 1974.

— (ed.): *Historia y crítica de la literatura española*, Barcelona, Crítica, 1980 y ss.

RICOEUR, P.: *Le conflit des interpretations. Essais d'herméneutique*, París, Seuil, 1969.

—: *De l'interpretation*, París, Seuil, 1965.

—: *La metáfora viva*, Madrid, Cristiandad, 1980.

RICHARD, I. A.: *Fundamentos de crítica literaria*, Buenos Aires, Huemul, 1976.

—: *Lectura y crítica*, Barcelona, Seix Barral, 1967.

RIFFATERRE, M.: *Ensayos de estilística estructural*, Barcelona, Seix Barral, 1976.

—: *La production du texte*, París, Seuil, 1979.

RILEY, E. C.: *Teoría de la novela en Cervantes*, Madrid, Taurus, 1971.

RIQUER, M. DE: *Resumen de versificación española*, Barcelona, Seix Barral, 1950.

—: *Los trovadores*, Barcelona, Planeta, 1975.

ROBEL, L. (ed.): *Manifestes futuristes russes*, París, Les Éd. Français Réunis, 1971.

ROBINS, H. R.: *Lingüística general*, Madrid, Gredos, 1971.

RODRÍGUEZ, E., y TARDERA, A.: edición de Calderón, *Entremeses, jácaras y mojigangas*, Madrid, Castalia, 1983.

RODRÍGUEZ, J. C.: *Teoría e historia de la producción ideológica. 1: Las primeras literaturas burguesas*, Madrid, Akal, 1974.

ROMERA CASTILLO, J. (ed.): *La literatura como signo*, Madrid, Playor, 1981.

ROMERA-NAVARRO, M.: *La preceptiva dramática de Lope de Vega*, Madrid, Yunque, 1935.

ROSIELLO, L.: *Letteratura e strutturalismo*, Bolonia, 1974.

—: *Linguistica e marxismo*, Roma, 1974.

—: *Struttura, uso e funzioni della lingua*, Florencia, 1966.

ROSI-LANDI, F.: *Il linguaggio come lavoro e come mercato*, Milán, Bompiani, 1968.

—: *Semiotica e ideologia*, Milán, 1972.

ROUBAUD, J.: «Mètre et vers», *Poétique*, n.º 7.

ROUSSET, J.: *Forme et signification. Essais sur les structures littéraires de Corneille à Claudel*, París, Corti, 1962.

ROZAS, J. M.: *Significado y doctrina del «Arte nuevo» de Lope de Vega*, Madrid, S.G.E.L., 1976.

RUBERT DE VENTÓS, X.: *Teoría de la sensibilidad*, Barcelona, Península, 1979.

RUTILII LUPI: *Schemata diamoeas et lexeos*, ed. de G. Parabino, Génova, 1967.

RUTTKOWSKI, W.: *Die litterarische Gattungen*, Berna, 1968.

RUWET, N.: *Introducción a la gramática generativa*, Madrid, Gredos, 1974.

—: *Langage, musique, poésie*, París, Seuil, 1972.

SALINAS, P.: *Jorge Manrique o tradición y originalidad*, Buenos Aires, Sudamericana, 1952.

—: *La poesía de Rubén Darío*, Buenos Aires, Losada, 1948.

SÁNCHEZ DE ZAVALA, V.: *Hacia una epistemología del lenguaje*, Madrid, Alianza, 1972.

— (ed.): *Semántica y sintaxis en la lingüística transformatoria*, I y II, Madrid, Alianza, 1974 y 1976.

SÁNCHEZ ROMERALO, A.: *El villancico*, Madrid, Gredos, 1969.

SAPIR, E.: *El lenguaje*, México, F.C.E., 1954.

SARTRE, J.-P.: *Qu'est-ce que la littérature?*, París, Gallimard, 1948.

SAUSSURE, F. DE: *Curso de lingüística general*, Buenos Aires, Losada, 1945.

—: *Fuentes manuscritas y estudios críticos*, México, Siglo XXI, 1977.

SCHAFF, A.: *Ensayo sobre filosofía del lenguaje*, Barcelona, Ariel, 1973.

—: *Introducción a la semántica*, México, F.C.E., 1966.

SCHMIDT, S. J.: *Teoría del texto*, Madrid, Cátedra, 1973.

SCHOLES, R., y KELLOG, R.: *The Nature of Narrative*, Nueva York, Oxford University Press, 1957.

SCHWARTZMANN, F.: *Teoría de la expresión*, Santiago de Chile, Universidad de Chile, 1967.

SEARLE, J. R.: *Actos de habla*, Madrid, Cátedra, 1980.

SEBEOK, T. A. (ed.): *Estilo del lenguaje*, Madrid, Cátedra, 1974.

SEGRE, C.: *Crítica bajo control*, Barcelona, Planeta, 1970.

—: *Las estructuras y el tiempo*, Barcelona, Planeta, 1975.

—: «Intertestuale-interdiscorsivo. Appunti per una fenomenologia delle fonti», en Girolamo y Paccanella, *La parola ritrovata*, Palermo, Sallerio, 1982.

—: *Principios de análisis del texto literario*, Barcelona, Crítica, 1985.

—: *Semiotica filologica. Testi e modelli culturali*, Turín, Einaudi, 1979.

—: *Semiótica, historia y cultura*, Barcelona, Ariel, 1981.

—: *Teatro e romanzo*, Turín, Einaudi, 1984.

— (ed.): *Strutturalismo e critica*, Milán, Il Saggiatore, 1965.

SEIXO, M. A. (ed.): *Categorias da narrativa*, Lisboa, Arcadia, 1976.

—: *Literatura, significação e ideologia*, Lisboa, Arcadia, 1976.

SENA, J. DE: *Uma canção de Camões*, Lisboa, Ed. 70, 1984.

—: *Dialécticas aplicadas da literatura*, Lisboa, Ed. 70, 1978.

—: *Dialécticas teóricas da literatura*, Lisboa, Ed. 70, 1977.

—: *A estrutura de «Os Lusíadas» e outros estudos camonianos e de poesía peninsular do século XVI*, Lisboa, Ed. 70, 1980.

—: *Os sonetos de Camões e o soneto quinhentista peninsular*, Lisboa, Ed. 70, 1980.

SHKLOVSKI, V.: «El arte como procedimiento», en B. M. Eijembaum *et al., Formalismo y vanguardia*, Madrid, A. Corazón, 1970.

—: *Cine y lenguaje*, Barcelona, Anagrama, 1971.

—: *Maiakovski*, Barcelona, Anagrama, 1972.

—: *Sobre la prosa poética*, Barcelona, Planeta, 1971.

—: *Una teoria della prosa*, Bari, De Donato, 1966.

SHUMAKER, W.: *Elementos de teoría crítica*, Madrid, Cátedra, 1974.

SILVA, V. M., y AGUIAR, E. DE: *Competência linguística e competência literária*, Coimbra, Almedina, 1977.

—: *Teoría de la literatura*, Madrid, Gredos, 1972.

SLAMA-CAZAU, T.: *Lenguaje y contexto*, Barcelona, Grijalbo, 1970.

SOLLERS, P.: *La escritura y la experiencia de los límites*, Valencia, Pre-Textos, 1977.

SOURIAU, E.: *La correspondance des arts*, París, Flammarion, 1972.

—: *Les 200.000 situations dramatiques*, París, Flammarion, 1950.

SPITZER, L.: *Estilo y estructura en la literatura española*, Barcelona, Crítica, 1980.

—: *Études de style*, París, Gallimard, 1970.

—: *Lingüística e historia literaria*, Madrid, Gredos, 1955.

STAIGER, E.: *Conceptos fundamentales de poética*, Madrid, Rialp, 1966.

STAROBINSKI, J.: *La relación crítica*, Madrid, Taurus, 1974.

STATI, S.: *Teoria e metodo nella sintassi*, Bolonia, 1972.

STEGNANO PICCHIO, L.: *La méthode philologique*, I y II, París, Gulbenkian, 1982.

STEINER, G.: *Después de Babel. Aspectos del lenguaje y la traducción*, México, F.C.E., 1980.

SUBIRA, J.: *La tonadilla escénica*, Madrid, Archivos, 1928-1930.

TACCA, O.: *Las voces de la novela*, Madrid, Gredos, 1978.

TALENS, J.: *Novela picaresca y práctica de la transgresión*, Gijón, Júcar, 1975.

— (ed.): *Elementos para una semiótica del texto artístico*, Madrid, Cátedra, 1978.

TAVANI, G.: *Poesia e ritmo*, Lisboa, Sá da Costa, 1983.

Tel-Quel, colectivo: *Teoría de conjunto*, Barcelona, Seix Barral, 1971.

TERRACINI, B.: *Analisi stilistica. Teoria, storia, problemi*, Milán, Feltrinelli, 1966.

TESNIÈRE, L.: *Éléments de linguistique structurale*, París, Klincksieck, 1959.

THOMPSON, S.: «The Challenge of Folklore», *PMLA*, 79, 1964.

—: *Motif-Index of Folk-literature*, Copenhague, Rosenkilde and Bagger, 1955-1958.

THOMSON, G. D.: *Marxismo y poesía*, Barcelona, A. Redondo, 1971.

TIMPANARO, S.: *El lapsus freudiano. Psicoanálisis y crítica textual*, Barcelona, Crítica, 1977.

TINIANOV, I.: *Avanguardia e tradizione*, Bari, Dedalo, 1968.

—: *Formalismo e storia letteraria*, Turín, 1973.

—: *El problema de la lengua poética*, Buenos Aires, Siglo XXI, 1972.

—: «Les traits fluctuants de la signification dans le vers», *Poétique*, n.º 28.

TODOROV, T.: *Les genres du discours*, París, Seuil, 1978.

—: *Gramática del Decamerón*, Madrid, Taller de Eds. J. Betancor, 1973.
—: *Introducción a la literatura fantástica*, México, Premia, 1980.
—: *Literatura y significación*, Barcelona, Planeta, 1971.
—: *Poétique de la prose*, París, Seuil, 1971.
—: *Qu'est-ce que le structuralisme. 2: Poétique*, París, Seuil, 1968.
—: *Teoría de la literatura. Textos de los formalistas rusos*, Madrid, Akal, 1982.
TOMACHEVSKI, B.: *Teoría de la literatura*, Madrid, Akal, 1982.
TORRE, G. DE: *Nuevas direcciones de la crítica literaria*, Madrid, Alianza, 1970.
TORRENTE BALLESTER, G.: *El Quijote como juego*, Madrid, Guadarrama, 1975.
TRAVERSETTI, B.: *La parola e la critica*, Roma, 1978.
TRAVERSETTI, B., y ANDREANI, S.: *Le strutture del linguaggio poetico*, Turín, 1972.
TROTSKI, L.: *Literatura y revolución*, Madrid, Akal, 1979.
TRUBETZKOY, N. S.: *Principes de phonologie*, París, Klincksieck, 1957.
UBERSFELD, A.: *Lire le théâtre*, París, Éditions Sociales, 1977.
UITTI, K. D.: *Teoría literaria y lingüística*, Madrid, Cátedra, 1975.
ULLMANN, S.: *Semántica. Introducción a la ciencia del significado*, Madrid, Aguilar, 1976.
USPENSKIJ, B.: *Poetik der Komposition*, Frankfurt, Suhrkamp, 1970.
VALÉRY, P.: «Variété: L'invention esthétique», en *Oeuvres*, I, París, N.R.F., 1957 (pp. 1.412-1.415).
VALESIO, P.: *Strutture dell'alliterazione*, Bolonia, Zanichelli, 1967.
VALLEJO, F.: *Logoi. Una gramática del lenguaje literario*, México, F.C.E., 1983.
VAN DIJK, T. A.: *Beiträge zur generativen Poetik*, Munich, 1972.
—: *Texto y contexto*, Madrid, Cátedra, 1980.
VARELA JÁCOME, B.: *Estructuras novelísticas del siglo XIX*, Barcelona, J. Bosch, 1974.
—: *Renovación de la novela en el siglo XX*, Barcelona, Destino, 1967.
VEINSTEIN, A.: *La puesta en escena*, Buenos Aires, Cía. Fabril Editora, s. d.
VIDAL BENEYTO, J. (ed.): *Posibilidades y límites del análisis estructural*, Madrid, Editora Nacional, 1981.
VINOGRADOV, V. V.: *Stilistica e poetica*, Milán, Mursia, 1972.
VOLOSHINOV, V. N.: *Marxismo e filosofia del linguaggio*, Bari, 1976.
—: *El signo ideológico y la filosofía del lenguaje*, Buenos Aires, Nueva Visión, 1976.
VOLPE, G. DELLA: *Crítica del gusto*, Barcelona, Seix Barral, 1966.
—: *Historia del gusto*, Madrid, A. Corazón, 1972.
VOSSLER, K.: *Cultura y lengua de Francia*, Buenos Aires, Losada, 1955.
—: *Filosofía del lenguaje*, Madrid, R.F.E., 1940.
—: *Formas poéticas de los pueblos románicos*, Buenos Aires, Losada, 1960.
—: *La poesía de la soledad en España*, Buenos Aires, Losada, 1946.
—: *Positivismo e idealismo en la lingüística y El lenguaje como creación y evolución*, Madrid, Poblet, 1929.
WARDROPPER, B. W.: *Historia de la poesía lírica a lo divino en la cristiandad occidental*, Madrid, Revista de Occidente, 1958.
—: *Introducción al teatro religioso del Siglo de Oro*, Madrid, Revista de Occidente, 1953.
—: *Poesía elegíaca española*, Salamanca, Anaya, 1967.
WEINRICH, H.: *Literatur für Lesser*, Stuttgart, 1971.
WELTER, T. T.: *L'Exemplum dans la littérature religieuse et didactique du Moyen Âge*, París, Guitard, 1927.

WELLEK, R.: *Conceptos de crítica literaria*, Caracas, Universidad Central de Venezuela, 1968.

—: *Discriminations: Further Concepts of Criticism*, New Haven, Yale University Press, 1970.

—: *Historia de la crítica moderna*, Madrid, Gredos, 1969-1972.

WELLEK, R., y WARREN, A.: *Teoría literaria*, Madrid, Gredos, 1953.

WHEELWRIGHT, P.: *The Bourning Fountain*, Bloomington, Indiana University Press, 1954.

WHORF, B. L.: *Lenguaje, pensamiento, realidad*, Barcelona, Barral, 1970.

WILPERT, G.: *Sachwörterbuch der Literatur*, Stuttgart, 1969.

WILSON, E.: *El castillo de Axel*, Barcelona, Planeta, 1977.

WIMSATT, W. K., y BROOKS, C.: *Literary Criticism: A Short History*, Nueva York, Alfred A. Knopf, 1957.

YAMUNI TABUSH, V.: *Conceptos e imágenes en pensadores de lengua española*, México, El Colegio de México, 1951.

YLLERA, A.: *Estilística, poética y semiótica literaria*, Madrid, Alianza, 1979.

ZAMBRANO, M.: *Obras reunidas. Primera entrega*, Aguilar, Madrid, 1971.

ZAMORA VICENTE, A.: *La realidad esperpéntica*, Madrid, Gredos, 1969.

—: *Las sonatas de Ramón del Valle-Inclán*, Madrid, Gredos, 1955.

—: *Valle-Inclán, novelista por entregas*, Madrid, Taurus, 1973.

ZIPF, G. K.: *Human Behavior and the Principe of Least Effort*, Cambridge, Mass., Adisson-Wesley, 1949.

ZUMTHOR, P.: *Essai de poétique médiévale*, París, Seuil, 1972.

—: *Introduction à la poésie orale*, París, Seuil, 1983.

—: *La masque et la lumière*, París, Seuil, 1978.

—: *Parler au Moyen Âge*, París, Minuit, 1980.

VV. AA.: *Attualità della retorica*, Padua, 1975.

—: *La critica, forma caratteristica della civiltà moderna*, Florencia, 1970.

—: *Diccionario de literatura española*, Madrid, Revista de Occidente, 1972.

—: *Le langage. Encyclopédie de la Pléïade*, París, N.R.F., 1968.

—: *I linguaggi nella società e nella tecnica*, Milán, 1969.

—: *Ricerche sulla lingua poetica contemporanea*, Padua, 1966.

—: *Risa y sociedad en el teatro español del Siglo de Oro*, París, C.N.R.S., 1980.

Impreso en el mes de febrero de 2000
en HUROPE, S. L.
Lima, 3 bis
08030 Barcelona

DATE DUE
